Histoire du B

Tome 0.

Charles Le Beau

Alpha Editions

This edition published in 2023

ISBN : 9789357966382

Design and Setting By
Alpha Editions
www.alphaedis.com
Email - info@alphaedis.com

Contents

AVERTISSEMENT DE L'ÉDITEUR.

L'*Histoire romaine*, commencée par Rollin et achevée par Crevier; l'*Histoire des Empereurs*, composée par ce dernier, et qui n'est réellement qu'une continuation du travail entrepris par Rollin; et l'*Histoire du Bas-Empire*, de Lebeau, terminée par Ameilhon, seront toujours, malgré les jugements très-divers qu'on a pu en porter, trois ouvrages recommandables et propres à honorer la littérature française. Ils ne brillent pas toujours et partout par les mêmes qualités, mais on ne peut leur refuser un mérite assez rare dans les grandes compilations: c'est d'offrir le recueil le plus complet, et en même temps le plus clair et le plus méthodique, de tous les renseignements que les auteurs anciens nous ont transmis sur l'histoire du peuple-roi, dont le nom et les souvenirs remplissaient encore le monde à l'époque même où son empire avait depuis long-temps cessé d'être redoutable.

L'*Histoire romaine* et celle *des Empereurs* sont encore parmi nous les seuls livres que l'on puisse consulter pour ce qui concerne cette partie de l'histoire ancienne jusqu'au temps de Constantin. Il n'est guère probable que de nouveaux ouvrages les fassent oublier. On y trouve tout ce que l'antiquité nous a laissé, et on y prend une idée plus juste de la liaison des faits et de la succession des événements, qu'on ne pourrait le faire en lisant les auteurs originaux eux-mêmes. Rollin et Crevier ont mis à profit toutes les observations publiées avant eux par les savants modernes; les découvertes plus récentes et les travaux scientifiques publiés de nos jours ajouteraient peu de choses à leurs recherches.

Il n'en est pas de même pour l'*Histoire du Bas-Empire*, de Lebeau; on le concevra sans peine. L'histoire de la République et celle du Haut-Empire est tout entière dans les écrits des Grecs et des Romains, ou dans les monuments que le temps a épargnés. Les puissantes nations qui luttèrent contre la fortune de Rome ont été anéanties avec toutes leurs productions littéraires, et il n'est pas présumable que de nouvelles découvertes nous révèlent encore des faits d'une grande importance. Depuis Constantin, au contraire, l'empire romain et celui de Constantinople furent toujours en relation avec des peuples qui ont raconté eux-mêmes, dans une multitude d'ouvrages encore inédits et dans des langues très-diverses, l'histoire de leurs rapports et de leurs démêlés avec les Romains et les Grecs du Bas-Empire. Les livres écrits en arménien, en syriaque, en arabe, en persan et en turc, doivent donc contenir et contiennent effectivement beaucoup de renseignements précieux, propres à compléter, à modifier ou même à changer entièrement ce que nous savons déja.

Lebeau est le premier et même le seul qui ait songé à classer, dans un ordre facile à saisir, tous les faits contenus dans la vaste collection des auteurs byzantins; il y a joint tout ce que les écrivains grecs et latins, les ouvrages des jurisconsultes et les chroniques du moyen âge ont pu lui fournir; et il est résulté du tout, un corps d'annales aussi complet qu'il était possible de le faire de son temps. Si d'autres, comme Gibbon, par exemple, sont parvenus à donner à leur récit une forme quelquefois plus agréable, ils n'ont aucun avantage sur Lebeau pour la connaissance des sources originales; ils n'eurent pas d'autres moyens à leur disposition: on doit donc leur reprocher les mêmes défauts. Si Lebeau avait pu joindre à ses autres connaissances celle des langues orientales, ou si un plus grand nombre d'auteurs orientaux avaient été publiés à l'époque où il écrivait, il aurait fait sans doute à son ouvrage des additions considérables, et il lui aurait donné dans plusieurs parties un plus haut degré de perfection.

Il a bien cherché, il est vrai, à profiter de quelques ouvrages orientaux traduits en latin; mais comme il était dépourvu de notions personnelles sur les langues et la littérature orientales, il n'a su comment combiner les renseignements qu'il trouvait dans ces ouvrages avec ceux qui sont consignés dans les auteurs byzantins. Ces derniers écrivains sont pour la plupart assez obscurs dans leurs narrations, et extrêmement concis sur ce qui concerne les relations de leurs empereurs avec les princes de l'Asie. Ils défigurent étrangement les noms d'hommes ou de lieux. Ils furent aussi toujours très-mal instruits des révolutions arrivées chez les peuples de l'Asie. Les confondant tous sous les noms de Sarrasins, d'Ismaélites ou d'Agaréniens, ils attribuent souvent aux califes, successeurs de Mahomet, ou aux musulmans de l'Asie, des faits militaires ou politiques qui appartiennent aux souverains particuliers de la Syrie, de l'Égypte, de l'Afrique, ou même de l'Espagne. Il devait résulter, et il est résulté effectivement de toutes ces imperfections, une multitude de petites erreurs de détail qui affectent sensiblement l'ensemble de la narration, et donnent de fausses idées des choses.

Il est facile d'y remédier. La forme de rédaction qui a été adoptée par Lebeau, et qui est peut-être la meilleure qu'on puisse suivre pour un vaste corps d'annales, le soin qu'il a pris de raconter les événements sans anticiper jamais sur l'ordre des temps, fournissent les moyens d'améliorer sans peine son ouvrage. Il suffit de faire ce qu'il aurait certainement fait lui-même s'il l'avait pu, c'est-à-dire qu'il faut intercaler dans sa narration, selon leur ordre chronologique, les faits et les indications nouvelles que fournissent les auteurs orientaux. Quant à ceux des récits de cet historien qui seraient inexacts ou susceptibles d'être considérablement augmentés, changés ou modifiés, ils doivent être retranchés, ou soumis à une rédaction plus conforme au résultat que présentent les ouvrages originaux. Partout il faut rétablir les noms altérés, et joindre au texte les notes et les éclaircissements nécessaires à l'instruction du lecteur.

Pour les temps qui précédèrent l'avénement d'Héraclius au trône impérial, ces additions et ces rectifications ne sont pas à beaucoup près aussi nombreuses que pour la relation des événements postérieurs. Les auteurs arabes et persans nous apprennent peu de choses de ces époques anciennes: heureusement les écrivains arméniens suppléent à leur silence. Placés entre les deux grands empires de Perse et de Constantinople, et compromis dans tous les démêlés de ces puissances, ils connurent mieux la plupart des faits; et leurs récits éclaircissent souvent les narrations imparfaites et confuses des écrivains de Byzance, généralement mal informés de l'histoire des Orientaux.

Ainsi, par exemple, deux siècles avant Héraclius, l'empire romain reçut un accroissement de territoire dont on chercherait vainement l'indication dans les auteurs que nous possédons. Le royaume d'Arménie, qui, depuis quatre cents ans, était le rempart de l'empire du côté de l'Orient, cessa d'exister par l'imprudente politique de Théodose le Jeune, qui souscrivit avec le roi de Perse un traité de partage, dont tout l'avantage fut pour les Persans. Ce grand événement fut précédé et suivi de guerres et de révolutions qui nous sont restées inconnues, mais qui doivent se retrouver dans une histoire complète du Bas-Empire. C'est par le secours seul des auteurs arméniens qu'il est possible de suppléer à cette lacune. Il serait facile d'indiquer un grand nombre d'autres faits aussi importants et également ignorés, mais qui se retrouveront dans cette nouvelle édition.

Depuis l'époque d'Héraclius jusqu'à la destruction de l'empire, les modifications qu'il faut apporter à l'ouvrage de Lebeau sont continuelles. Dès lors, les empereurs furent toujours en relation avec les puissances de l'Orient; et c'est justement au point le plus intéressant de cette période, du VIIe au XIIe siècle, que les annales byzantines présentent la plus grande disette d'écrivains. Il faut nécessairement substituer les Arabes et les Arméniens, aux maigres et ineptes annalistes que Lebeau a été obligé de consulter. Leurs récits doivent donc trouver place dans cette édition. Les exploits des conquérants arabes, qui chassèrent de l'Orient les successeurs d'Héraclius; la formation d'une nouvelle monarchie arménienne; les expéditions glorieuses entreprises par Théophile, Nicéphore Phocas et Jean Zimiscès; les guerres opiniâtres que l'empire soutint contre les Arabes, maîtres de la Sicile et de l'île de Crète; les règnes si brillants et cependant si désastreux de Basile II et de Constantin Monomaque: tous ces événements, dont il est facile d'apprécier l'importance, sont à peine indiqués dans l'histoire de Lebeau. Les renseignements que les auteurs arabes et arméniens fournissent pour cette époque, augmenteront du double cette partie de l'histoire du Bas-Empire. Après les croisades, on trouve les écrivains turcs qui ont raconté les victoires de leurs souverains sur les derniers successeurs de Constantin: les ouvrages qu'ils ont composés, et les lettres originales des sultans othomans, dont il existe plusieurs copies manuscrites dans nos bibliothèques, doivent être aussi consultés, et ils fourniront des indications souvent plus exactes et plus authentiques que les narrations passionnées des derniers auteurs byzantins.

Il est hors de doute que, depuis le temps où Lebeau a écrit, beaucoup de savantes recherches, et la publication de plusieurs ouvrages estimables, nous ont mieux fait connaître l'histoire de plusieurs états et de divers peuples de l'Europe qui eurent des rapports avec l'empire de Constantinople. Le grand nombre de faits qu'ils contiennent devront donc être ajoutés à l'histoire du Bas-Empire, surtout pour ce qui concerne les relations des Grecs avec les Russes, la république de Venise, et les princes croisés.

Ce court exposé suffira pour faire voir que ce n'est pas seulement une nouvelle édition de l'Histoire du Bas-Empire par Lebeau que nous annonçons, mais qu'il s'agit d'un ouvrage nouveau dont l'importance ne saurait être contestée par aucune des personnes qui s'intéressent au progrès des études historiques.

La géographie fut toujours la compagne inséparable de l'histoire. Dans les ouvrages où les récits sont un peu détaillés, les lecteurs aiment à pouvoir les suivre sur la carte: sans un tel secours, un livre ne serait trop souvent qu'un amas de faits incohérents et inintelligibles. C'est surtout pour l'histoire du Bas-Empire qu'on sent à chaque instant le besoin d'un pareil secours. Pour l'histoire ancienne de Rome on pourrait, à la rigueur, s'en passer; les recueils de cartes, les traités de géographie, qui font connaître l'état du monde ancien, sont assez nombreux et suffisamment exacts pour qu'ils puissent suffire. Tout avait changé et changea plusieurs fois pendant la longue période du Bas-Empire: les divisions géographiques et politiques de l'antiquité furent détruites; les dénominations classiques disparurent, et furent remplacées par des noms barbares de toute espèce: aucun livre, aucune carte ne les indique; cependant sans ces connaissances diverses l'histoire serait un chaos inextricable, et on ne peut les acquérir que par un travail considérable et très-pénible.

Il faut donc, pour compléter l'Histoire du Bas-Empire par Lebeau, y joindre un certain nombre de cartes et de dissertations destinées à faire connaître tous les changements survenus dans la géographie et les divisions civiles, politiques, militaires, ecclésiastiques et administratives de l'empire de Constantinople pendant toute sa durée.

INDICATION DES CARTES.

1. Carte destinée à faire connaître l'empire d'Occident sous le règne de Constantin. 2. Une autre pour l'empire d'Orient à la même époque. 3. Une pour l'expédition de Julien contre les Perses. 4. Une pour l'empire d'Occident après l'invasion des Barbares.

DEPUIS THÉODOSE JUSQU'A HÉRACLIUS:

5. Carte particulière de la Grèce. 6. Carte particulière de l'Italie. 7. Illyrie et provinces sur le Danube jusqu'à la mer Noire. 8. Asie-Mineure. 9. Syrie et

provinces orientales. 10. Égypte. 11. Carte pour l'expédition d'Héraclius en Perse.

Pour faire connaître les divisions militaires en usage au Xe siècle dans l'empire de Constantinople, et les états qui étaient alors dans la dépendance de cet empire, ou en relation avec lui, il faudra six cartes particulières:

12. L'Italie et la Sicile. 13. La Grèce proprement dite. 14. L'Illyrie et les rives du Danube. 15. L'Asie-Mineure. 16. L'Arménie et les régions orientales. 17. La Syrie.

Pour bien comprendre la dernière période de l'Histoire du Bas-Empire après la conquête de Constantinople par les Français, il faut encore ajouter trois cartes à ce recueil:

18. L'Asie-Mineure au XIIIe siècle, après les conquêtes des Turcs Seldjoukides. 19. La Grèce et la mer Egée, après l'établissement de l'empire des Latins. 20. La Thrace, l'Illyrie, et les régions limitrophes du Danube, pour les derniers temps de l'empire.

On joindra à ces cartes un plan de Constantinople telle qu'elle était sous les empereurs.

Tous les passages intercalés dans la narration de Lebeau, ou rajustés en note, seront placés entre crochets [] précédés d'un tiret, et suivis de cette signature [S.-M.]

J. S.-M.

ÉLOGE DE LEBEAU,

PAR DUPUY,

SECRÉTAIRE DE L'ACADÉMIE DES INSCRIPTIONS ET BELLES-LETTRES,

Prononcé le 11 novembre 1778 dans la séance publique de cette Académie.

Charles Lebeau naquit à Paris, le 15 octobre 1701, de parents honnêtes, mais peu favorisés de la fortune. Avec les qualités solides et brillantes qui promettent les plus grands succès en divers genres, la nature avait jeté dans son cœur le germe d'une passion pour les lettres qui s'enflamma de bonne heure, et s'empara impérieusement de toutes les facultés de son ame; mais d'abord, telle qu'un feu enseveli sous la cendre, et comme captive au milieu d'une famille chargée de l'éducation de cinq enfants, elle n'eut pas la facilité de se faire jour et de s'élancer à son gré. Le foyer paternel lui paraissait un lieu d'esclavage: il lui fallait un air libre, tranquille et serein, où, maîtresse d'elle-même, elle pût prendre un essor qu'aucun obstacle ne fût capable d'arrêter. L'atmosphère qui lui convenait, elle la trouva dans le collége de Sainte-Barbe, célèbre par des phénomènes qui attiraient les regards de la capitale et des provinces.

Dans un séjour si favorable à ses vues, Lebeau, respirant en liberté et selon son goût, vit des maîtres zélés, vigilants, éclairés; des disciples actifs, diligents, laborieux, toujours en haleine, toujours se disputant à l'envi la gloire des succès. En fallait-il davantage pour exciter chez lui une émulation dont il n'avait jamais encore senti si puissamment l'aiguillon? Il se livre donc tout entier aux exercices prescrits à son âge; et bientôt une application forte et constante le rendant supérieur à tout ce qu'on exigeait de lui, ces exercices ne suffisent plus ni à son activité, ni à ses désirs. Attristé de voir que le travail commun et ordonné le laisse comme dans un état de langueur et d'inaction, il se ménage secrètement une étude particulière, et s'enfonçant dans la lecture des meilleurs écrivains grecs et latins, il se nourrit en silence de leur suc le plus pur et le plus substantiel.

Si la vigueur qu'il y puisa ne put rester long-temps inconnue, elle ne se montra pas sans causer la plus grande surprise. On ne concevait point que le temps assigné par la règle aux études et aux occupations ordinaires eût pu permettre une si abondante récolte de fruits de toute espèce, qui leur étaient comme étrangers. Ce n'était point non plus le seul temps consacré aux devoirs de la journée, qu'il avait mis à profit: loin d'en souffrir, tous ces devoirs avaient été remplis avec la plus scrupuleuse exactitude; d'autres d'une espèce différente ne l'avaient pas été de même. Une loi sage, nécessaire même, autant pour la santé de la jeunesse, que pour la sûreté du lieu, fixant les heures destinées au repos, marquait celle où partout devait cesser la lumière. Aussi semblait-elle disparaître dans la chambre de Lebeau, comme dans les autres; mais elle n'y était pour ainsi dire, qu'éclipsée: cachée furtivement sous un vase pour tromper, au mépris de la règle, la vigilance des maîtres, elle reparaissait impunément à une heure indue, lorsque tout était assoupi, pour éclairer les larcins que faisait au sommeil le jeune téméraire; tandis que les Muses indulgentes, souriant à cette ruse dangereuse, et secondant ses veilles, lui payaient amplement les sacrifices faits en leur faveur. Une constitution vigoureuse, un tempérament fort et robuste l'enhardissaient à les réitérer fréquemment, et le garantissaient des suites funestes de cette espèce d'intempérance.

Les richesses acquises par ce commerce nocturne avec les anciens, ne pouvaient manquer de lui assurer une supériorité décidée sur tous ses rivaux; mais cette supériorité ne fut jamais pour eux, ni un principe de jalousie, ni un motif de haine. Il ne la leur faisait point sentir: à peine s'en apercevait-il lui-même: ce fut au contraire un nouveau lien pour s'attacher à lui, pour briguer son estime, et pour lui vouer une amitié mêlée d'une sorte de respect, parce que leurs progrès lui étaient aussi chers qu'à eux-mêmes, et qu'ils étaient sûrs d'obtenir de lui tous les secours en ce genre, qu'ils en pouvaient attendre. Ils n'étaient pas réduits à l'humiliante nécessité de les solliciter, de les arracher, pour ainsi dire, par des importunités qui coûtent toujours à l'amour-propre. Il leur suffisait d'indiquer leurs besoins: tout ce qu'il possédait, quoi qu'il lui eût coûté, était à leur service; et si quelque chose peut diminuer le prix de cette espèce de libéralité, c'est qu'elle n'était pas capable de l'appauvrir. Ce caractère communicatif qui se manifesta dès les premières années de sa jeunesse, se soutint constamment, et se montra encore avec plus de profusion dans l'âge mûr, et jusqu'au dernier terme de la vie.

Il jouissait avec satisfaction de l'estime de ses maîtres qu'il respectait, de l'affection de ses condisciples qu'il n'aimait pas moins, lorsqu'un petit incident interrompit le cours chéri et paisible de ses études. Un volume de Racine trouvé chez ses parents, avait piqué sa curiosité: un ouvrage de théâtre français était pour lui une nouveauté attrayante; il le dévore avidement, le lit et le relit encore, toujours avec un plaisir nouveau. Facilité de style, richesse d'expressions et d'images, pensées nobles et sublimes, peintures vives et animées, tout le charme et le transporte. Un enthousiasme digne de son âge et du goût pour l'éloquence, que lui avait déja inspiré la lecture des bons écrivains en prose, ne peut se contenir; et parce qu'il le juge à la fois légitime et innocent, qu'il ne soupçonne même pas la possibilité de l'improuver, loin de vouloir le contraindre ni le captiver, il s'empresse de le produire et de le faire éclater avec tout le feu dont la jeunesse est capable.

Dès ce moment, comme si l'ennemi eût été aux portes, les surveillants prennent et donnent l'alarme; on s'émeut, on s'agite, on délibère comme pour le salut de la patrie; l'austérité des principes qui les dirigent, leur fait tout craindre pour le dépôt sacré des mœurs, confié à leur vigilance: jaloux de le conserver intact, ils redoutent jusqu'à l'ombre des dangers. Le jeune coupable est appelé: il se montre avec confiance, tout étonné du délit qu'on lui impute; et indocile pour la première fois à leurs leçons, il se hasarde de plaider avec chaleur sa cause et celle de son auteur. Mais comme on n'oppose à ses raisons que des reproches amers et des menaces sérieuses, il s'alarme à son tour, et quittant brusquement un séjour dont il a toujours conservé un tendre souvenir, il rentre dans la maison paternelle, et va finir ses études au collége du Plessis.

Sa réputation l'y avait devancé; il y fut reçu avec cet accueil si puissant pour mettre en action tous les ressorts d'une ame forte et sensible: dans ce nouveau lycée, ses efforts redoublèrent et furent couronnés des plus brillants succès. Pour en juger, il suffit de savoir qu'à l'âge de vingt-six ans il fut estimé digne d'y occuper une chaire de seconde. C'est alors qu'il vit avec effroi tout ce que la patrie, en lui confiant l'instruction d'une jeunesse qui faisait ses espérances, exigeait et attendait de lui. Les mœurs, la religion, la vertu, les lettres, lui parurent se présenter à ses yeux et lui montrer une chaîne de devoirs réunis qu'il s'agissait de remplir, sous peine de se rendre coupable envers la société. Tel fut aussi le plan qu'il se fit une loi de suivre avec toute l'ardeur et l'activité dont il était capable, loi dictée par le sentiment d'une autre non moins impérieuse dans le fond de son cœur, celle de consacrer à la patrie ses talents, ses travaux, ses veilles, toute sa personne.

Un triste événement, la mort de sa mère, vint encore arrêter le jeune professeur dans la carrière qu'il fournissait à la satisfaction du public. Avec peu de fortune, elle lui laissait deux frères, deux sœurs en bas âge, et un père infirme. Quelle situation pour un aîné, qui ayant voué tous ses moments à ses élèves, se voyait pourtant dans la nécessité de donner des soins à une famille affligée! Pénétré de douleur, et tristement partagé entre les devoirs de sa place et ceux de la nature, un ami lui fit entrevoir qu'à l'aide de l'hymen il pourrait les concilier: on alla même jusqu'à fixer son choix. L'intérêt n'entrait pour rien dans cet arrangement; il ne s'agissait que de concourir à l'acquitter des devoirs de la tendresse filiale et fraternelle, et la Providence le servit selon ses désirs (en 1736).

Mais le collége du Plessis ne pouvant voir ses chaires remplies que par des personnes libres, ou du moins affranchies de ce genre d'engagement, il lui fallut renoncer à la chaire de seconde. Heureusement celle de rhétorique vint à vaquer au collége des Grassins, et on s'empressa de l'y faire monter: elle offrit un champ plus vaste, plus fécond à son génie, à son zèle, à ses travaux. Tous ceux qu'il a formés et qui ont conservé à son égard des sentiments inaltérables d'affection, de reconnaissance, de vénération, lui ont rendu un témoignage qui honorera toujours sa mémoire. A les entendre parler d'après leur expérience, qui posséda mieux que lui l'art d'instruire? qui sut démêler avec plus de sagacité les talents cachés de chacun? qui connut plus de ressources pour les développer? qui montra plus d'adresse à fixer la légèreté de la jeunesse, à la réveiller et à la faire sortir de l'inertie et de l'engourdissement qui lui sont propres; à jeter dans toutes les ames les traits enflammés de l'émulation? Enfin, qui connut mieux la nécessité d'allier au mérite du savoir celui de la vertu? Et que ne devait-on pas attendre d'un maître qui se fit toujours une loi d'instruire autant par une conduite exemplaire et irréprochable que par des leçons solides et lumineuses?

C'est par le concert unanime de tant de voix, que la renommée, répandant au loin le nom de Lebeau, lui prépara une occasion favorable de consacrer publiquement les prémices de son génie aux lettres et à la religion. M. le cardinal de Polignac, peu de jours avant sa mort, avait remis son poëme célèbre entre les mains d'un ami qui aux avantages de la naissance, à la délicatesse de l'esprit, réunissait le mérite plus solide et plus vrai des qualités du cœur. Cet ami, dont l'attachement ne se démentit jamais dans les conjonctures les plus délicates, était M. l'abbé de Rothelin, à qui l'auteur laissait un pouvoir absolu sur la destinée de son ouvrage. «On sait que l'Anti-Lucrèce n'était pas[1], à beaucoup près, dans l'état où Virgile laissa l'Enéide. Travaillé par l'auteur à plusieurs reprises, plein de différentes leçons entre lesquelles il ne paraissait pas s'être déterminé, rempli de ces négligences qui échappent toujours dans le feu de la composition, c'était un assemblage de pièces de rapport, dont la liaison, quoique réelle, ne se montrait pas au premier coup-d'œil. Des additions sans nombre, écrites sur des feuilles volantes, formaient plus de trois mille vers séparés du texte même.»

[1] Voyez la préface de M. de Bougainville, à la tête de sa traduction de l'Anti-Lucrèce, page 79.

Jaloux de l'honneur de son ami qu'il eût craint de compromettre, M. l'abbé de Rothelin, loin de vouloir s'en rapporter à lui seul pour une révision qui demandait le goût le plus exquis et les connaissances les plus variées, se hâta d'associer au pénible examen de cette production du Virgile moderne, les Tucca et les Varius de son siècle: de tous les savants critiques qu'il consulta, Lebeau fut celui dont il tira le plus de secours. L'ouvrage était en état de paraître, lorsque menacé d'une mort certaine, M. l'abbé de Rothelin en confia, par un acte authentique, l'édition à un homme qui l'avait secondé avec tant de zèle et de lumières. Lebeau, regardant le dépôt précieux dont il était chargé, comme un enfant doublement posthume par la perte d'un père et d'un tuteur, lui prodigua tous ses soins; et autant que le purent permettre des obstacles imprévus, s'empressa de le produire au grand jour, en le déposant (en 1747) dans le sein des lettres et de la religion, accompagné d'une préface pleine de délicatesse, de sens et de goût. Mais si jamais la postérité sait à qui elle est redevable de cette pièce intéressante, si elle peut être instruite de tout ce que le poëme doit au travail de l'éditeur, ce ne sera jamais dans l'ouvrage même qu'elle l'apprendra. L'édition n'offre pas le plus léger vestige du nom de Lebeau; il paraît s'y être oublié parfaitement lui-même.

Sensible aux charmes de la poésie qu'il avait cultivée dès sa tendre jeunesse, il avait, à différentes reprises, célébré sur sa lyre divers événements publics ou particuliers[2]; mais après avoir imité Horace, il lui restait à se montrer au public dans le genre où il avait pris et proposé Démosthène et Cicéron pour modèles. Deux conjonctures mémorables mirent en évidence des talents qui jusqu'alors ne s'étaient manifestés que dans l'enceinte des écoles. La première, particulièrement chère à la nation, nous rappelle à cette époque si honorable, si flatteuse pour un souverain, où toute la France alarmée pour la vie de Louis XV, que le ciel rendit à ses vœux, passa, en peu de jours, des convulsions de la douleur la plus profonde, à celles d'une joie inexprimable. La seconde, intéressante pour l'Europe entière, est marquée par le traité de paix qui rendra l'année 1749 à jamais célèbre dans les fastes de l'histoire. Organe de l'Université, dans deux harangues prononcées alors en public, l'orateur, s'élevant au niveau et à la hauteur de sa matière, justifia pleinement le choix de ce corps respectable. Tous ceux qui assistèrent à l'une et à l'autre, n'ont jamais perdu le souvenir des applaudissements dont ils furent témoins; et cette compagnie n'oubliera pas non plus l'avantage qu'elle eut de partager avec l'Université l'honneur de la seconde.

[2] En 1728, Ode sur le rétablissement de la santé du roi.

En 1729, Ode au cardinal de Fleury, nommé proviseur de Sorbonne; et une autre sur la naissance de monseigneur le Dauphin.

En 1738, en l'honneur d'Armand de Rohan de Ventadour, lorsqu'il soutint en Sorbonne sa tentative dédiée au roi.

En 1725, *Rhetor in Grassinæo*, il avait publié une Élégie sur le mariage de Louis XV.

Dès l'année précédente elle l'avait admis au nombre de ses associés, dans un temps où le public connaissait peu le prix de l'acquisition qu'elle faisait. Histoire ancienne et moderne, sacrée, profane, mythologie, mœurs, usages, législation des âges et des nations diverses, langues savantes, critique, littérature grecque, latine, française, italienne, espagnole, anglaise, science des médailles, des inscriptions, style lapidaire, art de penser et d'écrire avec autant de solidité que d'élégance, avec un goût aussi sûr que délicat: ces parties et d'autres dont chacune demande presque un homme entier, on s'étonna de les voir réunies dans le nouvel académicien, à un degré peu commun, et de trouver en un seul de ses membres le savoir d'un corps académique. Pouvait-on s'attendre de voir à la fois en lui et le mérite du professeur qui ne se serait jamais occupé que des devoirs essentiels de son état, et le mérite du savant qui ne le serait devenu qu'aux dépens de ses premiers devoirs? Il était permis d'ignorer que chaque jour était plus long pour Lebeau que pour tout autre. Les instants de loisir que lui laissaient des obligations indispensables, une bonne partie de ceux que revendiquait le repos de la nuit, étaient consacrés à l'étude. C'était le centre de ses plaisirs et de ses amusements, et après des travaux pénibles, il ne savait se délasser que par un nouveau travail. Il est vrai que la nature, en lui donnant les forces nécessaires pour ne pas succomber, lui avait aussi accordé en partage une conception prompte et facile, un jugement droit, une perspicacité rare, une mémoire heureuse, avec une imagination riante et féconde. L'exercice constant de toutes ces facultés l'avait mis à portée d'amasser une multitude de provisions diverses qui, sans confusion, se présentaient sous sa main dès qu'il en avait besoin: elles sortaient alors, comme sans effort, du dépôt fidèle et bien ordonné qui les recelait. L'habitude du travail était devenue chez lui une seconde nature, qui le maîtrisa même dans l'âge affaibli et appesanti par le poids des années. Incommodé dangereusement d'un crachement de sang quelque temps avant sa mort, toute application lui fut interdite par M. Bouvard son médecin et son ami. Il parut docile; mais ayant caché secrètement des livres dans son lit, il faisait semblant de dormir pour engager ceux qui l'entouraient à le laisser libre et tranquille: alors les livres sortaient de leur réduit obscur pour y rentrer au moindre bruit. On s'aperçut de la ruse, et aux reproches qu'on lui faisait: *Je mourrai*, répondit-il, *encore plus vite par l'ennui que par le travail.*

Tel est l'art, telles sont les ressources qu'il aurait pu faire envisager à quiconque était étonné de l'immensité de ses connaissances, s'il eût été dans le cas de ce Romain obligé de dévoiler la magie innocente qui lui assurait constamment une moisson plus abondante que celle de ses voisins: aussi ne touchait-il aucune matière qu'aussitôt il ne l'épuisât, sans laisser rien à l'écart, sans rien oublier. C'est ce que nous avons reconnu bien des fois dans nos séances particulières, où nous donnant l'exemple de l'assiduité, il fournissait régulièrement les mémoires d'usage: ou plutôt c'est ce que le public reconnaît tous les jours dans ces mémoires mêmes qui enrichissent notre recueil.

Son début parmi nous fut l'examen d'une question épineuse qui avait fort embarrassé les antiquaires: il s'agissait de ces médailles frappées sous les règnes de Tite, de Domitien, de Nerva et de Trajan, qu'on appelle *médailles restituées.* Elles portent les noms de deux personnages, d'abord ou celui d'un magistrat de l'ancienne république ou celui d'un empereur, ensuite le nom du prince qui, faisant frapper la médaille, s'annonçait pour restaurateur, par le mot entier ou abrégé, *restituit.*

On croyait, c'était du moins l'opinion la plus généralement reçue, que ces princes avaient pris le titre de *restaurateurs*, parce qu'après avoir fait refaire d'anciens coins de monnaie, ils avaient voulu que les médailles frappées avec ces coins renouvelés eussent cours dans le commerce, concurremment avec leurs propres monnaies.

Lebeau, après avoir réfuté ce système, établit son opinion qui lui semble avoir un des caractères distinctifs de la vérité, en ce qu'ayant été trouvée la dernière, elle aurait dû se présenter la première à l'esprit. Il montre donc que la restauration indiquée par la médaille de nouvelle fabrique, est le rétablissement en tout ou en partie d'un ancien monument érigé par le personnage dont le nom paraît sur cette médaille avec celui du restaurateur. Il développe cette idée simple et heureuse dans six mémoires, et en montre l'application à toutes les médailles de cette espèce qu'il fait passer en revue l'une après l'autre. Une critique solide et lumineuse, mettant en œuvre tout ce que peut lui fournir la connaissance des monuments et des médailles, et jusqu'aux traits les moins connus de l'histoire, dissipe l'obscurité qui régnait auparavant sur cette matière.

A peine sorti de cette carrière, il entreprit d'en fournir une seconde plus vaste et plus difficile. De tous ceux qui ont écrit sur la légion romaine, aucun ne lui paraissait avoir embrassé ce sujet dans toute son étendue, parce que l'étude approfondie de l'histoire lui avait montré une infinité de traits intéressants échappés à leurs recherches. Pour suppléer à leur travail, en consultant exactement sur chaque point les originaux, il résolut de suivre le soldat légionaire, depuis l'instant de l'enrôlement jusqu'à celui, où, après un long et pénible service, on l'envoyait se reposer dans les colonies, et encourager la jeunesse au métier de la guerre, autant par le récit de ses actions militaires, que par l'aspect de la récompense dont elles avaient été couronnées: détail immense qui l'engageait à traiter de la levée des soldats, du serment militaire, du nombre des soldats de la légion, des diverses sortes d'enseignes, d'armes et d'habillements, des exercices, de l'ordre de la marche, du campement et de la bataille; de la police des légions, de leur paie, de leur nourriture, de leurs punitions, de leurs récompenses, de leurs priviléges; des divers noms donnés aux légions, et de leur nombre dans les temps différents; des quartiers des légions, du congé et de la vétérance; et enfin des villes où elles furent envoyées et qu'elles formèrent, soit par des colonies, soit par des campements.

Mais il s'astreignit sensément à n'envisager une matière si vaste et si féconde, que par le côté qui tient à l'histoire et à l'érudition. Il était trop sage pour ne pas éviter le ridicule dont se couvrit un jour aux yeux d'Annibal, et le reproche que s'attira de la part du célèbre Carthaginois, ce philosophe grec, qui tout fier des rêves qu'il avait enfantés dans son cabinet, eut l'effronterie de disserter en public, dans un long discours, sur toutes les parties de l'art militaire et sur le devoir d'un général: témérité dont s'applaudit peut-être l'amour-propre du philosophe, parce que s'il mérita l'indignation et le mépris du très-petit nombre de connaisseurs, il recueillit les nombreux suffrages de l'ignorante multitude.

Dans une longue suite de mémoires, où Lebeau a traité la plupart des parties de son sujet, on remarque tant de profondeur, de netteté, d'exactitude, de discernement, qu'on regrettera toujours de n'avoir pas de sa main le peu qui manque, pour former un ouvrage complet sur un point de littérature aussi intéressant.

Partagé entre sa chaire et l'académie, il était encore appelé à une autre place par la voix publique: elle avait retenti aux oreilles de M. Piat, professeur d'éloquence au Collége Royal, qui, connaissant depuis long-temps le mérite du sujet, n'hésita pas de le désigner pour son successeur. Si Lebeau, nommé en 1752, dut être affligé de ne voir d'abord autour de lui que deux disciples, il fut bientôt consolé par un nombreux auditoire qui s'empressa d'accourir à ses leçons.

Cependant, avec ce surcroît d'occupations, un travail d'un autre genre l'attendait encore dans le sein de cette compagnie. Affaibli par des infirmités habituelles, M. de Bougainville demanda au roi la permission de se démettre de la place de secrétaire perpétuel, dont il faisait les fonctions depuis 1749; et Sa Majesté, en 1755, lui donna pour successeur Lebeau, qui n'était pas encore alors dans la classe des pensionnaires. Quand je rappellerais ici l'intelligence, l'activité, le zèle infatigable qu'il a montrés durant l'espace de dix-huit ans qu'il a rempli cette place, je ne dirais rien qui ne soit presque aussi connu du public que de cette compagnie. Mais si je dis que je dois à l'amitié généreuse dont il m'honorait, le dangereux honneur d'être nommé par le roi pour lui succéder en cette partie; si j'ajoute que le souvenir d'un bienfait auquel je me suis long-temps opposé, ne s'effacera jamais de mon cœur, l'académie, aujourd'hui qu'il n'est plus, affligée d'une double perte, n'en sentira que mieux qu'il n'est point remplacé dans le lieu où je le représente.

La rédaction des volumes de nos Mémoires, imprimés depuis 1756 jusqu'en 1770, est son ouvrage, de même que les éloges historiques des académiciens morts dans cet intervalle, et jusqu'en 1772. Il en faut excepter l'éloge d'un frère chéri, formé de ses mains, en qui il devait espérer de revivre, et qui, dans cette compagnie, marchait à grands pas sur ses traces. Il l'avait vu, avec une tendre satisfaction, estimé digne, dès l'âge de vingt-deux ans, d'être son successeur dans la chaire de rhétorique au collége des Grassins. C'était un autre lui-même par qui il se voyait remplacé dans une carrière favorite, avec un succès dont chaque jour le rendait témoin, puisque dans le même temps et dans le même collége il occupait une chaire de grec, fondée en sa faveur; comme si cette école eût été jalouse de posséder à la fois les deux frères.

La douleur morne et profonde dont le cœur de l'aîné fut pénétré, lorsque son cadet lui fut enlevé dans la vigueur de l'âge (en mars 1766), lui ferma la bouche. M. l'abbé Garnier, lui prêtant alors un secours officieux, l'acquitta pleinement envers le public, d'un triste devoir, dans une de nos séances publiques.

Un secours d'une espèce différente lui était nécessaire, pour un projet dont la continuation lui fut comme substituée par la mort de M. de Bougainville. Je parle de l'histoire métallique de nos rois, travail qui ne pouvait s'exécuter que de concert avec des artistes, parce qu'il fallait avoir les dessins et les gravures sous les yeux. Privé de ce secours, Lebeau n'a pu recueillir en cette occasion que la gloire, si c'en est une, d'avoir refusé de toucher une pension qu'il était dans l'impossibilité de mériter.

Croira-t-on qu'une vie si pleine, si chargée d'occupations diverses, ait pu laisser quelques instants vides, quelques intervalles libres? Qu'on interroge une infinité d'auteurs qui ont eu recours à ses lumières et consulté son goût avant de hasarder leurs productions; ils diront que l'amour des lettres rendait tout possible à Lebeau. Il revoyait, il corrigeait avec une égale constance un manuscrit abstrait et volumineux, et une feuille volante de poésies légères. Que ne pourraient pas aussi répondre tant de personnes de tout état, qui sont venues si souvent l'interrompre pour des objets qui lui étaient étrangers? épitaphes, inscriptions, épithalames, épigraphes, discours latins, français, prose, vers, projets, plans d'éducation, tout était jugé de son ressort; et quand il se prêtait à leurs désirs, c'était sans songer à en tirer vanité, à peine en conservait-il le souvenir. Si dans quelques morceaux devenus publics, ses amis, ses parents même qui n'étaient point dans le secret, croyant reconnaître sa touche, le pressaient par des questions importunes, il avouait enfin: mais on sentait ce que lui coûtait le sacrifice de la modestie fait à la vérité. On eût dit qu'il voulait étendre à ces productions le précepte évangélique sur la charité: la main gauche ignorait ce qu'avait fait la droite.

Mais qu'est-il besoin de recourir à des témoignages étrangers, pour juger si Lebeau savait trouver et mettre à profit des moments de loisir au milieu des occupations les plus multipliées, quand on considère que, dans un âge déja avancé, il osa former une entreprise capable d'occuper la vie entière d'un homme de lettres? On comprend que j'ai en vue l'*Histoire du Bas-Empire*. De quoi s'agissait-il en effet? de parcourir depuis le règne de Constantin le Grand, jusqu'à la prise de Constantinople, un espace d'environ douze cents ans, souvent à travers la lie et la barbarie des siècles, toujours dans les fastes ténébreux d'un empire qui, ou ébranlé de toutes parts par des secousses redoublées, ou énervé par ses propres vices, et déchiré par des divisions intestines, s'écroulait chaque jour, et précipitait l'instant d'une ruine fatale. Il fallait dévorer l'ennui attaché à la lecture d'une foule d'auteurs, ou mal instruits, ou passionnés et prévenus, ou secs et décharnés, dont le moindre défaut est de manquer de l'ordre, de l'élégance, de la noblesse, du goût, enfin de ces graces piquantes qui charment dans les écrits des beaux siècles d'Athènes et de Rome. L'amour du vrai, de la vertu, de la religion, qui avait inspiré le projet, soutint Lebeau dans cette longue et laborieuse carrière, dont il avait fait choix, disait-il, *pour arriver doucement au tombeau.* Ayant promis de donner deux volumes chaque année, il acquittait régulièrement la dette qu'il avait contractée avec le public; et lorsqu'une mort prompte qu'il attendait en philosophe chrétien, nous l'enleva le 13 mars de cette année (1778), il était occupé à mettre la dernière main à deux volumes qui en ce moment verraient le jour, et qui l'approchaient du terme où il tendait.

La mort, en le frappant, ne put le surprendre, parce qu'il s'y préparait sans cesse par la pratique constante de tous ses devoirs. Les qualités les plus brillantes, les plus capables de faire un grand nom dans l'empire des sciences et des arts qu'il chérissait, n'étaient rien à ses yeux, s'il ne les voyait accompagnées de celles qui forment le citoyen vertueux et utile. L'abus des premières, au préjudice de la vertu et des mœurs, lui paraissait un crime odieux, un attentat impardonnable envers la société. «Malheur, malheur, disait-il, à une nation, si jamais follement éprise des charmes séducteurs que peuvent offrir à ses regards les productions les plus exquises des arts, des talents, du génie, lorsqu'elles tendent à la corrompre et à la dépraver, il lui arrive d'en accueillir, d'en caresser les auteurs; de leur prodiguer inconsidérément un encens dont s'offense et gémit la vertu outragée; de vouloir même avec un enthousiasme aveugle et favorable à la propagation du vice, leur assurer l'estime de tous les âges par des honneurs et des distinctions qui découragent et désespèrent le mérite vrai et utile; enfin de réchauffer en quelque sorte leurs cendres pour en faire naître des imitateurs plus audacieux encore et plus criminels. Coupables envers leur patrie, que peuvent-ils exiger d'elle, que doivent-ils en attendre, si ce n'est tout au plus un traitement pareil à celui que Platon destinait à Homère dans sa république? Celle des Romains, sous le despotisme de ses empereurs, n'avait plus l'énergie, l'austérité, la vigueur des premiers âges; néanmoins elle en eut encore assez pour oser plus d'une fois abolir totalement la mémoire des citoyens, des princes même qui avaient fait un abus déshonorant de leur pouvoir, quelques services qu'elle en eût reçus d'ailleurs; pour abattre avec indignation les statues que, dans des temps malheureux, des mains soumises à une triste nécessité, ou animées par une adulation basse et servile, leur avaient élevées; enfin pour effacer, en frémissant d'horreur, leurs noms sur les monuments publics, comme indignes d'être transmis aux siècles à venir, après avoir fait la honte du leur.»

Avec ces sentiments qui portent l'empreinte de la plus rigide vertu, Lebeau laissait rechercher à d'autres, lequel est le plus à redouter pour la société, de l'abus du pouvoir qui opprime, ou de l'abus des talents qui en pervertit les mœurs: cette question n'en était pas une pour lui. Le premier irrite, révolte, violente la nature qui ne tarde pas de rentrer dans ses droits, dès qu'il lui est permis de respirer, si déja les ames ne sont flétries par la corruption: le second flatte, plaît et séduit. L'un est un torrent destructeur, mais la consternation qui l'accompagne n'est que passagère; le désastre momentané qu'il cause peut être bientôt réparé. L'influence de l'autre est permanente et progressive; c'est un poison doux qui, s'insinuant mollement dans toutes les parties du corps politique, le mine sourdement, l'altère et l'épuise sans irritation, ou plutôt à l'aide d'une multitude de sensations délicieuses, et gagnant toujours de proche en proche, produit enfin une épidémie universelle, d'autant plus incurable qu'on chérit l'ivresse où tous les sens sont plongés, mais dont le terme n'est jamais qu'un anéantissement total.

Lebeau avait tellement à cœur tout ce qui peut intéresser les mœurs, surtout dans l'instruction de la jeunesse, qu'il se plaignait souvent de voir que ce n'était pas ordinairement l'objet capital de l'institution, soit publique, soit particulière. Lorsque l'Université, dans le sein de laquelle il avait été élevé, pour laquelle il conserva toujours une tendresse filiale, et fit éclater jusqu'à sa dernière heure l'attachement le plus vif que la reconnaissance puisse inspirer, enfin qui, en mère affligée, a versé depuis peu des larmes amères sur sa tombe par l'organe éloquent d'un de ses plus dignes membres[3]; lorsque l'Université, dis-je, distribuait annuellement des prix aux élèves qui s'étaient distingués par des compositions supérieures, il applaudissait avec joie à un usage si propre à faire fermenter les esprits, et à porter dans les ames les plus engourdies le feu d'une noble et louable émulation. Mais cette joie, tempérée par un sentiment d'amertume, ne répondait pas à l'étendue de ses désirs: *Je vois*, disait-il, *beaucoup de récompenses pour les talents, pour le mérite littéraire; j'en vois peu pour la vertu, le mérite essentiel du citoyen.*

[3] Discours de M. Charbonnet, professeur de troisième au collége Mazarin, prononcé cette année (en 1778), le jour de la distribution générale des prix de l'Université.

Naturellement modeste, il ne pouvait manquer de cette modestie que le savoir donne. L'oracle sacré a prononcé que la science enfle; mais il ne croyait devoir l'entendre que d'une science fausse et peu digne de ce nom. Quand il considérait les bornes étroites qui resserrent le champ hérissé de ronces et d'épines, où peut s'exercer l'activité de l'esprit humain, le nombre infiniment petit des vérités qui sont à sa portée dans l'étendue de sa sphère, la multitude innombrable de celles qui, se jouant de sa curiosité, échapperont toujours à ses recherches, les ténèbres épaisses qui l'assiégent et l'entourent de toutes parts, cette mer orageuse d'erreurs, d'incertitudes, de doutes, où il flotte au hasard, agité en tous les sens au milieu des naufrages; une perspective, si propre à déconcerter l'amour-propre, ne montrait rien à ses regards qui pût fournir matière et servir d'aliment à la vanité. Se glorifie-t-on d'une chétive moisson acquise par des frais et des travaux immenses? On le louait un jour sur ce point: *Oui, oui*, dit-il, *j'en sais bien assez pour être humilié de ce que je ne sais pas.* On avait, à son avis, bien mal profité de ses études, si l'on n'avait pas appris à se bien apprécier soi-même, et à mettre le prix juste à ses conquêtes littéraires. S'il est des ames où le savoir se montre avec des impressions de vaine gloire, c'est qu'il y a trouvé d'avance un vice radical et tenace dont il n'est pas le principe, qui subsiste malgré lui, et qui, sans lui, se serait porté sur d'autres objets.

Avec un air sombre et taciturne, causé par la multitude des objets sérieux dont son esprit était continuellement occupé dans le cabinet, Lebeau conservait un fonds de gaieté naturelle qui se développait au-dehors, et s'épanouissait dans le monde avec une aisance et une amabilité dont on était surpris. Il y portait cette politesse unie, franche et vraie, pour laquelle il faut toujours se bien connaître soi-même, et souvent ne pas connaître trop bien les autres. Aussi ce qui étonnait plus encore, c'est qu'à portée de saisir le ton et l'esprit des meilleures sociétés où il était admis, il lui échappait quelquefois de ces questions naïves, de ces réponses ingénues, qui, pour apprêter à rire, comme étant susceptibles d'interprétations malignes qu'il ne soupçonnait seulement pas, n'en décèlent que mieux l'innocente et respectable simplicité de mœurs dans celui qui les fait.

Par une suite du même caractère, il se laissait prévenir assez aisément, et quand on avait jeté dans son ame des idées favorables ou sinistres, il lui coûtait de s'en détacher, parce que jugeant des autres par lui-même, il ne pouvait croire ni au mensonge ni à la calomnie. Si l'évidence le forçait de revenir et de reconnaître qu'on avait abusé de sa crédulité, il était dans un étonnement inexprimable, n'imaginant pas que la malignité ou la duplicité inconnue à son cœur, pût se trouver dans le cœur d'un autre. Aussi de toutes les vertus morales et chrétiennes, la charité que comportait sa fortune, était chez lui la moins éclairée, et comme il aimait à la pratiquer, il suffisait pour l'émouvoir de lui exposer des besoins avec un air de franchise. Se voyait-il trompé, ce qui lui arrivait fréquemment, il s'en consolait; mais tout en protestant d'user à l'avenir de plus de circonspection, il était bientôt trompé de nouveau.

De son mariage il avait eu une fille unique, mariée en 1759 à M. Chuppin de Germigny, alors avocat au parlement, et depuis conseiller au Châtelet, à qui il se réunit en 1764, après la mort de sa femme: heureuse union, qui dans le sein d'une famille aussi tendre que chérie, dans des cœurs sensibles et vertueux, animés du même esprit, dirigés par les mêmes sentiments, fixait le centre d'un commerce réciproque d'attentions, de tendresse, de cordialité, de confiance, d'encouragement et de consolation. Les soins que Lebeau donna, dans les dernières années de sa vie, à l'éducation de deux petits-fils, furent moins un nouveau travail pour lui qu'un délassement presque nécessaire, parce que l'affection qui en était le mobile, lui semblait en faire un devoir. En âge de sentir, ils ont tristement gémi sous le coup trop précipité pour eux, qui les a privés à la fois du meilleur des pères et du meilleur des maîtres. Pour consoler et une famille affligée, et ceux qui, comme nous, dans une perte commune, partagent sa douleur, puissent-ils faire revivre et soutenir l'honneur d'un nom dont le souvenir sera toujours cher aux ames honnêtes et éclairées, qui sentent tout ce que peut, pour le bonheur réel des hommes, objet unique de leurs vœux, l'empire des lettres, réuni à celui de la vertu.

FIN DE L'ÉLOGE DE LEBEAU.

INTRODUCTION A L'HISTOIRE DU BAS-EMPIRE.

Je me propose d'écrire l'histoire de Constantin et de ses successeurs jusqu'au temps où leur puissance, ébranlée au-dehors par les attaques des Barbares, affaiblie au-dedans par l'incapacité des princes, succomba enfin sous les armes des Ottomans. L'empire romain, le mieux établi qui fut jamais, fut aussi le plus régulier dans ses degrés d'accroissement et de décadence. Ses différents périodes ont un rapport exact avec les différents âges de la vie humaine. Gouverné dans ses commencements par des rois, qui lui formèrent une constitution durable; toujours agissant sous les consuls, et fortifié par l'exercice continuel des combats, il parvint sous Auguste à sa juste grandeur, et soutint sa fortune pendant trois siècles, malgré les désordres d'un gouvernement tout militaire.

L'ouvrage que j'entreprends, est l'histoire de sa vieillesse: elle fut d'abord vigoureuse, et le dépérissement de l'état ne se déclara sensiblement que sous les fils de Théodose. De là à la chute entière, il y a plus de mille ans. La puissance des Romains avait la même consistance que leurs ouvrages: il fallut bien des siècles et des coups réitérés pour l'ébranler et pour l'abattre; et quand je considère d'un côté la faiblesse des empereurs, de l'autre les efforts de tant de peuples qui entament successivement l'empire, et qui sur ses débris établissent tous les royaumes de l'Europe en-deçà du Rhin et du Danube, je crois voir un ancien palais, qui se soutient encore par sa masse et par la stabilité de sa structure, mais qu'on ne répare plus, et que des mains étrangères démolissent peu à peu et détruisent à la longue, pour profiter de ses ruines.

Il est vrai que les siècles antérieurs présentent une scène plus vive et plus brillante. On y voit des actions plus héroïques, et des crimes plus éclatants: les vertus et les vices étaient des effets ou des excès de vigueur et de force. Ici les uns et les autres portent un caractère de faiblesse: la politique est plus timide; les intrigues de cour succèdent à l'audace; le courage militaire n'est plus dirigé par la discipline; les Romains de ces derniers temps ne songent qu'à se défendre, quand leurs ancêtres osaient attaquer: la scélératesse devient moins entreprenante, mais plus sombre; la haine et l'ambition emploient le poison plus souvent que le fer: cet esprit général, cette ame de l'état, qu'on appelait amour de la patrie, et qui en tenait toutes les parties liées ensemble, s'anéantit et fait place à l'intérêt personnel; tout se désunit, et les Barbares pénètrent jusque dans le cœur de l'empire.

Ces objets, quoique plus obscurs, n'en méritent pas moins l'attention d'un lecteur judicieux. L'histoire de la décadence de l'empire romain est la meilleure école des états qui, parvenus à un haut degré de puissance, n'ont plus à combattre que les vices qui peuvent altérer leur constitution. Il a fallu, pour le détruire, toutes les maladies dont une seule peut renverser des gouvernements moins solidement affermis.

Un tableau si sombre sera pourtant éclairé par des traits de lumière. Lors même que toute vertu paraîtra éteinte, et que tout l'empire semblera sans action et sans ame, on verra quelquefois, pour ainsi dire, du milieu de ces tombeaux s'élever des héros; et ce qui pourra encore entretenir la curiosité des lecteurs, et donner quelque chaleur à cette histoire, c'est qu'ils verront de temps en temps sortir des ruines de l'empire de puissants états, dont les uns sont aujourd'hui déja détruits, et les autres subsistent encore avec gloire, quoiqu'ils n'occupent qu'une petite portion de la vaste étendue que remplissait la domination romaine.

Le règne de Constantin est une époque fameuse. La religion chrétienne arrachée des mains des bourreaux, pour être revêtue de la pourpre impériale, et le siége des Césars transféré de Rome à Byzance, donnent à l'empire une face toute nouvelle. Mais avant que de raconter ces grands événements, je dois exposer quel était alors l'état des affaires.

Depuis la bataille d'Actium, qui fixa la souveraineté sur la tête d'Auguste, jusqu'au règne de Dioclétien, dans l'espace de trois cent quatorze ans, Rome avait vu une suite de trente-neuf empereurs. Plusieurs de ces princes ne firent que paraître, et ne régnèrent que le temps qu'il fallut à leurs rivaux pour monter en leur place, et leur enlever la couronne et la vie. La succession n'ayant point été réglée par une loi expresse et fondamentale, chaque prince s'efforçait de rendre l'empire héréditaire dans sa famille: l'autorité de ceux qui mouraient paisiblement leur survivait, et passait à leurs enfants ou à ceux qu'ils avaient adoptés. Mais dans les révolutions violentes, le sénat et les armées prétendaient au droit d'élection; et les armes qui parlent plus haut que les lois, lors même que celles-ci s'expliquent clairement, décidaient toujours. L'approbation du sénat n'était qu'une formalité, qui ne manquait jamais à ceux à qui la supériorité des forces donnait un titre redoutable.

Ce fut par le suffrage des soldats, qu'après la mort de Carus et de son fils Numérien, Dioclétien fut élevé à l'empire, l'an de J.-C. 284. C'était un Dalmate né dans l'obscurité, mais qui, s'étant formé au métier de la guerre sous Aurélien et sous Probus, était parvenu aux premiers emplois. Grand homme d'état, et grand capitaine; intrépide dans les combats, mais timide dans les conseils par un excès de circonspection et de prudence; d'un génie étendu, pénétrant, prompt à trouver des expédients, et habile à les mettre en œuvre; doux par tempérament, cruel par politique, et quelquefois par faiblesse; avare, et aimant le faste; ravissant le bien d'autrui, pour fournir à son luxe sans diminuer ses trésors; adroit à déguiser ses vices, et à rejeter sur les autres tout ce qu'il faisait d'odieux; et ce qui marque davantage son habileté, c'est qu'ayant communiqué sa puissance à Maximien et à Galérius, qui, féroces et audacieux, semblaient être de caractère à ne respecter personne, il demeura le maître du premier après en avoir fait son collègue, et sut long-temps tenir l'autre dans une juste subordination.

Aussitôt que par la défaite et la mort de Carinus il vit sa puissance affermie, il porta ses regards sur toutes les parties de ce vaste domaine. L'empire avait alors à peu près les mêmes limites dans lesquelles Auguste avait voulu le renfermer. Il s'étendait d'occident en orient depuis l'Océan atlantique jusqu'aux frontières de la Perse, toujours aussi impénétrables aux Romains que l'Océan même: le Rhin, le Danube, le Pont-Euxin et le Caucase le séparaient des peuples du Nord: du côté du midi il avait pour bornes le mont Atlas, les déserts de la Libye, et les extrémités de l'Égypte vers l'Éthiopie.

Les Barbares depuis près d'un siècle tentaient de franchir ces limites: ils les avaient même quelquefois forcées; mais ce n'était que par des incursions passagères, et on les avait bientôt repoussés. Au temps de Dioclétien des essaims nombreux, sortis des glaces du Nord, et la plupart inconnus jusqu'alors, commençaient à se montrer sur les bords du Danube; les Perses et les Sarrasins insultaient la Mésopotamie et la Syrie; les Blemmyes et les Nubiens attaquaient l'Égypte; et les barrières de l'empire tremblaient de toutes parts.

A la vue de tant d'orages prêts à éclater, Dioclétien sentit qu'il était difficile à une seule tête de mettre tout à couvert. L'expérience du passé lui montrait le danger de multiplier les généraux et les armées. Plusieurs de ses prédécesseurs avaient été détruits par ces chefs de légions, qui, ayant éprouvé le charme flatteur du commandement, tournaient contre l'empereur les armes qu'ils avaient reçues de lui pour la défense de l'empire; et les soldats des frontières perdant le respect pour le prince, à mesure qu'ils le perdaient de vue, ne voulaient plus avoir pour maître que celui qui les avait accoutumés à obéir. Il fallait donc, pour la sûreté de l'empereur, qu'il confiât ses armées à un chef qui lui fût attaché par un intérêt plus vif que le devoir, qui défendît l'empire comme son propre bien, et qui servît à assurer la puissance de son bienfaiteur, en maintenant la sienne. Pour remplir toutes ces vues, Dioclétien cherchait un collègue qui voulût bien se tenir au second rang, et sur qui la supériorité de son génie lui conservât toujours une autorité insensible.

Il le trouva dans Maximien. C'était un esprit subalterne, en qui il ne se rencontrait d'autres qualités éminentes que celles que Dioclétien désirait dans celui qu'il associerait à l'empire, l'expérience militaire et la valeur. Vain et présomptueux, mais d'une vanité de soldat, il était très-propre à suivre, sans s'en apercevoir, les impressions d'un homme habile. Né en Pannonie, près de Sirmium, dans une extrême pauvreté, nourri et élevé au milieu des alarmes et des courses des Barbares, il n'avait fait d'autres études que celle de la guerre, dont il avait partagé toutes les fatigues et tous les périls avec Dioclétien. La conformité de condition, et plus encore l'égalité de bravoure les avait unis. La fortune ne les sépara pas; elle les fit monter également aux premiers grades dans les armées, jusqu'au moment où Dioclétien prenant l'essor s'éleva au rang suprême. Il y appela bientôt son ami, qu'il savait capable de le seconder sans lui donner de jalousie. Maximien, honoré du titre d'Auguste, conserva la rudesse de son pays et de sa première profession. Soldat jusque sur le trône, il était à la vérité plus franc et plus sincère que son collègue, mais aussi plus dur et plus grossier. Prodigue plutôt que libéral, il pillait sans ménagement pour répandre sans mesure: hardi, mais dépourvu de jugement et de prudence; brutal dans ses débauches, ravisseur, et sans égard aux lois ni à l'honnêteté publique. Avec ce caractère sauvage, il fut pourtant toujours gouverné par Dioclétien, qui mit en œuvre sa valeur, et sut même profiter de ses défauts. Les vices découverts de l'un donnaient du lustre aux fausses vertus de l'autre: Maximien se prêtait de grand cœur à l'exécution de toutes les cruautés que Dioclétien jugeait nécessaires; et la comparaison qu'on faisait des deux princes tournait toute entière à l'avantage du dernier: on disait que Dioclétien ramenait le siècle d'or, et Maximien le siècle de fer.

Les deux empereurs soutinrent par leurs victoires les forces et la réputation de l'empire. Tandis que Dioclétien arrêtait les Perses et les Sarrasins, qu'il terrassait les Goths et les Sarmates, et qu'il étendait la puissance romaine du côté de la Germanie; Maximien chargé de la défense de l'Occident et du Midi, réduisait dans les Gaules les paysans révoltés, repoussait au-delà du Rhin les Germains et les Francs, et veillait à la sûreté de l'Italie, de l'Espagne et de l'Afrique.

Ces deux princes infatigables, qui comme des éclairs couraient d'une frontière à l'autre avec une rapidité que l'histoire même a peine à suivre, auraient peut-être suffi à défendre l'empire, s'il n'eût pas été troublé au-dedans par des révoltes, en même temps qu'il était attaqué de tous côtés au-dehors. Pendant que les Perses menaçaient les bords de l'Euphrate, et les peuples septentrionaux ceux du Rhin et du Danube; Carausius, de simple matelot devenu maître de l'Océan, s'était emparé de la Grande-Bretagne, et ayant battu Maximien, qui n'entendait pas la guerre de mer, il avait forcé les deux empereurs à le reconnaître pour leur collègue; Julien en Afrique, Achilléus en Égypte avaient tous deux usurpé le titre d'Auguste; et les habitants de la Libye Pentapolitaine s'étaient soulevés.

Pour calmer tous ces mouvements, il fallait partager les forces, et leur donner plusieurs chefs. Dioclétien, suivant son système politique, ne voulait mettre à la tête de ses troupes que des commandants personnellement intéressés à la prospérité de l'état. Dans ce dessein il songea à créer deux Césars, qui fussent attachés aux deux Augustes, dont ils seraient les lieutenants. Il n'avait qu'une fille de sa femme Prisca: Maximien avait de la sienne, appelée Eutropia, un fils nommé Maxence; mais c'était encore un enfant, qui ne pouvait être d'aucun secours. Ils jetèrent donc les yeux hors de leurs familles. Deux officiers avaient alors une haute réputation dans les armées: tous deux avaient appris le métier des armes dans la même école que Dioclétien et Maximien, et s'y étaient signalés par mille actions de valeur. Le premier était Constance Chlore, fils d'Eutrope noble Dardanien, et de Claudia, fille de Crispus frère de Claude le Gothique: ainsi Constance était, par sa mère, petit-neveu de cet empereur. Il avait d'abord servi dans un corps distingué, qu'on appelait les *protecteurs*; c'étaient les gardes du prince. Il parvint ensuite à l'emploi de tribun. Aussi heureux que vaillant, il fut honoré par Carus du gouvernement de la Dalmatie. On dit même que ce prince, charmé de son amour pour la justice, de sa douceur, de son désintéressement, de la régularité de ses mœurs et de ses autres belles qualités, relevées par la bonne mine et par une bravoure éclatante, eut quelque envie de le déclarer César au lieu de son fils Carinus, dont il détestait les débauches.

L'autre guerrier qui fixa l'attention de Dioclétien, se nommait Galérius; il était fils d'un paysan d'auprès de Sardique, dans la Dace Aurélienne: son père l'avait occupé dans sa première jeunesse à conduire des troupeaux; ce qui lui fit donner dans son élévation le surnom d'*Armentarius*. Rien ne démentait dans sa personne sa naissance et son éducation. Ses vices laissaient pourtant entrevoir un certain fonds d'équité, mais aveugle et grossière: haïssant les lettres dont il n'avait aucune teinture, fier et intraitable, ignorant les lois et n'en connaissant point d'autres que son épée, il n'avait de grace que dans le maniement des armes. Sa taille était haute et d'abord assez bien proportionnée, mais les excès de table lui donnèrent un embonpoint qui le défigurait. Ses paroles, le son de sa voix, son air, son regard, tout était farouche et terrible.

La prudence de Dioclétien fut cette fois trompée; et en donnant à Galérius le titre de César, en même temps qu'il le donna à Constance Chlore l'an de J.-C. 292, il ne prévit pas que sa créature le ferait trembler un jour, et deviendrait le fléau de sa vieillesse. Dans le partage même qu'il fit des deux Césars, il laissa Constance à son collègue, et prit pour lieutenant Galérius, à qui il donna le nom de Maximien, comme un présage de concorde et de déférence à ses volontés. Les deux empereurs par un orgueil frivole avaient pris le surnom, Dioclétien de Jovius, Maximien d'Herculius: chacun d'eux communiqua le sien au César qu'il adoptait. Constance, soit par son âge, soit à cause de sa naissance, fut toujours regardé comme le premier, et il est nommé avant Galérius dans les monuments publics.

Pour se les attacher davantage, les deux Augustes les obligèrent de répudier leurs femmes. Constance quitta à regret Hélène qu'il aimait, et dont il avait un fils âgé de dix-huit ans, qui fut le grand Constantin, pour épouser Théodora, fille d'Eutropia et d'un premier mari qu'elle avait eu avant Maximien. Galérius épousa Valéria, fille de Dioclétien.

On avait déja vu plusieurs fois deux empereurs en même temps: mais ils avaient toujours gouverné solidairement et sans partage. On croyait même que diviser l'empire c'était l'affaiblir et le déshonorer. La raison qui avait déterminé Dioclétien à se donner un collègue et à nommer deux Césars, l'obligeait bien à partager ses forces, mais non pas à séparer les parties de la souveraineté. Jusqu'à l'abdication de Dioclétien il n'y eut point de division: l'autorité de chacun des deux empereurs et des deux Césars s'étendait sur tout l'empire; mais ils l'exerçaient immédiatement et par eux-mêmes sur un certain nombre de provinces, dans lesquelles ils fixaient ordinairement leur séjour. Constance, particulièrement attaché à Maximien, se chargea de veiller sur la Grande-Bretagne, les Gaules, l'Espagne et la Mauritanie Tingitane; Maximien gouverna la haute Pannonie, le Norique et tous les pays jusqu'aux Alpes, l'Italie et l'Afrique, avec les îles qui sont entre deux: Dioclétien laissa à Galérius le soin de la basse Pannonie, de l'Illyrie et de la Thrace, peut-être encore de la Macédoine et de la Grèce: il se réserva l'Asie, la Syrie et l'Égypte. Il établit sa résidence à Nicomédie, et répara avec magnificence cette ville que les Scythes avaient pillée et brûlée sous Valérien: Galérius fit son séjour ordinaire à Sirmium, Maximien à Milan, et Constance à Trèves.

La multiplication des souverains soulageait Dioclétien, mais elle surchargeait l'empire. Chacun de ces princes voulant avoir autant de troupes qu'en avaient eu avant eux les empereurs qui régnaient seuls, tout devint soldat: ceux qui recevaient la paye surpassèrent en nombre ceux qui contribuaient à la fournir: les impositions épuisèrent la source d'où elles étaient tirées, et firent abandonner la culture des terres. Dans le gouvernement civil, chaque province ayant été divisée en plusieurs parties, la multitude des tribunaux de judicature et des bureaux de finances ne fit pas moins de mal. Tant de présidents, d'officiers, de receveurs et de commis de toute espèce dévoraient la substance des peuples; et les sujets de l'empire, à force de voir multiplier leurs défenseurs et leurs juges, parvinrent à ne trouver ni sûreté ni justice.

Il est vrai que les Barbares furent repoussés et les révoltes étouffées. Constance, qui par sa bonté adoucissait les misères de ses sujets, réduisit les Cauques et les Frisons, bâtit des forts sur la frontière, ravagea la Germanie depuis le Rhin jusqu'au Danube, rétablit Autun [*Augustodunum*], ruinée sous le règne de Claude son grand-oncle, reconquit la Grande-Bretagne par la défaite et la mort du tyran Allectus qui avait succédé à Carausius, transplanta des colonies de Francs dans la Belgique, battit les Allemans toutes les fois qu'ils osèrent passer le Rhin; et sa valeur fut pour l'empire du côté de l'occident une barrière impénétrable.

Maximien rétablit la paix dans l'Afrique: il fit rentrer dans le devoir les habitants de la Pentapole; il réduisit au désespoir l'usurpateur Julien, et força les Maures dans leurs montagnes inaccessibles.

Cependant Dioclétien et Galérius se prêtaient la main pour défendre les frontières du septentrion et de l'orient. Vainqueurs des Barbares d'au-delà du Danube, ils partagèrent entre eux les deux expéditions les plus importantes, celle de Perse et celle d'Égypte. Galérius battu d'abord par les Perses, battit à son tour leur roi Narsès, et l'obligea de céder aux Romains cinq provinces vers la source du Tigre. Ce fleuve devint dans tout son cours la borne des deux empires, et la paix qui fut le fruit de cette victoire subsista quarante ans.

Dioclétien reprit Alexandrie, fit mourir Achilléus, qui depuis cinq ans jouissait du nom d'empereur; remit dans l'obéissance toute l'Égypte, dont il punit la révolte par des pillages, des massacres, des destructions de villes entières. Il donna alors à ses successeurs un exemple qui ne fut que trop imité: il traita avec les Nubiens et les Blemmyes, dont les courses fréquentes infestaient les frontières de l'Égypte; il leur céda sept journées de pays le long du Nil au-delà d'Éléphantine, et s'engagea à leur payer une pension qui flétrissait l'empire, sans faire cesser leurs hostilités.

Jusque-là Dioclétien n'avait vu que de beaux jours. Adoré, disent les auteurs, par son collègue et par les deux Césars, il était l'ame de l'état. Il les traitait de son côté comme ses égaux; et en adoucissant la subordination, il la rendait plus entière. Mais ayant reconnu l'humeur hautaine de Galérius, Dioclétien pour rabattre sa fierté, profita de la confusion que lui causa la victoire remportée sur lui par les Perses; et la première fois que le vaincu se présenta devant lui, il le laissa courir à pied près de mille pas à côté de son char avec sa robe de pourpre. Bientôt Galérius, ayant effacé sa honte par un succès éclatant, sut se relever de cette humiliation; il s'enorgueillit jusqu'à prendre le titre de fils de Mars: il échappa tout-à-fait à Dioclétien; et s'ennuyant de rester si long-temps dans un rang inférieur, il songea à dépouiller de l'empire celui à qui il devait toute sa puissance.

Son caractère turbulent le porta d'abord à troubler le dedans de l'état. La religion chrétienne s'était affermie par tous les efforts que les empereurs précédents avaient faits pour la détruire: les supplices les plus cruels ne l'avaient rendue que plus féconde, et les chrétiens s'étaient multipliés au grand avantage de leurs propres persécuteurs. Obligés par une loi intérieure à obéir aux lois civiles, et accoutumés par le péril de leur profession à mépriser la vie, c'étaient les sujets les plus fidèles et les meilleurs soldats des armées. Depuis la mort d'Aurélien, arrivée en 275, il n'y avait point eu de persécution générale; mais leur vie restait abandonnée au caprice des gouverneurs, qui faisaient revivre à leur gré et exécutaient contre eux les édits des empereurs précédents. Maximien se livrant à son humeur sanguinaire, avait, dès les commencements de son règne, fait massacrer une légion entière, et laissé un libre cours à la cruauté de Rictius Varus, gouverneur de la Belgique. Constance Chlore au contraire, rempli de douceur et d'humanité, avait épargné le sang des chrétiens; et tout païen qu'il était, il les avait même par préférence approchés de sa personne, admirant leur constance inébranlable dans le service de leur Dieu, comme un gage certain de leur fidélité à l'égard de leur prince. Dioclétien tout occupé de politique et de guerre, ne jetait sur la religion qu'un regard indifférent: il craignait pourtant le grand nombre des chrétiens, et il les avait exclus de son palais et des armées. Mais Galérius, fils d'une prêtresse fanatique et envenimée contre les ennemis des idoles, joignait ensemble deux vices très-compatibles, la barbarie et la superstition. Il fut long-temps à déterminer Dioclétien, qui cherchait le repos: il fallut faire parler les esclaves de cour et les oracles, également aisés à corrompre. Enfin au mois de février 303, la persécution s'ouvrit par un édit qui annonçait aux chrétiens les traitements les plus inhumains et les plus injustes. Il est très-vraisemblable que Galérius, peu capable de concevoir jusqu'où allait leur fidélité, s'attendait à des révoltes qui fatigueraient Dioclétien, et le dégoûteraient du gouvernement. Mais les chrétiens persécutés ne savaient que mourir; et quoique leur multitude pût balancer les forces de tout l'empire, ils ne connaissaient contre leurs maîtres, quelque durs qu'ils fussent, d'autres armes que la patience. Pour les pousser au désespoir en aigrissant la cruauté de l'empereur, Galérius fit deux fois mettre le feu au palais de Nicomédie, où était alors Dioclétien; il les accusa d'être les auteurs de l'incendie, et se sauva lui-même en Syrie, pour éviter, disait-il, d'être brûlé vif par cette race ennemie des dieux et de ses princes.

L'effroi de ces embrasements produisit pour les chrétiens et pour l'empereur même des effets funestes. Dioclétien résolut d'exterminer le christianisme, et fit couler des flots de sang: mais son esprit commença dès lors à s'affaiblir; et étant allé à Rome, où il entra en triomphe avec Maximien, il n'y put soutenir les railleries du peuple qui se moquait de l'esprit d'économie qu'il fit paraître dans l'appareil de cette fête: il en sortit au mois de décembre, pour aller, contre l'usage, célébrer à Ravenne la cérémonie de son entrée dans le consulat. Le froid et les pluies qu'il essuya pendant ce voyage altérèrent sa santé. Il passa dans un état de langueur toute l'année suivante, renfermé dans son palais, soit à Ravenne, soit à Nicomédie, où il arriva à la fin de l'été. Le 13 décembre on le crut mort, et il ne revint de cette léthargie, que pour tomber de temps en temps dans des accès de démence qui durèrent jusqu'à la fin de sa vie.

Il n'était pas difficile à Galérius de subjuguer un vieillard réduit à cet état de faiblesse. Bien assuré d'y réussir, il courut d'abord en Italie pour engager

Maximien à quitter volontairement la couronne, plutôt que de se la voir arracher par une guerre civile. Après l'avoir épouvanté par les plus terribles menaces, il revient à Nicomédie: il représente d'abord avec douceur à Dioclétien son âge, ses infirmités, le besoin qu'il avait de repos après des travaux si glorieux, mais si pénibles: et comme Dioclétien ne paraissait pas assez sentir la force de ces raisons, il hausse le ton, et lui déclare nettement qu'il s'ennuie de se voir depuis treize ans relégué sur les bords du Danube, occupé sans cesse à lutter avec des nations barbares, tandis que ses collègues jouissaient tranquillement des plus belles provinces de l'empire; et que si l'on s'obstine à ne pas lui céder enfin la première place, il saura bien s'en emparer.

Le faible vieillard, intimidé d'ailleurs par les lettres de Maximien qui lui avait communiqué sa terreur, et par les préparatifs de guerre qu'il savait que faisait Galérius, versa des larmes, et se rendit enfin. Pour remplacer les deux Césars qui allaient devenir Augustes, il proposa Maxence, fils de Maximien, et Constantin, fils de Constance. Mais Galérius les rejeta tous deux: le premier, qui était pourtant son gendre, parce qu'il n'était pas digne de la couronne; l'autre, parce qu'il en était trop digne, et qu'il ne serait pas assez souple et assez soumis à ses volontés. Il mit sur les rangs en leur place deux hommes sans nom et sans honneur, mais dont il s'attendait bien d'être le maître: l'un s'appelait Sévère, né en Illyrie, d'une famille obscure, sans mœurs et sans autre talent que celui d'être infatigable dans la débauche, et de passer les nuits à danser et boire: ce mérite le faisait estimer de Galérius, qui, sans attendre même le consentement de Dioclétien, l'avait déja envoyé à Maximien pour recevoir la pourpre. L'autre n'était connu que de Galérius seul, dont il était neveu, fils de sa sœur; il se nommait Daia ou Daza: il avait d'abord été berger comme son oncle, à qui il ressemblait assez pour les mœurs, mais non pas en courage ni en capacité pour le métier des armes. Galérius qui le crut propre à remplir ses vues, l'avait depuis peu ennobli en lui donnant le nom de Maximin, et le faisant rapidement passer par divers emplois de la milice jusqu'au tribunat. Dioclétien ne put entendre sans gémir un choix si indigne; mais comme Galérius y paraissait obstiné, il fallut y consentir.

Le premier jour de mai de l'année 305, Dioclétien ayant assemblé ses soldats près de Nicomédie, leur déclare en pleurant, que ses infirmités l'obligent à remettre le fardeau de l'empire à des princes plus capables de le soutenir; il nomme Augustes Constance et Galérius; et donne le titre de Césars à Sévère et à Maximin. On s'étonne qu'il préfère à Constantin, chéri et estimé des troupes, deux hommes inconnus; mais la surprise même d'une promotion si bizarre ferme la bouche à tous les assistants: aucun ne réclame: Dioclétien quitte son manteau de pourpre, le jette sur les épaules de Maximin qui était présent; et cet empereur dépouillé, traversant dans son char Nicomédie, prend le chemin de Salone sa patrie, où malgré son affaiblissement, il trouva encore dans son esprit assez de force pour étouffer, pendant plus de huit ans, des regrets qui n'éclatèrent que dans les derniers moments de sa vie.

Maximien fit le même jour à Milan la même cérémonie en faveur de Sévère, mais moins capable que Dioclétien de se contraindre, ne perdant jamais de vue la puissance souveraine, dont l'éclat l'avait ébloui, il alla gémir de son abdication forcée, dans les lieux les plus agréables de la Lucanie.

Constance empereur se contenta des provinces dont il avait pris soin en qualité de César: il laissa à Sévère le commandement de tous les pays que Maximien avait gouvernés. Mais l'ambitieux Galérius mit l'Asie dans son département, et ne donna à Maximin que l'Orient. C'est ainsi qu'on appelait alors toute l'étendue des provinces depuis le mont Amanus jusqu'à l'Égypte, qui y était même quelquefois comprise, et qui fut aussi dans le partage de Maximin.

Galérius se regardait comme le maître absolu de l'empire: les Césars étaient ses créatures; il comptait pour rien Constance Chlore, à cause de son humeur douce et pacifique. D'ailleurs il croyait voir dans la mauvaise santé de ce prince les annonces d'une mort prochaine; et si la nature tardait trop à servir ses désirs, il était sûr de trouver dans son audace et dans celle de ses deux amis assez de ressources, pour se défaire d'un collègue qu'il haïssait comme un rival.

Il n'eut pas besoin d'avoir recours au crime. Constance Chlore mourut bientôt, mais il vécut assez pour faire connaître que l'autorité absolue ne l'avait pas changé. N'étant que César il avait osé être vertueux, et courir le risque de paraître censurer par sa vie celle des empereurs, à qui il avait intérêt de plaire: devenu Auguste, il n'eut pas de peine à sauver sa vertu de la séduction du pouvoir suprême. Également affable, tempéré, modeste et encore plus libéral, il se souciait peu d'enrichir son épargne; il regardait le cœur de ses peuples comme son véritable trésor. Ce n'est pas qu'il fût ennemi de la magnificence; il aimait à donner des fêtes publiques: mais la sage économie dont il usait dans sa dépense ordinaire, le mettait en état, sans charger ses sujets, de représenter avec dignité, et de soutenir la majesté de l'empire.

Il voulut l'étendre par de nouvelles conquêtes. La Grande-Bretagne appartenait aux Romains jusqu'au mur bâti par Sévère entre les deux golfes de la Clyde et de Forth: mais ce qu'on nomme aujourd'hui l'Écosse septentrionale servait de retraite aux Pictes, anciens habitants du pays, dont les Calédoniens faisaient partie. Constance résolut de les réduire et d'achever la conquête de l'île. Sa flotte sortait à pleines voiles du port de Boulogne (*Bononia*), lorsque son fils Constantin, qu'il souhaitait ardemment de revoir, s'étant échappé des mains de Galérius, comme je le raconterai dans la suite, parut sur le rivage et s'embarqua avec son père, pour l'accompagner dans cette expédition périlleuse. Les Pictes furent défaits; mais Constance ne survécut que peu de jours à sa victoire: il termina sa vie à York (*Eboracum*), un an et près de trois mois après avoir été déclaré Auguste. Je vais entrer dans mon ouvrage par l'histoire de son successeur.

LIVRE PREMIER.

I. Date de la naissance de Constantin. II. Sa patrie. III. Son origine. IV. Qualité de sa mère. V. Noms de Constantin. VI. Ses premières années. VII. Portrait de ce prince. VIII. Sa chasteté. IX. Son savoir. X. Galérius est jaloux de Constantin. XI. Il cherche à le perdre. XII. Constantin s'échappe des mains de Galérius. XIII. Il joint son père. XIV. Il lui succède. XV. Proclamation de Constantin. XVI. Sépulture de Constance. XVII. Projets de Galérius. XVIII. Ses cruautés, XIX. contre les chrétiens; XX. contre les païens mêmes. XXI. Rigueur des impositions. XXII. Les crimes de ses officiers doivent lui être imputés. XXIII. Il refuse à Constantin le titre d'Auguste, et le donne à Sévère. XXIV. Maxence élevé à l'empire. XXV. Maximien reprend le titre d'Auguste. XXVI. Maximin ne prend point de part à ces mouvements. XXVII. Occupations de Constantin. XXVIII. Sa victoire sur les Francs. XXIX. Il achève de les dompter. XXX. Il met à couvert les terres de la Gaule. XXXI. Sévère trahi. XXXII. Sa mort. XXXIII. Mariage de Constantin. XXXIV. Galérius vient assiéger Rome. XXXV. Il est contraint de se retirer. XXXVI. Il ruine tout sur son passage. XXXVII. Maximien revient à Rome d'où il est chassé. XXXVIII. Maxence lui ôte le consulat. XXXIX. Maximien va trouver Constantin et ensuite Galérius. XL. Portrait de Licinius. XLI. Dioclétien refuse l'empire. XLII. Licinius Auguste. XLIII. Maximin continue à persécuter les chrétiens. XLIV. Punition d'Urbain et de Firmilien. XLV. Maximin prend le titre d'Auguste. XLVI. Maximien consul. XLVII. Alexandre est nommé empereur à Carthage. XLVIII. Maximien quitte la pourpre pour la seconde fois. XLIX. Il la reprend. L. Constantin marche contre lui. LI. Il s'assure de sa personne. LII. Mort de Maximien. LIII. Ambition et vanité de Maximien. LIV. Consulats. LV. Constantin fait des offrandes à Apollon. LVI. Il embellit la ville de Trèves. LVII. Guerre contre les barbares. LVIII. Nouvelles exactions de Galérius. LIX. Sa maladie. LX. Édit de Galérius en faveur des chrétiens. LXI. Mort de Galérius. LXII. Différence de sentiments au sujet de Galérius. LXIII. Consulats de cette année. LXIV. Partage de Maximin et de Licinius. LXV. Débauches de Maximin. LXVI. Maximin fait cesser la persécution. LXVII. Délivrance des chrétiens. LXVIII. Artifices contre les chrétiens. LXIX. Édit de Maximin. LXX. La persécution recommence. LXXI. Passion de Maximin pour les sacrifices. LXXII. Calomnies contre les chrétiens. LXXIII. Divers martyrs. LXXIV. Famine et peste en Orient. LXXV. Guerre contre les Arméniens. LXXVI. État du christianisme en Italie. LXXVII. Guerre contre Alexandre. LXXVIII. Défaite d'Alexandre. LXXIX. Désolation de l'Afrique. LXXX. Massacre dans Rome. LXXXI. Avarice de Maxence. LXXXII. Ses rapines. LXXXIII. Ses débauches. LXXXIV. Mort de Sophronie. LXXXV. Superstition de Maxence. LXXXVI. Constantin se prépare à la guerre. LXXXVII. Il soulage la ville d'Autun. LXXXVIII. Il retourne à Trèves. LXXXIX. Outrages qu'il reçoit de Maxence. XC. Ils s'appuient tous deux par des alliances. XCI. Préparatifs de Maxence. XCII. Forces de Constantin. XCIII. Inquiétudes de ce prince. XCIV. Réflexions qui le portent au christianisme. XCV. Apparition de la croix. XCVI. Constantin fait faire le labarum. XCVII. Culte de cette enseigne. XCVIII. Protection divine attachée au labarum. XCIX. Sur le lieu où parut ce prodige. C. Discussion sur la vérité de ce miracle. CI. Raisons pour le combattre. CII. Raisons pour l'appuyer. CIII. Constantin se fait instruire. CIV. Conversion de sa famille. CV. Fable de Zosime réfutée.

CONSTANTIN PREMIER, DIT LE GRAND.

I. Date de la naissance de Constantin.

Bucherius in Cyclis, p. 276 et 286.

Du Cange, Fam. Byz. p. 45.

Pagi in Bar.

Cuper, præf. in Lact. de mort. persec.

Baron, ann. 306, § 16.

Till. Constantin, art. 78.

Les commencements de la vie de Constantin sont mêlés de beaucoup d'incertitude. On ne convient ni du temps, ni du lieu de sa naissance, ni de la condition de sa mère. Les meilleurs auteurs s'accordent à dire qu'il naquit le 27 février[4]: mais ils se partagent sur l'année. Ce fut, selon les uns, en 272, selon d'autres, en 274. Cette dernière opinion me paraît la plus probable.

[4] Cette date est donnée dans un calendrier antique, publié par Bucher et par d'autres savants.—S.-M.

II. Sa patrie.

Proc. de Æd. l. 5, c. 2.

Usserius in Britan. Eccl. antiq. p. 183.

Alford, Ann. Britan.

Stillingfleet in orig. Brit.

Adhelm. de laud. virginitatis.

Incerti Paneg. Max. et Const. n. 4.

Eumenii. paneg. Constant., n. 9.

Cuper, præf. in Lact. de mort. persec.

Mem. d'Anglet. p. 61.

Jul. Firmic., l. 1. c. 4.

Anony. Vales.

Steph. Byz.

Constant. Porph. l. 2. them. 9.

Cedrenus, t. 1, p. 269.

Till. note 3, sur Const.

Sa patrie n'est pas moins contestée. Dès le temps de Justinien c'était une tradition, qu'Hélène mère de Constantin, était née à Drépane bourgade de Bithynie, et que ce prince y avait été nourri: c'est ce que nous apprenons de Procope. Mais il y a apparence que cette tradition ne doit son origine, qu'à l'honneur que Constantin fit à cette bourgade de lui donner le nom d'Hélénopolis, avec le titre de ville, pour les raisons que je dirai dans la suite. Les auteurs anglais, suivis en ce point par Baronius, veulent faire croire que leur île a vu naître ce grand prince: les uns disent que ce fut à Yorck, résidence des gouverneurs romains; les autres à Colchester où régnait Coël, père d'Hélène: on y voit encore les ruines d'un vieux château, dans lequel on prétend que naquirent Hélène et son fils. Cette opinion, adoptée par une foule d'auteurs, et mal appuyée sur quelques passages de panégyristes qui peuvent recevoir un tout autre sens, ne s'est accréditée que par le concours des historiens d'une nation illustre. L'Angleterre s'est fait gloire d'avoir donné au christianisme et à l'empire un prince qui a tant honoré l'un et l'autre. Mais cette prétention est détruite par tous les historiens qui ont écrit avant le septième siècle, dont aucun, malgré la diversité de leurs opinions, ne fait naître Constantin dans la Grande-Bretagne; et le château de Colchester ne fut bâti que vers le commencement du dixième siècle, par le roi Édouard, fils d'Alfred. Le sentiment le plus universellement reçu aujourd'hui, parce qu'il est fondé sur les auteurs les plus anciens et les plus sûrs, c'est que Constantin est né à Naïsse en Dardanie. On voit en effet que ce prince prit plaisir à embellir cette ville dont il est, pour cette raison, appelé le fondateur; qu'il la rendit beaucoup plus considérable, et qu'il était bien aise d'y faire son séjour et d'y respirer l'air de sa première jeunesse, comme il paraît par la date de plusieurs de ses lois.

III. Son origine.

Eumenii paneg. Constant. c. 2.

Anony. Vales.

Treb. Pollio in Claud. c. 13.

Du Cange, Fam. Byz. p. 45.

Pour ce qui regarde sa famille, on ne doute point de sa noblesse du côté de son père. Mais, selon le témoignage d'un auteur contemporain, dans les premières années du règne de Constantin, son origine était presque universellement ignorée. Les révolutions fréquentes de ces temps-là, comme des vents impétueux, en avaient effacé la trace; et l'intervalle de quatre règnes, courts à la vérité, mais finis par des événements tragiques, avait déja, sous Dioclétien, presque fait oublier Claude le Gothique, malgré ses vertus et ses victoires. Aussi n'avait-il régné que deux ans. C'était du père de cet empereur que descendait Constance Chlore par sa mère Claudia, fille de Crispus et nièce de Claude. Cette généalogie ne remonte pas plus haut: le père de Claude et de Crispus est resté dans l'obscurité; et tout ce qu'on sait de leur mère, c'est qu'elle était de Dalmatie.

IV. Qualité de sa mère.

Zos. l. 2, c. 8.

Chron. Alex. vel Paschal. p. 278.

Hieron. in Chronico.

Ambros. orat. in fun. Theod.

Eutrop. l. 10.

Les deux Victors.

Anony. Vales.

Inscr. Grut. p. 1086, n. 2.

Theophanes, p. 8.

Zonar. l. 12, t. 1, p. 644. et l. 13. t. 11, p. 1.

Cedrenus, t. 1, p. 269.

Incerti paneg. Max. et Const. c. 3 et 4.

L. præf. *ff.* de ritu nupt.

L. eos qui eod. tit.

Till. note 1 sur Constantin.

On en sait encore moins de l'origine d'Hélène, mère de Constantin. On la fait naître dans la Grande-Bretagne, à Trèves, à Naïsse, à Drépane en Bithynie, à Tarse, à Édesse. Le plus sûr est de dire qu'on ignore absolument la patrie et les parents de cette princesse. La condition de son alliance avec Constance Chlore, forme une question plus importante et moins difficile à résoudre. Des auteurs anciens, et même des Pères de l'église, ne laissent à Hélène que le nom de concubine, et la font sortir de la plus basse naissance. Mais des écrivains encore plus sûrs en matière d'histoire, lui donnent le titre de femme légitime, et leur témoignage est confirmé par plusieurs raisons. Les panégyristes de ce temps-là, malgré le caractère de flatterie attaché dans tous les siècles aux orateurs de ce genre, auraient-ils osé louer en face Constantin d'avoir imité la chasteté de son père, en s'éloignant, dès sa première jeunesse, des amusements de l'amour, pour contracter un engagement sérieux et légitime, si la naissance même du prince devant qui ils parlaient eût démenti cet éloge? Une contre-vérité si grossière n'eût-elle pas eu toute l'apparence d'une satire? Dioclétien aurait-il traité Constantin comme le sujet le plus distingué de sa cour? Serait-ce le premier qu'il aurait proposé, quand il fut question de nommer des Césars? et Galérius, qui cherchait à écarter ce jeune prince, aurait-il manqué alors de faire valoir le défaut de sa naissance? ce qu'il ne fit pourtant pas, comme nous le voyons par le récit de Lactance. De plus, tous les auteurs qui parlent de la séparation de Constance et d'Hélène, quand il fut obligé d'épouser Théodora, disent qu'il la répudia. Elle était donc son épouse. Ce qui peut avoir donné cours au sentiment contraire, c'est que Constance épousa Hélène dans une province où il avait un commandement: or les lois romaines n'autorisaient pas un mariage contracté par un officier dans la province où il était employé: mais une autre loi ajoutait, que si cet officier, après sa commission expirée, continuait à traiter comme son épouse la femme qu'il avait prise dans la province, le mariage devenait légitime. D'ailleurs l'obscurité de la famille d'Hélène devait lui ôter beaucoup de considération avant l'élévation de son fils: la grandeur et la fierté de Théodora, belle-fille de Maximien, qui entrait dans la maison de Constance avec tout l'éclat de la pourpre impériale, éclipsèrent cette femme répudiée; et les flatteurs de cour ne manquèrent pas sans doute de servir l'orgueil et la jalousie de la seconde épouse, en rabaissant la première, que la politique seule avait enlevée à la tendresse de Constance.

V. Noms de Constantin.

Till. Const., art. 4.

Buch. belg. l. 8, c. 2.

Numism. Mezzab.

Treb. Poll. in

Claud. c. 13 et 3.

Du Cange diss. de infer. ævi. numism. c. 36.

[Eckhel, doct. num. vet. t. VIII, p. 71-95.]

Le fils de ce prince et d'Hélène se nomma *Caius Flavius Valerius Aurelius Claudius Constantinus*. Une inscription lui donne le prénom de *Marcus*. Il tenait de son père les noms de *Flavius-Valerius*: les trois autres retraçaient la mémoire de Claude II, dit le Gothique. Cet empereur avait porté le nom d'*Aurelius*; et celui de *Constantinus* venait encore de sa famille, où l'on voit une de ses sœurs appelée Constantine. Le nom de Flavius était célèbre: quelques-uns prétendent que Claude II l'avait déja porté, comme une marque qu'il tirait son origine de la famille de Vespasien: mais cette descendance a bien l'air d'une fable, et je ne trouve pas dans l'histoire assez de fondement pour attribuer à ce bon prince la vanité d'emprunter d'illustres ancêtres, dont sa vertu n'avait pas besoin. Le texte de Trébellius Pollion, sur lequel on se fonde, pourrait bien signifier seulement que Claude fit donner à son petit-neveu Constance le nom de Flavius, parce qu'il prévoyait que les descendants de ce prince feraient revivre les vertus de Vespasien et de Titus; et ce ne serait qu'une flatterie d'un auteur qui écrivait sous l'empire de la famille de Claude. Ce qu'il y a de certain, c'est que la gloire de Constantin fit passer ce nom de Flavius à ses successeurs: il devint, comme ceux de César et d'Auguste, un titre de souveraineté. Cependant il ne fut pas réservé aux seuls empereurs; plusieurs familles illustres eurent l'ambition de le prendre, et les rois barbares eux-mêmes, tels que ceux des Lombards en Italie, et ceux des Goths en Espagne s'en firent honneur.

VI. Ses premières années.

Anony. Vales.

Eus. vit. Const. l. 1. c. 19.

Theoph. p. 6.

Hist. misc. l. 11. apud Muratori, t. 1, p. 71.

Lact. de mort. persec. c. 18.

Lorsque Constance Chlore fut fait César en 292, et envoyé dans les Gaules pour la défense de l'Occident, Constantin entrait dans sa dix-neuvième année. Dioclétien le retint auprès de lui comme en ôtage, pour s'assurer de la fidélité de son père, et il lui fit trouver à sa cour tous les honneurs et toutes les distinctions qui pouvaient le flatter. Il le mena avec lui en Égypte: et dans la guerre contre Achilléus, Constantin, également propre à obéir et à commander, se fit estimer de l'empereur et chérir des troupes par sa bravoure, par son intelligence, par sa générosité, et par une force de corps qui résistait à toutes les fatigues. Ce fut apparemment dans cette expédition qu'il fut fait tribun du premier ordre.

VII. Portrait de ce prince.

Euseb. vit. Const., l. 1, c. 19.

Paneg. veter.

Lactant. de mort. persec. c. 13, 19, et 25.

Eutrop. l. 10.

Les deux Victors.

Hist. misc. l. 11, apud Murat. t. I, p. 71.

Cedrenus. t. I, p. 269.

Niceph. Call. l. 7, c. 8.

Vict. epit.

Zos. l. 2, c. 20.

Zonar. l. 13, t. II, p. 5.

Eus. vit. Const. l. 1, c. 19.

Panegyr. vet.

Till., art. 4.

Hist. misc. l. 11, apud Murat. t. I, p. 71.

Du Cange, Fam. Byz. p. 45.

Sa gloire naissante attirait sur lui tous les regards. A son retour d'Égypte on accourait sur son passage, on s'empressait de le voir: tout annonçait un prince né pour l'empire. Il marchait à la droite de Dioclétien: sa bonne mine le distinguait de tous les autres. Une noble fierté, et un caractère de force et de vigueur marqué dans toute sa personne, imprimait d'abord un sentiment de crainte; mais cette physionomie guerrière était adoucie par une agréable sérénité répandue sur son visage. Il avait le cœur grand, libéral, et porté à la magnificence; plein de courage, de probité, et d'un amour pour la justice qui tempérait son ambition naturelle: sans ce contre-poids il eût été capable de tout entreprendre et de tout exécuter. Son esprit était vif et ardent sans être précipité; pénétrant sans défiance et sans jalousie; prudent, et tout à la fois prompt à se déterminer: enfin, pour achever ici son portrait, il avait le visage large et haut en couleur, peu de cheveux et de barbe, les yeux grands, le regard vif, mais gracieux, le col un peu gros, le nez aquilin; un tempérament délicat et assez malsain, mais qu'il sut ménager par une vie sobre et frugale, et par la modération dans l'usage des plaisirs.

VIII. Sa chasteté.

Ses mœurs étaient chastes. Sa jeunesse, toute occupée de grandes et de nobles pensées, fut exempte des faiblesses de cet âge. Il se maria jeune, et ce dut être vers le temps de son voyage d'Égypte. La naissance de Minervina, sa première femme, est aussi inconnue que celle d'Hélène, et sa condition ne partage pas moins les auteurs. Des raisons tout-à-fait semblables à celles que nous avons apportées en faveur d'Hélène, prouvent que cette alliance fut un mariage légitime. Il en sortit un prince nommé Crispus, célèbre par ses belles qualités et par ses malheurs. Il naquit vers l'an 300, et ce fut par conséquent en Orient, où son père séjournait alors, et non pas à Arles, comme certains auteurs l'ont prétendu.

IX. Son savoir.

Cedrenus, t. I, p. 259.

Anony. Vales.

Eus. vit. Const. l. 1, c. 19, et l. 4, c. 55.

Eutrop. l. 10.

Vict. Epit.

Niceph. Cal. l. 7, c. 18.

Oratio ad S. Cœtum.

On ne s'accorde pas au sujet du savoir de Constantin et de son goût pour les lettres: les uns ne lui en donnent qu'une teinte légère; d'autres le font tout-à-fait ignorant; quelques-uns le représentent comme très-instruit. Eusèbe, son panégyriste, élève bien haut sa science et son éloquence, et prouve assez mal ces grands éloges par un discours fort long et fort ennuyeux, qu'il met dans la bouche de Constantin. Il est vrai qu'étant empereur, il fit pour les sciences et pour les lettres plus même quelles n'exigent d'un grand prince: non content de les protéger, de les regarder comme un des plus grands ornements de son empire, de les encourager par des bienfaits, il aimait à composer, à prononcer lui-même des discours. Mais outre que le goût des lettres n'était pas celui de la cour où il avait été élevé, et que tous les princes de ce temps-là, excepté Maximin, ne se piquaient pas d'être savants, nous voyons par le peu qui nous reste de ses écrits qu'il n'avait guère plus de savoir ni d'éloquence qu'il ne lui en fallait pour se faire applaudir de ses courtisans, et se persuader à lui-même que ces qualités ne lui manquaient pas.

X. Galérius est jaloux de Constantin.

Theoph. p. 6.

Niceph. Cal. l. 7, c. 19.

Lact. de mort. pers. c. 11.

Je ne puis croire ce que disent quelques historiens, que Dioclétien, jaloux du mérite de Constantin, voulut le faire périr. Un dessein si noir convient mieux au caractère de Galérius, à qui d'autres l'attribuent. Il paraît qu'après l'expédition d'Égypte, Constantin suivit celui-ci dans plusieurs guerres: sa valeur éclatante donna de l'ombrage à cette ame basse et orgueilleuse; Galérius résolut de le perdre, l'écarta d'abord du rang de César, qui lui était dû par son mérite, par la qualité de fils de Constance, par l'estime des empereurs et par l'amour des peuples: il le retint pourtant à sa cour, où la vie de ce jeune prince courait plus de risques qu'au milieu des batailles.

XI. Il cherche à le perdre.

Anony. Vales.

Zonar. l. 12, t. I, p. 645.

Lact. de mort. pers. c. 24.

Praxag. ap. Photium, cod. 62.

Sous prétexte de lui procurer de la gloire, Galérius l'exposa aux plus grands périls. Dans une guerre contre les Sarmates, les deux armées étant en présence, il lui commanda d'aller attaquer un capitaine qui, par sa grande taille, paraissait le plus redoutable de tous les barbares. Constantin court droit à l'ennemi, le terrasse, et le traînant par les cheveux, l'amène tout tremblant aux pieds de son général. Il reçut ordre, une autre fois, de se jeter à cheval dans un marais, derrière lequel étaient postés les Sarmates, et dont on ne connaissait pas la profondeur: il le traverse, montre le passage aux troupes romaines, renverse les ennemis, et ne revient qu'après avoir remporté une glorieuse victoire. On rapporte même, que le tyran l'ayant obligé de combattre un lion furieux, Constantin sortit encore de ce combat, vainqueur de ce terrible animal et des mauvais desseins de Galérius.

AN 306.

XII. Constantin s'échappe des mains de Galérius.

Lact. de mort. pers. c. 24.

Anony. Vales.

Zos. l. 2, c. 8.

Constance avait plusieurs fois redemandé son fils, sans pouvoir le retirer des mains de son collègue. Enfin, étant sur le point de passer dans la Grande-Bretagne pour aller faire la guerre aux Pictes, le mauvais état de sa santé lui fit craindre de le laisser, en mourant, à la merci d'un tyran ambitieux et sanguinaire. Il parla d'un ton plus ferme: le fils, de son côté, sollicitait vivement la permission d'aller rejoindre son père; et Galérius, qui n'osait rompre ouvertement avec Constance, consentit enfin au départ de Constantin. Il lui donna sur le soir le brevet nécessaire pour prendre des chevaux de poste, en lui enjoignant expressément de ne partir, le lendemain matin, qu'après avoir reçu de lui de nouveaux ordres. Il ne laissait échapper sa proie qu'à regret, et il n'apportait ce délai que pour chercher encore quelque prétexte de l'arrêter, ou pour avoir le temps de mander à Sévère qu'il eût à le retenir lorsqu'il passerait par l'Italie. Le lendemain, Galérius affecta de rester au lit jusqu'à midi; et ayant fait appeler Constantin, il fut étonné d'apprendre qu'il était parti dès le commencement de la nuit. Frémissant de colère, il ordonne de courir après lui et de le ramener; mais la poursuite devenait impossible: Constantin, fuyant à toute bride, avait eu la précaution de faire couper les jarrets à tous les chevaux de poste qu'il laissait sur son passage; et la rage impuissante du tyran ne lui laissa que le regret de n'avoir pas osé faire le dernier crime.

XIII. Il joint son père.

Eumen. paneg. c. 7 et 8.

Anony. Vales.

Till. note 5, sur Constantin.

Constantin traverse comme un éclair l'Illyrie et les Alpes, avant que Sévère puisse en avoir des nouvelles, et arrive au port de Boulogne (*Bononia*) lorsque la flotte mettait à la voile. A cette vue inespérée on ne peut exprimer la joie de Constance: il reçoit entre ses bras ce fils que tant de périls lui rendaient encore plus cher; et mêlant ensemble leurs larmes et toutes les marques de leur tendresse, ils arrivent dans la Grande-Bretagne, où Constance, après avoir vaincu les Pictes, mourut de maladie le 25 juillet de l'an 306.

XIV. Il lui succède.

Liban. in Basilico.

Euseb. vit. Const. l. 1, c. 21.

Il avait eu de son mariage avec Théodora, trois fils: Delmatius, Jule-Constance, Hanniballianus, et trois filles, Constantia, qui fut femme de Licinius, Anastasia qui épousa Bassianus, et Eutropia mère de Népotianus, dont je parlerai ailleurs. Mais il respectait trop la puissance souveraine, pour l'abandonner comme une proie à disputer entre ses enfants; et il était trop prudent pour affaiblir ses états par un partage. Le droit d'aînesse, soutenu d'une capacité supérieure, appelait à l'empire Constantin, qui était déja dans sa trente-troisième année. Le père mourant couvert de gloire, au milieu de ses enfants qui fondaient en larmes et qui révéraient ses volontés comme des oracles, embrassa tendrement Constantin et le nomma son successeur; il le recommanda aux troupes, et ordonna à ses autres fils de lui obéir.

XV. Proclamation de Constantin.

Eumenius, Paneg. c. 8.

Euseb. Vit. Const. l. 1, c. 22.

Vict. epit.

Zos. l. 2, c. 9.

Hist. misc. l. 11. apud Muratori, T. I, p. 71.

Toute l'armée s'empressa d'exécuter ces dernières dispositions de Constance: à peine eut-il les yeux fermés, que les officiers et les soldats, excités encore par Éroc, roi des Allemans auxiliaires, proclamèrent Constantin Auguste. Ce prince s'efforça d'abord d'arrêter l'ardeur des troupes; il craignait une guerre civile; et pour ne pas irriter Galérius, il voulait obtenir son agrément avant que de prendre le titre d'empereur. L'impatience des soldats se refusa à ces ménagements politiques: au premier moment que Constantin, encore tout en larmes, sortit de la tente de son père, tous l'environnèrent avec de grands cris: en vain voulut-il leur échapper à course de cheval; on l'atteignit, on le revêtit de la pourpre malgré sa résistance; tout le camp retentissait d'acclamations et d'éloges; Constance revivait dans son fils, et l'armée n'y voyait de différence que l'avantage de la jeunesse.

XVI. Sépulture de Constance.

Euseb. Hist. ecc. l. 8, c. 13 et Vit. Const. l. 1, c. 22.

Numism. Mezzab.

Till., art. 7.

Alford, Ann. Brit., an 306 § 6.

Usserius, Brit. Eccl. Antiq. p. 60.

[Eckhel, doct. num. vet. t. VIII, p. 28-32.]

Le premier soin du nouvel empereur fut de rendre à son père les derniers devoirs: il lui fit faire de magnifiques funérailles, et marcha lui-même à la tête avec un grand cortège. On décerna à Constance, selon la coutume, les honneurs divins[5]. M. de Tillemont rapporte, sur le témoignage d'Alford et d'Ussérius, qu'on montre son tombeau en divers endroits de l'Angleterre, et particulièrement en un lieu appelé *Caïr-Segeint* ou *Sejont*, quelquefois *Caïr-Custeint*, c'est-à-dire, *Ville de Constance* ou *de Constantin*; et que, en 1283, comme on prétendit avoir trouvé son corps dans un autre lieu qui n'est pas loin de là, Edouard I, qui régnait alors, le fit transporter dans une église, sans se mettre beaucoup en peine si les canons permettaient d'y placer un prince païen. Il ajoute que Cambden raconte que peu de temps avant lui, c'est-à-dire au commencement du seizième siècle, en fouillant à York dans une grotte où l'on tenait qu'était le tombeau de Constance, on y avait trouvé une lampe qui brûlait encore; et Alford juge que selon les preuves les plus solides, c'était, en effet, le lieu de la sépulture de ce prince.

[5] Beaucoup de médailles frappées après la mort de ce prince, portent les légendes: DIVO. CONSTANTIO. AVG. ou DIVO. CONSTANTIO. PIO. PRINCIPI ou bien DIVVS. CONSTANTIVS. Quelques-unes, frappées par les ordres de Maxence, portent IMP. MAXENTIVS. DIVO. CONSTANTIO. AD-FINI *vel* COGN.—S.-M.

XVII. Projets de Galérius.

Lact. de mort. pers. c. 20 et seq.

Sa mort semblait favoriser les desseins de Galérius: elle entrait dans le plan qu'il avait dressé pour se rendre le seul monarque; mais elle était arrivée trop tôt, et ce contre-temps rompait toutes ses mesures. Son projet avait été de substituer à Constance, Licinius son ancien ami: il s'aidait de ses conseils, et comptait sur une obéissance aveugle de sa part. Il lui destinait le titre d'Auguste, et c'était dans cette vue qu'il ne lui avait pas fait donner celui de César. Alors maître de tout, et ne laissant à Licinius qu'une ombre d'autorité, il aurait disposé à son gré de toutes les richesses de l'empire; et après avoir accumulé d'immenses trésors, il aurait quitté, comme Dioclétien, au bout de vingt ans la puissance souveraine, et se serait ménagé une retraite assurée et tranquille pour une vieillesse voluptueuse; en laissant pour empereurs Sévère avec Licinius, et pour Césars Maximin et Candidianus son fils naturel, qui n'avait encore que neuf ans, et qu'il avait fait adopter par sa femme Valéria, quoique cet enfant ne fût né que depuis le mariage de cette princesse.

XVIII. Ses cruautés.

Pour réussir dans ces projets il fallait exclure Constantin: mais Galérius s'était rendu trop odieux par sa cruauté et par son avarice. Depuis sa victoire sur les Perses, il avait adopté le gouvernement despotique établi de tout temps dans ce riche et malheureux pays; et sans pudeur, sans égard pour les sentiments d'une honnête soumission, à laquelle une longue habitude avait plié les Romains, il disait hautement que le meilleur usage auquel on pouvait employer des sujets, c'était d'en faire des esclaves. Ce fut sur ces principes qu'il régla sa conduite. Nulle dignité, nul privilége n'exemptait ni des coups de fouet, ni des plus horribles tortures les magistrats des villes: des croix toujours dressées attendaient ceux qu'il condamnait à mort; les autres étaient chargés de chaînes et resserrés dans des entraves. Il faisait traîner dans des maisons de force des dames illustres par leur naissance. Il avait fait chercher par tout l'empire des ours d'une énorme grosseur, et leur avait donné des noms: quand il était en belle humeur, il en faisait appeler quelqu'un, et se divertissait à les voir non pas dévorer sur-le-champ des hommes, mais sucer tout leur sang et déchirer ensuite leurs membres: il ne fallait rien moins pour faire rire ce tyran sombre et farouche. Il ne prenait guère de repas sans voir répandre du sang humain. Les supplices des gens du peuple n'étaient pas si recherchés: il les faisait brûler vifs.

XIX. Contre les Chrétiens.

Galérius avait d'abord fait sur les chrétiens l'essai de toutes ces horreurs, ordonnant par édit, qu'après la torture ils seraient brûlés à petit feu. Ces ordres inhumains ne manquaient pas d'exécuteurs fidèles, qui se faisaient un mérite d'enchérir encore sur la barbarie du prince. On attachait les chrétiens à un poteau; on leur grillait la plante des pieds, jusqu'à ce que la peau se détachât des os; on appliquait ensuite sur toutes les parties de leur corps des flambeaux qu'on venait d'éteindre; et pour prolonger leurs souffrances avec leur vie, on leur rafraîchissait de temps en temps d'eau froide la bouche et le visage: ce n'était qu'après de longues douleurs que, toute leur chair étant rôtie, le feu pénétrait jusqu'aux entrailles, et jusqu'aux sources de la vie. Alors on achevait de brûler ces corps déja presque consumés, et on en jetait les cendres dans un fleuve ou dans la mer.

XX. Contre les païens mêmes.

Le sang des chrétiens ne fit qu'irriter la soif de Galérius. Bientôt il n'épargna pas les païens mêmes. Il ne connaissait point de degré dans les punitions: reléguer, mettre en prison, condamner aux mines, étaient des peines hors d'usage; il ne parlait que de feux, de croix, de bêtes féroces: c'était à coups de lance qu'il châtiait ceux qui formaient sa maison; il fallait aux sénateurs d'anciens services et des titres bien favorables, pour obtenir la grace d'avoir la tête tranchée. Alors tous les talents qui, déja fort affaiblis, respiraient encore, furent entièrement étouffés: on bannit, on fit mourir les avocats et les jurisconsultes; les lettres passèrent pour des secrets dangereux, et les savants pour des ennemis de l'état. Le tyran, faisant taire toutes les lois, se permit de tout faire, et donna la même licence aux juges qu'il envoyait dans les provinces: c'étaient des gens qui ne connaissaient que la guerre, sans étude et sans principes, adorateurs aveugles du despotisme, dont ils étaient les instruments.

XXI. Rigueur des impositions.

Mais ce qui porta dans les provinces une désolation universelle, ce fut le dénombrement qu'il fit faire de tous les habitants de ses états, et l'estimation de toutes les fortunes. Les commissaires répandaient partout la même inquiétude et le même effroi que des ennemis auraient pu causer; et l'empire de Galérius d'une extrémité à l'autre ne semblait plus être peuplé que de captifs. On mesurait les campagnes, on comptait les ceps de vignes, les arbres, et, pour ainsi dire, les mottes de terre; on faisait registre des hommes et des animaux: la nécessité des déclarations remplissait les villes d'une multitude de paysans et d'esclaves; les pères y traînaient leurs enfants. La justice d'une imposition proportionnelle aurait rendu ces contraintes excusables, si l'humanité les eût adoucies, et si les impositions en elles-mêmes eussent été tolérables; mais tout retentissait de coups de fouets et de gémissements; on mettait les enfants, les esclaves, les femmes à la torture, pour vérifier les déclarations des pères, des maîtres, des maris; on tourmentait les possesseurs eux-mêmes, et on les forçait, par la douleur, de déclarer plus qu'ils ne possédaient: la vieillesse ni la maladie ne dispensaient personne de se rendre au lieu ordonné; on fixait arbitrairement l'âge de chacun; et comme, selon les lois, l'obligation de payer la capitation devait commencer et finir à un certain âge, on ajoutait des années aux enfants et on en ôtait aux vieillards. Les premiers commissaires avaient travaillé à satisfaire l'avidité du prince par les rigueurs les plus outrées: cependant Galérius, pour presser encore davantage ses malheureux sujets, en envoya d'autres, à plusieurs reprises, faire de nouvelles recherches; et les derniers venus, pour enchérir sur leurs prédécesseurs, surchargeaient à leur fantaisie, et ajoutaient à leur rôle beaucoup plus qu'ils ne trouvaient ni dans les biens ni dans le nombre des habitants. Cependant les animaux périssaient, les hommes mouraient; et après la mort on les faisait vivre sur les rôles, on exigeait encore la taxe des uns et des autres. Il ne restait d'exempts que les mendiants: leur indigence les sauvait de l'imposition, mais non pas de la barbarie de Galérius; on les rassembla par son ordre au bord de la mer, et on les jeta dans des barques qu'on fit couler à fond.

XXII. Les crimes de ses officiers doivent lui être imputés.

Telle est l'idée qu'un auteur contemporain, très-instruit et très-digne de foi, nous a laissée du gouvernement de Galérius. Quelque méchant que fût ce prince, une partie de ces vexations doit sans doute être imputée à ses officiers. Mais telle est la condition de ceux qui gouvernent; ils prennent sur leur compte les injustices de ceux qu'ils emploient: ce sont les crimes de leurs mains. Les noms de ces hommes obscurs périssent avec eux; mais leurs iniquités survivent et restent attachées au supérieur, dont le portrait se compose en grande partie des vertus et des vices de ceux qui ont agi sous ses ordres.

XXIII. Il refuse à Constantin le titre d'Auguste, et le donne à Sévère.

Lact., de mort. pers. c. 25.

Till. art. 5.

Galérius était occupé de ces rapines et de ces violences, quand il apprit la mort de Constance: bientôt après on lui présenta l'image de Constantin couronnée de laurier. Le nouvel empereur la lui envoyait, selon la coutume, pour lui notifier son avénement à l'empire. Il balança long-temps s'il la recevrait: son premier mouvement fut de la jeter au feu avec celui qui l'avait apportée; mais on lui représenta ce qu'il avait à craindre de ses propres soldats, déja mécontents du choix des deux Césars, et tout disposés à se déclarer pour Constantin, qui viendrait sans doute lui arracher son consentement à main armée. Plus susceptible de crainte que de sentiment de justice, il reçut à regret cette image; et pour paraître donner ce qu'il ne pouvait ôter, il envoya la pourpre à Constantin. Ses vues sur Licinius se trouvaient trompées; mais afin d'abaisser du moins le nouveau prince, autant qu'il pourrait le faire, il s'avisa de donner le titre d'Auguste à Sévère, qui était le plus âgé, et de ne laisser à Constantin que le rang de César après Maximin, le faisant ainsi descendre du second degré au quatrième. Le jeune prince, dont l'ame était élevée et l'esprit solide, parut se contenter de ce qu'on lui accordait, et ne jugea pas à propos de troubler la paix de l'empire, pour conserver le titre d'un pouvoir dont il possédait toute la réalité. En effet, c'est de cette année qu'on commença à compter celles de sa puissance tribunitienne.

XXIV. Maxence élevé à l'empire.

Incert. Paneg. c. 4.

Lact. de mort. pers. c. 18 et 26.

Anony. Vales.

Eutrop. l. 10.

Till. note 12 et 13.

Sévère, qui commandait en Italie, fort satisfait de cette nouvelle disposition, ne différa pas d'envoyer à Rome l'image de Constantin, pour l'y faire reconnaître en qualité de César. Mais le dépit d'un rival méprisé jusques alors, et qui prétendait avoir plus de droit à l'empire que tous ces nouveaux souverains, renversa l'ordre établi par Galérius. Marcus Aurelius Valerius Maxentius était fils de Maximien. Ses mauvaises qualités, et peut-être ses malheurs, ont fait dire qu'il était supposé; on prétend même que sa mère Eutropia avoua qu'elle l'avait eu d'un Syrien. C'était un prince mal fait de corps et d'esprit, d'une ame basse, et plein d'arrogance, débauché et superstitieux, brutal jusqu'à refuser le respect à son père. Galérius lui avait donné en mariage une fille qu'il avait eue de sa première femme; mais ne voyant en lui que des vices dont il ne pouvait faire usage, il avait empêché Dioclétien de le nommer César. Ainsi Maxence, oublié de son père, haï de son beau-père, avait, jusqu'à ce temps, mené une vie obscure, enveloppé dans les ténèbres de la débauche, tantôt à Rome, tantôt en Lucanie. Le bruit de l'élévation de Constantin le réveilla: il crut devoir sauver une partie de son héritage, qu'il se voyait enlever par tant de mains étrangères. La disposition des esprits lui donnait de grandes facilités: l'insatiable avidité de Galérius alarmait la ville de Rome; on y attendait des commissaires chargés d'exercer les mêmes vexations qui faisaient déja gémir les provinces; et comme Galérius craignait la milice prétorienne, il en avait cassé une partie: c'était donner à Maxence ceux qui restaient. Aussi les gagna-t-il aisément par le moyen de deux tribuns nommés Marcellianus et Marcellus; et les intrigues de Lucien, préposé à la distribution des viandes, qui se faisait aux dépens du fisc, firent déclarer le peuple en sa faveur. La révolution fut prompte; elle ne coûta la vie qu'à un petit nombre de magistrats instruits de leur devoir, même à l'égard d'un prince odieux; entre lesquels l'histoire ne nomme qu'Abellius, dont la qualité n'est pas bien connue. Maxence, qui s'était arrêté à deux ou trois lieues de Rome sur le chemin de Lavicum, fut proclamé Auguste le 28 octobre.

XXV. Maximien reprend le titre d'Auguste.

Lact., de mort. pers. c. 26.

Baluzius in Lact. p. 315.

Eutrop. l. 10.

Incert. Pan. Maxim. et Const. c. 10.

Galérius qui était en Illyrie, ne fut pas fort alarmé de cette nouvelle. Il faisait trop peu de cas de Maxence pour le regarder comme un rival redoutable. Il écrit à Sévère, qui résidait à Milan, et l'exhorte à se mettre lui-même à la tête de ses troupes et à marcher contre l'usurpateur. Maxence, aussi timide que Sévère, n'osait s'exposer seul à l'orage dont il était menacé. Il eut recours à son père Maximien, qui peut-être était d'intelligence avec lui, et qui se trouvait alors en Campanie. Celui-ci, qui ne pouvait s'accoutumer à la vie privée, accourt à Rome, rassure les esprits, écrit à Dioclétien pour l'engager à reprendre avec lui le gouvernement de l'empire; et sur le refus de ce prince, il se fait prier par son fils, par le sénat et par le peuple, d'accepter de nouveau le titre d'Auguste.

XXVI. Maximin ne prend point de part à ces mouvements.

Eus. de Mart. Palæst. c. 6.

Maximin ne prit point de part à ces premières agitations. Tranquille en Orient, et livré à ses plaisirs, il goûtait un repos dont il ne laissait pas jouir les chrétiens. Étant à Césarée de Palestine le 20 novembre, jour de sa naissance, qu'il célébrait avec grand appareil, après les divertissements ordinaires, il voulut embellir la fête par un spectacle dont les païens étaient toujours fort avides. Le chrétien Agapius était depuis deux ans condamné aux bêtes. La compassion du magistrat, ou l'espérance de vaincre sa fermeté, avait fait différer son supplice. Maximin le fait traîner sur l'arène avec un esclave qu'on disait avoir assassiné son maître. Le César fait grace au meurtrier, et tout l'amphithéâtre retentit d'acclamations sur la clémence du prince. Ayant fait ensuite amener le chrétien devant lui, il lui promet la vie et la liberté, s'il renonce à sa religion. Mais celui-ci protestant à haute voix qu'il est prêt à tout souffrir avec joie pour une si belle cause, court lui-même au-devant d'une ourse qu'on avait lâchée sur lui, et s'abandonne à la férocité de cet animal, qui le déchire. On le reporte à demi mort dans la prison, et le lendemain comme il respirait encore, on le jette dans la mer avec de grosses pierres attachées à ses pieds. Tels étaient les amusements de Maximin.

XXVII. Occupations de Constantin.

Lact., de mort. pers. c. 24.

Lamprid. in Helag. c. 34.

Constantin signalait les commencements de son empire par des actions plus dignes d'un souverain. Quoiqu'il fût encore dans les ténèbres du paganisme, il ne se contenta pas, comme son père, de laisser aux chrétiens, par une permission tacite, le libre exercice de leur religion, il l'autorisa par un édit. Comme il avait souvent dans la bouche cette belle maxime: que c'est la fortune qui fait les empereurs, mais que c'est aux empereurs à justifier le choix de la fortune, il s'occupait du soin de rendre ses sujets heureux. Il s'appliqua d'abord à régler l'intérieur de ses états, et songea ensuite à en assurer les frontières.

XXVIII. Sa victoire sur les Francs.

Eus. vit. Const. l. 1, c. 25.

Eumen. Paneg. c. 10 et 11.

Nazar. Pan. c. 16 et 17.

Incert. Pan. c. 4 et 23.

Après avoir visité les provinces de son obéissance, en rétablissant partout le bon ordre, il marcha contre les Francs. Ces peuples, les plus belliqueux des barbares, profitant de l'absence de Constance pour violer les traités de paix, avaient passé le Rhin et faisaient de grands ravages. Constantin les vainquit, fit prisonniers deux de leurs rois, Ascaric et Régaïse; et pour punir ces princes de leur perfidie, il les fit dévorer par les bêtes dans l'amphithéâtre: action barbare qui déshonorait sa victoire, et à laquelle la postérité doit d'autant plus d'horreur, que la basse flatterie des orateurs du temps s'est efforcée d'en faire plus d'éloge.

XXIX. Il acheva de les dompter.

Eumen. Pan. c. 12 et 13.

Vorburg, Hist. Rom. Germ., l. 2, p. 112.

Incert. Pan. c. 23 et 24.

Ayant forcé les Francs à repasser le fleuve, il le passa lui-même sans être attendu, fondit sur leur pays[6], et les surprit avant qu'ils eussent eu le temps de se sauver, comme c'était leur coutume, dans leurs bois et leurs marais. On en massacra, on en prit un nombre prodigieux. Tous les troupeaux furent égorgés ou enlevés; tous les villages brûlés. Les prisonniers qui avaient l'âge de puberté, trop suspects pour être enrôlés dans les troupes, trop féroces pour souffrir l'esclavage, furent tous livrés aux bêtes à Trèves, dans les jeux qui furent célébrés après la victoire. Le courage de ces braves gens effraya leurs vainqueurs, qui s'amusaient de leur supplice: on les vit courir au-devant de la mort, et conserver encore un air intrépide entre les dents et sous les ongles des bêtes farouches, qui les déchiraient sans leur arracher un soupir. Quoi qu'on puisse dire pour excuser Constantin, il faut avouer qu'on retrouve dans son caractère des traits de cette férocité commune aux princes de son siècle, et qui s'échappa encore en plusieurs rencontres, lors même que le christianisme eut adouci ses mœurs.

[6] Constantin ravagea le pays des Bructères, tribu de la nation des Francs.—S.-M.

XXX. Il met à couvert les terres de la Gaule.

Eumenius, Pan. c. 13.

Vorb. Hist. Rom. Germ. t. 2, p. 170.

Till., art. 10.

Pour ôter aux barbares l'envie de passer le Rhin, et pour se procurer à lui-même une libre entrée sur leurs terres, il entretint, le long du fleuve, les forts déja bâtis et garnis de troupes, et sur le fleuve même une flotte bien armée. Il commença à Cologne un pont de pierre qui ne fut achevé qu'au bout de dix ans, et qui, selon quelques-uns, subsista jusqu'en 955. On dit aussi que ce fut pour défendre ce pont qu'il bâtit ou répara le château de Duitz vis-à-vis de Cologne[7]. Ces grands ouvrages achevèrent d'intimider les Francs; ils demandèrent la paix, et donnèrent pour ôtages les plus nobles de leur nation. Le vainqueur, pour couronner ces glorieux succès, institua les jeux franciques, qui continuèrent long-temps de se célébrer tous les ans depuis le 14 de juillet jusqu'au 20.

[7] C'est une conjecture de Bucher (*Hist. Belg.*, l. 8, c. 2, § 5). Les anciens ne disent rien de pareil.—S.-M.

AN 307.

XXXI. Sévère trahi.

Incert. Pan. c. 3.

Lact., de mort. pers. c. 26.

Anony. Vales.

Zos. l. 2, c. 10.

Vict. epit. p. 221.

Eutrop. l. 10.

Tout était en mouvement en Italie. Sévère, parti de Milan au milieu de l'hiver de l'an 307, marcha vers Rome avec une grande armée, composée de Romains et de soldats Maures, qui tous avaient servi sous Maximien, et lui étaient encore affectionnés. Ces troupes, accoutumées aux délices de Rome, avaient plus d'envie de vivre dans cette ville que de la ruiner. Maxence ayant d'abord gagné Anullinus, préfet du prétoire, n'eut pas de peine à les corrompre. Dès qu'elles furent à la vue de Rome, elles quittèrent leur empereur et se donnèrent à son ennemi. Sévère abandonné prend la fuite, et rencontrant Maximien à la tête d'un corps qu'il venait de rassembler, il se sauve à Ravenne, où il se renferme avec le petit nombre de ceux qui lui étaient demeurés fidèles. Cette ville était forte, peuplée, et assez bien pourvue de vivres pour donner à Galérius le temps de venir au secours. Mais Sévère manquait de la principale ressource: il n'avait ni bon sens, ni courage. Maximien pressé par la crainte qu'il avait de Galérius, prodiguait les promesses et les serments pour engager Sévère à se rendre: celui-ci plus pressé encore par sa propre timidité, et menacé d'une nouvelle désertion, ne songeait qu'à sauver sa vie; il consentit à tout, se remit entre les mains de son ennemi, et rendit la pourpre à celui qui la lui avait donnée deux ans auparavant.

XXXII. Sa mort.

Anony. Vales.

Zos. l. 2, c. 10.

[Victor, epit. p. 221].

Réduit à la condition privée, il revenait à Rome, où Maximien lui avait juré qu'il serait traité avec honneur. Mais Maxence, pour dégager son père de sa parole, fit dresser à Sévère une embuscade sur le chemin. Il le prit, l'amena à Rome comme un captif, et l'envoya à trente milles sur la voie Appienne, dans un lieu nommé les Trois-Hôtelleries (*Tres tabernæ*), où ce prince infortuné, ayant été retenu prisonnier pendant quelques jours, fut forcé de se faire ouvrir les veines. On porta son corps dans le tombeau de Gallien, à huit ou neuf milles de Rome. Il laissa un fils nommé Sévérianus qui ne fut héritier que de ses malheurs.

XXXIII. Mariage de Constantin.

Lact., de mort. pers. c. 27.

Du Cange, in numm. Byz. p. 45.

Till. art. 11.

Incert. Paneg., Max. et Cons. c. 6.

Baluzius, in Lact., c. 27.

Maximien s'attendait bien que Galérius ne tarderait pas de venir en Italie pour venger la mort de Sévère. Il craignait même que cet ennemi violent et irrité n'amenât avec lui Maximin; et quelles forces pourraient résister aux armées réunies de ces deux princes? Il songea donc de son côté à se procurer une alliance capable de le soutenir au milieu d'une si violente tempête. Il met Rome en état de défense, et court en Gaule pour s'attacher Constantin en lui faisant épouser sa fille Flavia-Maximiana-Fausta, qu'il avait eue d'Eutropia, et qui, du côté de sa mère, était sœur cadette de Theodora, belle-mère de Constantin. Elle était née et avait été élevée à Rome. Son père l'avait destinée au fils de Constance dès l'enfance de l'un et de l'autre: on voyait dans son palais d'Aquilée un tableau, où la jeune princesse présentait à Constantin un casque d'or. Le mariage de Minervina rompit ce projet: mais sa mort arrivée avant celle de Constance donna lieu de le reprendre, et il semble que ce prince avait consenti à cette alliance. L'état où se trouvait alors Maximien la fit promptement conclure: le mariage fut fait à Trèves, le 31 mars. Nous avons encore un panégyrique qui fut alors prononcé en présence des deux princes[8]. Pour la dot de sa fille, Maximien donna à son gendre le titre d'Auguste, sans s'embarrasser de l'approbation de Galérius.

[8] Cet ouvrage, dont on ignore l'auteur, se retrouve dans le Recueil des anciens panégyristes (*Panegyrici veteres*).—S.-M.

XXXIV. Galérius vient assiéger Rome.

Incert. Pan. c. 3.

Lact., de mort. pers. c. 27.

Anony. Vales.

Ce prince était bien éloigné de l'accorder. Plein de courroux et ne respirant que vengeance, il était déja entré en Italie avec une armée plus forte que celle de Sévère, et ne menaçait de rien moins que d'égorger le sénat, d'exterminer le peuple, et de ruiner la ville. Il n'avait jamais vu Rome, et n'en connaissait ni la grandeur ni la force: il la trouva hors d'insulte: l'attaque et la circonvallation lui paraissant également impraticables, il fut contraint d'avoir recours aux voies de négociation. Il alla camper à Terni en Ombrie, d'où il députa à Maxence deux de ses principaux officiers, Licinius et Probus, pour lui proposer de mettre bas les armes, et de s'en rapporter à la bienveillance d'un beau-père, prêt à lui accorder tout ce qu'il ne prétendrait pas emporter par violence.

XXXV. Il est contraint de se retirer.

Maxence n'avait garde de donner dans ce piége. Il attaqua Galérius avec les mêmes armes qui lui avaient si bien réussi contre Sévère; et profita de ces entrevues pour lui débaucher par argent une grande partie de ses troupes, déja mécontentes d'être employées contre Rome, et par un beau-père contre son gendre. Des corps entiers quittèrent Galérius et s'allèrent jeter dans Rome. Cet exemple ébranlait déja le reste de l'armée, et Galérius était à la veille d'éprouver le même sort que celui qu'il venait venger, lorsque ce prince superbe, humilié par la nécessité, se prosternant aux pieds des soldats et les suppliant avec larmes de ne pas le livrer à son ennemi, vint à bout, à force de prières et de promesses, d'en retenir une partie. Il décampa aussitôt et s'enfuit en diligence.

XXXVI. Il ruine tout sur son passage.

Il ne fallait qu'un chef avec une poignée de bonnes troupes, pour l'accabler dans cette fuite précipitée. Il le sentit; et pour ôter à l'ennemi le moyen de le poursuivre, et payer en même temps ses soldats de leur fidélité, il leur ordonna de ruiner toutes les campagnes et de détruire toutes les subsistances.

Jamais il ne fut mieux obéi. La plus belle contrée de l'Italie éprouva tous les excès de l'avarice, de la licence et de la rage la plus effrénée. Ce fut au travers de ces horribles ravages que l'empereur, ou plutôt le fléau de l'empire, regagna la Pannonie; et la malheureuse Italie eut lieu de se ressouvenir alors que Galérius, recevant deux ans auparavant le titre d'empereur, s'était déclaré l'ennemi du nom romain, et qu'il avait projeté de changer la dénomination de l'empire, en l'appelant l'empire des Daces, parce que presque tous ceux qui gouvernaient alors tiraient, comme lui, leur origine de ces barbares.

XXXVII. Maximien revient à Rome d'où il est chassé.

Lact. de mort. pers. c. 28.

Incert. Paneg. c. 3.

Zos. l. 2, c. 10.

Eutrop. l. 10.

Zonar., l. 12, t. I, p. 644.

Maximien était encore en Gaule. Indigné contre son fils, dont la lâcheté avait laissé échapper Galérius, il résolut de lui ôter la puissance souveraine. Il sollicita son gendre de poursuivre Galérius, et de se joindre à lui pour dépouiller Maxence. Constantin s'y trouvait assez disposé, mais il ne put se résoudre à quitter la Gaule, où sa présence était nécessaire pour contenir les barbares. Rien n'est plus équivoque que la conduite de Maximien. Cependant, quand on suit avec attention toutes ses démarches, il paraît qu'il n'avait rien d'arrêté que le désir de se rendre le maître. Sans affection comme sans scrupule, également ennemi de son fils et de son gendre, il cherchait à les détruire l'un par l'autre, pour les faire périr tous deux. Il retourne à Rome: le dépit d'y voir Maxence plus honoré et plus obéi, et de n'être lui-même regardé que comme la créature de son fils, joignit à son ambition une amère jalousie. Il pratiqua sous main les soldats de Sévère, qui avaient été les siens: avant même que d'en être bien assuré, il assemble le peuple et les gens de guerre, monte avec Maxence sur le tribunal; et après avoir gémi sur les maux de l'état, tout-à-coup il se tourne d'un air menaçant vers son fils, l'accuse d'être la cause de ces malheurs, et, comme emporté par sa véhémence, il lui arrache le manteau de pourpre. Maxence effrayé se jette entre les bras des soldats qui, touchés de ses larmes et plus encore de ses promesses, accablent Maximien d'injures et de menaces. En vain celui-ci veut leur persuader que cette violence de sa part n'est qu'une feinte, pour éprouver leur zèle à l'égard de son fils; il est obligé de sortir de Rome.

XXXVIII. Maxence lui ôte le consulat.

Buch. de cycl. p. 238.

Till. note 15 sur Constantin.

Idat. chron.

Galérius avait donné le consulat de cette année à Sévère et à Maximin: le premier n'avait pas été reconnu dans les états de Maxence, qui avait nommé son père consul pour la neuvième fois: et Maximien, en donnant à Constantin la qualité d'Auguste, l'avait fait consul avec lui, sans s'embarrasser du titre de Maximin. Maxence ayant chassé son père, lui abrogea le consulat, sans lui substituer personne. Il cessa même alors de reconnaître Constantin pour consul, et fit dater les actes par les consulats de l'année précédente en ces termes: *Après le sixième consulat*; c'était celui de Constance Chlore et de Galérius, qui tous deux avaient été consuls pour la sixième fois en 306.

XXXIX. Maximien va trouver Constantin et ensuite Galérius.

Lact., de mort. pers. c. 29.

Maximien se retira en Gaule, soit pour armer Constantin contre Maxence, soit pour le perdre lui-même. N'ayant pu réussir dans l'un ni dans l'autre projet, il se hasarda d'aller trouver Galérius, l'ennemi mortel de son fils, sous prétexte de se réconcilier avec lui, et de prendre de concert les moyens de rétablir les affaires de l'empire: mais en effet pour chercher l'occasion de lui ôter la vie, et de régner en sa place, croyant ne pouvoir trouver du repos que sur le trône.

XL. Portrait de Licinius.

Lact., de mort. pers. c. 29.

Zos. l. 2, c. 11.

Eutrop. l. 10.

Aurel. Vict. de Cæs., p. 174 et 176.

Vict. epit. p. 221 et 222.

Galérius était à Carnunte en Pannonie. Désespéré du peu de succès qu'il avait eu contre Maxence, et craignant d'être attaqué à son tour, il songea à se donner un appui dans Licinius, en le mettant à la place de Sévère. C'était un Dace, d'une famille aussi obscure que celle de Galérius; il se vantait pourtant de descendre de l'empereur Philippe. On ne sait pas précisément son âge, mais il était plus âgé que Galérius, et c'était une des raisons qui avaient empêché celui-ci de le créer César, selon la coutume, avant que de l'élever à la dignité d'Auguste. Ils avaient formé ensemble une liaison intime, dès le temps qu'ils servaient dans les armées. Licinius s'était ensuite attaché à la fortune de son ami, et avait beaucoup contribué, par sa valeur, à la célèbre victoire remportée sur [le roi de Perse] Narsès. Il avait la réputation d'un grand homme de guerre, et il se piqua toujours d'une sévère exactitude dans la discipline. Ses vices, plus grands que ses vertus, n'avaient rien de rebutant pour un homme tel que Galérius: il était dur, colère, cruel, dissolu, d'une avarice sordide, ignorant, ennemi des lettres, des lois et de la morale; il appelait les lettres le poison de l'état; il détestait la science du barreau, et il prit plaisir, étant empereur, à persécuter les philosophes les plus renommés, et à leur faire souffrir, par haine et par caprice, les supplices réservés aux esclaves. Il y eut pourtant deux sortes de personnes qu'il sut traiter avec assez d'équité: il se montra favorable aux laboureurs et aux gens de la campagne; et retint dans une étroite contrainte les eunuques et les officiers du palais, qu'il aimait à comparer à ces insectes qui rongent sans cesse les choses auxquelles ils s'attachent.

XLI. Dioclétien refuse l'empire.

Vict. epit. p. 221.

Pour rendre l'élection de Licinius plus éclatante, Galérius invita Dioclétien à s'y trouver. Le vieillard y consentit: il partit de sa paisible retraite de Salone, et reparut à la cour avec une douce majesté, qui attirait les regards sans les éblouir, et les respects sans mélange de crainte. Maximien, toujours agité du désir de régner, comme d'une fièvre ardente, voulut encore exciter en secret son ancien collègue, devenu philosophe, à reprendre la pourpre et à rendre le calme à l'empire, qui, dans les mains de tant de jeunes souverains, n'était que le jouet de leurs passions. Ce fut alors que Dioclétien lui fit cette belle réponse: *Ah! si vous pouviez voir à Salone ces fruits et ces légumes que je cultive de mes propres mains, jamais vous ne me parleriez de l'empire!* Quelques auteurs ont dit que Galérius se joignit à Maximien pour faire à Dioclétien cette proposition: si le fait est vrai, ce ne pouvait être qu'une feinte et un pur compliment de la part de ce prince, qui n'était pas d'humeur à reculer d'un degré; mais l'ambition de Maximien nous répond ici de sa sincérité.

XLII. Licinius Auguste.

Chron. Alex. vel Paschal, p. 278.

Noris, de num. Licinii.

Till. n. 19 sur Constantin.

[Eckhel, doct. num. vet. t. VIII, p. 61-68.]

Ce fut donc en présence et du consentement des deux anciens empereurs, que Galérius honora Licinius du titre d'Auguste, le 11 novembre 307, lui donnant, à ce qu'on croit, pour département la Pannonie et la Rhétie, en attendant qu'il pût lui donner, comme il espérait le faire bientôt, toute la dépouille de Maxence. Licinius prit les noms de C. Flavius Valerius Licinianus Licinius: il y joignit le surnom de Jovius, que Galérius avait emprunté de Dioclétien.

XLIII. Maximin continue à persécuter les chrétiens.

Baronius, ann. 307.

Constantin, qui n'avait pas été consulté, garda sur cette élection un profond silence. Maxence, de son côté, créa César son fils M. Aurélius Romulus. Mais le dépit de Maximin ne tarda pas à éclater. Pour faire sa cour à Galérius, et pour gagner dans son esprit l'avantage sur Licinius, qui commençait à lui donner de la jalousie, il avait redoublé de fureur et de cruauté contre les chrétiens. Mennas, préfet d'Égypte, était chrétien: Maximin, l'ayant appris, envoie Hermogènes pour prendre sa place et pour le punir. Le nouveau préfet exécute ses ordres, et fait cruellement tourmenter son prédécesseur; mais ébranlé d'abord par sa constance, éclairé ensuite par plusieurs miracles dont il est témoin, il se convertit et embrasse le christianisme. Maximin outré de colère vient à Alexandrie: il leur fait à tous deux trancher la tête; et pour tremper lui-même ses mains dans le sang des martyrs, il tue d'un coup d'épée Eugraphus, domestique de Mennas, et qui osait devant l'empereur professer la religion proscrite. Mon dessein n'est pas de mettre sous les yeux de mes lecteurs tous les triomphes des martyrs: ce détail appartient à l'histoire de l'Église, dont ils furent l'honneur et la défense. Je me propose seulement de rendre compte des principaux faits de ce genre, auxquels les empereurs ont eu part immédiatement et par eux-mêmes.

XLIV. Punition d'Urbanus et de Firmilianus.

Eus. Hist. Mart. Pal. c. 7. et 11.

Les édits de Maximin remplissaient tout l'Orient de gibets, de feux et de carnage. Les gouverneurs s'empressaient à l'envi à servir l'inhumanité du prince. Urbanus, préfet de la Palestine, se signalait entre les autres, et la ville de Césarée était teinte de sang. Aussi possédait-il toute la faveur du tyran: sa complaisance barbare couvrait tous ses autres crimes, dont il espérait acheter l'impunité aux dépens des chrétiens. Mais le Dieu qu'il attaquait dans ses serviteurs, ouvrit les yeux du prince sur les rapines et les injustices du préfet. Urbanus fut convaincu devant Maximin, qui devint pour lui à son tour un juge inexorable, et qui, l'ayant condamné à la mort, vengea, sans le vouloir, les martyrs sur celui qui avait prononcé tant de condamnations injustes. Firmilianus, qui succéda à Urbanus, ayant été comme lui le fidèle ministre des ordres sanguinaires du tyran, fut comme lui la victime de la vengeance divine, et eut quelques années après la tête tranchée.

AN 308.

XLV. Maximin prend le titre d'Auguste.

Lact., de mort. pers. c. 20.

Eus. Hist. eccl. l. 8, c. 14.

Numism. Mezzab. et Banduri.

Toinard et Cuper. in Lact.

[Eckhel, doct. num. vet. t. VIII, p. 71-95].

Quoique les rigueurs que Maximin exerçait contre les chrétiens ne coûtassent rien à sa cruauté, cependant plus il s'était étudié à se conformer aux volontés de Galérius, plus il se sentit piqué de la préférence que ce prince donnait à Licinius. Après s'être regardé comme tenant la seconde place dans l'empire, il ne voulait pas reculer à la troisième. Il en fit des plaintes mêlées de menaces. Pour l'adoucir, Galérius lui envoie plusieurs fois des députés; il lui rappelle ses bienfaits passés; il le prie même d'entrer dans ses vues, et de déférer aux cheveux blancs de Licinius. Maximin, que ces ménagements rendaient plus fier et plus hardi, proteste qu'étant depuis trois ans revêtu de la pourpre des Césars, il ne consentira jamais à laisser à un autre le rang qui lui est dû à lui-même. Galérius, qui se croyait en droit d'en exiger une soumission entière, lui reproche en vain son ingratitude: il lui fallut céder à l'opiniâtreté de son neveu. D'abord pour essayer de le satisfaire il abolit le nom de César; il déclare que lui-même et Licinius seront appelés Augustes, et que Maximin et Constantin auront le titre non plus de Césars, mais de fils des Augustes. Il paraît par les médailles de ces deux princes, qu'ils adoptèrent d'abord cette nouvelle dénomination. Mais Maximin ne la garda pas long-temps; il se fit proclamer Auguste par son armée, et manda ensuite à son oncle la prétendue violence que ses soldats lui avaient faite. Galérius, forcé avec chagrin d'y consentir, abandonna le plan qu'il avait formé, et ordonna que les quatre princes seraient tous reconnus pour Augustes. Galérius tenait sans contredit le premier rang; l'ordre des trois autres était contesté: Licinius était le second selon Galérius, qui ne donnait que le dernier rang à Constantin; mais Maximin se nommait lui-même avant Licinius; et selon toute apparence, Constantin dans ses états était nommé avant les deux autres. D'un autre côté,

Maxence ne reconnaissait d'abord que lui seul pour Auguste; il voulut bien ensuite faire part de ce titre à Maximin. Mais enfin toutes ces disputes de prééminence se terminèrent par la mort funeste de chacun de ces princes, qui cédèrent l'un après l'autre au bonheur et au mérite de Constantin.

XLVI. Maximien consul.

Till. note 21 sur Constantin.

Maximien, empereur honoraire, puisqu'il n'avait ni sujets, ni fonctions, que celles que lui imposait son humeur turbulente, avait été compté pour rien dans ces nouvelles dispositions. Il était dès lors brouillé avec Galérius: il paraît qu'au commencement de cette année ils avaient vécu en bonne intelligence, puisqu'on voit dans les fastes le dixième consulat de Maximien, joint au septième de Galérius. Maxence, qui ne reconnaissait ni l'un ni l'autre, après avoir passé près de quatre mois sans nommer de consuls, se nomma lui-même le 20 avril avec son fils Romulus, et se continua avec lui l'année suivante.

XLVII. Alexandre est nommé empereur à Carthage.

Zos. l. 2, c. 12.

Aurel. Vict., de Cæs., p. 174 et 175.

Vict. epit. p. 221.

Comme il se voyait tranquille en Italie, il envoya ses images en Afrique pour s'y faire reconnaître. Il s'attribuait cette province: c'était une partie de la dépouille de Sévère. Les troupes de Carthage, regardant Maxence comme un usurpateur, refusèrent de lui obéir; et craignant que le tyran ne vînt les y contraindre à main armée, elles prirent le long du rivage la route d'Alexandrie, pour se retirer dans les états de Maximin. Mais ayant rencontré en chemin des troupes supérieures, elles se jetèrent dans des vaisseaux et retournèrent à Carthage. Maxence, irrité de cette résistance, résolut d'abord de passer en Afrique, et d'aller en personne punir les chefs de ces rebelles; mais il fut retenu à Rome par les aruspices, qui l'assurèrent que les entrailles des victimes ne lui promettaient rien de favorable. Une autre raison plus solide, c'est qu'il craignait l'opposition du vicaire d'Afrique, nommé Alexandre, qui avait un grand crédit dans le pays. Il voulut donc s'assurer de sa fidélité, et lui demanda son fils pour ôtage: c'était un jeune homme fort beau; et le père, informé des infâmes débauches de Maxence, refusa de le hasarder entre ses mains. Bientôt des assassins, envoyés pour tuer Alexandre, ayant été découverts, les soldats plus indignés encore proclamèrent Alexandre empereur. Il était Phrygien selon les uns, Pannonien selon les autres; peut-être était-il né dans une de ces provinces, et originaire de l'autre: tous conviennent qu'il était fils d'un paysan; ce qui ne le rendait pas moins digne de l'empire que Galérius, Maximin et Licinius. Mais il ne rachetait ce défaut par aucune bonne qualité: naturellement timide et paresseux, il l'était devenu encore davantage par la vieillesse. Cependant il n'eut pas besoin d'un plus grand mérite pour se soutenir plus de trois ans contre Maxence, comme nous le verrons dans la suite.

XLVIII. Maximien quitte la pourpre pour la seconde fois.

Lact., de mort. pers. c. 29.

Eumen. Pan. c. 14 et 15.

Deux caractères tels que ceux de Maximien et de Galérius ne pouvaient demeurer long-temps unis. Le premier chassé de Rome, exclu de l'Italie, obligé enfin à quitter l'Illyrie, n'avait plus d'asyle qu'auprès de Constantin. Mais en perdant toute autre ressource, il n'avait pas perdu l'envie de régner, quelque crime qu'il fallût commettre. Ainsi, en se jetant entre les bras de son gendre, il y porta le noir dessein de lui ravir la couronne avec la vie. Pour mieux cacher ses perfides projets, il quitte encore une fois la pourpre. La générosité de son gendre lui en conserva tous les honneurs et tous les avantages: Constantin le logea dans son palais, il l'entretint avec magnificence; il lui donnait la droite partout où il se trouvait avec lui; il exigeait qu'on lui obéît avec plus de respect et de promptitude qu'à sa propre personne; il s'empressait lui-même à lui obéir: on eût dit que Maximien était l'empereur, et que Constantin n'était que le ministre.

AN 309.

XLIX. Il la reprend.

Eumenius, Pan. c. 16.

Lact., de mort. pers. c. 29.

Le pont que ce prince faisait construire à Cologne, donnait de la crainte aux barbares d'au-delà du Rhin, et cette crainte produisait chez eux des effets contraires: les uns tremblaient et demandaient la paix; les autres s'effarouchaient et couraient aux armes. Constantin qui était à Trèves rassembla ses troupes; et suivant le conseil de son beau-père, dont l'âge et l'expérience lui imposaient, et dont sa propre franchise ne lui permettait pas de se défier, il ne mena pour cette expédition qu'un détachement de son armée. L'intention du perfide vieillard était de débaucher les troupes qu'on lui laisserait, tandis que son gendre, avec le reste en petit nombre, succomberait sous la multitude des barbares. Quand après quelques jours il crut Constantin déja engagé bien avant dans le pays ennemi, il reprend une troisième fois la pourpre, s'empare des trésors, répand l'argent à pleines mains, écrit à toutes les légions, et leur fait de grandes promesses. En même temps pour mettre toute la Gaule entre lui et Constantin, il marche vers Arles à petites journées en consumant les vivres et les fourrages, afin d'empêcher la poursuite; et fait courir partout le bruit de la mort de Constantin.

L. Constantin marche contre lui.

Eumen. Pan. c. 18.

Lact., de mort. pers. c. 29.

Cette nouvelle n'eut pas le temps de prendre crédit. Constantin, averti de la trahison de son beau-père, retourne sur ses pas avec une incroyable diligence. Le zèle de ses soldats surpasse encore ses désirs. A peine veulent-ils s'arrêter pour prendre quelque nourriture; l'ardeur de la vengeance leur prête à tous moments de nouvelles forces; ils volent sans prendre de repos des bords du Rhin à ceux de la Saône [*Arar*]. L'empereur pour les soulager les fait embarquer à Châlons [*Cabillonensis portus*]; ils s'impatientent de la lenteur de ce fleuve tranquille; ils se saisissent des rames, et le Rhône même ne leur semble pas assez rapide. Arrivés à Arles ils n'y trouvent plus Maximien, qui n'avait pas eu le temps de mettre la ville en défense, et s'était sauvé à Marseille. Mais ils y rejoignent la plupart de leurs compagnons qui, n'ayant pas voulu suivre l'usurpateur, se jettent aux pieds de Constantin et rentrent dans leur devoir. Tous ensemble courent vers Marseille, et quoiqu'ils connaissent la force de la ville, ils se promettent bien de l'emporter d'emblée.

LI. Il s'assure de sa personne.

Eumen. Pan. c. 19 et 20.

Lact., de mort. pers. c. 29.

En effet, dès que Constantin parut, il se rendit maître du port, et fit donner l'assaut à la ville: elle était prise, si les échelles ne se fussent trouvées trop courtes. Malgré cet inconvénient, grand nombre de soldats s'élançant de toutes leurs forces, et se faisant soulever par leurs camarades, s'attachaient aux créneaux et s'empressaient de gagner le haut du mur, lorsque l'empereur, pour épargner le sang de ses troupes et celui des habitants, fit sonner la retraite. Maximien s'étant montré sur la muraille, Constantin s'en approche, et lui représente avec douceur l'indécence et l'injustice de son procédé. Tandis que le vieillard se répand en invectives outrageantes, on ouvre à son insu une porte de la ville, et on introduit les soldats ennemis. Ils se saisissent de Maximien et l'amènent devant l'empereur, qui, après lui avoir reproché ses crimes, crut assez le punir en le dépouillant de la pourpre, et voulut bien lui laisser la vie.

AN 310.

LII. Mort de Maximien.

Lact., de mort. pers. c. 30.

Euseb. Hist. eccl. l. 8, c. 13.

Eutrop. l. 10.

Vict. epit. p. 221.

Idat. chron.

Orosius, l. 7, c. 28.

Till. art. 17.

Médailles. [Eckhel, doct. Num. vet. t. VIII, p. 34-40].

Cet esprit altier et remuant, qui n'avait pu se contenter ni du titre d'empereur sans états, ni des honneurs de l'empire sans le titre d'empereur, s'accommodait bien moins encore de l'anéantissement où il se voyait réduit. Par un dernier trait de désespoir, il forma le dessein de tuer son gendre; et par un effet de cette imprudence, que Dieu attache ordinairement au crime pour en empêcher le succès ou pour en assurer la punition, il s'en ouvrit à sa fille Fausta femme de Constantin: il met en usage les prières et les larmes; il lui promet un époux plus digne d'elle; il lui demande pour toute grace, de laisser ouverte la chambre où couchait Constantin, et de faire en sorte qu'elle fût mal gardée. Fausta feint d'être touchée de ses pleurs, elle lui promet tout, et va aussitôt avertir son mari. On prend toutes les mesures qui pouvaient produire une conviction pleine et entière. On met dans le lit un eunuque, pour y recevoir le coup destiné à l'empereur. Au milieu de la nuit Maximien approche; il trouve tout dans l'état qu'il désirait: les gardes restés en petit nombre s'étaient éloignés; il leur dit en passant qu'il vient d'avoir un songe intéressant pour son fils et qu'il va lui en faire part: il entre, il poignarde l'eunuque et sort plein de joie, en se vantant du coup qu'il vient de faire. L'empereur se montre aussitôt, environné de ses gardes; on tire du lit le misérable, dont la vie avait été sacrifiée: Maximien reste glacé d'effroi; on lui reproche sa barbarie meurtrière, et on ne lui laisse que le choix du genre de mort: il se détermine à s'étrangler de ses propres mains; supplice honteux, dont il méritait bien d'être lui-même l'exécuteur et la victime. Il ne fut pourtant pas privé d'une sépulture honorable. Selon une ancienne chronique[9], on crut, vers l'an 1054, avoir trouvé son corps à Marseille, encore tout entier, dans un cercueil de plomb enfermé dans un tombeau de marbre. Mais Raimbaud, alors archevêque d'Arles, fit jeter dans la mer le corps de ce persécuteur, le cercueil, et même le tombeau. Constantin, assez généreux pour ne pas refuser les derniers honneurs à un beau-père si perfide, voulut en même temps punir ses crimes par une flétrissure souvent mise en usage dans l'empire romain à l'égard des princes détestés: il fit abattre ses statues, effacer ses inscriptions, sans épargner les monuments mêmes qui lui étaient communs avec Dioclétien. Maxence qui n'avait jamais respecté son père pendant sa vie, en fit un dieu après sa mort[10].

[9] Voyez la Collection de Duchesne, t. III, p. 641.—S.-M.

[10] Plusieurs médailles où il est appelé *divus*, sont la preuve de son apothéose, voyez Eckhel, *Doct. num. vet.*, t. VIII, p. 38.—S.-M.

LIII. Ambition et vanité de Maximien.

Vict. epit. p. 222.

Mamertin. Pan. c. 1.

Incert. pan. Maximien, et Const. c. 8.

Maximien, selon le jeune Victor, ne vécut que soixante ans. Il avait été près de vingt ans collègue de Dioclétien. Pendant les cinq dernières années de sa vie, il fut sans cesse le jouet de son ambition, tour à tour tenté de reprendre et forcé de quitter la puissance souveraine; plus malheureux après en avoir goûté les douceurs, qu'il ne l'avait été dans la poussière de sa naissance, que son orgueil lui fit oublier dès qu'il en fut sorti. Les panégyristes, corrupteurs des princes quand ni l'orateur ni le héros ne sont philosophes, s'entendirent avec lui-même pour le séduire. Il avait pris le nom d'Herculius; ce fut pour la flatterie des uns et pour la vanité de l'autre un titre incontestable d'une noblesse qui remontait à Hercule. Pour effacer la trace de sa vraie origine, il fit construire un palais dans un lieu près de Sirmium, à la place d'une cabane où son père et sa mère avaient gagné leur vie du travail de leurs mains.

LIV. Consulats.

Idat. chron.

Till. art. 14 et note 25 sur Constantin.

Pagi, in Baron.

[Eckhel, doct. num. vet. t. VIII, p. 59.]

Il mourut à Marseille au commencement de l'an 310, qui est marqué dans les fastes en ces termes, *la seconde année après le dixième et le septième Consulat*: c'était celui de Maximien et de Galérius, en 308. Galérius n'ayant point nommé de consuls pour les deux années suivantes, elles prirent pour date ce consulat. Quoi qu'en dise M. de Tillemont, je soupçonne qu'Andronicus et Probus, marqués pour consuls en 310, dans les fastes de Théon, ne furent nommés par Galérius qu'après la mort de Maximien. Il ne voulut pas qu'on continuât de dater les actes publics par le consulat d'un prince, qui venait de subir une mort si ignominieuse. En Italie Maxence s'était fait seul consul pour la troisième fois, sans prendre pour collègue son fils Romulus, comme dans les deux années précédentes: ce qui donne à quelques-uns lieu de croire que ce jeune prince était mort en 309. Son père le mit au nombre des dieux.

LV. Constantin fait des offrandes à Apollon.

Eumen. Pan. c. 21.

[Eckhel, doct. num. vet. t. VIII, p. 75.]

La révolte de Maximien avait réveillé l'humeur guerrière des barbares; son malheureux succès leur fit mettre bas les armes. Sur la nouvelle de leurs mouvements, Constantin se mit en marche vers le Rhin: mais dès le second jour, comme il approchait d'un fameux temple d'Apollon, dont l'histoire ne marque pas le lieu, il apprit que tout était calmé. Il prit cette occasion de rendre hommage de ses victoires à ce dieu, qu'il honorait d'un culte particulier, comme il paraît par ses médailles, et de lui faire de magnifiques offrandes.

LVI. Il embellit la ville de Trèves.

Eumen. Pan. c. 22.

Il continua sa marche jusqu'à Trèves, et s'occupa à réparer et à embellir cette ville, où il faisait sa résidence ordinaire. Il en releva les murailles ruinées depuis long-temps: il y fit un cirque presque aussi grand que celui de Rome, des basiliques, une place publique, un palais de justice; édifices magnifiques, si l'on en croit Euménius, qui prononça en cette occasion l'éloge du prince restaurateur.

LVII. Guerre contre les barbares.

Nazar. Pan. c. 18.

Euseb. vit. Const. l. 1, c. 25.

Médailles. [Eckhel, doct. num. vet. t. VIII, p. 94].

Le repos de Constantin était pour les barbares d'au-delà du Rhin le signal de la guerre. Dès qu'ils le voient occupé de ces ouvrages, ils reprennent les armes, d'abord séparément; ensuite, ils forment une ligue redoutable et réunissent leurs troupes. C'étaient les Bructères, les Chamaves, les Chérusques, les Vangions, les Allemans, les Tubantes. Ces peuples occupaient la plus grande partie des pays compris entre le Rhin, l'Océan, le Véser et les sources du Danube. L'empereur toujours préparé à la guerre dans le sein même de la paix, marche contre eux dès la première alarme; et fait, en cette occasion, ce qu'il avait vu pratiquer à Galérius dans la guerre contre les Perses. Il se déguise, et s'étant approché du camp ennemi avec deux de ses officiers, il s'entretient avec les barbares et leur fait accroire que Constantin est absent. Aussitôt il rejoint son armée, fond sur eux lorsqu'ils ne s'y attendaient pas, en fait un grand carnage, et les oblige de regagner leurs retraites. Peut-être fut-ce pour cette victoire qu'on commença cette année à lui donner sur ses monnaies le titre de *Maximus*, que la postérité lui a conservé. Rappelé dans la Grande-Bretagne par quelques mouvements des Pictes et des Calédoniens, il y rétablit la tranquillité.

LVIII. Nouvelles exactions de Galérius.

Lact., de mort. pers. c. 31.

Tandis que Dieu récompensait, par ces heureux succès, les vertus morales de Constantin, il punissait les fureurs de Galérius, qui avait le premier allumé les feux de la persécution, et qui la continuait avec la même violence. Ce prince après l'élection de Licinius s'était retiré à Sardique. Honteux d'avoir fui devant un ennemi qu'il se croyait en droit de mépriser, plein de rage et de vengeance, il songeait à rentrer en Italie, et à rassembler toutes ses forces pour écraser Maxence. Un autre dessein occupait encore sa vanité. La vingtième année depuis qu'il avait été fait César, devait expirer au 1er mars 312. Les princes se piquaient de magnificence dans cette solennité, qu'on appelait les Vicennales; et l'altier Galérius, qui se mettait fort au-dessus des trois autres Augustes, se préparait de loin à donner à cette cérémonie toute la splendeur qu'il croyait convenir au chef de tant de souverains. Pour remplir ces deux objets, il avait besoin de lever des sommes immenses, et de faire de prodigieux amas de blé, de vin, d'étoffes de toute espèce, qu'on distribuait au peuple avec profusion dans les spectacles de ces fêtes. Sa dureté naturelle et la patience de ses sujets était pour lui une ressource qu'il croyait inépuisable. Un nouvel essaim d'exacteurs se répandit dans ses états; ils ravissaient sans pitié ce qu'on avait sauvé des vexations précédentes: on pillait les maisons; on dépouillait les habitants; on saisissait toutes les récoltes, toutes les vendanges; on enlevait jusqu'à l'espérance de la récolte prochaine, en ne laissant pas aux laboureurs de quoi ensemencer leurs campagnes; on voulait même exiger d'eux à force de tourments ce que la terre ne leur avait pas donné: ces malheureux pour fournir aux largesses du prince, mouraient de faim et de misère. Tout retentissait de plaintes, lorsque les cris affreux de Galérius arrêtèrent tout-à-coup les violences de ses officiers, et les gémissements de ses sujets.

LIX. Sa maladie.

Lact., de mort. pers. c. 33.

Euseb. Hist. eccl. l. 8, c. 16.

Anony. Vales.

Vict. epit. p. 221.

Zos. l. 2, c. 11.

Rufin. l. 8, c. 18.

Oros. l. 7, c. 28.

Il était tourmenté d'une cruelle maladie: c'était un ulcère au périnée, qui résistait à tous les remèdes, à toutes les opérations. Deux fois les médecins vinrent à bout de fermer la plaie; deux fois la cicatrice s'étant rompue, il perdit tant de sang qu'il fut prêt d'expirer. On avait beau couper les chairs, ce mal incurable gagnait de proche en proche; et après avoir dévoré toutes les parties externes, il pénétra dans les entrailles et y engendra des vers, qui sortaient comme d'une source intarissable. Son lit semblait être l'échafaud d'un criminel: ses cris effroyables, l'odeur infecte qu'il exhalait, la vue de ce cadavre vivant, tout inspirait l'horreur. Il avait perdu la figure humaine: toute la masse de son corps venant à se corrompre et à se dissoudre, la partie supérieure restait décharnée, ce n'était qu'un squelette pâle et desséché; l'inférieure était enflée comme une outre; on n'y distinguait plus la forme des jambes ni des pieds. Il y avait un an entier qu'il était en proie à ces horribles tourments: n'espérant plus rien de ses médecins, il eut recours à ses dieux; il implora l'assistance d'Apollon et d'Esculape; et comme les victimes se trouvaient aussi impuissantes que les remèdes employés jusqu'alors, il se fit amener par force tout ce qu'il y avait de médecins renommés dans son empire, et se vengeant sur eux de l'excès de ses douleurs, il faisait égorger les uns, parce que ne pouvant supporter l'infection ils n'osaient approcher de son lit, les autres, parce qu'après bien des soins et des peines ils ne lui procuraient aucun soulagement. Un de ces infortunés qu'il allait faire massacrer, devenu hardi par le désespoir: «Prince, s'écria-t-il, vous vous abusez, si vous espérez que les hommes guérissent une plaie dont Dieu vous a frappé lui-même: cette maladie ne vient pas d'une cause humaine; elle n'est point sujette aux lois de notre art; souvenez-vous des maux que vous avez faits aux serviteurs de Dieu, et de la guerre que vous avez déclarée à une religion divine, et vous sentirez à qui vous devez demander des remèdes. Je puis bien mourir avec mes semblables, mais aucun de mes semblables ne pourra vous guérir.»

AN 311.

LX. Édit de Galérius en faveur des chrétiens.

Lact. de mort. pers. c. 33 et 34.

Euseb. Hist. ecc. l. 8, c. 17.

Ces paroles pénétrèrent le cœur de Galérius, mais sans le changer. Au lieu de se condamner lui-même, de confesser le Dieu qu'il avait persécuté dans ses serviteurs, et de désarmer sa colère en se soumettant à sa justice, il le regarda comme un ennemi puissant et cruel avec qui il fallait composer. Dans les nouveaux accès de ses douleurs, il s'écriait qu'il était prêt à rebâtir les églises, et à satisfaire le Dieu des chrétiens. Enfin, plongé dans les noires vapeurs d'un affreux repentir, il fait assembler autour de son lit les grands de sa cour; il leur ordonne de faire sans délai cesser la persécution, et dicte en même temps un édit dont Lactance nous a conservé l'original: en voici la traduction.

«Entre les autres dispositions dont nous sommes sans cesse occupés pour l'intérêt de l'état, nous nous étions proposé de réformer tous les abus contraires aux lois et à la discipline romaine, et de ramener à la raison les chrétiens qui ont abandonné les usages de leurs pères. Nous étions affligés de les voir comme de concert tellement emportés par leur caprice et leur folie, qu'au lieu de suivre les pratiques anciennes, établies peut-être par leurs ancêtres mêmes, ils se faisaient des lois à leur fantaisie, et séduisaient les peuples en formant des assemblées en différents lieux. Pour remédier à ces désordres nous leur ordonnâmes de revenir aux anciennes institutions: plusieurs ont obéi par crainte; plusieurs aussi, ayant refusé d'obéir, ont été punis. Enfin, comme nous avons reconnu que la plupart, persévérant dans leur opiniâtreté, ne rendent pas aux dieux le culte qui leur est dû, et n'adorent plus même le dieu des chrétiens, par un mouvement de notre très-grande clémence, et selon notre coutume constante de donner à tous les hommes des marques de notre douceur, nous avons bien voulu étendre jusque sur eux les effets de notre indulgence, et leur permettre de reprendre les exercices du christianisme, et de tenir leurs assemblées, à condition qu'il ne s'y passera rien qui soit contraire à la discipline. Nous prescrirons aux magistrats, par une autre lettre, la conduite qu'ils doivent tenir. En reconnaissance de cette indulgence que nous avons pour les chrétiens, il sera de leur devoir de prier leur Dieu pour notre conservation, pour le salut de l'état, et pour le leur, afin que l'empire soit de toute part en sûreté, et qu'ils puissent eux-mêmes vivre sans péril et sans crainte.»

LXI. Mort de Galérius.

Lact. de mort. pers. c. 33.

Euseb. Hist. eccl. l. 8, c. 17.

Hist. Misc. l. 11, apud Murat. t. 1, p. 71.

Vict. epit. p. 222.

[Eckhel, doct. num. vet. t. VIII, p. 38].

Cet édit bizarre et contradictoire, plus capable d'irriter Dieu que de l'apaiser, fut publié dans l'empire, et affiché le dernier d'avril de l'an 311 à Nicomédie, où la persécution s'était ouverte, huit ans auparavant, par la destruction de la grande église. Quinze jours après on y apprit la mort de ce prince. Il avait enfin expiré à Sardique après un supplice d'un an et demi, ayant été César treize ans et deux mois, Auguste six ans et quelques jours. Licinius reçut ses derniers soupirs, et Galérius, en mourant, lui recommanda sa femme Valéria et Candidianus, son fils naturel, dont nous raconterons dans la suite les tristes aventures. Il fut enterré en Dacie, où il était né, dans un lieu qu'il avait nommé Romulianus, du nom de sa mère Romula. Par une vanité pareille à celle d'Alexandre-le-Grand, il se vantait d'avoir eu pour père un serpent monstrueux. On ignore le nom de sa première femme, dont il eut une fille qu'il donna en mariage à Maxence. Malgré ses débauches il avait respecté Valéria, et lui avait fait l'honneur de donner son nom à une partie de la Pannonie. Il avait auparavant procuré à cette province une grande étendue de terres labourables, en faisant abattre de vastes forêts, et dessécher un lac nommé *Pelso* dont il avait fait écouler les eaux dans le Danube. Maxence, qui se plaisait à peupler le ciel de nouvelles divinités, en fit un dieu, quoiqu'ils eussent été mortels ennemis; et ce ne fut qu'après la mort de Galérius qu'il se ressouvint que ce prince était son beau-père, titre qu'il lui donna alors avec celui de *Divus* sur ses propres monnaies.

LXII. Différence de sentiment au sujet de Galérius.

Eutrop. l. 10.

Aurel. Vict. de Cæs. p. 169 et 170.

Vict. epit. p. 222.

Je ne dois pas dissimuler que plusieurs auteurs païens ont parlé assez avantageusement de Galérius: ils lui donnent de la justice et même de bonnes mœurs. Mais outre que ce sont des abréviateurs qui n'entrent dans aucun détail, et qu'il faut croire sur leur parole, le zèle de ce prince pour la religion que ces auteurs professaient, peut bien, dans leur esprit, lui avoir tenu lieu de mérite. Peut-être aussi les auteurs chrétiens, par un motif contraire, ont-ils un peu exagéré ses vices. Mais il n'est pas croyable que des hommes célèbres, tels que Lactance et Eusèbe, qui écrivaient sous les yeux des contemporains de Galérius, et qui développent toute sa conduite, aient voulu s'exposer à être démentis par tant de témoins sur des faits récents et publics. Or, à juger de ce prince non pas par les qualités qu'ils lui donnent, mais par les actions qu'ils en racontent, parmi une foule de vices on ne lui trouve guère d'autre vertu que la valeur guerrière.

LXIII. Consulats de cette année.

Lact. de mort. pers. c. 35.

Till. note 28 sur Constantin.

Il était, quand il mourut, consul pour la huitième fois. Les fastes sont fort peu d'accord sur les consulats de cette année: les uns donnent pour collègue à Galérius, Maximin pour la seconde fois; d'autres Licinius; et il est constant que celui-ci avait été consul avant l'année suivante: quelques-uns nomment Galérius seul consul. Maxence laissa Rome et l'Italie sans consuls jusqu'au mois de septembre, qu'il nomma Rufinus et Eusébius Volusianus.

LXIV. Partage de Maximin et de Licinius.

Lact. de mort. pers. c. 36.

A la première nouvelle de la mort de Galérius, Maximin, qui avait pris d'avance ses mesures, accourt en diligence pour prévenir Licinius et se saisir de l'Asie jusqu'à la Propontide et au détroit de Chalcédoine. Il signale son arrivée en Bithynie par le soulagement des peuples, en faisant cesser toutes les rigueurs des exactions. Cette générosité politique lui gagna tous les cœurs, et lui fit bientôt trouver plus de soldats qu'il n'en voulut. Licinius approche de son côté; déja les armées bordaient les deux rivages; mais au lieu d'en venir aux mains, les empereurs s'abouchent dans le détroit même, se jurent une amitié sincère, et conviennent, par un traité, que toute l'Asie restera à Maximin, et que le détroit servira de borne aux deux empires.

LXV. Débauches de Maximin.

Vict. epit. p. 222.

Lact. de mort. pers. c. 38.

Euseb. Hist. eccl. l. 8, c. 14.

Après une conclusion si favorable, il ne tenait qu'à Maximin de vivre heureux et tranquille. Ce prince, sorti, ainsi que Galérius et Licinius, des forêts de l'Illyrie, n'avait pourtant pas l'esprit aussi grossier. Il aimait les lettres, il honorait les savants et les philosophes: peut-être ne lui avait-il manqué qu'une bonne éducation et de meilleurs modèles, pour adoucir l'humeur barbare qu'il tirait de sa naissance. Mais enivré du pouvoir suprême, pour lequel il n'était pas né, emporté par l'exemple des autres princes, enfin devenu féroce par l'habitude de verser le sang des chrétiens, il n'épargna plus ses provinces; il accabla les peuples d'impositions, il se livra sans réserve à tous les désordres. Il ne se levait guère de table sans être ivre, et le vin le rendait furieux. Ayant observé qu'il avait alors plusieurs fois donné des ordres dont il se repentait ensuite, il commanda que ce qu'il ordonnerait après son repas, ne fût exécuté que le lendemain: précaution honteuse, qui prouvait l'intempérance dont elle prévenait les effets. Dans ses voyages il portait partout la corruption et la débauche, et sa cour fidèle à l'imiter flétrissait tout sur son passage. Avec ses fourriers courait devant lui une troupe d'eunuques et de ministres de ses plaisirs, pour préparer de quoi le satisfaire. Plusieurs femmes, trop chastes pour se prêter à ses désirs, furent noyées par ses ordres: plusieurs maris se donnèrent la mort. Il abandonnait à ses esclaves des filles de condition, après les avoir déshonorées: celles du commun étaient la proie du premier ravisseur; il donnait lui-même par brevet, et comme une récompense, celles dont la noblesse était distinguée; et malheur au père qui, après la concession de l'empereur, aurait refusé sa fille au dernier de ses gardes, qui presque tous étaient des Barbares et des Goths chassés de leur pays.

LXVI. Maximin fait cesser la persécution.

Euseb. Hist. eccl. l. 9, c. 1.

L'édit de Galérius en faveur des chrétiens avait été publié dans les états de Constantin et de Licinius; et il devait l'être dans tout l'empire. Mais Maximin, à qui il ne pouvait manquer de déplaire, le supprima, et prit grand soin d'empêcher qu'il ne devînt public dans ses états. Cependant, comme il n'osait contredire ouvertement ses collègues, il ordonna de vive voix à Sabinus son préfet du prétoire de faire cesser la persécution. Celui-ci écrivit à tous les gouverneurs des provinces une lettre circulaire; il leur mandait que, l'intention des empereurs n'ayant jamais été de faire périr des hommes pour cause de religion, mais seulement de les ramener à l'uniformité du culte établi de tout temps, et l'opiniâtreté des chrétiens étant invincible, ils eussent à cesser toute contrainte, et à n'inquiéter personne qui fît profession du christianisme.

LXVII. Délivrance des chrétiens.

Maximin fut mieux obéi qu'il ne désirait. On mit en liberté ceux qui étaient détenus en prison ou condamnés aux mines pour avoir confessé le nom de Jésus-Christ. Les églises se repeuplaient, l'office divin s'y célébrait sans trouble: c'était une nouvelle aurore dont les païens même étaient frappés et réjouis; ils s'écriaient que le Dieu des chrétiens était le seul grand, le seul véritable. Ceux d'entre les fidèles qui avaient courageusement combattu pendant la persécution, étaient honorés comme des athlètes couronnés de gloire; ceux qui avaient succombé, se relevaient et embrassaient avec joie une austère pénitence. On voyait les rues des villes et les chemins des campagnes remplis d'une foule de confesseurs qui, couverts de glorieuses cicatrices, retournaient, comme en triomphe, dans leur patrie, chantant à la louange de Dieu des cantiques de victoire. Tous les peuples applaudissaient à leur délivrance, et leurs bourreaux mêmes les félicitaient.

LXVIII. Artifices contre les chrétiens.

Eus. Hist. eccl. l. 9, c. 2 et 3.

Lact. de mort. pers. c. 36.

L'empereur, dont les ordres avaient procuré cette joie universelle, était le seul qui ne la goûtait pas; elle faisait son supplice; il ne put l'endurer plus de six mois. Afin de la troubler, il saisit un prétexte pour défendre les assemblées auprès de la sépulture des martyrs. Ensuite il se fit envoyer des députés par les magistrats des villes, pour lui demander avec instance la permission de chasser les chrétiens et de détruire leurs églises. Dans ces pratiques secrètes il s'aida des artifices d'un certain Théotecnus magistrat d'Antioche. C'était un homme qui joignait à un esprit violent une malice consommée. Ennemi juré des chrétiens, il les avait attaqués par toutes sortes de moyens, décriés par les calomnies les plus atroces, poursuivis dans leurs retraites les plus cachées, et il en avait fait périr un grand nombre. Maximin était adonné aux affreux mystères de la magie; il ne faisait rien sans consulter les devins et les oracles: aussi donnait-il de grandes dignités et des priviléges considérables aux magiciens. Théotecnus, pour autoriser par un ordre du ciel une nouvelle persécution, consacra, avec de grandes cérémonies, une statue de Jupiter *Philius*, titre sous lequel ce dieu était depuis long-temps adoré à Antioche; et après un ridicule appareil d'impostures magiques et de superstitions exécrables, il fit parler l'oracle, et lui fit prononcer contre les chrétiens une sentence de bannissement hors de la ville et du territoire.

LXIX. Édit de Maximin.

Euseb. Hist. eccl. l. 9, c. 7.

A ce signal, tous les magistrats des autres villes répondirent par un semblable arrêt, et les gouverneurs, pour faire leur cour, les y excitaient sous main. Alors l'empereur, feignant de vouloir satisfaire aux instances des députés, fit graver sur des tables d'airain un rescrit dans lequel, après avoir félicité ses peuples en termes magnifiques de leur zèle pour le culte des dieux, et de l'horreur qu'ils manifestaient contre une race impie et criminelle, il attribuait aux chrétiens tous les maux qui dans les temps passés avaient affligé la terre, et à la protection des dieux de l'empire tous les biens dont on jouissait alors, la paix, l'heureuse température de l'air, la fertilité des campagnes: il permettait aux villes, conformément à leur requête, et leur ordonnait même de bannir tous ceux qui resteraient obstinés dans l'erreur: il leur offrait de récompenser leur piété en leur accordant sur-le-champ telle grace qu'elles voudraient demander.

LXX. La persécution recommence.

Euseb. Hist. eccl. l. 9, c. 4 et 6.

Lact. de mort. pers. c. 36.

Vales. in Euseb. p. 169.

Il n'en fallait pas tant pour renouveler les fureurs de la persécution. On vit aussitôt rallumer tous les feux, lâcher sur les chrétiens toutes les bêtes féroces. Jamais il n'y avait eu plus de martyrs, ni plus de bourreaux. Maximin choisit en chaque ville, entre les principaux habitants, des prêtres d'un ordre supérieur, qu'il chargea de faire tous les jours des sacrifices à tous leurs dieux, d'empêcher que les chrétiens ne fissent, ni en public ni en particulier, aucun acte de leur religion, de se saisir de leurs personnes, et de les forcer à sacrifier ou de les mettre entre les mains des juges. Pour veiller à l'exécution de ces ordres, il établit dans chaque province un pontife suprême, tiré des magistrats déja éprouvés dans les fonctions publiques; ou plutôt, comme l'institution en était ancienne, il augmenta la puissance de ces pontifes, en leur donnant une compagnie de gardes, et des priviléges très-honorables: ils étaient au-dessus de tous les magistrats; ils avaient droit d'entrer dans le conseil des juges, et de prendre séance avec eux.

LXXI. Passion de Maximin pour les sacrifices.

Lact. de mort. pers. c. 57.

Comme la superstition s'allie avec tous les crimes, Maximin, étant passionné pour les sacrifices, ne passait point de jour sans en offrir dans son palais, et pour y fournir on enlevait les troupeaux dans les campagnes. Ses courtisans et ses officiers n'étaient nourris que de la chair des victimes. Il avait même imaginé de ne faire servir sur sa table que des viandes d'animaux égorgés au pied des autels et déja offerts aux dieux, pour souiller tous ses convives par la participation à son idolâtrie.

LXXII. Calomnies contre les chrétiens.

[Euseb. Hist. eccl. l. 9, c. 7].

Tous ceux qui aspiraient à la faveur, s'efforçaient à l'envi de nuire aux chrétiens: c'était à qui inventerait contre eux de nouvelles calomnies. On forgea de faux actes de Pilate, remplis de blasphèmes contre Jésus-Christ, et par ordre de Maximin on les répandit par toutes les provinces; on enjoignit aux maîtres d'école de les mettre entre les mains des enfants, et de les leur faire apprendre par cœur: on suborna des femmes perdues, pour venir déposer devant les juges qu'elles étaient chrétiennes, et pour s'avouer complices des plus horribles abominations, pratiquées, disaient-elles, par les chrétiens dans leurs temples. Ces dépositions, insérées dans les actes publics, étaient aussitôt envoyées par tout l'empire.

LXXIII. Divers martyrs.

Euseb. Hist. eccl. l. 9, c. 6, et l. 8, c. 14.

Lact. de mort. pers. c. 36.

Euseb. Mart. Pal. c. 8.

[Euseb. hist. eccl. l. 8, c. 14. Rufin. l. 8. c. 17].

Le théâtre le plus ordinaire des cruautés de Maximin était Césarée de Palestine. Mais partout où il allait, son passage était tracé par le sang des martyrs. A Nicomédie il fit mourir, entre autres, Lucien, célèbre prêtre de l'église d'Antioche: à Alexandrie, où il paraît qu'il alla plusieurs fois, il fit trancher la tête à Pierre, évêque de cette ville, à un grand nombre d'évêques d'Égypte, et à une multitude de fidèles. Il ôta la vie à plusieurs femmes chrétiennes, à qui il n'avait pu ôter l'honneur. Eusèbe en remarque entre les autres une qu'il ne nomme pas; c'est, selon Baronius, celle que l'église honore sous le nom de sainte Catherine, quoique Rufin la nomme Dorothée. Elle était distinguée par sa beauté, sa naissance, ses richesses, et plus encore par sa science; ce qui n'était pas sans exemple entre les femmes d'Alexandrie. Le tyran, épris d'amour, avait inutilement tenté de la séduire. Comme elle se montrait prête à mourir, mais non pas à le satisfaire, il ne put se résoudre à la livrer au supplice; il se contenta de confisquer ses biens et de la bannir d'Alexandrie; et ce trait fut regardé dans le tyran comme un effort de clémence, que l'amour seul pouvait produire. Enfin, las de carnage et de massacres, par un autre effet de cette même clémence qui lui était particulière, il ordonna qu'on ne ferait plus mourir les chrétiens, mais qu'on se contenterait de les mutiler. Ainsi, on arrachait les yeux aux confesseurs, on leur coupait les mains, les pieds, le nez et les oreilles; on leur brûlait, avec un fer rouge, l'œil droit et les nerfs du jarret gauche, et on les envoyait en cet état travailler aux mines.

LXXIV. Famine et peste en Orient.

Euseb. Hist. eccl. l. 9. c. 8.

La vengeance divine ne tarda pas à éclater. Maximin, dans son édit contre les chrétiens, faisait honneur à ses dieux de la paix, de la santé, de l'abondance qui rendaient les peuples heureux sous son règne. Les commissaires chargés de porter cet édit dans toutes les provinces, n'avaient pas encore achevé leur voyage, que le Dieu jaloux, pour démentir ce prince impie, envoya tout à la fois la famine, la peste et la guerre. Le ciel ayant refusé pendant l'hiver ces pluies qui fertilisent la terre, les fruits et les moissons manquèrent, et la famine fut bientôt suivie de la peste. Aux symptômes ordinaires de cette maladie s'en joignit un nouveau: c'était un ulcère enflammé, qu'on appelle charbon, qui, se répandant par tout le corps, s'attachait surtout aux yeux, et qui fit perdre la vue à un nombre infini de personnes de tout âge et de tout sexe, comme pour les punir par le même supplice qu'on avait fait endurer à tant de confesseurs. Ces deux calamités réunies dépeuplaient les villes, désolaient les campagnes: le boisseau de blé se vendait plus de deux cents francs de notre monnaie: on rencontrait à chaque pas des femmes recommandables par leur naissance, qui, réduites à mendier, n'avaient d'autres marques de leur ancienne fortune, que la honte de leur misère. On vit des pères et des mères traîner dans les campagnes leur famille, pour y manger comme les bêtes le foin et les herbes même malfaisantes et qui leur donnaient la mort: on en vit d'autres vendre leurs enfants pour la misérable nourriture d'une journée. Dans les rues, dans les places publiques, chancelaient et tombaient les uns sur les autres des fantômes secs et décharnés, qui n'avaient de force que pour demander, en expirant, un morceau de pain. La peste faisait en même temps d'horribles ravages; mais il semblait qu'elle s'attachait surtout aux maisons que l'opulence sauvait de la famine. La mort, armée de ces deux fléaux, courut en peu de temps tous les états de Maximin; elle abattit des familles entières; et rien n'était si commun, dit un témoin oculaire, que de voir sortir à la fois d'une seule maison deux ou trois convois funèbres: on n'entendait dans toutes les villes qu'un affreux concert de gémissements, de cris lugubres, et d'instruments alors employés dans les funérailles. La pitié se lassa bientôt: la multitude des indigents, l'habitude de voir des mourants, l'attente prochaine d'une mort semblable avait endurci tous les cœurs; on laissait au milieu des rues les cadavres étendus sans sépulture, et servant de pâture aux chiens. Les chrétiens seuls, que ces maux vengeaient, montrèrent de l'humanité pour leurs persécuteurs: eux seuls bravaient la faim et la contagion, pour nourrir les misérables, pour soulager les mourants, pour ensevelir les morts. Cette charité généreuse étonnait et attendrissait les infidèles; ils ne pouvaient s'empêcher de louer le Dieu des chrétiens, et de convenir qu'il savait inspirer à ses adorateurs la plus belle qualité, qu'ils pussent eux-mêmes attribuer à leurs dieux, celle de bienfaiteurs des hommes.

LXXV. Guerre contre les Arméniens.

A tant de désastres, Maximin ajouta le seul qui manquait encore pour achever de perdre ses sujets. Il entreprit contre les Arméniens une guerre insensée. Ces peuples, depuis plusieurs siècles, amis et alliés des Romains, avaient embrassé le christianisme, dont ils pratiquaient tranquillement les exercices.

[Hist. eccl. l. 9, c. 8.]

[Cette guerre, dont le souvenir nous a été conservé par le seul Eusèbe, et qui fut entreprise à cause de l'attachement que les Arméniens avaient pour la religion chrétienne, n'a pas été assez remarquée par les savants modernes, qui se sont occupés des antiquités ecclésiastiques. Elle nous révèle un fait d'une grande importance resté inconnu jusqu'à présent. Elle nous montre qu'en l'an 311, c'est-à-dire avant que Constantin se fût déclaré chrétien, la doctrine de l'Évangile était professée publiquement dans un grand royaume, voisin de l'empire, ce qui donne lieu de penser que la religion chrétienne y était déja établie depuis quelque temps. Cette simple indication, donnée par Eusèbe, suffit pour faire voir que les Arméniens sont réellement la première nation qui ait adopté la foi chrétienne. Ce fait aussi curieux que remarquable, est resté inconnu aux Arméniens eux-mêmes; mais il est pleinement démontré par la série de leurs rois, comparée à la succession de leurs patriarches. Cette portion de la chronologie arménienne est environnée de difficultés; c'est là ce qui a empêché de reconnaître cette vérité. Quoi qu'il en soit, on peut regarder comme constant que le christianisme devint, vers l'an 276, la religion du roi, des princes, et des peuples de l'Arménie. Le roi Tiridate, issu du sang des Arsacides, fut alors converti avec tous ses sujets, par saint Grégoire, surnommé l'illuminateur, ainsi que lui de la race des Arsacides, mais descendu d'une branche collatérale, de la portion de cette famille, qui avait long-temps régné sur la Perse. Dix-sept ans avant cette époque et, à ce qu'il paraît, au temps de la malheureuse expédition de Valérien contre Sapor, Tiridate avait été rétabli par les Romains sur le trône de ses aïeux, dont il avait été dépouillé dans sa tendre enfance, vingt-sept ans auparavant, vers l'an 233, par le roi de Perse Ardeschir, fils de Babek, fondateur de la dynastie des Sassanides. Ce souverain, appelé ordinairement Artaxerxès, ayant détruit l'empire des Arsacides en Perse, en l'an 226, fut obligé de soutenir une guerre longue et opiniâtre, contre le prince de la même race, qui possédait l'Arménie et se nommait Chosroès. Après des succès balancés par des revers, un assassinat délivra le roi de Perse de son antagoniste, l'Arménie fut sa conquête, et le jeune Tiridate, fils de Chosroès, fut porté chez les Romains, où il trouva un asile, des instituteurs, et enfin des vengeurs[11]. Le même prince occupait encore le trône, et il y avait plus de cinquante ans qu'il régnait quand Maximin entreprit son expédition contre les Arméniens en haine du christianisme].—S.-M.

[11] Tous ces résultats qui seraient susceptibles de plus grands développements, ont déja été indiqués dans le premier volume (pag. 405, 406, 412 et 436) de mes *Mémoires historiques et géographiques sur l'Arménie*, publiés en 1818.—S.-M.

Juvenal, sat. 15.

Le tyran se mit à la tête de ses troupes pour aller les forcer dans leurs montagnes, et relever les idoles qu'ils avaient abattues. Les historiens ne nous ont point instruits du détail de cette expédition: ils nous apprennent seulement, que l'empereur et l'armée, après avoir beaucoup souffert, n'en rapportèrent que la honte et le repentir. Si l'on excepte ces querelles sanglantes qu'une ridicule superstition avait quelquefois excitées en Égypte entre deux villes voisines, c'est ici la première guerre de religion dont parle l'histoire[12]. J'ai rassemblé tout ce que nous savons de Maximin pour cette année et la suivante, afin de n'être pas obligé d'interrompre ce qui reste de l'histoire de Maxence jusqu'à sa mort.

[12] Cette observation empruntée au savant Tillemont (*Hist. des Emp.*, t. IV, p. 145, édition de 1723), n'est pas exacte. Il ne serait pas difficile de trouver dans l'histoire ancienne d'autres guerres qui eurent la religion pour motif. Je me contenterai de rappeler, à ce sujet, les guerres des rois de Syrie contre les Macchabées et les Juifs.—S.-M.

LXXVI. État du christianisme en Italie.

Euseb. Hist. eccl. l. 8, c. 14.

Anastas. Vit. Marcel. p. 11.

Platina, in Marcel.

Sigon. de Imp. Occ. p. 43 et seq.

Baron. Ann.

Ce prince, en montant sur le trône, avait trouvé grand nombre de chrétiens à Rome et en Italie. Comme il savait qu'ils étaient portés d'affection pour Constantin, qui imitait à leur égard la douceur de son père, pour se les attacher il fit cesser la persécution, leur fit rendre leurs églises, et feignit même pendant quelque temps de professer leur religion. Le christianisme reprenait haleine en Italie; et pour suffire au baptême et à la nourriture spirituelle des fidèles, qui se multipliaient tous les jours, le pape Marcel avait augmenté jusqu'à vingt-cinq le nombre des titres de la ville de Rome: c'étaient des départements pour autant de prêtres et comme autant de paroisses. Il avait engagé deux femmes pieuses et riches, nommées Priscilla et Lucine, l'une à bâtir un cimetière sur la voie Salaria, l'autre à laisser par testament à l'église l'héritage de tous ses biens. Ces donations ne furent pas heureuses. Maxence, jaloux de la pieuse adresse de ce saint pape, leva le masque, se déclara ennemi des chrétiens, voulut contraindre Marcel à sacrifier aux idoles; et sur son refus, il le fit enfermer dans une de ses écuries pour y panser les chevaux. Marcel y mourut de misère après cinq ans, d'autres disent deux ans de pontificat, dont la plus grande partie s'était passée, comme celui de presque tous ses prédécesseurs, ou dans l'attente continuelle de la mort, ou dans les souffrances. Eusèbe, Grec de naissance qui lui succéda, ne resta sur le saint siége que quelques mois, et fut remplacé par Miltiade, dont j'aurai occasion de parler dans la suite.

LXXVII. Guerre contre Alexandre.

Zos. l. 2, c. 12 et 14.

Aurel. Vict. de Cæs., p. 174 et 175.

Tandis que Maxence faisait aux chrétiens en Italie une guerre, où il ne courait aucun risque, il en terminait en Afrique une autre, qui aurait été dangereuse, s'il avait eu un ennemi plus courageux. Résolu d'aller attaquer Constantin, sous prétexte de venger la mort de son père, qu'il ne regrettait pas, mais en effet pour s'enrichir des dépouilles d'un prince qu'il haïssait, il avait dessein de marcher en Rhétie, d'où il pourrait également se porter en Gaule et en Illyrie: il se flattait de s'emparer d'abord de cette dernière province et de la Dalmatie, à l'aide des troupes et des généraux qu'il tenait sur la frontière, et de se jeter ensuite dans la Gaule, dont il se rendrait aisément le maître. Mais avant que d'en venir à l'exécution de ces chimériques projets, il crut devoir s'assurer de l'Afrique, où Alexandre se maintenait depuis trois ans. Ce tyran y avait étendu sa puissance, et il paraît qu'il avait ruiné la ville de Cirtha, capitale de la Numidie. Maxence assembla donc un petit nombre de cohortes; il mit à leur tête Rufius-Volusianus, son préfet du prétoire, et Zénas, capitaine renommé pour sa science militaire, et chéri des troupes pour sa probité et sa douceur.

LXXVIII. Défaite d'Alexandre.

Till. art. 16.

Génebrier, Dissert. sur Nigrinianus.

[Eckhel, doct. num. vet. t. VII, p. 520].

Il ne leur en coûta que la peine de passer la mer. Alexandre cassé de vieillesse, et qui n'avait pas plus de capacité que de force, traînant après lui des soldats levés à la hâte et dont la moitié étaient sans armes, vint à leur rencontre: mais ce ne fut que pour prendre la fuite dès le premier choc. A peine quelques bataillons firent-ils une faible résistance, tout fut renversé en un moment; il fut lui-même pris et étranglé sur-le-champ. On a cru pendant quelque temps que Nigrinianus, dont on a deux médailles qui lui donnent le titre de *Divus*, était le fils de cet Alexandre, mort avant son père et mis au rang des dieux. Mais on a depuis reconnu que ces médailles ont été frappées entre le règne de Claude second et celui de Dioclétien[13].

[13] Nigrinianus est un de ces personnages impériaux, dont la puissance éphémère est échappée à l'histoire, et dont les médailles seules ont conservé le souvenir. On est réduit à des conjectures pour déterminer l'époque où ils vécurent; mais comme les raisons sur lesquelles on se fonde laissent toujours

une certaine latitude, on ne saurait prendre pour constant ce que Lebeau dit ici de Nigrinianus. Le savant Eckhel place aussi ce personnage avant Dioclétien.—S.-M.

LXXIX. Désolation de l'Afrique.

Incerti Pan. c. 16.

[Zos. l. 2. c. 14].

La guerre était finie, mais les suites de la victoire furent plus funestes que la guerre. Maxence avait ordonné de saccager et de brûler Carthage, qui était redevenue une des plus florissantes villes du monde; d'enlever ou de détruire tout ce qu'il y avait de beau dans la province, et d'en transporter à Rome tous les blés. Les habitants de l'Afrique souffrirent les dernières rigueurs. De ceux qui étaient remarquables par la noblesse ou par les richesses, nul ne fut épargné: tous furent traînés devant les tribunaux, comme ayant été partisans d'Alexandre; tous furent dépouillés de leurs biens: plusieurs perdirent la vie; et après ces violences Maxence triompha dans Rome, beaucoup moins des ennemis vaincus, que de ses malheureux sujets qu'il avait ruinés.

LXXX. Massacre dans Rome.

Eus. Hist. eccl. l. 8, c. 14, et Vit. Const. l. 1, c. 35.

Zos. l. 2, c. 13.

Aurel. Vict. de Cæs. p. 175.

Il ne traitait pas les Romains avec plus d'humanité. Dès avant la guerre d'Afrique, le feu ayant pris au temple de la Fortune à Rome, comme on s'empressait de l'éteindre un soldat laissa échapper un mot de raillerie sur la déesse: le peuple indigné se jette sur lui et le met en pièces. Aussitôt les soldats, et surtout les prétoriens fondent sur le peuple; ils frappent, ils massacrent, ils égorgent sans distinction d'âge ni de sexe; Rome nageait dans le sang, et cette sanglante querelle pensa détruire la capitale de l'empire. Selon Zosime, Maxence apaisa les soldats; selon Eusèbe, il abandonna le peuple à leur fureur: ces deux témoignages se balancent; mais celui d'Aurélius-Victor décide en faveur d'Eusèbe, et rend Maxence coupable du meurtre de ses sujets.

LXXXI. Avarice de Maxence.

Aurel. Vict. de Cæs. p. 175.

Devenu plus insolent, il ne mit plus de bornes à ses rapines, à ses débauches, à ses cruelles superstitions. Il obligeait tous les ordres, depuis les sénateurs jusqu'aux laboureurs, de lui donner par forme de présent des sommes considérables: institution odieuse, mais attrayante pour des successeurs, qui semble perdre de sa bassesse à proportion qu'elle s'éloigne de son origine, et dont les empereurs suivants crurent pouvoir profiter sans en partager la honte.

LXXXII. Ses rapines.

Euseb. vit. Const. l. 1, c. 35.

Incert. Pan. c. 3 et 4.

Nazar. Pan. c. 8.

Hist. Misc. l. 11, apud Muratori, t. I, p. 71.

Non content de cette contribution, qui n'était volontaire qu'en apparence, il fit mourir sous de faux prétextes un grand nombre de sénateurs, pour s'emparer de leurs biens. Il regardait comme son patrimoine celui de tous ses sujets; il n'épargnait pas même les temples de ses dieux: c'était un abîme qui engloutissait toutes les richesses de l'univers, que près de onze siècles avaient accumulées dans Rome: l'Italie était remplie de délateurs et d'assassins dévoués à ses fureurs, et qu'il repaissait d'une part de sa proie: une parole, un geste innocent, décelaient un complot contre le prince; un soupir passait pour un regret de la liberté. Cette tyrannie faisait déserter les villes et les campagnes: on cherchait les retraites les plus profondes; les terres demeuraient sans semence et sans culture; et la famine fut si grande, qu'on ne se souvenait point à Rome d'en avoir éprouvé de semblable.

LXXXIII. Ses débauches.

Incert. Pan. c. 14 et c. 3.

Euseb. vit. Const., l. 1, c. 33 et 34.

Prud. in Symm. l. 1, v. 470.

Hist. Misc. l. 11, apud Muratori, t. I, p. 71.

Le tyran semblait triompher de la misère publique. Il affectait de paraître heureux, puissant, au-dessus de toute crainte: il assemblait quelquefois ses soldats pour leur dire, qu'il était le seul empereur; que les autres qui prenaient cette qualité, n'étaient que ses lieutenants qui gardaient ses frontières: pour vous, leur disait-il, jouissez, dissipez, prodiguez: c'était là toute sa harangue. Quoiqu'il feignît d'être occupé de grands projets de guerre, il passait ses jours dans l'ombre et dans les délices: tous ses voyages, toutes ses expéditions se bornaient à se faire transporter de son palais aux jardins de Salluste. Endormi dans le sein de la mollesse, il ne se réveillait que pour se livrer aux excès de la débauche: il enlevait les femmes à leurs maris, pour les leur renvoyer déshonorées, ou les livrer à ses satellites: il n'épargnait pas l'honneur même des premiers du sénat; faire cet outrage à la principale noblesse, c'était pour lui un raffinement de volupté: insatiable dans ses infâmes désirs, sa passion changeait sans cesse d'objet, sans se fixer ni s'éteindre: les prisons étaient remplies de pères et de maris, qu'une plainte, un gémissement, avaient rendus dignes de mort.

LXXXIV. Mort de Sophronie.

Euseb. Hist. ecc. l. 8, c. 14.

Rufin. l. 8, c. 17.

Mais ni ses artifices ni ses menaces ne triomphaient de la chasteté des femmes chrétiennes, parce qu'elles savaient mépriser la vie. On raconte qu'une d'entre elles, nommée Sophronie, épouse du préfet de la ville, ayant appris que les ministres des débauches du tyran la venaient chercher de sa part, et que son mari par crainte et par faiblesse la leur avait abandonnée, elle leur fit demander quelques moments pour se parer, et que l'ayant obtenu, seule et retirée dans son appartement, après une courte prière elle se plongea un poignard dans le sein, et ne laissa à ces misérables que son corps sans vie. Plusieurs auteurs ecclésiastiques louent cette action; elle ne porte cependant pas le sceau de l'approbation de l'église, qui n'a pas mis cette femme au nombre des saintes. Les païens devaient admirer cette chasteté héroïque, et la mettre fort au-dessus de celle de Lucrèce.

LXXXV. Superstitions de Maxence.

Euseb. vit. Const., l. 1, c. 36.

Quoique Maxence affectât une entière sécurité, il craignait Constantin; et ne pouvant se dissimuler qu'il ne trouvait pas en lui-même assez de ressources, il en chercha dans la magie. Pour se rendre les démons favorables, et pour pénétrer dans les secrets de l'avenir, il faisait ouvrir le ventre à des femmes enceintes, fouiller dans les entrailles des enfants tirés de leur sein. On égorgeait des lions; et par des sacrifices et des formules de prières abominables il se flattait d'évoquer les puissances de l'enfer, et de détourner les malheurs dont il était menacé.

LXXXVI. Constantin se prépare à la guerre.

Euseb. vit. Const. l. 1, c. 26.

Incert. Pan. c. 2 et 3.

Cedren. t. I, p. 270.

Zonar. l. 13, t. 2, p. 2.

Mais il avait en tête un ennemi plus puissant que ses dieux. Constantin, soit de son propre mouvement, comme le dit Eusèbe, soit qu'il en fût secrètement sollicité par les habitants de Rome, comme le rapportent d'autres auteurs, songeait à délivrer cette ville de l'oppression sous laquelle elle gémissait; et les projets d'un prince plein de prudence et d'activité étaient plus sûrs et mieux concertés que ceux de Maxence. Pour ne laisser derrière lui aucun sujet d'inquiétude, il visita, au commencement de cette année, toute la partie de la Gaule voisine du Rhin et des Barbares. Il assura cette frontière par des flottes sur le fleuve, et par des corps de troupes qui servaient de barrière.

LXXXVII. Il soulage la ville d'Autun.

Eumen. Grat. Act. passim.

Il s'avança jusqu'à Autun [*Augustodunum*]. Cette ville signalée par son zèle pour Rome dès avant le temps de Jule-César, dont les peuples avaient reçu du sénat le nom de *Frères du peuple romain*, fameuse par ses écoles publiques, presque détruite par Tétricus sous l'empire de Claude II, relevée par les successeurs de ce prince, honorée depuis peu des bienfaits de Constance Chlore, était alors réduite à une misère déplorable. Quoique son territoire ne fût pas plus chargé de tailles que le reste de la Gaule, toutefois les ravages des guerres passées ayant détruit toute culture, et ruiné un terrain naturellement assez ingrat, elle était hors d'état de supporter sa part de l'imposition générale. Le découragement des laboureurs rendait le mal irrémédiable. Comme leur travail ne pouvait fournir à la fois au paiement des tailles et à leur nourriture, ils avaient pris le parti de mourir de faim sans travailler. Les moins abattus par le désespoir se retiraient dans les bois ou désertaient le pays. Lorsque Constantin entra dans la ville, qu'il croyait trouver abandonnée, il fut étonné de la multitude de peuple qui s'empressait à le voir et à lui témoigner sa joie. A la nouvelle de son approche, on était accouru en foule de tout le voisinage; on avait paré les rues jusqu'au palais, de tout ce que la misère peut appeler des ornements: toutes les compagnies sous leur drapeau, tous les prêtres avec les statues de leurs dieux, tous les instruments de musique honoraient son arrivée. Le sénat de la ville se prosterna à ses pieds à la porte du palais dans un profond silence: l'empereur versant des larmes de pitié et de tendresse, tendit la main aux sénateurs, les releva, prévint leur demande, leur remit le tribut de cinq années qu'ils devaient au trésor; sur les vingt-cinq mille taillables du territoire d'Autun, il fit grace pour l'avenir de sept mille capitaux[14]. Cette faveur fit renaître l'espoir et l'industrie: Autun se repeupla, les terres furent mises en valeur; la ville regardant Constantin comme son père et son fondateur, prit le nom de *Flavia*; et le prince retourna à Trèves, triomphant dans le cœur des peuples; et plus glorieux d'avoir rendu la vie à vingt-cinq mille familles, que s'il eût terrassé la plus nombreuse armée.

[14] *Septem millia capitum remisisti*, dit Euménius, dans le Panégyrique d'actions de grace, qu'il prononça pour remercier Constantin au nom de ses concitoyens, § XI.—S.-M.

LXXXVIII. Il retourne à Trèves.

Eumen. grat. act. c. 2 et pro rest. schol. c. 11 et 14.

Il trouva à Trèves un grand nombre d'habitants de presque toutes les autres villes de ses états, qui venaient honorer la célébration de sa cinquième année, et lui demander des graces, soit pour leur pays, soit pour leurs propres personnes. Il renvoya satisfaits ceux même à qui il ne pouvait accorder leurs demandes. Ce fut en présence du prince et au milieu de cette nombreuse assemblée, qu'Euménius établi, par Constance Chlore, chef des études d'Autun, avec une pension de plus de soixante mille livres[15], prononça un discours de remercîment que nous avons encore, pour les bienfaits dont l'empereur avait comblé sa patrie.

[15] *Salarium me liberalissimi principes, ex hujus reipublicæ viribus in* sexcenis millibus nummum *accipere jusserunt*. Eumenius, *Orat. pro restaur. scholis*, § II.—S.-M.

LXXXIX. Outrage qu'il reçoit de Maxence.

Nazar. Pan. c. 9 et seq.

Lact. de mort. persec. c. 43.

Tout se disposait à la guerre. Constantin balançait encore; il craignait qu'elle ne fût pas assez juste. Auprès des autres souverains la justice n'était qu'une couleur, qu'ils comptaient bien que la victoire ne manquerait pas de donner à leurs entreprises: pour Constantin c'était un motif sans lequel il ne se croyait en droit de rien entreprendre. Malgré la compassion qu'il avait de la ville de Rome, malgré les cris de ceux qui l'appelaient, il doutait, avec raison, qu'il lui fût permis de détrôner un prince qui n'était pas son vassal, quoiqu'il abusât de son pouvoir. Il prit donc les voies de douceur: il envoya proposer à Maxence une entrevue. Celui-ci loin de l'accepter, entra dans une espèce de fureur; il fit abattre ce qu'il y avait à Rome de statues de Constantin, et les fit traîner dans la boue: c'était une déclaration de guerre; et Maxence, en effet, publia qu'il allait venger la mort de son père.

XC. Ils s'appuient tous deux par des alliances.

Lact. de mort. persec. c. 43 et 44.

Euseb. Hist. eccl. l. 8, c. 14.

Incert. Pan. c. 2.

Zos. l. 2, c. 15.

Licinius pouvait traverser Constantin et jeter des troupes en Italie par l'Istrie et par le Norique, qui confinaient avec ses états. Constantin réussit à se l'attacher en lui promettant sa sœur Constantia en mariage. Maximin prit ombrage de cette promesse; il crut que cette alliance se formait contre lui: et pour la balancer, il s'appuya de celle de Maxence, à qui il envoya demander son amitié, mais secrètement; car il voulait conserver avec Constantin les dehors d'une bonne intelligence. Ses offres furent acceptées avec la même joie qu'un secours envoyé du ciel: Maxence lui fit dresser des statues à côté des siennes. Cependant Constantin ne fut instruit de cette intrigue et de la perfidie de Maximin, que par la vue même de ces statues, quand il fut maître de Rome. Au reste ces deux alliances ne produisirent d'autre effet que la neutralité des deux princes, qui ne prirent aucune part à cette guerre.

XCI. Préparatifs de Maxence.

Lact. de mort. persec. c. 44.

Zos. l. 2, c. 15.

[Euseb. Hist. ecc. l. 9, c. 9.]

Incert. Pan. c. 3.

Jamais l'Occident n'avait mis sur pied de si nombreuses armées. Maxence assembla cent soixante et dix mille hommes d'infanterie, et dix-huit mille chevaux. C'étaient des soldats qui avaient autrefois servi son père; Maxence les avait enlevés à Sévère, et il y avait joint de nouvelles levées. Les troupes de Rome et d'Italie faisaient quatre-vingt mille hommes; Carthage en avait fourni quarante mille: tous les habitants des côtes maritimes de la Toscane s'étaient enrôlés et formaient à part un corps considérable: le reste était des Siciliens et des Maures. Il employa une partie de ces troupes à garnir les places qui pouvaient défendre l'entrée de l'Italie, et tint la campagne par ses généraux avec cent mille hommes. Il avait des chefs expérimentés, de l'argent et des vivres: Rome en avait été pourvue pour long-temps aux dépens de l'Afrique et des îles, dont on avait enlevé tous les blés. Sa principale confiance était dans les soldats prétoriens, qui l'ayant élevé à l'empire, s'étaient prêtés à toutes ses violences, et ne pouvaient espérer de grace que d'un prince, dont ils avaient partagé tous les crimes.

XCII. Forces de Constantin.

Incert. Pan. c. 2, 3, 5, 25.

Zos. l. 2, c. 15.

Constantin avait une armée de quatre-vingt-dix mille hommes de pied et de huit mille chevaux. Elle était composée de Germains, de Bretons et de Gaulois. Mais la nécessité où il était de border le Rhin de soldats pour la sûreté de la Gaule, ne lui laissa que vingt-cinq mille hommes à conduire au-delà des Alpes. Un mot qui ne se trouve que dans un panégyriste[16], suppose qu'il avait une flotte avec laquelle il s'empara de plusieurs ports en Italie. Mais on ne sait sur ce point aucun détail.

[16] *Ille Oceanum classe transmisit, tu et Alpes gradu, et classibus portus Italicos occupasti.* Incert. Paneg. § 25.—S.-M.

XCIII. Inquiétudes de ce prince.

Incert. Pan. ibid.

Euseb. vit. Const. l. 1, c. 37.

Hist. Misc. l. 11, apud Muratori, t. I, p. 7.

C'était peu de troupes contre des forces aussi grandes que celles de Maxence: mais au nombre suppléait une bravoure éprouvée, et la capacité de leur chef, qui ne les avait jamais ramenées du combat qu'avec la victoire. Il y eut pourtant d'abord quelques murmures dans l'armée; les officiers même semblaient intimidés et blâmaient sourdement une entreprise qui paraissait téméraire; les haruspices ne promettaient rien d'heureux; et Constantin, qui n'était pas encore affranchi des superstitions, redoutait non pas les armes de son ennemi, mais les maléfices et les secrets magiques qu'il mettait en œuvre.

XCIV. Réflexions qui le portent au christianisme.

Euseb. Vit. Const. l. 1, c. 27.

Il crut devoir y opposer de son côté un secours plus puissant; et l'enfer étant déclaré pour Maxence, il chercha dans le ciel un appui supérieur à toutes les forces des hommes et des démons. Il fit réflexion qu'entre les empereurs précédents, ceux qui avaient mis leur confiance dans la multitude des dieux, et qui, avec le tribut de tant de victimes et d'offrandes, leur avaient encore sacrifié tant de chrétiens, n'en avaient reçu d'autre récompense, que des oracles trompeurs et une mort funeste; qu'ils avaient disparu de dessus la terre, sans laisser de postérité ni aucune trace de leur passage; que Sévère et Galérius, soutenus de tant de soldats et de tant de dieux, avaient terminé leur entreprise contre Maxence l'un par une mort cruelle, l'autre par une fuite honteuse; que son père seul, favorable aux chrétiens, et plus zélé pour la conservation de ses sujets que pour le culte de ces dieux meurtriers, avait couronné par une fin heureuse une vie tranquille et pleine de gloire. Occupé de ces pensées, qui ne lui donnaient que du mépris pour ses divinités, il invoquait ce Dieu unique, que les chrétiens adoraient, et qu'il ne connaissait pas; il le priait avec ardeur de l'éclairer de sa lumière et de l'aider de son secours.

XCV. Apparition de la croix.

Euseb. vit. Const. l. 1, c. 29.

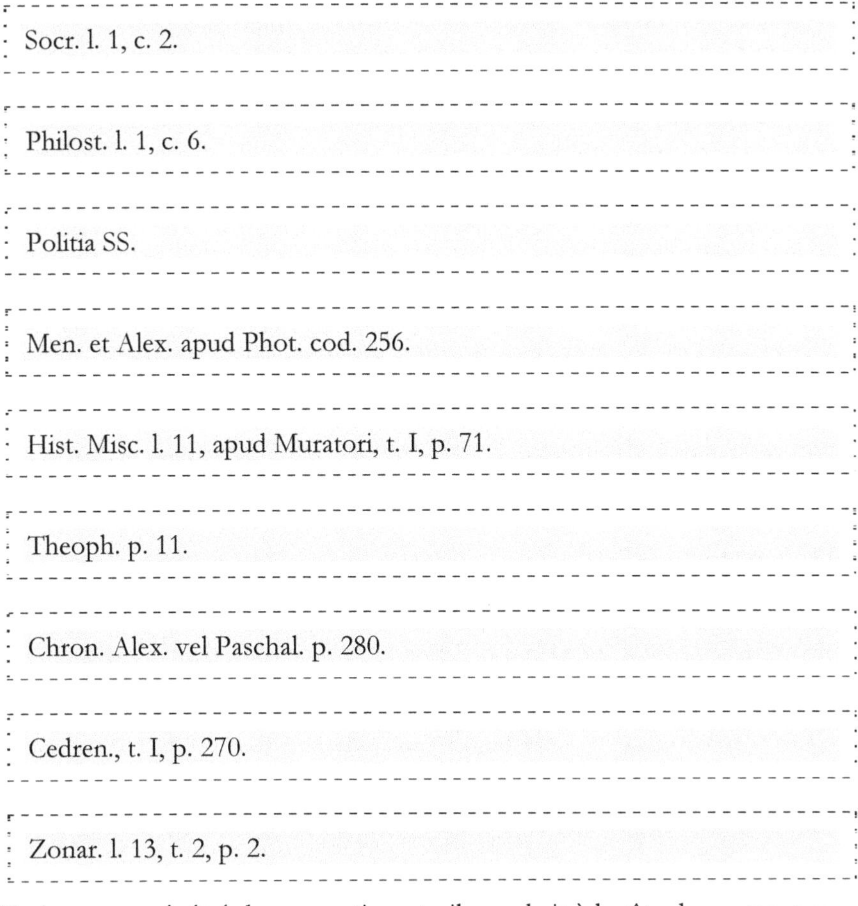

Socr. l. 1, c. 2.

Philost. l. 1, c. 6.

Politia SS.

Men. et Alex. apud Phot. cod. 256.

Hist. Misc. l. 11, apud Muratori, t. I, p. 71.

Theoph. p. 11.

Chron. Alex. vel Paschal. p. 280.

Cedren., t. I, p. 270.

Zonar. l. 13, t. 2, p. 2.

Un jour que, pénétré de ces sentiments, il marchait à la tête de ses troupes, un peu après l'heure de midi, par un temps calme et serein, comme il levait souvent les yeux vers le ciel, il aperçut au-dessus du soleil du côté de l'orient, une croix éclatante, autour de laquelle étaient tracés en caractères de lumière ces trois mots latins: *In hoc vince: vainquez par ceci.* Ce prodige frappa les yeux et les esprits de toute l'armée. L'empereur n'était pas encore sorti de son étonnement, lorsque la nuit étant venue il vit en songe le fils de Dieu, qui tenait en main ce signe dont il venait de voir la figure dans le ciel, et qui lui ordonna d'en faire faire un semblable, et de s'en servir comme d'une enseigne dans les batailles.

XCVI. Constantin fait faire le labarum.

Euseb. vit. Const. l. 1, c. 30 et 31.

Le prince à son réveil assemble ses amis, leur raconte ce qu'il vient de voir et d'entendre, mande des ouvriers, leur dépeint la forme de ce signe céleste, et leur commande d'en faire un pareil d'or et de pierreries. Eusèbe, qui atteste l'avoir vu plusieurs fois, le décrit ainsi: c'était une longue pique revêtue d'or, ayant une traverse en forme de croix: au haut de la pique s'élevait une couronne d'or enrichie de pierreries, qui enfermait le monogramme de Christ, que l'empereur voulut aussi dans la suite porter gravé sur son casque. De la traverse pendait une pièce d'étoffe de pourpre, quarrée, couverte d'une broderie d'or et de pierres précieuses, dont l'éclat éblouissait les regards. Au-dessous de la couronne, mais au-dessus du drapeau était le buste de l'empereur et de ses enfants représentés en or; soit que ces images fussent placées sur la traverse de la croix, soit qu'elles fussent brodées sur la partie supérieure du drapeau même; car l'expression d'Eusèbe ne donne pas une idée nette de cette position. Il semble même, à l'inspection de plusieurs médailles, que ces images étaient quelquefois dans des médaillons le long du bois de la pique, et que le monogramme de Christ était brodé sur le drapeau.

XCVII. Culte de cette enseigne.

Soz. l. 1, c. 4.

Du Cange, Gloss.

Socr. l. 1, c. 2.

Theoph. p. 11.

Cedren. t. I, p. 270.

Ce fut dans la suite le principal étendard de l'armée de Constantin et de ses successeurs. On l'appela *Labarum* ou *Laborum*. Le nom était nouveau; mais, selon quelques auteurs, la forme en était ancienne. Les Romains l'avaient empruntée des Barbares, et c'était la première enseigne des armées; elle marchait toujours devant les empereurs; les images des dieux y étaient représentées, et les soldats l'adoraient aussi-bien que leurs aigles. Ce culte ancien, appliqué alors au nom de J.-C. accoutuma les soldats à n'adorer que le Dieu de l'empereur, et contribua à les détacher peu à peu de l'idolâtrie.

Socrate, Théophane et Cédrénus attestent que ce premier *Labarum* se voyait encore de leur temps dans le palais de Constantinople: le dernier de ces auteurs vivait dans le onzième siècle.

XCVIII. Protection divine attachée au Labarum.

Euseb. vit. Const. l. 2, c. 7, 8, 9.

Cod. Theod. l. 6, t. 25 de præp. lab. et ibi Godefr.

Constantin fit faire plusieurs étendards sur le même modèle, pour être portés à la tête de toutes ses armées. Il s'en servait comme d'une ressource assurée dans tous les endroits où il voyait plier ses troupes. Il semblait qu'il en sortît une vertu divine, qui inspirait la confiance à ses soldats, et la terreur aux ennemis. L'empereur choisit entre ses gardes cinquante des plus braves, des plus vigoureux et des plus attachés au christianisme, pour garder ce précieux gage de la victoire. Chacun d'eux le portait tour à tour. Eusèbe rapporte d'après Constantin même, un fait qui serait incroyable sans un aussi bon garant. Au milieu d'une bataille, celui qui portait le *Labarum* ayant pris l'épouvante, le remit entre les mains d'un autre et s'enfuit. A peine l'eut-il quitté, qu'il fut percé d'un trait mortel, qui lui ôta sur-le-champ la vie. Les ennemis s'efforçant de concert d'abattre cette redoutable enseigne, celui qui en était chargé se vit bientôt le but d'une grêle de javelots: pas un ne porta sur lui; tous s'enfoncèrent dans le bois de la pique: c'était une défense plus sûre que le bouclier le plus impénétrable; et jamais celui qui faisait cette fonction dans les armées, ne reçut aucune atteinte. Théodose le jeune, par une loi de l'an 416, donne à ceux qui sont préposés à la garde du *Labarum* des titres honorables et de grands priviléges.

XCIX. Sur le lieu où parut ce prodige.

Niceph. Call. l. 7, c. 29.

Acta Artemii apud Metaphr.

Baluzius, in Lact. p. 337.

Euseb., vit. Const. l. 1. c. 37.

Socr. l. 1, c. 1.

Soz. l. 1, c. 5.

Buch. in Hist. Belg. l. 8, c. 6.

Gelenius, in Colon. magnit. l. 1, synt. 4.

Morin, de la délivrance de l'église. part. 2, c. 12.

Chifflet, de convers. Const. c. 6.

On ne sait rien de certain sur le lieu où était Constantin, quand il vit cette croix miraculeuse. Quelques-uns prétendent qu'il était déja aux portes de Rome: mais, selon l'opinion la plus vraisemblable et la plus suivie, il n'avait pas encore passé les Alpes: c'est ce qui semble résulter du récit d'Eusèbe, de Socrate et de Sozomène, qui sont ici les trois auteurs originaux. Divers endroits de la Gaule se disputent l'honneur d'avoir vu ce prodige: les uns disent qu'il parut à Numagen sur la droite de la Moselle à trois milles au-dessous de Trèves; d'autres à Sintzic au confluent du Rhin et de l'Aar; quelques-uns entre Autun et Saint-Jean de Lône. Selon la tradition de l'église de Besançon, ce fut sur la rive du Danube, lorsque Constantin faisait la guerre aux Barbares, qui voulaient passer ce fleuve: d'où un savant moderne conjecture que ce fut entre le Rhin et le Danube près de Brisach, et que ces Barbares étaient alliés de Maxence. Il croit que Constantin attendit en Franche-Comté la saison de passer les Alpes, et que ce fut alors qu'il fit percer le rocher nommé aujourd'hui *Pierre-Pertuis, Petra pertusa*, à une journée de Bâle. Ce pertuis est long de quarante-six pieds, et large de seize ou dix-sept. Sur le roc est gravée une inscription[17], qui marque que ce chemin est l'ouvrage d'un empereur: c'était pour donner un passage des Gaules en Germanie.

[17]

Numinis Augusti via ducta per ardua montis

Fecit iter, petram scindens in margine fontis.

C. Discussion sur la vérité de ce miracle.

Act. Conc. Nic.

Gelasii Cyz. l. 1, c. 4.

Oisel. Thes. numism. antiq. p. 463.

Tollius, apud Baudri, in Lact. p. 735.

Nous avons rapporté ce miracle d'après Eusèbe, qui atteste qu'il le tient de la bouche même de Constantin, et que ce prince lui en avait confirmé la vérité par son serment. Mais il faut avouer qu'entre les auteurs anciens, quelques-uns ne parlent pas de cette apparition de la croix, d'autres ne la racontent que comme un songe: ce qui a donné lieu aux infidèles dès le cinquième siècle de décréditer ce prodige, comme nous l'apprenons de Gelasius de Cyzique; et à quelques écrivains modernes de le rejeter comme un pieux stratagème de Constantin. La vérité de la religion chrétienne ne dépend pas de celle de ce miracle; elle pose sur des principes inébranlables: c'est un édifice, élevé jusqu'au ciel, établi dans le même temps et par la même main que les fondements de la terre, qu'il doit surpasser en durée; ce miracle n'en est tout au plus qu'un ornement, qui pourrait tomber, sans lui rien ôter de sa solidité. Je me crois donc, comme historien, en droit de rapporter en peu de mots, sans préjugé ni décision, ce qu'on a dit pour détruire ou pour autoriser la réalité de cet événement.

CI. Raisons pour le combattre.

Lact. de mort. persec. c. 44.

Soz. l. 1, c. 3.

Colombus, in Lactant. p. 388.

Greg. Naz. invect. 1, in Iul. t. I, p. 112.

Gothof. in Philost. diss. ad. l. 1, c. 6.

Ceux qui le combattent, s'appuient sur l'incertitude du lieu où il s'est passé; ce qui leur semble affaiblir l'authenticité du fait en lui-même; sur la narration de Lactance et de Sozomène, qui ne parlent de cette apparition de la croix que comme d'un songe de Constantin, sur le silence des panégyristes, de Porphyrius Optatianus, poète contemporain de Constantin, d'Eusèbe même qui n'en dit rien dans son histoire ecclésiastique, et de saint Grégoire de Nazianze, qui racontant un miracle pareil arrivé du temps de Julien, ne dit pas un mot de celui-ci, qu'il aurait dû naturellement citer, s'il y eût donné quelque croyance. Le serment même de Constantin leur rend la chose plus suspecte: qu'était-il besoin de jurer pour prouver un fait, dont il devait y avoir tant de témoins?

CII. Raisons pour l'appuyer.

Incert. Pan. c. 2.

Nazar. Pan. c. 14.

Les autres répondent, qu'il y a dans l'histoire une infinité de faits, dont la vérité n'est pas moins constatée, quoiqu'on ne sache ni le lieu, ni quelquefois le temps même où ils sont arrivés: que Lactance n'écrivant pas une histoire ne détruit rien par son silence, et qu'il ne parle que de l'ordre que Constantin reçut en songe la veille du combat contre Maxence, de faire graver sur les boucliers de son armée le monogramme de Christ; parce qu'ayant pour objet la mort des persécuteurs, il omet tout ce qui était arrivé depuis le commencement de la guerre jusqu'à la mort du tyran: que le récit de Sozomène, qui vivait au cinquième siècle et qui a été copié par beaucoup d'autres, prouve seulement que ce miracle était contredit dès lors; et que son témoignage ne doit être compté pour rien, puisqu'après avoir raconté la chose comme un songe, il rapporte ensuite le récit d'Eusèbe avec sa preuve, c'est-à-dire avec le serment de Constantin, sans donner aucune marque de défiance: que les panégyristes étant idolâtres, n'avaient garde de relever cette apparition de la croix, qui faisait horreur aux païens comme le signe le plus malheureux: qu'on trouve cependant dans leurs discours même de quoi appuyer la vérité de cette histoire: que c'est là sans doute, ce mauvais présage, dont ils parlent, qui effraya les haruspices et les soldats: que c'est ce même phénomène, qui déguisé sous des idées plus favorables et plus assorties à la superstition païenne, donna, comme ils le disent, occasion au bruit qui courut par toute la Gaule, qu'on avait vu en l'air des armées éclatantes de lumière, et qu'on avait entendu ces mots: *Nous allons au secours de Constantin.* Quant au silence d'Optatianus, d'Eusèbe dans son histoire ecclésiastique et de saint Grégoire, le premier était païen selon toute apparence, et d'ailleurs ses acrostiches bizarres ne méritent aucune considération; Eusèbe dans son histoire n'a fait que parcourir succinctement toute cette guerre; il en a réservé le détail pour la vie de Constantin; saint Grégoire dans l'endroit dont il s'agit ne parlant que des prodiges qui empêchèrent les Juifs de rebâtir le temple de Jérusalem, n'avait pas besoin de s'écarter de son sujet pour citer des exemples semblables; et jamais a-t-on douté d'un fait historique, parce qu'il n'est pas rappelé par les auteurs toutes les fois qu'ils racontent d'autres faits qui y sont conformes? Pour ce qui est du serment de Constantin, il est étrange, disent-ils, que ce qu'on regarde comme une preuve de vérité dans la bouche du commun des hommes, soit converti en preuve de mensonge dans celle d'un si grand prince: est-il donc étonnant, que l'empereur s'entretenant en particulier avec Eusèbe d'un fait aussi extraordinaire, que celui-ci n'avait pas vu quoique tant d'autres en eussent été témoins, il ait voulu déterminer sa croyance par un serment? Après tout, ou les adversaires accusent Constantin d'un parjure; ce qui est un attentat à la mémoire d'un si grand prince: ou ils imputent à Eusèbe d'avoir outragé la majesté impériale par une imposture criminelle, qui démentie par un seul de tant de témoins oculaires, lui aurait attiré l'indignation de tout l'empire, et la juste colère des fils de Constantin sous les yeux desquels il écrivait. Sur ces raisons et d'autres semblables, ceux qui défendent la réalité de ce miracle, s'en tiennent à l'autorité d'Eusèbe, dont la fidélité dans le récit des faits, du moins de ceux qui n'intéressent point l'arianisme, n'a jamais été contestée.

CIII. Constantin se fait instruire.

Euseb. vit. Const. l. 1, c. 32.

Codin. Orig. de C. P. p. 10.

Constantin résolu de ne plus reconnaître d'autre Dieu que celui qui le favorisait d'une protection si éclatante, s'empressa de s'instruire. Il s'adressa aux ministres les plus saints et les plus éclairés. Eusèbe ne les nomme pas: ils lui développèrent les vérités du christianisme; et sans chercher à ménager la délicatesse du prince, ils commencèrent, comme avaient fait les apôtres, par les mystères les plus capables de révolter la raison humaine, tels que la divinité de Jésus-Christ, son incarnation, et ce que saint Paul appelle par rapport aux Gentils *la folie de la croix*. Le prince touché de la grace, les écouta avec docilité: il conçut dès-lors pour les ministres évangéliques un respect qu'il conserva toute sa vie: il commença même à se nourrir de la lecture des livres saints. Les Grecs modernes font l'honneur à Euphrate, chambellan de l'empereur, d'avoir beaucoup contribué à sa conversion: l'antiquité ne dit rien de cet Euphrate.

CIV. Conversion de sa famille.

Euseb. vit. Const. l. 3, c. 47 et 52, et l. 4, c. 38.

Soz. l. 1, c. 5.

Baron. ann. 324, § 13.

Vorb. Hist. Rom. Germ. t. I, p. 136.

S. Paulin. Epist. ad Sever. II.

L'exemple de Constantin attira toute sa famille. Hélène sa mère, sa sœur Constantia promise à Licinius, Eutropia sa belle-mère et veuve de Maximien, Crispus son fils, alors âgé de douze ou treize ans, renoncèrent au culte des idoles. On n'a point de preuve certaine de la conversion de sa femme Fausta. Quelques auteurs supposent qu'Hélène était déja chrétienne, ce qui peut être vrai. Mais pour ceux qui prétendent qu'elle avait élevé son fils dans la foi, et que Constantin chrétien dès son enfance ne fit que manifester sa religion après le miracle de l'apparition céleste, ils sont démentis par des faits que nous avons déja rapportés.

CV. Fable de Zosime réfutée.

Zos. l. 2, c. 29.

Soz. l. 1, c. 5.

Zosime, ennemi mortel du christianisme, et par cette raison de Constantin même, a voulu jeter du ridicule sur la conversion de ce prince. Il raconte que l'empereur ayant fait cruellement mourir sa femme Fausta et Crispus son fils, tourmenté par ses remords, s'adressa d'abord aux prêtres de ses dieux, pour obtenir d'eux l'expiation de ces crimes; que ceux-ci lui ayant répondu qu'ils n'en connaissaient point pour des forfaits si atroces, on lui présenta un Égyptien venu d'Espagne, qui se trouvait pour-lors à Rome, et qui s'était insinué auprès des femmes de la cour; que cet imposteur lui assura que la religion des chrétiens avait des secrets pour laver tous les crimes, quels qu'ils fussent, et que le plus grand scélérat, dès qu'il en faisait profession, était aussitôt purifié; que l'empereur saisit avidement cette doctrine, et qu'ayant renoncé aux dieux de ses pères, il devint la dupe du charlatan égyptien. Sozomène, plus sensé que Zosime, dont il était presque contemporain, réfute solidement cette fable et quelques autres mensonges que les païens débitaient par un aveugle désespoir. Fausta et Crispus ne moururent que la vingtième année du règne de Constantin; et d'ailleurs les prêtres païens se seraient bien gardés d'avouer que leur religion ne leur fournissait aucun moyen d'expier les crimes, eux qui enseignaient que plusieurs de leurs anciens héros, après les plus horribles meurtres, avaient été purifiés par de prétendues expiations.

FIN DU LIVRE PREMIER.

LIVRE II.

AN 312.

I. Triomphe de la religion chrétienne.

Depuis près de trois siècles la religion chrétienne, toujours prêchée et toujours proscrite, croissant au milieu des supplices, et tirant de nouvelles forces de ses propres pertes, avait passé par toutes les épreuves qui pouvaient en constater la divinité. Elle s'était affermie par les moyens les plus sûrs que les hommes puissent employer pour détruire ce qui n'est que leur ouvrage: et son établissement était un prodige, dont Dieu avait prolongé la durée, afin de le rendre visible aux siècles à venir les plus éloignés. Quand le christianisme n'eut plus besoin de persécutions pour prouver sa céleste origine, les persécuteurs devinrent chrétiens, les princes se soumirent au joug de l'Évangile; et l'on peut dire que le miracle de la conversion de Constantin fit cesser sur la terre un plus grand miracle. Nous allons voir la croix placée sur la tête des empereurs, et révérée de tout l'empire; l'Église appelant à haute voix et sans crainte tous les peuples de la terre; le paganisme détruit, sans être persécuté. Ces grands changements furent les fruits de la victoire de Constantin.

II. Prise de Suse.

Idat. chron.

Libell. præf. verb. apud Buch. in Cycl. p. 238.

Noris, de Num. Diocl. c. 5.

Nazar. Pan. c. 17 et 21.

Au commencement de l'an 312, Maxence s'était déclaré consul pour la quatrième fois, sans collègue. Constantin, ayant pris pour la seconde fois le même titre avec Licinius, passa promptement les Alpes, et parut devant Suse [*Segusium*], lorsqu'on le croyait encore fort éloigné. Cette place ouvrait l'entrée de l'Italie. Située au pied de ces hautes montagnes, elle était forte d'assiette, défendue par de bonnes murailles, par des habitants guerriers et par une nombreuse garnison. Le prince, pour n'être pas arrêté dès le premier pas, offrit la paix aux habitants. Ils la refusèrent et s'en repentirent le jour même. Constantin fait mettre le feu aux portes, et planter les échelles contre les murs. Tandis qu'une partie de ses soldats lance une grêle de pierres et de traits sur ceux qui bordent la muraille, les autres montent à l'escalade, et abattent à coup de piques et d'épées tous ceux qui osent les attendre. En un moment la ville est prise; et le vainqueur, à ce premier exemple de valeur, capable d'effrayer l'Italie, en voulut joindre un de clémence propre à la charmer: il fit grace aux habitants. Mais le feu, plus opiniâtre que sa colère, s'était déja répandu bien loin; tout ce que l'épée épargnait allait être la proie des flammes. Constantin, alarmé pour des ennemis dont cet instant lui faisait des sujets, fait travailler tous ses soldats, et travaille lui-même à éteindre l'incendie. Sa bonté paraît encore plus active que sa bravoure; et les habitants de Suse, doublement sauvés en même temps que vaincus, pleins d'admiration et de reconnaissance, lui donnent leur cœur, et achèvent la conquête.

III. Bataille de Turin.

Incert. Pan. c. 6 et 7.

Nazar. Pan. c. 22, 23, 24.

Il marche vers Turin [*Augusta Taurinorum*]. Dans la plaine de cette ville se présente un grand corps de troupes, dont la cavalerie toute couverte de fer, hommes et chevaux, semblait invulnérable. Cette vue, loin d'intimider le prince et les soldats, les anime en leur montrant un péril digne de leur courage. La bataille des ennemis était triangulaire. La cavalerie formait la pointe: les deux ailes composées d'infanterie, se repliaient en arrière et se prolongeaient à une grande profondeur. Les cavaliers devaient donner tête baissée dans le centre de l'armée ennemie, la percer toute entière, et tournant bride ensuite, marcher sur le ventre à tout ce qu'ils rencontreraient. En même temps les deux ailes d'infanterie devaient se déployer, et envelopper l'armée de Constantin, déja rompue par la cavalerie. Le prince, qui avait le coup d'œil militaire, comprit le dessein des ennemis à l'ordre de leur bataille. Il place des corps à droite et à gauche pour faire face à l'infanterie et arrêter ses mouvements. Pour lui, il se met au centre en tête de cette redoutable cavalerie. Quand il la voit sur le point de heurter le front de son armée, au lieu de lui résister, il ordonne à ses troupes de s'ouvrir: c'était un torrent qui n'avait de force qu'en ligne droite; le fer dont elle était revêtue ôtait toute souplesse aux hommes et aux chevaux. Mais dès qu'il la voit engagée entre ses escadrons, il la fait enfermer et attaquer de toutes parts, non pas à coups de lances et d'épée, on ne pouvait percer de tels ennemis, mais à grands coups de masses d'armes. On les assommait, on les écrasait sur la selle de leurs chevaux, on les renversait, sans qu'ils pussent ni se mouvoir pour se défendre, ni se relever quand ils étaient abattus. Bientôt ce ne fut plus qu'une horrible confusion d'hommes, de chevaux, d'armes, amoncelés les uns sur les autres. Ceux qui échappèrent à ce massacre voulurent se sauver à Turin avec l'infanterie: mais ils en trouvèrent les portes fermées, et Constantin, qui les poursuivit l'épée dans les reins, acheva de les tailler en pièces au pied des murailles.

IV. Suites de la victoire.

Incert. Pan. c. 7.

Sigon. Imp. Occ. p. 52.

Hieron. Epist. ad Innocentium. t. I, p. 3. ed. Vallars.

Cette victoire, qui ne coûta point de sang au vainqueur, lui ouvrit les portes de Turin. La plupart des autres places entre le Pô et les Alpes lui envoyèrent des députés pour l'assurer de leur soumission: toutes s'empressaient de lui offrir des vivres. Sigonius, sur un passage de saint Jérôme, conjecture que Verceil fit quelque résistance, et que cette ville fut alors presque détruite. Il n'en est point parlé ailleurs. Constantin alla à Milan, et son entrée devint une espèce de triomphe par la joie et les acclamations des habitants, qui ne pouvaient se lasser de le voir et de lui applaudir comme au libérateur de l'Italie.

V. Siége de Vérone.

Incert. Pan. c. 8 et seq.

Nazar. Pan. c. 26.

Au sortir de Milan, où il était resté quelques jours pour donner du repos à ses troupes, il prit la route de Vérone. Il savait qu'il y trouverait rassemblées les plus grandes forces de Maxence, commandées par les meilleurs capitaines de ce prince et par son préfet du prétoire, Ruricius Pompéianus, le plus brave et le plus habile général que le tyran eût à son service. En passant auprès de Bresce [*Brixia*], Constantin rencontra un gros corps de cavalerie, qui prit la fuite au premier choc et alla rejoindre l'armée de Vérone. Ruricius n'osa tenir la campagne; il se renferma avec ses troupes dans la ville. Le siége en était difficile: il fallait passer l'Adige [*Athesis*], et se rendre maître du cours de ce fleuve qui portait l'abondance à Vérone: il était rapide, plein de gouffres et de rochers, et les ennemis en gardaient les bords. Constantin trompa pourtant leur vigilance; étant remonté fort au-dessus de la ville, jusqu'à un endroit où le trajet était praticable, il y fit passer à leur insu une partie de son armée. A peine le siége fut-il formé, que les assiégés firent une vigoureuse sortie, et furent repoussés avec tant de carnage, que Ruricius se vit obligé de sortir secrètement de la ville pour aller chercher de nouveaux secours.

VI. Bataille de Vérone.

Incert. Pan. c. 9 et 10.

Nazar. Pan. c. 26.

Il revint bientôt avec une plus grosse armée, résolu de faire lever le siége ou de périr. L'empereur, pour ne pas donner aux assiégés la liberté de s'échapper, ou même de l'attaquer en queue pendant le combat, laisse devant la ville une partie de ses troupes, et marche avec l'autre à la rencontre de Ruricius. Il range d'abord son armée sur deux lignes; mais ayant observé que celle des ennemis était plus nombreuse, il met la sienne sur une seule ligne, et fait un grand front de peur d'être enveloppé. Le combat commença sur le déclin du jour, et dura fort avant dans la nuit. Constantin y fit le devoir de général et de soldat. Il se jette au plus fort de la mêlée, et profitant des ténèbres pour courir, sans être retenu, où l'emportait sa valeur, il perce, il abat, il terrasse; on ne le reconnaît qu'à la pesanteur de son bras: le son des instruments de guerre, le cri des soldats, le cliquetis des armes, les gémissements des blessés, les coups guidés par le hasard, tant d'horreurs augmentées par celle d'une nuit épaisse, ne troublent point son courage. L'armée de secours est entièrement défaite; Ruricius y perd la vie: Constantin hors d'haleine, couvert de sang et de poussière, va rejoindre les troupes du siége, et reçoit de ses principaux officiers, qui s'empressent avec des larmes de joie de baiser ses mains sanglantes, des reproches d'autant plus flatteurs, qu'ils sont mieux mérités.

VII. Prise de Vérone, d'Aquilée et de Modène.

Incert. Pan. c. 11 et seq.

Nazar. c. 27.

Pendant le siége de Vérone, Aquilée [*Aquileia*] et Modène [*Mutina*] furent attaquées: elles se rendirent, avec plusieurs autres villes, en même temps que Vérone. L'empereur accorda la vie aux habitants; mais il les obligea de rendre leurs armes; et pour s'assurer de leurs personnes, il les mit sous la garde de ses soldats. Comme ils étaient en plus grand nombre que les vainqueurs, on crut nécessaire de les enchaîner, et on manquait de chaînes; Constantin leur en fit faire de leurs propres épées, qui, forgées pour leur défense, devinrent les instruments de leur servitude.

VIII. Constantin devant Rome.

Lact. de mort. persec. c. 44.

Fabric. descript. urb. Rom. c. 16, et alii passim.

Après tant d'heureux succès, rien n'arrêta sa marche jusqu'à la vue de Rome. Il paraît seulement par un mot de Lactance, qu'aux approches de cette ville il éprouva quelque revers; mais que sans perdre courage, et déterminé à tout événement, il marcha en avant et vint camper vis-à-vis du *Ponte-Mole*, nommé alors le pont Milvius. C'est un pont de pierre de huit arches sur le Tibre, à deux milles au-dessus de Rome dans la voie Flaminia, par laquelle venait Constantin. Il avait été construit en bois dès les premiers siècles de la république; il fut rebâti en pierres par le censeur Emilius Scaurus, et rétabli par Auguste. Il subsiste encore aujourd'hui, ayant été réparé par le pape Nicolas V, au milieu du quinzième siècle.

IX. Maxence se tient enfermé dans Rome.

Incert. Pan. c. 14 et seq.

Lact., de mort. pers. c. 44.

Noris. in num. Diocl. c. 5.

Tout ce que craignait Constantin, c'était d'être obligé d'assiéger Rome, bien pourvue de troupes et de toutes sortes de munitions; et de faire ressentir les calamités de la guerre à un peuple dont il voulait se faire aimer. Maxence, soit par lâcheté, soit par une crainte superstitieuse, se tenait renfermé: on lui avait prédit qu'il périrait, s'il sortait hors des portes de la ville; il n'osait même quitter son palais, que pour se transporter aux jardins délicieux de Salluste. Cependant affectant une fausse confiance, il n'avait rien retranché de ses débauches ordinaires. Par une précaution frivole, il avait supprimé toutes les lettres qui annonçaient ses infortunes; il supposait même des victoires pour amuser le peuple: et ce fut apparemment dans ce temps-là qu'il se fit décorer tant de fois du titre d'*Imperator*, qui lui est donné pour la onzième fois sur un marbre antique; vanité ridicule, qui donne à la postérité, plus exactement que l'histoire même, le calcul de ses pertes. Quelquefois il protestait hautement que tous ses désirs étaient de voir son rival au pied des murs de Rome, se flattant sans doute de lui débaucher son armée, et peu capable de sentir la différence qu'il devait y avoir entre les troupes de Sévère ou de Galérius, et des soldats conduits par Constantin et par la victoire. Il s'en fallait bien qu'il fût aussi tranquille, qu'il affectait de le paraître. Deux jours avant la bataille, effrayé par des présages et par des songes, que sa timidité interprétait d'une manière funeste, il quitta son palais, et alla s'établir avec sa femme et ses enfants dans une maison particulière. Cependant son armée sortit de Rome, et se posta vis-à-vis de celle de Constantin, le *Ponte-Mole* entre deux.

X. Pont de bateaux.

Euseb. vit. Const. l. 1, c. 38.

Zos. l. 2, c. 15.

Aurel. Vict. de Cæs. p. 175.

Vict. epit. p. 221.

Lact. de mort. persec. c. 44.

Libanius, orat. 3. t. 11, p. 105 et 106. ed. Morel.

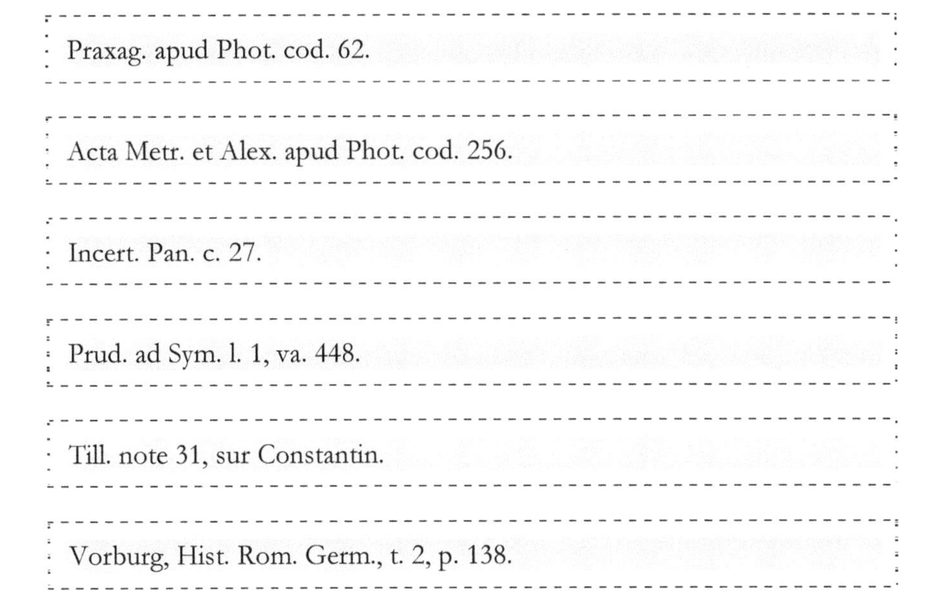
Praxag. apud Phot. cod. 62.

Acta Metr. et Alex. apud Phot. cod. 256.

Incert. Pan. c. 27.

Prud. ad Sym. l. 1, va. 448.

Till. note 31, sur Constantin.

Vorburg, Hist. Rom. Germ., t. 2, p. 138.

Ce dut être alors que Maxence fit jeter un pont de bateaux sur le fleuve, au-dessus du *Ponte-Mole*, apparemment vers l'endroit appelé les *Roches-Rouges* [*Saxa rubra*], à neuf milles de Rome. C'était le lieu qu'il avait choisi pour combattre, soit que le poste lui parût plus avantageux, soit pour obliger ses troupes à faire de plus grands efforts en leur rendant la retraite plus difficile, soit que, se défiant des Romains, il voulût livrer la bataille hors de leur vue. Ce pont était construit de manière qu'il pouvait s'ouvrir ou se rompre en un moment, n'étant lié par le milieu qu'avec des crampons de fer, qu'il était aisé de détacher. C'était en cas de défaite un moyen de faire périr l'armée victorieuse dans le temps même de la poursuite. Des ouvriers cachés dans les bateaux devaient ouvrir le pont, dès que Constantin et ses troupes seraient dessus, pour les précipiter dans le fleuve. Quelques modernes, fondés sur le récit que Lactance, les panégyristes et Prudence font de cette bataille, nient l'existence de ce pont; ils prétendent que ce fut du pont Milvius que Maxence dans sa déroute tomba dans le Tibre, soit qu'il l'eût lui-même fait rompre avant l'action, comme Lactance semble le dire, soit que la foule des fuyards l'en ait précipité. Mais nous suivrons ici Eusèbe et Zosime, qui décrivent en termes précis ce pont de bateaux, et dont le témoignage très-considérable en lui-même, surtout quand ils s'accordent ensemble, est ici appuyé par le plus grand nombre d'anciens auteurs.

XI. Songe de Constantin.

Lact. de mort. persec. c. 44.

Prud. ad Sym. l. 1, v. 488.

La nuit qui précéda la bataille, Constantin fut averti en songe de faire marquer les boucliers de ses soldats du monogramme de Christ. Il obéit, et dès le point du jour ce victorieux caractère, imprimé par son ordre, parut sur les boucliers, sur les casques, et fit passer dans le cœur des soldats une confiance toute nouvelle.

XII. Sentiment de Lactance.

Lact. de mort. persec. c. 44.

Calend.

Buch. in cycl. p. 286.

Noris, de num. Lic. c. 2.

Till. note 32 sur Constantin.

Le 28 d'octobre Maxence entrait dans la septième année de son règne. Si l'on en veut croire Lactance, tandis que les deux armées étaient aux mains, ce prince, encore renfermé dans Rome, célébrait l'anniversaire de son avénement à l'empire, en donnant des jeux dans le cirque; et il ne fallut rien moins que les clameurs et les reproches injurieux du peuple pour le forcer à s'aller mettre à la tête de ses troupes. Mais les deux panégyristes, dont l'un parlait l'année suivante en présence de Constantin, et qui tous deux ne négligent rien de ce qui peut flétrir la mémoire du vaincu, ne lui imputent pas cet excès de lâcheté; Zosime s'accorde ici avec eux. Je vais donc suivre leur récit, comme le plus vraisemblable.

XIII. Bataille contre Maxence.

Incert. Pan. c. 16 et seq.

Nazar. Pan. c. 28 et seq.

Zos. l. 2, c. 16.

Maxence, qui ne se lassait pas d'immoler des victimes et d'interroger les aruspices, voulut enfin consulter l'oracle le plus respecté: c'était les livres des sibylles. Il y trouva que ce jour-là même l'ennemi des Romains devait périr. Il ne douta pas que ce ne fût Constantin; et sur la foi de cette prédiction, il va joindre son armée et lui fait passer le pont de bateaux. Pour ôter à ses troupes tout moyen de reculer, il les range au bord du Tibre. C'était un spectacle effrayant, et la vue d'une armée si belle et si nombreuse annonçait bien la décision d'une importante querelle. Quoique le front s'étendît à perte de vue, les files serrées, les rangs multipliés, les lignes redoublées et soutenues de corps de réserve, présentaient un mur épais qui semblait impénétrable. Constantin beaucoup plus faible en nombre, mais plus fort par la valeur et par l'amour de ses troupes, fait charger la cavalerie ennemie par la sienne, et en même temps fait avancer l'infanterie en bon ordre. Le choc fut terrible: les prétoriens surtout se battirent en désespérés. Les soldats étrangers firent aussi une vigoureuse résistance; il en périt une multitude innombrable, massacrés ou foulés aux pieds des chevaux. Mais les Romains et les Italiens, fatigués de la tyrannie et du tyran, ne tinrent pas long-temps contre un prince qu'ils désiraient d'avoir pour maître, et Constantin se montrait plus que jamais digne de l'être. Après avoir donné ses ordres, voyant que la cavalerie ennemie disputait opiniâtrement la victoire, il se met à la tête de la sienne; il s'élance dans les plus épais escadrons; les pierreries de son casque, l'or de son bouclier et de ses armes le montrent aux ennemis et les effraient: au milieu d'une nuée de javelots, il se couvre, il attaque, il renverse; son exemple donne aux siens des forces extraordinaires. Chaque soldat combat comme si le succès dépendait de lui seul, et qu'il dût seul recueillir tout le fruit de la victoire.

XIV. Fuite de Maxence.

Déja toute l'infanterie était rompue et en déroute: les bords du fleuve n'étaient plus couverts que de morts et de mourants; le fleuve même en était comblé et ne roulait que du sang et des cadavres. Maxence ne perdit point l'espérance, tant qu'il vit combattre ses cavaliers: mais ceux-ci étant enfin obligés de céder, il prit la fuite avec eux et gagna le pont de bateaux. Ce pont n'était ni assez large pour contenir la multitude des fuyards qui s'entassaient les uns sur les autres, ni assez solide pour les soutenir. Dans cet affreux désordre il se rompit, et Maxence enveloppé d'une foule de ses gens, tomba, fut englouti, et disparut avec eux.

XV. Suites de la victoire.

Incert. Pan. c. 18.

Zos. l. 2, c. 17.

Anony. Vales.

La nouvelle de ce grand événement vola aussitôt à Rome. On n'osa d'abord la croire: on craignait qu'elle ne fût démentie, et que la joie qu'elle aurait donnée ne devînt un crime. Ce ne fut que la vue même de la tête du tyran qui assura les Romains de leur délivrance. Le corps de ce malheureux prince, chargé d'une pesante cuirasse, fut trouvé le lendemain enfoncé dans le limon du Tibre; on lui coupa la tête; on la planta au bout d'une pique pour la montrer aux Romains.

XVI. Entrée de Constantin dans Rome.

Euseb. vit. Const. l. 1, c. 39.

Incert. Pan. c. 18 et seq.

Nazar. Pan. c. 30 et seq.

Baron. ann. 312, § 75.

Ce spectacle donna un libre cours à la joie publique, et fit ouvrir au vainqueur toutes les portes de la ville. Laissant à gauche la voie Flaminia, il traversa les prés de Néron, passa près du tombeau de saint Pierre au Vatican et entra par la porte triomphale. Il était monté sur un char. Tous les ordres de l'état; sénateurs, chevaliers, peuple, avec leurs femmes, leurs enfants, leurs esclaves, accouraient au-devant de lui: leurs transports ne connaissaient aucun rang: tout retentissait d'acclamations; c'était leur sauveur, leur libérateur, leur père: on eût dit que Rome entière n'eût été auparavant qu'une vaste prison, dont Constantin ouvrait les portes. Chacun s'efforçait d'approcher de son char, qui avait peine à fendre la foule. Jamais triomphe n'avait été si éclatant. On n'y voyait pas, dit un orateur de ce temps-là, des dépouilles des vaincus, des représentations de villes prises de force; mais la noblesse délivrée d'affronts et d'alarmes, le peuple affranchi des vexations les plus cruelles, Rome devenue libre, et qui se recouvrait elle-même, faisaient au vainqueur un plus beau cortége, où l'allégresse était pure et où la compassion ne dérobait rien à la joie. Et si pour rendre un triomphe complet, il y fallait voir des captifs chargés de fers, on se représentait l'avarice, la tyrannie, la cruauté, la débauche enchaînées à son char. Toutes ces horreurs semblaient respirer encore sur le visage de Maxence, dont la tête, haut élevée derrière le vainqueur, était l'objet de toutes les insultes du peuple. C'était la coutume que la pompe du triomphe montât au Capitole, pour rendre graces à Jupiter et pour lui immoler des victimes: Constantin qui connaissait mieux l'auteur de sa victoire, se dispensa de cette cérémonie païenne. Il alla droit au mont Palatin, où il choisit sa demeure dans le palais que Maxence avait trois jours auparavant abandonné. Il envoya aussitôt la tête du tyran en Afrique; et cette province, dont les plaies saignaient encore, reçut avec la même joie que Rome ce gage de sa délivrance; elle se soumit de bon cœur à un prince de qui elle espérait des traitements plus humains.

XVII. Fêtes, réjouissances, honneurs rendus à Constantin.

Incert. Pan. c. 19 et 25.

Nazar. Pan. c. 32.

Euseb. vit. Const. l. 1, c. 40.

Aurel. Vict. de Cæs. p. 175.

Prud. in Sym. l. 1, v. 491.

Theoph. Chr. p. 11.

Hist. Misc. l. 11, apud Muratori, t. I, p. 71.

Grut. inscript. p. 282, nº 2.

Ce ne fut dans Rome pendant sept jours que fêtes et que spectacles, dans lesquels la présence du prince, auteur de la félicité publique, occupait presque seule les yeux de tous les spectateurs. On accourait de toutes les villes de l'Italie pour le voir et pour prendre part à la joie universelle. Prudence dit qu'à l'arrivée de Constantin les sénateurs sortis des cachots, et encore chargés de leurs chaînes, embrassaient ses genoux en pleurant, qu'ils se prosternaient devant ses étendards, et adoraient la croix et le nom de Jésus-Christ. Si ce fait n'est pas embelli par les couleurs de la poésie, il faut dire que ces hommes encore païens ne rendaient cet hommage qu'aux enseignes du prince, qu'on avait coutume d'adorer. Ce qu'il y a de certain, c'est que la nouvelle conquête s'efforça de combler Constantin de toutes sortes d'honneurs. L'Italie lui consacra un bouclier et une couronne d'or: l'Afrique par une flatterie païenne, que le prince rejeta sans doute, établit des prêtres pour le culte de la famille Flavia: le sénat romain après lui avoir élevé une statue d'or, dédia sous son nom plusieurs édifices magnifiques que Maxence avait fait faire; entre autres une basilique et le temple de la ville de Rome, bâti par Hadrien et rétabli par Maxence. Mais le monument le plus considérable construit en son honneur fut l'arc de triomphe, qui porte encore son nom. Il ne fut achevé qu'en 315 ou 316. On le voit au pied du mont Palatin, près de l'amphithéâtre de Vespasien, à l'occident. Il fut bâti en grande partie des débris d'anciens ouvrages et surtout de l'arc de Trajan, dont on y transporta plusieurs bas-reliefs et plusieurs statues. La comparaison qu'on y peut faire des figures enlevées des anciens monuments avec celles qui furent alors travaillées, fait connaître combien le goût des arts avait déja dégénéré. L'inscription annonce aussi par son emphase le déclin des lettres; elle porte: *Que le sénat et le peuple romain ont consacré cet arc de triomphe à l'honneur de Constantin, qui par l'inspiration de la Divinité et par la grandeur de son génie, à la tête de son armée, a su, par une juste vengeance, délivrer la république et du tyran et de toute sa faction.* Il est à remarquer que le paganisme emploie ici le terme général et équivoque de *Divinité*, pour accorder les sentiments du prince avec ses propres idées; car Constantin ne masquait pas son attachement à la religion qu'il venait d'embrasser: il déclara même par un monument public à quel Dieu il se croyait redevable de ses succès. Dès qu'il se vit maître de Rome, comme on lui eut érigé une statue dans la place publique, ce prince qui n'était pas enivré de tant d'illustres témoignages de sa force et de sa valeur, fit mettre une longue croix dans la main de sa figure avec cette inscription: *C'est par ce signe salutaire, vrai symbole de force et de courage, que j'ai délivré votre ville du joug des tyrans, et que j'ai rétabli le sénat et le peuple dans leur ancienne splendeur.*

XVIII. Dispositions de Maximin.

Lact. de mort. persec. c. 44.

Les statues de Maximin élevées au milieu de Rome à côté de celles de Maxence, annonçaient à Constantin la ligue secrète formée entre les deux princes: il trouva même des lettres qui lui en fournissaient une preuve assurée. Le sénat le vengea de cette perfidie par un arrêt, qui lui conférait, à cause de la supériorité de son mérite, le premier rang entre les empereurs, malgré les prétentions de Maximin. Celui-ci avait reçu la nouvelle de la défaite de Maxence avec autant de dépit que s'il eût été vaincu lui-même; mais quand il apprit l'arrêt rendu par le sénat, il laissa éclater son chagrin, et n'épargna ni les railleries ni les injures.

XIX. Précautions de Constantin.

Incert. Pan. c. 21.

Nazar. Pan. c. 6.

Aurel. Vict. de Cæs. p. 176.

Zos. l. 2, c. 17.

Till. art. 14.

Cette impuissante jalousie ne pouvait donner d'inquiétude à Constantin; cependant il ne s'endormit pas après la victoire. Tandis que les vaincus ne songeaient qu'à se réjouir de leur défaite, le vainqueur s'occupait sérieusement des moyens d'assurer sa conquête. Pour y réussir il se proposa deux objets; c'était de mettre hors d'état de nuire ceux qu'il ne pouvait se flatter de gagner, et de s'attacher le cœur des autres par la douceur et par les bienfaits. Les soldats prétoriens établis par Auguste pour être la garde des empereurs, réunis par Séjan dans un même camp près des murs de Rome, s'étaient rendus redoutables même à leurs maîtres. Ils avaient souvent ôté, donné, vendu l'empire; et depuis peu, partisans outrés de la tyrannie de Maxence, qu'ils avaient élevé sur le trône, ils s'étaient baignés dans le sang de leurs concitoyens. Constantin cassa cette milice séditieuse; il leur défendit le port des armes, l'usage de l'habit militaire, et détruisit leur camp. Il désarma aussi les autres soldats qui avaient servi son ennemi; mais il les enrôla de nouveau l'année suivante pour les mener contre les Barbares. Entre les amis du tyran et les complices de ses crimes, il n'en punit qu'un petit nombre des plus coupables. Quelques-uns soupçonnent qu'il ôta la vie à un fils qui restait encore à Maxence[18]; du moins l'histoire ne parle plus ni de cet enfant, ni de la femme de ce prince, dont on ne sait pas même le nom. C'est sans fondement que quelques antiquaires l'ont confondue avec Magnia Urbica: les noms de celle-ci ne peuvent convenir à une fille de Galérius.

[18] Nazarius le dit assez clairement dans son Panégyrique, § 6. *Constituta enim et in perpetuum Roma fundata est, omnibus qui statum ejus labefactare poterant cum stirpe deletis.*—S.-M.

XX. Conduite sage et modérée après la victoire.

Incert. Pan. c. 20.

Liban. or. 10. t. II, p. 262, ed. Morel.

Pagi, in Baron.

Till. art. 15.

Ces traits de sévérité coûtaient trop à la bonté naturelle de Constantin: il trouvait dans son cœur bien plus de plaisir à pardonner. Il ne refusa rien au peuple, que la punition de quelques malheureux, dont on demandait la mort. Il prévint les prières de ceux qui pouvaient craindre son ressentiment, et leur donna plus que la vie, en les dispensant de la demander. Il leur conserva leurs biens, leurs dignités, et leur en conféra même de nouvelles, quand ils parurent les mériter. Aradius Rufinus avait été préfet de Rome la dernière année de Maxence: ce prince, la veille de sa défaite, en avait établi un autre, nommé Annius Anulinus. Celui-ci étant sorti de charge le 29 novembre, peut-être pour être envoyé en Afrique où on le voit proconsul en 313, Constantin rétablit dans cette place importante le même Aradius Rufinus, dont il avait reconnu le mérite. Il lui donna pour successeur l'année suivante Rufius Volusianus qui avait été préfet du prétoire sous Maxence.

XXI. Lois contre les délateurs.

Cod. Th. lib. 10, tit. 10, leg. 1, 2, 3 et ibi God.

Incert. Pan. c. 4.

Nazar. Pan. c. 18.

Vict. epit. p. 224.

La révolution récente devait produire grand nombre de délateurs, comme on voit une multitude d'insectes après un orage. Constantin avait toujours eu en horreur ces ames basses et cruelles, qui se repaissent des malheurs de leurs concitoyens, et qui feignant de poursuivre le crime, n'en poursuivent que la dépouille. Dès le temps qu'il était en Gaule, il leur avait fermé la bouche. Après sa victoire il fit deux lois par lesquelles il les condamna à la peine capitale. Il les nomme dans ces lois *une peste exécrable, le plus grand fléau de l'humanité.* Il détestait non-seulement les délateurs qui en voulaient à la vie, mais ceux encore qui n'attaquaient que les biens. L'indignation contre eux prévalait dans son cœur sur les intérêts du fisc; et vers la fin de sa vie il ordonna aux juges de punir de mort les dénonciateurs qui, sous prétexte de servir le domaine, auraient troublé par des chicanes injustes les légitimes possesseurs.

XXII. Il répare les maux qu'avait faits Maxence.

Nazar. Pan. c. 33 et seq.

Euseb. vit. Const. l. 1, c. 41.

Soz. l. 1, c. 8.

Dans le séjour d'un peu plus de deux mois qu'il fit à Rome, il répara les maux de six années de tyrannie. Tout semblait respirer et reprendre vie. En vertu d'un édit publié par tout son empire, ceux qui avaient été dépouillés rentraient en possession de leurs biens; les innocents exilés revoyaient leur patrie; les prisonniers, qui n'avaient d'autre crime que d'avoir déplu au tyran, recouvraient la liberté; les gens de guerre qui avaient été chassés du service pour cause de religion, eurent le choix de reprendre leur premier grade, ou de jouir d'une exemption honorable. Les pères ne gémissaient plus de la beauté de leurs filles, ni les maris de celle de leurs femmes: la vertu du prince assurait l'honneur des familles. Un accès facile, sa patience à écouter, sa bonté à répondre, la sérénité de son visage, produisaient dans tous les cœurs le même sentiment, que la vue d'un beau jour après une nuit orageuse. Il rendit au sénat son ancienne autorité; il parla plusieurs fois dans cette auguste compagnie, qui le devenait encore davantage par les égards que le prince avait pour elle. Afin d'en augmenter le lustre, il y fit entrer les personnes les plus distinguées de toutes les provinces, et pour ainsi dire l'élite et la fleur de tout l'empire. Il sut ramener le peuple aux règles du devoir par une autorité douce et insensible, qui, sans rien ôter à la liberté, bannissait la licence, et semblait n'avoir en main d'autre force que celle de la raison et de l'exemple du prince.

XXIII. Libéralités de Constantin.

Grut. inscr. p. 159, n° 4.

Euseb. vit. Const. l. 1, c. 43.

Zos. l. 2, c. 38.

C'était au profit de ses sujets que ses revenus augmentaient avec son empire. Il diminua les tributs; et la malignité de Zosime, qui ose taxer ce prince d'avarice et d'exactions accablantes, est démentie par des inscriptions. Nous verrons dans la suite d'autres preuves de sa libéralité; elle descendait dans tous les détails: il se montrait généreux aux étrangers; il faisait distribuer aux pauvres de l'argent, des aliments, des vêtements même. Pour ceux qui, nés dans le sein de l'abondance, se trouvaient, par de fâcheux revers, réduits à la misère, il les secourait avec une magnificence qui répondait à leur première fortune: il donnait aux uns des terres, aux autres les emplois qu'ils étaient capables de remplir. Il était le père des orphelins, le protecteur des veuves. Il mariait à des hommes riches et qui jouissaient de sa faveur les filles qui avaient perdu leurs pères, et les dotait d'une manière proportionnée à la fortune de leurs époux. En un mot, dit Eusèbe, c'était un soleil bienfaisant, dont la chaleur féconde et universelle diversifiait ses effets selon les différents besoins.

XXIV. Embellissements et réparations des villes.

Nazar. Pan. c. 35.

Aurel. Vict. de Cæs. p. 175 et 176.

Grut. inscr. p. 177, nº 7.

Nard. Rom. ant. et mod.

Sigon. de Imp. Occ. l. 3, p. 58.

La ville de Rome fut embellie. Il fit bâtir autour du grand cirque de superbes portiques, dont les colonnes étaient enrichies de dorures. On dressa en plusieurs endroits des statues, dont quelques-unes étaient d'or et d'argent. Il répara les anciens édifices. Il fit construire sur le mont Quirinal des thermes qui égalaient en magnificence ceux de ses prédécesseurs: ayant été détruits dans le saccagement de Rome sous Honorius, ils furent réparés par Quadratianus, préfet de la ville, sous Valentinien III; il en subsistait encore une grande partie sous le pontificat de Paul V: lorsque le cardinal Borghese les fit abattre, on y trouva les statues de Constantin et de ses deux fils, Constantin et Constance, qui furent placées dans le Capitole. Non content de donner à Rome un nouveau lustre, il releva la plupart des villes que la tyrannie ou la guerre avaient ruinées. Ce fut alors que Modène, Aquilée et les autres villes de l'Émilie, de la Ligurie et de la Vénétie, reprirent leur ancienne splendeur. Cirtha, capitale de la Numidie, détruite, comme nous l'avons dit, par le tyran Alexandre, fut aussi rétablie par Constantin qui lui donna son nom. Elle le conserve encore aujourd'hui avec plusieurs beaux restes d'antiquité.

XXV. Établissement des Indictions.

Chron. Alex. vel Paschal. p. 281.

Till. art. 30.

Baron. ann. 312.

Petav. Doct. temp. l. 11, c. 40.

Riccioli, Chron. reform. l. 4, c. 16.

Pagi, in Baron. an. 312 § 20.

Justiniani, Nov. 47.

[Art de vérifier les dates, t. I, introduction.]

Tous les savants conviennent d'après la chronique d'Alexandrie, que c'est de cette année 312, que commencent les Indictions. C'est une révolution de quinze ans, dont on s'est beaucoup servi autrefois pour les dates de tous les actes publics, et dont la cour de Rome conserve encore l'usage. La première année de ce cycle s'appelle *Indiction première*, et ainsi de suite jusqu'à la quinzième, après laquelle un nouveau cycle recommence. En remontant de l'an 312, on trouve que la première année de l'ère chrétienne aurait été la quatrième indiction, si cette manière de compter les temps eût été alors employée: d'où il s'ensuit que pour trouver l'indiction de quelque année que ce soit depuis Jésus-Christ, il faut ajouter le nombre de trois au nombre donné, et divisant la somme par quinze, s'il ne reste rien, cette année sera l'indiction quinzième; s'il reste un nombre, ce nombre donnera l'indiction que l'on cherche. Il faut distinguer trois sortes d'indictions: celle des Césars, qui s'appelle aussi Constantinienne du nom de son instituteur; elle commençait le 24 de septembre; on s'en est long-temps servi en France et en Allemagne: celle de Constantinople, qui commençait avec l'année des Grecs au 1er septembre; elle fut dans la suite le plus universellement employée: enfin celle des papes, qui suivirent d'abord le calcul des empereurs dont ils étaient sujets; mais depuis Charlemagne ils se sont fait une indiction nouvelle, qu'ils ont commencée d'abord au 25 décembre, ensuite au 1er janvier. Ce dernier usage subsiste encore aujourd'hui, ainsi la première époque de l'indiction pontificale remonte au 1er janvier de l'an 313. Justinien ordonna en 537 que tous les actes publics seraient datés de l'indiction.

XXVI. Raisons de cet établissement.

Cod. Th. lib. 11, tit. de indict. leg. I, et ibi God.

Baron. in an. 312.

Buch. cycl. p. 286.

Ludolff. l. 3, c. 6.

Noris, epoch. Syro-Mac.

Ce mot signifie dans les lois romaines, *répartition des tributs, déclaration de ce que doit payer chaque ville ou chaque province.* Il est donc presque certain que ce nom a rapport à quelque taxation. Mais quel était ce tribut? Pourquoi ce cercle de quinze années? C'est sur quoi les plus savants avouent qu'ils n'ont rien d'assuré. Baronius conjecture que Constantin réduisit à quinze ans le service militaire, et qu'il fallait au bout de ce terme indiquer un tribut extraordinaire pour payer les soldats qu'on licenciait. Mais cette origine est rejetée de la plupart des critiques, comme une supposition sans fondement et sujette à des difficultés insolubles. La raison qui a déterminé Constantin à fixer le commencement de l'indiction au 24 de septembre, n'est pas moins inconnue[19]. Un grand nombre de modernes n'en trouvent point d'autre que la défaite de Maxence: cet événement était pour Constantin une époque remarquable; et pour y attacher la naissance de l'indiction, ils supposent que le 24 de septembre est le jour où Maxence fut vaincu. Mais il est prouvé par un calendrier très-authentique, que Maxence ne fut défait que le 28 d'octobre. S'il m'était permis de hasarder mes conjectures après tant de savants, je dirais que Constantin, voulant marquer sa victoire et le commencement de son empire à Rome par une époque nouvelle, la fit remonter à l'équinoxe d'automne, qui tombait en ce temps-là au 24 septembre. Des quatre points cardinaux de l'année solaire, il n'y en a aucun qui n'ait servi à fixer le commencement des années chez les différents peuples. Un grand nombre de villes grecques, ainsi que les Égyptiens, les Juifs pour le civil, les Grecs de Constantinople, commençaient leur année vers l'automne[20]: c'est encore aujourd'hui la pratique des Abyssins; les Syro-Macédoniens[21] la commençaient précisément au 24 septembre. Il est assez naturel de croire que Constantin a choisi celui des quatre points principaux de la révolution solaire, qui se trouvait le plus proche de l'événement, dont il prenait occasion d'établir un nouveau cycle[22].

[19] L'année macédonienne julienne, en usage dans toute l'Asie-Mineure et à ce qu'il paraît dans la province de Macédoine, commençait le 24 septembre; il est probable, sans aller plus loin, que c'est de là que vint l'usage de commencer à la même époque les années de l'indiction.—S.-M.

[20] C'est par des raisons fort diverses et très-différentes de celles qui sont indiquées ici, que plusieurs nations de l'antiquité ont placé vers l'automne le commencement de leur année.—S.-M.

[21] Ce ne sont point les Macédoniens de Syrie, mais ceux de l'Asie-Mineure, qui commençaient leur année le 24 septembre. En Syrie les Macédoniens plaçaient au 1er septembre le commencement de l'année.—S.-M.

[22] Il est plus probable que Constantin a mieux aimé faire coïncider le renouvellement des années de cette période, avec le calendrier adopté dans presque toute la partie orientale de son empire.—S.-M.

XXVII. Conduite de Constantin par rapport au christianisme.

Lact. inst. div. l. 1, c. 21.

Theoph. Chron. p. 13.

Cedren. t. I, p. 272.

Anony. Vales.

Prud. in Sym. l. 1, v. 615.

Mem. Acad. Inscript. t. 15, p. 75.

Till. art. 28 et note 34 sur Constantin.

[Zos. l. 4, c. 36.]

Des soins plus importants occupaient encore le prince. Il devait à Dieu sa conquête, il voulait la rendre à son auteur; et par une victoire plus glorieuse et plus salutaire, soumettre ses sujets au maître qu'il commençait lui-même à servir. Instruit par des évêques remplis de l'esprit de l'Évangile, il connaissait déja assez le caractère de la religion chrétienne, pour comprendre qu'elle abhorre le sang et la violence, qu'elle ne connaît d'autres armes que l'instruction et une douce persuasion, et qu'elle aurait désavoué une vengeance aveugle, qui arrachant les fouets et les glaives des mains des païens, les aurait employés sur eux-mêmes. Plein de cette idée, il se garda bien de révolter les esprits par des édits rigoureux; et ceux que lui attribue Théophanes, copié par Cédrénus, ne sont pas moins contraires à la vérité, qu'à l'esprit du christianisme. Ces écrivains, pieux sans doute, mais de cette piété qu'on ne doit pas souhaiter aux maîtres du monde, font un mérite à Constantin d'avoir déclaré, que ceux qui persisteraient dans le culte des idoles auraient la tête tranchée. Loin de porter cette loi sanguinaire, Constantin usa de tous les ménagements d'une sage politique. Rome était le centre de l'idolâtrie; avant que de faire fermer les temples, il voulut les faire abandonner. Il continua de donner les emplois et les commandements à ceux que leur naissance et leur mérite y appelaient; il n'ôta la vie ni les biens à personne; il toléra ce qui ne pouvait être détruit que par une longue patience. Sous son empire, et sous celui de ses successeurs, jusqu'à Théodose le Grand, on retrouve dans les auteurs et sur les marbres tous les titres des dignités et des offices de l'idolâtrie; on y voit des réparations de temples et des superstitions de toute espèce. Mais on ne doit pas regarder comme un effet de cette tolérance, les sacrifices humains qui se faisaient encore secrètement à Rome du temps de Lactance, et qui échappaient sans doute à la vigilance de Constantin. Il accepta la robe et le titre de souverain-pontife, que les prêtres païens lui offrirent selon la coutume, et ses successeurs jusqu'à Gratien eurent la même condescendance. Ils crurent sans doute que cette dignité, qu'ils réduisaient à un simple titre sans fonction, les mettait plus en état de réprimer et d'étouffer peu à peu les superstitions, en tenant les prêtres païens dans une dépendance immédiate de leur personne. Ce n'est pas à moi à décider s'ils ne portèrent pas trop loin cette complaisance politique.

XXVIII. Progrès du christianisme.

Baron. in ann. 312.

Prud. in Sym. l. 1, v. 546.

Les supplices auraient produit l'opiniâtreté et la haine du christianisme; Constantin en sut inspirer l'amour. Son exemple, sa faveur, sa douceur même firent plus de chrétiens, que les tourments n'en avaient perverti sous les princes persécuteurs. On en vint insensiblement à rougir de ces dieux qu'on se faisait soi-même; et selon la remarque de Baronius, la chute de l'idolâtrie fit même tomber la statuaire. La religion chrétienne pénétra jusque dans le sénat, le plus fort rempart du paganisme: Anicius, illustre sénateur, fut le premier qui se convertit; et bientôt, à son exemple, on vit se prosterner aux pieds de la croix ce qu'il y avait de plus distingué à Rome, les Olybrius, les Paulinus, les Bassus.

XXIX. Honneurs que Constantin rend à la religion.

Euseb. vit. Const. l. 1, c. 42.

Socr. l. 1, c. 1.

Theoph. p. 11.

Baron. an. 312.

L'empereur remédia à tous les maux qu'il put guérir sans faire de nouvelles plaies. Il rappela les chrétiens exilés; il recueillit les reliques des martyrs, et les fit ensevelir avec décence. Le respect qu'il portait aux ministres de la religion, la rendait plus respectable aux peuples. Il traitait les évêques avec toute sorte d'honneurs; il aimait à s'en faire accompagner dans ses voyages; il ne craignait pas d'avilir la majesté impériale en les recevant à sa table, quelque simples qu'ils fussent alors dans leur extérieur. Les évêques de Rome, persécutés et cachés jusqu'à ce temps-là, qui ne connaissaient encore que les richesses éternelles et les souffrances temporelles, attirèrent la principale attention de ce prince religieux. Il leur donna le palais de Latran, qui avait été autrefois la demeure de Plautius Lateranus, dont Néron avait confisqué les biens, après l'avoir fait mourir. Depuis que Constantin était devenu maître de Rome, on appelait cet édifice le palais de Fausta, parce que cette princesse y faisait sa demeure. Quoique Baronius place ici cette donation, il y a apparence qu'elle doit être reculée jusqu'après la mort de Fausta en 326. Constantin avait un palais voisin de celui-là, il en fit une basilique chrétienne qui fut nommée Constantinienne, ou basilique du Sauveur, et il la donna au pape Miltiade et à ses successeurs. C'est aujourd'hui Saint-Jean de Latran. Ce fut là le premier patrimoine des papes. Il n'est plus besoin en France de réfuter l'acte de cette donation fameuse, qui rend les papes maîtres souverains de Rome, de l'Italie et de tout l'Occident.

XXX. Églises bâties et ornées.

Euseb. vit. Const. l. 1, c. 42.

Cod. Th. lib. 16, tit. 2, leg. 14.

Anastas. Hist. eccl. p. 24 et 25.

Nard. Rom. ant. p. 478.

Martinelli, Roma sacra.

Plein de zèle pour la majesté du culte divin, Constantin en releva l'éclat en faisant part de ses trésors aux églises. Il augmenta celles qui subsistaient déja, et en construisit de nouvelles. Il y en a grand nombre à Rome et dans tout l'Occident qui le reconnaissent pour fondateur. Il est certain qu'il fit bâtir celle de Saint-Pierre au Vatican, sur le même terrain qu'occupe aujourd'hui la plus auguste basilique de l'univers. Celle-là était d'une architecture grossière, faite à la hâte, et construite, en grande partie, des débris du cirque de Néron. Il bâtit aussi en différents temps l'église S.-Paul, celle de S.-Laurent, celle de S.-Marcellin et de S.-Pierre, celle de Sainte-Agnès qu'il fit construire à la sollicitation de sa fille Constantine, et la basilique du palais Sessorien, qui fut ensuite appelée l'église de Sainte-Croix, lorsque ce prince y eut déposé une portion de la vraie croix. Il en fonda plusieurs autres à Ostie, à Albane, à Capoue, à Naples. Il enrichit ces églises de vases précieux et de magnifiques ornements: il leur donna en propriété des terres et des revenus destinés à leur entretien, et à la subsistance du clergé, à qui il accorda des priviléges et des exemptions.

XXXI. Constantin arrête la persécution de Maximin.

Euseb. hist. eccl. l. 9, c. 9.

Lact. de mort. persec. c. 48.

Notæ in Pagium, apud Baron. ann. 312.

Banduri, Num. imp. Rom. t. 2, pag. 164.

[Eckhel, Doct. num. vet. t. VIII, p. 54.]

Cette même année ou au commencement de la suivante, avant que de sortir de Rome, il fit, de concert avec Licinius, un édit très-favorable aux chrétiens, mais qui limitait pourtant à certaines conditions la liberté du culte public. C'est ce qui paraît par les termes d'un second édit, qui fut fait à Milan au mois de mars suivant, et dont l'original se lit dans Lactance: l'antiquité ne nous a pas conservé le premier. Constantin l'envoya à Maximin: il l'instruisit en même temps des merveilles que Dieu avait opérées en sa faveur, et de la défaite de Maxence. Maximin, comme je l'ai dit, avait déja appris cette nouvelle avec une espèce de rage. Mais après quelques emportements, il avait renfermé son dépit, ne se croyant pas encore en état de le faire éclater par une guerre ouverte. Il porta même la dissimulation jusqu'à célébrer sur ses monnaies la victoire de Constantin. Il reçut donc la lettre et l'édit; mais il se trouva embarrassé sur la conduite qu'il devait tenir. D'un côté il ne voulait pas paraître céder à ses collègues; de l'autre il craignait de les irriter. Il prit le parti d'adresser comme de son propre mouvement une lettre à Sabinus, son préfet du prétoire, avec ordre de dresser un édit en conformité; et de le faire publier dans ses états. Dans cette lettre il fait d'abord l'éloge de Dioclétien et de Maximien, qui n'avaient, dit-il, sévi contre les chrétiens, que pour les ramener à la religion de leurs pères; il prend ensuite avantage de l'édit de tolérance qu'il avait donné après la mort de Galérius, et ne parle de la révocation de cet édit que d'une manière ambiguë et enveloppée; il déclare enfin qu'il veut qu'on ne mette en usage que les moyens de douceur pour rappeler les chrétiens au culte des dieux, qu'on laisse liberté de conscience à ceux qui persisteront dans leur religion; et il défend à qui que ce soit de les maltraiter. Cette ordonnance de Maximin ne donna pas aux chrétiens la confiance de se montrer au grand jour: ils sentaient qu'elle lui était arrachée par la crainte; et déja une fois trompés, ils ne comptaient plus sur ces apparences de douceur. D'ailleurs on remarquait une différence sensible entre l'édit de Constantin et celui de Maximin: le premier permettait expressément aux chrétiens de s'assembler, de bâtir des églises et de célébrer publiquement toutes les cérémonies de leur religion; Maximin, sans dire un mot de cette permission, se contentait de défendre qu'on leur fît aucun mal. Ainsi ils demeurèrent cachés, et attendirent leur liberté du souverain maître des empereurs et des empires.

AN 313.

XXXII. Consulats de cette année.

Idat. chron.

Euseb. hist. eccl. l. 9, c. 11.

Cod. Th. l. 13, tit. 10, leg. 1, et ibi Cod.

Maximin depuis la mort de Galérius n'avait reconnu d'autres consuls que lui-même, et son grand-trésorier Peucétius. Il le choisit encore pour collègue au commencement de l'année 313. Constantin se déclara consul avec Licinius: ils l'étaient tous deux pour la troisième fois. Soit qu'il fût à Rome le 18 de janvier, soit qu'il en fût parti quelque temps auparavant, il fit une loi très-équitable, donnée ou affichée à Rome ce jour-là: elle remédiait aux injustices des greffiers des tailles, qui déchargeaient les riches aux dépens des pauvres.

XXXIII. Mariage de Licinius.

Lact. de mort. persec. c. 45.

Baluzius, in Lact. p. 337.

Baudri, in Lact. p. 739 et 748.

Zos. l. 2, c. 17.

Anony. Vales.

Vict. epit. p. 223.

Licinius n'avait pris aucune part à la guerre contre Maxence. Cependant Constantin se crut obligé d'exécuter la promesse qu'il lui avait faite, de lui donner sa sœur Constantia en mariage. Les deux empereurs se rendirent à Milan, où les noces furent célébrées. Ils y invitèrent Dioclétien. Ce prince s'étant excusé sur son grand âge, ils lui écrivirent une lettre menaçante, dans laquelle ils l'accusaient d'avoir été attaché à Maxence, et de l'être encore à Maximin leur ennemi caché.

XXXIV. Mort de Dioclétien.

Lact. de mort. persec. c. 42.

Baluzius, in Lact. p. 334.

Cuper, in Lact. p. 494.

Euseb. hist. eccl. l. 9, c. 11.

Eutrop. l. 9.

Vict. epit. p. 221.

Spon, Voy. t. I, p. 61.

Pag. in Baron. an 304.

Till. note 20 sur Dioclétien.

Ces reproches portèrent un coup mortel à Dioclétien, dont les forces déja épuisées par des chagrins amers plus encore que par les accès redoublés de sa maladie, ne se soutenaient qu'à peine. Il avait vivement ressenti l'affront fait à sa personne, quand on avait renversé ses statues avec celles de Maximien. Les malheurs de sa fille Valéria, dont il avait inutilement demandé la liberté à Maximin, obstiné à persécuter cette princesse, aigrirent encore ses douleurs. Enfin les menaces des deux empereurs achevèrent de l'abattre. Il se condamna lui-même à la mort; et le peu de temps qu'il vécut encore, se passa dans des agitations cruelles. Cette funeste mélancolie ne lui laissait pas prendre de sommeil: soupirer, gémir, pleurer, se rouler tantôt sur son lit, tantôt sur la terre, c'était ainsi qu'il passait les nuits: les jours n'étaient pas plus tranquilles. Il alla jusqu'à se retrancher la nourriture, et se fit mourir de faim; quelques-uns disent de poison. Telle fut la fin d'un prince, dont la vieillesse eût été plus heureuse, et la mémoire plus honorée, s'il n'eût terni le lustre de ses grandes qualités par le sanglant édit qui fit périr tant de chrétiens. On ne sait pas au juste le nombre d'années qu'il vécut: Victor ne lui en donne que soixante et huit; on ne peut, comme le font quelques anciens et beaucoup de modernes, prolonger sa vie au-delà de l'an 313, sans démentir Eusèbe et Lactance, qui disent en termes exprès, que Maximin, qui mourut en 313, resta le dernier des persécuteurs. Mais il faut dire que Dioclétien a passé le premier de mai, pour trouver les neuf ans, du moins commencés, que met Victor entre son abdication et sa mort. Il mourut dans son palais de Spalatro à une lieue de Salone, où M. Spon, en 1675, vit encore des restes de la magnificence de ce prince[23]. Il fut mis au nombre des dieux, apparemment par Maximin, peut-être même par Licinius[24].

[23] Depuis Spon ces ruines ont été visitées et décrites par plusieurs voyageurs.—S.-M.

[24] Aucun monument authentique ne prouve qu'on ait décerné à Dioclétien les honneurs de l'apothéose.—S.-M.

XXXV. Édit de Milan.

Lact. de mort. persec.

Euseb. hist. eccl. l. 10, c. 5.

Cod. Just. l. 2, tit. 13, leg. 21.

Noris, de num. Lic. c. 2 et 5.

Quoique ce dernier prince n'ait jamais fait profession du christianisme, sa liaison avec Constantin, et sa haine contre Maximin, le disposait alors à favoriser la religion chrétienne. Il se joignit donc volontiers à Constantin pour dresser une déclaration qui fut publiée à Milan le 12 mars, et envoyée dans tous les états des deux empereurs. Elle confirmait et étendait l'édit qui avait été donné à Rome quelques mois auparavant: elle accordait aux chrétiens une liberté entière et absolue pour l'exercice de leur culte public, et levait toutes les conditions par lesquelles cette permission avait été auparavant limitée; elle ordonnait qu'on leur rendît sans délai, et sans exiger d'eux aucun remboursement ni dédommagement, tous les lieux d'assemblée ou autres fonds appartenant aux églises, et promettait d'indemniser aux dépens des deux empereurs ceux qui en étaient actuellement possesseurs à titre légitime. Elle donnait aussi sans exception à tous ceux qui professaient quelque religion que ce fût, la liberté de la suivre selon leur conscience, et d'en faire l'exercice public, sans être inquiétés de personne. Il n'était pas encore temps d'imposer silence à l'idolâtrie: révérée depuis tant de siècles, ses cris séditieux auraient soulevé tout l'empire. C'était assez d'ouvrir la bouche à la véritable religion, et de la mettre en état de confondre sa rivale par la sagesse de ses dogmes, et par la pureté de sa morale. Avant que de sortir de Milan, Constantin, pour ménager la modestie d'un sexe auquel il ne sied pas de s'aguerrir au tumulte des affaires et des jugements, fit une loi qui permet aux maris de poursuivre en justice les droits de leurs femmes, même sans procuration.

XXXVI. Guerre contre les Francs.

Incert. Pan. c. 21 et seq.

Zos. l. 2, c. 17.

Vorburg, Hist. Rom. Germ. t. 2, p. 154.

Il partit ensuite, et prit le chemin de la Germanie inférieure. Il avait appris que les Francs, ennuyés de la paix, s'approchaient du Rhin avec l'élite de leur jeunesse, pour se jeter dans les Gaules. Il courut à leur rencontre, et sa présence les empêcha de tenter le passage. Constantin, qui voulait les attirer en-deçà pour les vaincre, fit répandre le bruit que les Allemans faisaient encore de plus grands efforts du côté de la Germanie supérieure, et se mit en marche comme pour aller les repousser. Il laissa en même temps de bonnes troupes commandées par des officiers expérimentés qui avaient ordre de se mettre en embuscade, et de charger les Francs dès qu'ils auraient passé le fleuve. Tout réussit selon ses desseins: les Francs furent battus; l'empereur les poursuivit au-delà du Rhin, et fit un si horrible dégât sur leurs terres, qu'il semblait que la nation fût exterminée. Il revint à Trèves en triomphe; il y entendit un panégyrique que nous avons encore, et dont l'auteur est inconnu. La liberté que le prince laissait aux idolâtres, paraît évidemment dans cette pièce; elle respire le paganisme. La gloire de cette victoire fut encore ternie par le spectacle inhumain d'une multitude de prisonniers, qui furent exposés aux bêtes, et qui périrent avec cette intrépidité naturelle à la nation.

XXXVII. Constantin comble de bienfaits l'église d'Afrique.

Euseb. hist. eccl. l. 10, c. 6.

Optat. de schism. Donat. l. 1, c. 18.

Constantin demeura à Trèves le reste de cette année et une partie de la suivante, occupé principalement à procurer de nouveaux avantages à la religion qu'il avait embrassée. Ses premiers regards se portèrent sur l'église d'Afrique, qui s'était le plus ressentie des rigueurs de la persécution, et qui était encore déchirée par le nouveau schisme des donatistes. La lettre de l'empereur à Cécilien, évêque de Carthage, mérite d'être rapportée. La voici telle qu'Eusèbe nous l'a donnée.

«Constantin Auguste à Cécilien évêque de Carthage: Dans le dessein que nous avons de donner à certains ministres de la religion catholique, cette religion sainte et légitime, dans les provinces d'Afrique, de Numidie et de Mauritanie, de quoi fournir aux dépenses, nous avons envoyé ordre à Ursus receveur-général de l'Afrique, de vous remettre trois mille bourses. Vous aurez soin de les faire distribuer à ceux qui vous seront indiqués par le rôle que vous adressera Osius. Si la somme ne vous paraît pas suffisante pour satisfaire à notre zèle, demandez sans hésiter à Héraclide, intendant de nos domaines, tout ce que vous jugerez nécessaire: il a ordre de ne vous rien refuser. Et comme nous avons appris que des hommes inquiets et turbulents s'efforcent de corrompre le peuple de l'église sainte et catholique, par des insinuations fausses et perverses; sachez que nous avons recommandé de vive voix à Anulinus proconsul, et à Patricius vicaire des préfets, de remédier à ces désordres avec toute leur vigilance. Si donc vous vous apercevez que ces gens persistent dans leur folie, adressez-vous aussitôt aux juges que nous venons de vous indiquer, et faites-leur votre rapport, afin qu'ils les châtient selon l'ordre que nous leur en avons donné. Que le grand dieu vous conserve pendant longues années.»

Il paraît que cet argent était destiné à l'entretien des églises, et à la décoration du culte divin. La somme passait cent mille écus de notre monnaie. Osius dont il est parlé dans cette lettre, était le célèbre évêque de Cordoue, qui connaissait parfaitement les besoins de l'église d'Afrique, et à qui Constantin s'en rapportait pour la distribution de ses aumônes, et pour les affaires les plus importantes de la religion. On voit ici que ce prince était déja instruit des cabales des donatistes, et qu'il songeait à étouffer ce schisme naissant. Ce qui mérite encore d'être observé, c'est qu'Annius Anulinus, personnage des plus illustres de l'empire, qui sous Dioclétien avait été un des plus violents persécuteurs de l'église d'Afrique, est ici employé à donner à cette même église un nouveau lustre; soit qu'il eût changé de religion avec l'empereur, soit qu'étant demeuré païen, il se vît obligé par obéissance de réparer les maux qu'il avait faits lui-même.

XXXVIII. Exemption des fonctions municipales accordée aux clercs.

Euseb. Hist. eccl. l. 10, c. 7.

S. Aug. ep. 88. t. II, p. 214.

Soz. l. 1, c. 9.

Cod. Th. lib. 16, tit. 2 et tit. 5.

God. ad cod. Th. lib. 11, tit. 1, l. 1.

Constantin lui adressa à peu près dans le même temps une lettre, dans laquelle après avoir relevé le mérite de la religion chrétienne, il lui déclare qu'il entend que les ministres de l'église catholique, dont Cécilien est le chef, et qui sont appelés clercs, soient exempts de toutes fonctions municipales; *de peur*, dit-il, *qu'ils ne soient distraits du service de la Divinité, ce qui serait une espèce de sacrilége: car*, ajoute-t-il, *l'hommage qu'ils rendent à Dieu est la principale source de la prospérité de notre empire*. Anulinus exécuta fidèlement ses ordres, et lui en rendit compte par une lettre, où il lui marque, qu'en notifiant à Cécilien et à ses clercs le bienfait de l'empereur, il en a pris occasion de les exhorter *à réunir tous les esprits pour observer la sainteté de leur loi, et s'occuper du culte divin avec le respect convenable.* Il lui envoie en même temps les plaintes des donatistes, dont je parlerai dans la suite. Ces schismatiques qui ne participaient pas à l'exemption, et peut-être aussi les autres habitants par un effet de jalousie, s'efforcèrent plusieurs fois d'anéantir ce privilége par des chicanes. Les fonctions municipales étaient onéreuses, et l'immunité des uns devenait une surcharge pour les autres. Aussi dès cette même année Constantin fut obligé de réitérer ses ordres à ce sujet par une loi du dernier d'octobre. Sozomène dit que cette exemption fut ensuite étendue à tous les clercs dans toutes les provinces de l'empire; et son témoignage est confirmé par une loi faite pour la Lucanie, et le pays des Brutiens. L'empereur lui-même déclare dans une loi de l'an 330, qu'il avait établi cet usage dans tout l'Orient, sans doute après la défaite de Licinius. Mais ce privilége ne fut nulle part accordé qu'aux ministres de l'église catholique; les hérétiques et les schismatiques qui prétendaient y participer, en sont exclus en termes exprès par une loi de l'an 326. Constantin en exemptant les clercs des charges personnelles, ne les exempta pas des tributs. Ils continuèrent de les payer à proportion de leurs biens patrimoniaux. Mais il en déchargea les biens des églises: ce qui ne subsista pas même sous ses successeurs, quand l'église fut devenue assez opulente, pour partager sans incommodité les charges de l'état, dont ses ministres font partie.

XXXIX. Abus occasionés par ces exemptions et corrigés par Constantin.

Cod. Th. lib. 16, tit. 2.

Ces avantages accordés aux clercs furent comme un signal, qui appela au service de l'église tous ceux qui voulaient se soustraire à des dépenses auxquelles les particuliers ne se prêtent qu'à regret, quoiqu'ils en recueillent les fruits. On se pressait d'entrer dans la cléricature; les fonctions municipales allaient être abandonnées faute de sujets; la cupidité appauvrissait l'état sans enrichir l'église qu'elle peuplait de ministres intéressés. L'empereur pour empêcher tout à la fois la trop grande multiplication des ecclésiastiques, et la désertion des fonctions nécessaires à l'état, ordonna en 320 qu'à l'avenir et sans rien changer pour le passé, on ne ferait des clercs qu'à la place de ceux qui mourraient, et qu'on ne choisirait que des gens à qui leur pauvreté donnait déja l'immunité. Il renouvela cette ordonnance six ans après, en déclarant que les riches devaient porter les fardeaux du siècle, et que les biens de l'église ne devaient servir qu'à la subsistance des pauvres. Il ordonnait même que si entre les clercs déja reçus, il s'en trouvait quelqu'un qui par sa naissance ou par sa fortune fût propre à soutenir les charges municipales, il serait retiré du service ecclésiastique et rendu à celui de l'état. Mais il paraît que les donatistes toujours jaloux des avantages de la vraie église, abusèrent de cette loi dans la Numidie, où ils étaient les plus puissants, et qu'ils arrachaient à l'église des clercs qui n'étaient pas dans le cas de l'ordonnance. Ce fut apparemment ce qui donna lieu à Constantin d'adresser en 330 à Valentinus, gouverneur de Numidie, une autre loi, dont le sens me paraît être que ceux qui seront une fois entrés dans la cléricature, ne seront plus sujets à un second examen de leurs facultés, mais qu'ils jouiront sans trouble de l'immunité cléricale.

XL. Lois sur le gouvernement civil.

Cod. Just. lib. 1, t. 22, leg. 3.

Cod. Th. lib. 9, tit. 40.

Ibid. tit. 5.

Ibid. lib. 12, tit. 11.

Ibid. lib. 3, tit. 19.

Ibid. lib. 4, tit. 9.

Ibid. lib. 5, tit. 6.

Cod. Just. lib. 12, tit. 1.

Ibid. lib. 7, tit. 22.

Ibid. lib. 6, tit. 1.

Ibid. lib. 3, tit. 1.

C. T. lib. 4, tit. 8.

C. J. lib. 1, tit. 14; lib. 8, tit. 53.

En s'occupant de l'honneur et de l'avantage de l'église, il ne perdait pas de vue le gouvernement civil. Il fit dans son séjour à Trèves plusieurs lois fort sages, pour prévenir les surprises qu'on pourrait faire à sa religion par de faux exposés, et pour empêcher les juges de précipiter la condamnation des accusés avant une conviction pleine et entière. Voulant décourager les accusations des crimes qu'on appelait alors de lèse-majesté, et qui s'étendaient fort loin, il soumit à la torture les accusateurs qui n'administraient pas de preuves manifestes, aussi-bien que ceux qui les auraient excités à intenter l'accusation; et il ordonna de punir du supplice de la croix, même sans être entendus, les esclaves et les affranchis qui oseraient dénoncer leurs maîtres et leurs patrons. Les villes avaient des fonds qu'elles faisaient valoir entre les mains des particuliers: il fit des réglements pour assurer ces rentes, et empêcher que les fonds ne fussent dissipés par la négligence des magistrats chargés des recouvrements. Il mit les mineurs à couvert de la mauvaise foi de leurs tuteurs et curateurs. Pour conserver l'honnêteté publique, il renouvela l'arrêt du sénat fait du temps de Claude, par lequel une femme de condition libre, qui s'abandonnait à un esclave, perdait sa liberté. Il fut pourtant obligé d'adoucir cette loi dans la suite, ce qui prouve la corruption des mœurs de ce siècle. Sous le règne de Maxence, beaucoup de sujets indignes étaient parvenus aux charges, et d'honnêtes citoyens avaient perdu leur liberté: dans l'horrible famine qui désola alors la ville de Rome, ils s'étaient vendus eux-mêmes, ou avaient vendu leurs enfants. Il remédia par deux lois à ce double désordre: par l'une il déclara incapables de posséder aucune charge tous les hommes infâmes et notés pour leurs crimes ou leurs déréglements; par l'autre il ordonna sous de grosses peines de remettre en liberté, sans attendre la contrainte du magistrat, tous ceux qui étaient devenus esclaves sous la tyrannie de Maxence; il étendit même cette punition sur ceux qui, bien instruits qu'un homme était né libre, dissimuleraient et le laisseraient dans l'esclavage. Il déclara encore qu'il ne pouvait y avoir de prescription contre la liberté, et qu'un homme libre ne perdait rien de ses droits, même après soixante ans de servitude; mais en même temps il soumit à des peines très-sévères les esclaves fugitifs. Plusieurs réglements qu'il fit encore dans la suite montrent son inclination à favoriser les droits de la liberté, sans blesser ceux de la justice. Quelques-unes de ses lois renferment de belles maximes de morale. *Nous pensons*, dit-il dans une, *qu'on doit avoir plus d'égard à l'équité et à la justice naturelle, qu'au droit positif et rigoureux*. Mais il réserva au prince la décision des questions où le droit positif paraîtrait en contradiction avec l'équité. Il déclara ailleurs que la coutume ne doit pas prescrire contre la raison ni contre la loi.

XLI. Lois pour la perception des tributs.

Cod. Th. lib. 11, tit. 1.

Ibid. tit. 7.

Ibid. lib. 8, tit. 10.

Ibid. lib. 10, tit. 15.

C. T. lib. 10, tit. 1; lib. 4, tit. 13.

Dès cette année et dans toute la suite de son règne, il paraît avoir donné une attention particulière à deux objets importants: à la perception des impôts, et à l'administration de la justice. Il prit tous les moyens que lui suggéra sa prudence pour assurer les contributions qu'exigeaient les besoins de l'état, et pour les rendre moins onéreuses à ses sujets. Il voulut que les rôles des impositions fussent signés de la main des gouverneurs des provinces. Pour accélérer les paiements, il ordonna que les biens de ceux qui par mauvaise volonté différeraient de payer, fussent vendus sans retour. Mais aussi il réprima par des peines rigoureuses les concussions des officiers, et permit de les prendre à partie; il défendit de dédommager le fisc des non-valeurs, en les reprenant sur les gens solvables; de mettre en prison les débiteurs du fisc, ou de leur imposer aucune punition corporelle: *La prison*, dit-il, *n'est faite que pour les criminels ou pour les officiers du fisc qui excèdent leur pouvoir; quant à ceux qui refusent de payer leur part des contributions, on se contentera de leur envoyer garnison; ou s'ils persistent, de vendre leurs biens*. Celui qui poursuivait les dettes du fisc, s'appelait l'avocat du fisc: Constantin veut que cet emploi soit exercé par des gens intègres, désintéressés, instruits; et il les avertit qu'ils seront également punis pour fermer les yeux sur les dettes qu'ils doivent poursuivre, et pour les poursuivre par des chicanes: *L'intérêt de nos sujets*, dit-il dans une de ses lois, *nous est plus précieux que l'intérêt de notre trésor.* Il suivit exactement cette belle maxime: on voit par plusieurs de ses lois qu'il ne donna au fisc aucun privilége, qu'il le réduisit au droit commun, et qu'il laissa aux particuliers plusieurs ressources pour se défendre contre les prétentions du domaine.

XLII. Lois pour l'administration de la justice.

Cod. Th. lib. 11. tit. 29.

Ibid. tit. 30.

Ibid. tit. 36.

Ibid. lib. 2, tit. 7.

Ibid. lib. 9, tit. 10.

Pour ce qui regarde l'administration de la justice, on ne peut assez louer le soin qu'il prit d'en bannir les longueurs, la mauvaise foi et les chicanes tant de la part des juges que de la part des plaideurs. Se regardant comme le lieutenant immédiat de Dieu même dans la fonction de juger ses peuples, il permit aux juges d'avoir recours à lui pour le consulter avant que de prononcer, quand ils seraient embarrassés sur le jugement d'une affaire: mais il les avertit aussi de ne s'adresser à lui que rarement et dans les cas qui n'étaient pas clairement décidés par les lois, pour ne pas interrompre ses autres occupations; d'autant plus que celui qui se trouverait lésé, avait la ressource de l'appel. De peur que ces rapports envoyés au prince ne servissent de prétexte pour prolonger les affaires, il y prescrit un terme fort court; il en règle la forme et écarte tous les obstacles qui pourraient en retarder l'effet. Comme les juges inférieurs, mécontents des appels qu'on interjetait de leurs sentences, faisaient quelquefois ressentir aux appelants leur mauvaise humeur, il censure par plusieurs lois ce procédé arrogant, et les menace de punition. Il recommande aux juges des tribunaux supérieurs la diligence dans l'expédition des causes d'appel. Il prévient les abus qui peuvent se glisser dans les appels, dans les évocations, dans les délais des jugements. Il déclare qu'on peut appeler de tous les tribunaux, excepté de celui des préfets du prétoire, qui sont proprement les représentants du prince dans l'exercice de la justice. Il ne permet pas d'appeler de la condamnation des crimes d'homicide, de maléfice, d'adultère, d'empoisonnement, quand la conviction est complète: à l'occasion des lois que fit Constantin dans son séjour à Trèves, j'ai rassemblé sous le même point de vue toutes celles de ce prince qui ont eu le même objet, quoiqu'elles aient été faites ensuite et en différentes années; et je continuerai d'en user de cette manière pour éviter les longueurs et les répétitions ennuyeuses, à moins que quelque circonstance particulière ne m'oblige d'interrompre cet ordre.

XLIII. Maximin commence la guerre contre Licinius.

Euseb. Hist. eccl. l. 9, c. 10.

Lact. de mort. persec. c. 45.

Tandis que Constantin à Trèves s'appliquait à régler les affaires de l'état, Maximin profitant de son éloignement entreprit d'exécuter le dessein qu'il méditait depuis long-temps, de se rendre seul maître de tout l'empire. Cet homme fier et hautain, plus ancien César que les deux autres empereurs, ne pouvait souffrir leur supériorité qu'il regardait comme usurpée: il se donnait le premier rang dans ses titres; et comme il restait seul des deux Augustes et des deux Césars que Dioclétien et Maximien avaient nommés en quittant l'empire, il se portait pour légitime héritier de toute leur puissance. Plein de ces idées ambitieuses, il prit le temps que les deux empereurs célébraient à Milan les noces de Constantia, et quoique ce fût dans le fort de l'hiver, il mit ses troupes en campagne; et doublant les marches, il arriva bientôt de Syrie en Bithynie; mais ce fut aux dépens d'une grande partie de ses forces: il laissa sur les chemins presque toutes ses bêtes de charge, que les pluies, les neiges, la fange, le froid et les marches forcées faisaient périr. Parvenu au rivage du Bosphore, qui servait de borne à son empire, il passa le détroit, et s'approcha de Byzance, où il n'y avait qu'une faible garnison. Ayant en vain tenté de la corrompre, il attaqua la ville; elle se rendit après onze jours de résistance. De là il marcha à Héraclée, autrement nommée Périnthe, qui l'arrêta encore plusieurs jours.

XLIV. Licinius vient à sa rencontre.

Ces délais donnèrent le temps de dépêcher des courriers à Licinius, qui, s'étant séparé de Constantin au sortir de Milan, était revenu en Illyrie. Ce prince, à la tête d'une poignée de soldats accourt en diligence, arrive à

Andrinople [*Hadrianopolis*] lorsque Périnthe venait de se rendre; et ayant rassemblé ce qu'il peut trouver de troupes dans le voisinage, il s'avance jusqu'à dix-huit milles de Maximin campé à une égale distance de Périnthe. L'intention de Licinius était d'arrêter l'ennemi, mais sans le combattre: il n'avait pas trente mille hommes, contre soixante et dix mille. Maximin, par la raison contraire résolu d'engager une action, fit vœu à Jupiter d'exterminer le nom chrétien, s'il était vainqueur. Lactance rapporte que pendant la nuit Licinius eut une vision miraculeuse: il songea qu'il voyait un ange qui lui ordonnait de se lever sur l'heure, et de prier avec toute son armée le Dieu souverain, lui promettant la victoire s'il obéissait; qu'à cet ordre il se levait aussitôt, et que l'ange l'instruisait d'une prière qu'il devait faire prononcer à ses soldats. Il faut avouer que la vérité de ce miracle n'est fondée que sur la bonne foi de Licinius, que la suite de sa vie rend sur ce point infiniment suspecte. Licinius à son réveil fit appeler un secrétaire, et lui dicta la formule de prière dont il disait avoir la mémoire toute récente. Elle était conçue en ces termes: *Nous vous prions, Dieu souverain; Dieu saint, nous vous prions: nous vous recommandons notre salut et notre empire: c'est de vous que nous tenons la vie, la félicité, la victoire: Dieu suprême, Dieu saint, exaucez-nous; nous tendons les bras vers vous; exaucez-nous, Dieu saint, Dieu souverain.* Il distribua aux préfets et aux tribuns plusieurs copies de cette prière, pour la faire apprendre à leurs soldats. Ceux-ci assurés d'une victoire, dont le ciel même se rendait garant, s'enflamment d'un nouveau courage. Licinius voulait livrer bataille le 1er de mai, pour flétrir par la destruction de son ennemi le jour même où ce prince avait été créé César, et pour mettre encore cette conformité entre la défaite de Maxence et celle de Maximin. Mais celui-ci se hâta de combattre dès la veille, pour honorer par les réjouissances de la victoire l'anniversaire de son élévation. Ainsi le dernier d'avril dès le point du jour il rangea ses troupes en bataille. Celles de Licinius prennent aussitôt les armes et marchent à l'ennemi. Entre les deux camps s'étendait une plaine stérile et toute nue, qu'on appelait le *Champ serein*. Déja les deux armées étaient en présence; les soldats de Licinius posent à terre leurs boucliers, ôtent leurs casques, et à l'exemple de leurs officiers, ils lèvent les bras au ciel, et prononcent après l'empereur la prière qu'ils avaient apprise. Après l'avoir trois fois répétée, ils reprennent leurs casques et leurs boucliers. Ces mouvements et ce murmure étonnent l'armée ennemie. Les deux empereurs confèrent ensemble, mais inutilement: Maximin ne voulait point de paix; il méprisait son rival. Comme il répandait l'argent à pleines mains, et que Licinius n'était rien moins que libéral, il s'attendait que celui-ci allait être abandonné de ses troupes; et que les deux armées réunies sous ses étendards marcheraient aussitôt pour aller accabler Constantin. C'était dans cette confiance qu'il avait entrepris la guerre.

XLV. Bataille entre Licinius et Maximin.

Zos. l. 2, c. 17.

Euseb. Hist. eccl. l. 9, c. 10. et Vit. Const. l. 1, c. 58.

Lact. de mort. persec. c. 47.

On s'approche, on sonne la charge. Les troupes de Licinius commencent l'attaque; selon Zosime elles furent d'abord repoussées: Lactance dit au contraire, que leurs ennemis, glacés de frayeur, n'eurent pas le courage de tirer l'épée ni de lancer leurs traits. Maximin courait à cheval autour de l'armée de Licinius, mettant en usage et les prières et les promesses: au lieu de l'écouter, on le charge lui-même, et il est obligé de regagner le gros de ses troupes. Elles se laissaient égorger presque sans résistance par des ennemis très-inférieurs en nombre: la plaine était jonchée de morts; la moitié de l'armée était taillée en pièces; les autres ou se rendaient ou prenaient la fuite: les gardes de Maximin l'abandonnent; il s'abandonne lui-même, et jetant bas la pourpre impériale, couvert d'un habit d'esclave, il se mêle dans la troupe des fuyards et repasse le détroit. Emporté par sa terreur, il arrive la nuit du lendemain à Nicomédie, à cent soixante milles du champ de bataille. Il y prend avec lui sa femme, ses enfants, un petit nombre de ses officiers, et continue sa fuite vers l'Orient. Enfin après avoir échappé à bien des périls, se cachant dans les campagnes et dans les villages, il gagne la Cappadoce, où ayant rallié ce qui lui restait de troupes, il s'arrêta et reprit la pourpre.

XLVI. Licinius à Nicomédie.

Lact. de mort. persec. c. 48.

Cod. Th. lib. 13, tit. 10, leg. 2.

God. ad hanc legem.

Licinius, après avoir incorporé dans son armée les ennemis qui s'étaient rendus, passa le Bosphore; et peu de jours après la bataille entra dans Nicomédie, rendit graces à Dieu comme à l'auteur de sa victoire, et laissa reposer ses troupes. Dès le premier jour de juin il fit un acte de souveraineté en faveur de la Lycie et de la Pamphylie: il exempta par une loi le petit peuple des villes de ces provinces, de payer capitation pour les biens qu'il possédait à la campagne. C'était un nouveau joug, dont les simples particuliers habitants des villes avaient toujours été exempts, et que Maximin apparemment leur avait imposé. Le 13 du même mois il fit afficher l'édit qu'il avait dressé à Milan de concert avec Constantin, pour rendre à l'église une entière tranquillité. Il exhorta même de vive voix les chrétiens à faire librement l'exercice de leur religion. On peut placer ici la fin de cette persécution cruelle, qui, commencée en cette même ville le 23 février de l'an 303, avait pendant dix ans multiplié le christianisme en faisant périr des milliers de chrétiens.

XLVII. Mort de Maximin.

Lact. de mort. persec. c. 49.

Euseb. Hist. eccl. l. 9, c. 10 et 11 et Vit. Const. l. 1, c. 58 et 59.]

Zos. l. 2, c. 17.

Maximin, couvert de honte et plein de désespoir, déchargea sa première fureur sur les prêtres de ses dieux, qui par des oracles imposteurs l'avaient assuré du succès de ses armes. Il les fit tous massacrer. Ensuite apprenant que Licinius venait à lui avec toutes ses forces, il gagna les défilés du mont Taurus, et essaya de les défendre par des barricades et des forts qu'il fit élever à la hâte. Enfin, comme le vainqueur forçait tous les passages, il se renferma dans la ville de Tarse, à dessein de se sauver en Égypte pour y réparer ses pertes. Eusèbe dit qu'il y eut un second combat, auquel Maximin ne se trouva pas, et que, caché dans la ville dont il n'osait sortir, il fut dans le temps même de la bataille frappé de la maladie dont il mourut. Selon Lactance, ce prince assiégé dans Tarse, sans espérance de secours, et sans autre ressource que la mort, s'il voulait ne pas tomber entre les mains d'un rival cruel et irrité, se remplit pour la dernière fois de vin et de viandes, et avala ensuite un breuvage mortel. Mais la quantité de nourriture dont il s'était chargé, amortit la force du poison, qui, au lieu de lui ôter la vie sur-le-champ, le jeta dans une longue et douloureuse agonie. Dans cet état il reconnut le bras de Dieu qui le frappait; il força sa bouche impie à louer celui à qui il avait fait une guerre sacrilége; il fit en faveur des chrétiens un édit, dans lequel ce prince malheureux, sous la main de Dieu qui l'écrase, veut encore conserver la fierté du trône, et pallier par un préambule imposant la mauvaise foi de ses édits précédents. Au reste, il accorde sans réserve aux chrétiens tout ce que

Constantin leur avait donné dans ses états, c'est-à-dire, la permission de relever leurs temples, et de rentrer en possession de tous les biens des églises, de quelque manière qu'ils eussent été aliénés. Un repentir si forcé et si imparfait ne désarma pas la colère de Dieu. Pendant quatre jours il fut en proie aux plus affreuses douleurs. Il se roulait sur la terre, il l'arrachait à pleines mains, et la dévorait. Ses entrailles étaient embrasées par un feu intérieur, qui ne lui laissa au-dehors que les os desséchés. A force de se frapper la tête contre les murailles, il se fit sortir les yeux de leur orbite. Les chrétiens regardèrent cet horrible accident comme une punition de la cruauté exercée sur tant de martyrs, à qui il avait fait crever les yeux. Alors tout aveugle qu'il était, il croyait voir le Dieu des chrétiens, environné de ses ministres, et l'entendre prononcer son jugement: il s'écriait comme un criminel à la torture; il s'excusait sur ses perfides conseillers; il avouait ses crimes, implorait Jésus-Christ, lui demandait en pleurant miséricorde. Enfin au milieu de ces hurlements, aussi affreux que s'il eût été dans les flammes, il expira par une mort plus terrible encore que celle de Galérius, qu'il avait surpassé en impiété et en barbarie. Il était dans la neuvième année de son règne, à compter du temps où il avait été fait César, et dans la sixième depuis qu'il avait pris le titre d'Auguste. Il avait plusieurs enfants, déja associés à l'empire, et dont on ignore les noms.

XLVIII. Suites de cette mort.

Euseb. Hist. eccl. l. 9, c. 11.

Vales. ibid.

S. Gregorius Naz. advers. Julian. or. 3. t. I, p. 92.

La mort de Maximin ne fut pas la dernière punition qu'exerça sur lui la vengeance divine; elle s'étendit sur sa mémoire, sur ses officiers, sur toute sa famille. Il fut déclaré ennemi public par des arrêts infamants, où il était qualifié de tyran impie, détestable, ennemi de Dieu. Ses images et ses statues, ainsi que celles de ses enfants, auparavant honorées dans toutes les villes de ses états, furent les unes mises en pièces, les autres noircies, défigurées et abandonnées à toutes les insultes de la populace, qui dès qu'elle cesse de trembler triomphe des tyrans avec insolence. On mutila ses statues; on prit un plaisir inhumain à les transformer dans l'état horrible où l'avait mis la maladie. S. Grégoire de Nazianze, plus de cinquante ans après, dit qu'elles portaient encore les marques de son châtiment. Licinius ôta toutes les charges aux ennemis du christianisme. Ceux qui s'étaient fait un mérite de tourmenter les chrétiens, et que le tyran avait en récompense comblés de faveur, furent mis à mort. Peucétius trois fois consul avec Maximin, et surintendant de ses finances; Culcianus honoré de plusieurs commandements, et qui étant gouverneur de la Thébaïde, avait fait grand nombre de martyrs, furent punis des cruautés dont ils avaient été les conseillers et les ministres. Théotecnus, ce scélérat dont nous avons parlé, n'évita pas le supplice qu'il méritait. Maximin avait récompensé ses fourberies, par le gouvernement de la Syrie. Licinius, étant venu à Antioche, fit faire la recherche de ceux qui avaient abusé de la crédulité du prince; et entre les autres il fit mettre à la torture les prophètes et les prêtres de Jupiter Philius: il voulut s'instruire des supercheries dont ils s'étaient servis pour faire parler ce nouvel oracle. La force des tourments leur arracha l'aveu de toute l'imposture. Théotecnus en était l'artisan; ils furent tous punis de mort, et on commença par Théotecnus. La femme de Maximin fut noyée dans l'Oronte, où elle avait souvent fait précipiter des femmes chrétiennes. Licinius était sanguinaire: jusque-là il n'avait puni que des coupables; il y joignit des innocents, qu'il immola à sa cruauté. Il fit massacrer le fils aîné de Maximin qui n'avait que huit ans, et sa fille âgée de sept, et déja fiancée à Candidianus. Sévérianus fils du malheureux Sévère s'était retiré après la mort de Galérius, dans les états de Maximin. Fidèle à ce prince, il ne l'avait pas abandonné dans son désastre. Licinius le fit mourir, sous prétexte qu'après la mort de Maximin, il avait voulu prendre la pourpre. Candidianus eut le même sort: mais son histoire est mêlée avec celle de Valéria, dont je vais raconter les infortunes.

XLIX. Aventures de Valéria, de Prisca et de Candidianus.

Lact. de mort. persec. c. 15, 39, 40, 41, 50 et 51.

Baluzius, in Lact. p. 298.

Cuper, in Lact. p. 508.

Elle était veuve de Galérius. Étant stérile, elle avait eu pour son mari la complaisance d'adopter Candidianus né d'une concubine, et que son père aimait au point de le destiner à l'empire. Ce prince en mourant avait remis sa femme et ce fils entre les mains de Licinius, en le priant de leur servir de protecteur et de père. Prisca femme de Dioclétien et mère de Valéria accompagna sa fille; elle s'était attachée à sa fortune; elle la suivit jusque sur l'échafaud. L'histoire ne nous dit point pourquoi elle vécut séparée de son mari, depuis qu'il eut quitté la puissance souveraine. Peut-être moins philosophe que Dioclétien, préféra-t-elle la cour de Galérius aux jardins de Salone, et voulut-elle rester du moins auprès du trône, dont elle était descendue à regret. Il paraît d'un autre côté que son mari l'oublia avec l'empire; et dans les traverses qu'essuyèrent ensemble ces deux princesses, l'histoire ne donne des larmes à Dioclétien que pour sa fille.

L. Valéria fuit Licinius, et est persécutée par Maximin.

Licinius ne se vit pas plus tôt maître du sort de Valéria, qu'il lui proposa de l'épouser: c'était un prince esclave de la volupté et de l'avarice. Valéria était belle, et elle donnait à un second mari de grands droits sur l'héritage du premier. Mais insensible à l'amour, et trop fière pour choquer la bienséance qui ne permettait pas aux impératrices de passer à des secondes noces, elle se déroba de la cour de Licinius avec Prisca et Candidianus. Elle crut se mettre à l'abri d'une poursuite importune en se réfugiant auprès de Maximin. Celui-ci avait une femme et des enfants: d'ailleurs comme il était fils adoptif de Galérius, il avait jusqu'alors regardé Valéria comme sa mère. Mais c'était une ame brutale et emportée, qui prit feu aussitôt avec beaucoup plus de violence que Licinius. Valéria était encore dans l'année de son deuil: il la fait solliciter par ses confidents; il lui déclare qu'il est prêt à répudier sa femme, si elle consent à en prendre la place. Elle répond avec liberté, qu'encore enveloppée d'habits de deuil, elle ne peut songer au mariage: que Maximin devait se souvenir que le mari de Valéria était son père, dont les cendres n'étaient pas encore refroidies: qu'il ne pouvait sans une cruelle injustice répudier une épouse dont il était aimé, et qu'elle ne pourrait se flatter elle-même d'un meilleur traitement: qu'enfin ce serait une démarche déshonorante et sans exemple, qu'une femme de son rang s'engageât dans un second mariage. Cette réponse ferme et généreuse, portée à Maximin, le mit en fureur. Il proscrit Valéria, s'empare de ses biens, lui ôte tous ses officiers, fait mourir ses eunuques dans les tourments, la bannit avec sa mère, la promène d'exil en exil; et pour ajouter l'insulte à la persécution, il fait condamner à mort, sous une fausse accusation d'adultère, plusieurs dames de la cour, liées d'amitié avec Prisca et Valéria.

LI. Supplice de trois dames innocentes.

Il y en avait une très-distinguée par sa naissance et d'un âge avancé. Valéria la respectait comme une seconde mère. C'était à ses conseils que Maximin attribuait le refus qui le désespérait. Il charge le président Eratinéus, de lui faire subir une mort déshonorante. Il en joignit à celle-là deux autres, également nobles, dont l'une avait sa fille à Rome entre les vestales, l'autre était femme d'un sénateur. Ces deux dernières avaient eu le malheur de plaire à Maximin par leur beauté; il les punissait de leur résistance. On les traîna toutes trois devant un tribunal, où leur condamnation était déja arrêtée. On n'avait trouvé pour se prêter à cette accusation qu'un juif accusé lui-même d'autres crimes, et qui se laissa suborner par la promesse de l'impunité. C'était à Nicée que se jouait cette sanglante tragédie. Le juge qui craignait l'indignation du peuple se transporta hors de la ville avec une nombreuse escorte de soldats, de peur d'être lapidé. On met l'accusateur à la torture; il persiste comme il en était convenu. Les accusées voulaient répondre; les bourreaux leur ferment la bouche à grands coups de poing; la sentence est prononcée; on les conduit au supplice entre deux haies d'archers: tout retentissait de sanglots et de gémissements; et ce qui redoublait la compassion et les larmes des assistants, c'était la vue du sénateur dont je viens de parler. Bien instruit de la fidélité de sa femme, qui en était la malheureuse victime, il eut la généreuse fermeté de l'assister au supplice, et de recueillir ses derniers soupirs. Après qu'on leur eut tranché la tête, on voulait les laisser sans sépulture, mais leurs amis enlevèrent leurs corps pendant la nuit; on ne tint pas la parole donnée à ce misérable juif, qui les avait accusées; ayant été mis en croix, par une perfidie dont la sienne était digne, il révéla à haute voix tout ce mystère d'iniquité, et mourut en protestant de leur innocence.

LII. Dioclétien redemande Valéria.

Cependant Valéria reléguée dans les déserts de Syrie, trouva moyen d'instruire de ses malheurs Dioclétien son père qui vivait encore. Il envoie aussitôt des exprès à Maximin pour le prier de lui rendre sa fille. On ne l'écoute pas: il redouble ses instances à plusieurs reprises, et toujours inutilement. Enfin il dépêche un de ses parents, officier considérable, pour rappeler à Maximin tout ce qu'il devait à Dioclétien, et lui demander cette justice comme un effet de sa reconnaissance. Cet officier ne peut rien obtenir. Ce fut alors que le malheureux père succomba à sa douleur, comme je l'ai déja raconté.

LIII. Mort de Candidianus, de Prisca, et de Valéria.

Maximin ne cessa point de persécuter Valéria. Cependant, même après sa défaite, lorsqu'il voyait sa perte inévitable, et que sa rage n'épargnait pas jusqu'aux prêtres de ses dieux, il n'osa lui ôter la vie. Candidianus s'était séparé d'elle pour quelque raison qu'on ignore: elle le crut mort pendant quelque temps. Mais ayant appris qu'il était vivant, et que Licinius était dans Nicomédie, elle vint avec sa mère rejoindre ce jeune prince; et, sans se faire connaître, les deux princesses sous un habit déguisé se mêlèrent parmi les domestiques de Candidianus, pour attendre ce que la révolution nouvelle produirait dans sa fortune. Candidianus, alors âgé de seize ans, s'étant présenté devant Licinius à Nicomédie, donna de la jalousie à ce vieillard défiant, qui crut s'apercevoir que le fils de Galérius s'attirait trop de considération, et le fit secrètement assassiner. Valéria prit aussitôt la fuite; le reste de sa vie ne fut qu'une course continuelle. Errante pendant quinze mois en diverses provinces, dans l'habillement le plus propre à cacher sa condition, elle fut enfin reconnue à Thessalonique vers le commencement de l'an 315, et arrêtée avec sa mère. Ces deux infortunées princesses, qui n'avaient d'autre crime que leur condition et la chasteté de Valéria, furent condamnées à mort par les ordres de l'injuste et impitoyable Licinius; et conduites au supplice au milieu des larmes inutiles de tout un peuple, elles eurent la tête tranchée: leurs corps furent jetés dans la mer. Quelques auteurs ont prétendu qu'elles étaient chrétiennes, et que Dioclétien les avait contraintes d'offrir de l'encens aux idoles: si cette opinion, qui n'a rien d'assuré, est véritable, leur religion a été pour elles la plus solide consolation dans leurs malheurs, comme leurs malheurs ont pu être le moyen le plus efficace pour expier la faiblesse avec laquelle elles avaient trahi leur religion.

LIV. Jeux séculaires négligés par Constantin.

Zos. l. 2, c. 1.

La révolution des jeux séculaires tombait sur cette année: c'était la cent dixième depuis qu'ils avaient été célébrés par Sévère sous le consulat de Cilon et de Libon en 204. Ceux de l'empereur Philippe n'avaient été qu'une fête extraordinaire pour solenniser la millième année depuis la fondation de Rome. L'ordre des cent dix ans anciennement établi subsistait toujours. Constantin laissa passer le temps de cette cérémonie superstitieuse sans la renouveler. Zosime en fait de grandes plaintes; il attribue à cette omission la décadence de l'empire, dont la prospérité, dit-il, était attachée à la célébration de ces jeux.

LV. Paix universelle de l'église.

Euseb. hist.

eccl. l. 10. c. 1 et 2.

S. Aug. de civ. l. 18, c. 53. t. VII, p. 536, et 1691.

La mort de Maximin ne laissait plus de prince ennemi du christianisme. Les églises s'élevaient, le culte divin se célébrait en liberté, et la piété libérale de Constantin y ajoutait l'éclat et la magnificence. Les païens jaloux de cette gloire firent courir un prétendu oracle en vers grecs, qui portait que la religion chrétienne ne durerait que trois cent soixante-cinq ans; ils débitaient que J.-C. avait été un homme simple et sans malice; mais que Pierre était un magicien, qui, par ses enchantements, avait ensorcelé l'univers, et réussi à faire adorer son maître; qu'après trois cent soixante-cinq ans le charme cesserait. Ces chimériques impostures n'alarmèrent pas les défenseurs du christianisme; c'étaient des cris impuissants de l'idolâtrie terrassée. L'église chrétienne qui s'était accrue malgré toutes les puissances humaines, protégée alors par les souverains, n'avait de blessures à craindre que de la part de ses enfants. Et comme sa destinée est de combattre et de vaincre sans cesse, n'ayant plus de guerre étrangère à soutenir, elle fut attaquée dans son propre sein par des ennemis d'autant plus acharnés que c'étaient des sujets rebelles. Je parle des donatistes, dont je vais reprendre l'histoire dès l'origine. Comme c'est ici la première occasion qui se présente de parler de matières ecclésiastiques, je me crois obligé d'avertir le lecteur, que dans tout le cours de cet ouvrage, je ne les traiterai qu'autant qu'elles auront de l'influence sur l'ordre civil. Les empereurs devenus chrétiens ne sont que trop entrés dans les querelles théologiques; ils y entraînent leur historien malgré lui. J'éviterai les détails étrangers à mon objet, et je laisserai le fond des discussions à l'histoire de l'église, à laquelle seule il appartient de décider souverainement ces questions.

LVI. Origine du schisme des donatistes.

Optat. de schism. Donat. l. 1. p. 9-24.

Bald. in Optat.

Acta Felicis Aptung.

S. Aug. contra Petil. t. IX, p. 205-337.

Brevi. coll. cum Donat. t. IX. p. 545-581.

Epist. 141, 88 et 185.

Post coll. ad Donat. t. IX, p. 581-617.

Contra Crescon., l. 1, t. IX, p. 390-420, et in Parmen. t. IX. p. 11-79. edit. 1691.

Coll. Carth.

Conc. Hard. t. I, p. 259, et seq.

Euseb. hist. eccl. l. 10, c. 5.

Vales. de Schism. Donat.

Dupin, Hist. Donat.

Pagi, ad Baron. an. 306.

Till. Hist. des Donat.

Fleury, Hist. eccles.

Depuis l'abdication de Maximien, les troubles de l'empire avaient fait cesser la persécution en Afrique. L'église de cette province commençait à jouir du calme, lorsque l'hypocrisie, l'avarice, l'ambition, soutenues par la vengeance d'une femme puissante et irritée, y excitèrent une nouvelle tempête. Par l'édit de Dioclétien, il y allait de la vie pour les magistrats des villes, qui n'arracheraient pas aux chrétiens ce qu'ils avaient des saintes écritures. Ainsi la recherche en était exacte et rigoureuse. Un grand nombre de fidèles et même d'évêques eurent la faiblesse de les livrer: on les appela Traditeurs. Mensurius, évêque de Carthage, était recommandable par sa vertu; Donat, évêque des Cases-Noires en Numidie, l'accusa pourtant de ce crime, et quoiqu'il n'eût pu l'en convaincre, il se sépara de sa communion. Mais ce schisme fit peu d'éclat jusqu'à la mort de Mensurius. Celui-ci fut mandé à la cour de Maxence, pour y rendre compte de sa conduite. On lui imputait d'avoir caché dans sa maison, et d'avoir refusé aux officiers de justice un diacre nommé Félix, accusé d'avoir composé un libelle contre l'empereur. En partant de Carthage, il mit les vases d'or et d'argent qui servaient au culte divin, en dépôt entre les mains de quelques anciens, et il en laissa le mémoire à une femme avancée en âge, dont il connaissait la probité, avec ordre de le remettre à son successeur, s'il ne revenait pas de ce voyage. Il mourut dans le retour. Les évêques de la province d'Afrique mirent en sa place Cécilien, diacre de l'église de Carthage, qui fut élu par le suffrage du clergé et du peuple, et ordonné par Félix, évêque d'Aptunge. Le nouvel évêque commença par redemander les vases dont l'état lui avait été remis. Les dépositaires, au lieu de les rendre, aimèrent mieux contester à Cécilien la validité de son ordination. Ils furent appuyés de deux diacres ambitieux, Botrus et Céleusius, irrités de la préférence qu'on lui avait donnée sur eux. Mais le principal ressort de toute cette intrigue était une Espagnole établie à Carthage, nommée Lucilla, noble, riche, fausse dévote, et par conséquent orgueilleuse. Elle ne pouvait pardonner à Cécilien une réprimande qu'il lui avait faite sur le culte qu'elle rendait à un prétendu martyr, qui n'avait pas été reconnu par l'église. Cette femme si délicate sur l'honneur d'une relique équivoque, ne se fit point de scrupule d'employer contre son évêque tout ce qu'elle avait de crédit, de richesses et de malice. Toute cette cabale, soutenue par Donat des Cases-Noires, écrivit à Sécundus, évêque de Tigisi et primat de Numidie, pour le prier de venir à Carthage avec les évêques de sa province. On s'attendait bien à trouver dans ce prélat une grande disposition à condamner Cécilien. Sécundus lui en voulait de ce qu'il s'était fait ordonner par Félix plutôt que par lui, et les autres trouvaient mauvais qu'il ne les eût pas appelés à cette ordination. Avant même qu'elle fût faite, Sécundus avait envoyé à Carthage plusieurs de ses clercs, qui, ne voulant pas communiquer avec les clercs de la ville, s'étaient logés chez Lucilla, et avaient nommé un visiteur du diocèse.

LVII. Conciliabule de Carthage, où Cécilien est condamné.

Les évêques de Numidie, ayant leur primat à leur tête, ne tardèrent pas à se rendre à Carthage, au nombre de soixante et dix. Ils s'établirent chez les ennemis de l'évêque; et au lieu de s'assembler dans la basilique où tout le peuple avec Cécilien les attendait, ils tinrent leur séance dans une maison particulière. Là ils citèrent Cécilien. Il refusa de comparaître devant une assemblée aussi irrégulière. D'ailleurs il était retenu par son peuple, qui ne voulait pas l'exposer à l'emportement de ses ennemis. Ils le condamnèrent comme ordonné par des Traditeurs, et enveloppèrent dans sa condamnation ceux qui l'avaient ordonné: on déclara qu'on ne communiquerait ni avec eux ni avec Cécilien. Ce qu'il y a de remarquable, c'est que les principaux de ces évêques si zélés contre les Traditeurs, s'étaient avoués coupables du même crime dans le concile de Cirtha, tenu sept ans auparavant, et s'en étaient mutuellement donné l'absolution.

LVIII. Ordination de Majorinus.

Le siége de Carthage étant ainsi déclaré vacant, la cabale élut pour le remplir Majorinus, domestique de Lucilla, et qui avait été lecteur dans la diaconie de Cécilien. Lucilla acheta cette place en donnant aux évêques quatre cents bourses, pour être, disait-elle, distribuées aux pauvres; mais ils les partagèrent entre eux, pour mieux suivre la vraie intention de celle qui les donnait. Ils écrivirent en même temps par toute l'Afrique, afin de détacher les évêques de la communion de Cécilien. La calomnie, qui naît bien vite de la chaleur des querelles, fut aussitôt mise en œuvre. Ils accusaient les adversaires d'avoir assassiné un des leurs à Carthage, avant l'ordination de Majorinus. Les lettres d'un concile si nombreux divisèrent les églises d'Afrique: mais Cécilien n'en fut pas alarmé, étant uni de communion avec toutes les autres églises du monde, et principalement avec l'église romaine, en qui réside de tout temps la primauté de la chaire apostolique.

LIX. Constantin prend connaissance de cette querelle.

Peu de temps après l'ordination de Majorinus, Constantin, s'étant rendu maître de l'Afrique, fit distribuer des aumônes aux églises de cette province. Il était déja instruit des troubles excités par les schismatiques, et il les excluait de ses libéralités. La jalousie qu'ils en conçurent aiguisa leur malice. Accompagnés d'une foule de peuple qu'ils avaient séduit, ils viennent avec grand bruit présenter au proconsul Anulinus un mémoire rempli de calomnies contre Cécilien, et une requête à l'empereur, par laquelle ils demandaient pour juges des évêques de Gaule. Ceux-ci semblaient en effet, plus propres à faire dans cette querelle la fonction de juges, parce qu'il n'y avait point parmi eux de Traditeurs, la Gaule ayant été à l'abri de la persécution sous le gouvernement de Constance et de Constantin: l'empereur prit connaissance de ces pièces, et ordonna au proconsul de signifier à

Cécilien et à ses adversaires, qu'ils eussent à se rendre à Rome avant le 2 d'octobre de cette année 313, pour y être jugés par des évêques. Il écrivit en même temps au pape Miltiade et à trois évêques de Gaule, célèbres par leur sainteté et par leur savoir, les priant d'entendre les deux parties et de prononcer. Il envoya au pape le mémoire et la requête des schismatiques. Les trois évêques de Gaule étaient Rhéticius d'Autun, Marinus d'Arles, et Maternus de Cologne. Le pape leur joignit quinze évêques d'Italie. Cécilien avec dix évêques catholiques, et Donat à la tête de dix autres de son parti, arrivèrent à Rome au temps marqué.

LX. Concile de Rome.

Le concile s'ouvrit le 2 d'octobre dans le palais de l'impératrice Fausta, nommé la maison de Latran. Le pape y présida; les trois évêques de Gaule étaient assis ensuite; après eux les quinze évêques d'Italie. Il ne dura que trois jours, et tout se passa dans la forme la plus régulière. Dès la première session, les accusateurs ayant refusé de parler, Donat, convaincu lui-même de plusieurs crimes par Cécilien, se retira avec confusion, et ne reparut plus devant le concile. Dans les deux autres sessions on examina l'affaire de Cécilien; on déclara illégitime et irrégulière l'assemblée des soixante et dix évêques numides; mais on ne voulut pas entrer en discussion sur Félix d'Aptunge: outre que cet examen était long et difficile, on décida qu'il était inutile dans la cause présente, puisque supposé même que Félix fût traditeur, n'étant point déposé de l'épiscopat, il avait pu ordonner Cécilien. On prit dans le jugement le parti le plus doux, ce fut de déclarer Cécilien innocent et bien ordonné, sans séparer de la communion ses adversaires. Le seul Donat fut condamné sur ses propres aveux, et comme auteur du trouble. On rendit compte à Constantin de ce qui s'était passé, et on lui envoya les actes du concile. Miltiade ne survécut pas long-temps; il mourut le 10 de janvier de l'année suivante, et Silvestre lui succéda.

LXI. Suites de ce concile.

Le Père Morin, de la délivr. de l'église, part. 2, c. 17.

Il eût été de la prudence chrétienne, dit un pieux et savant moderne, de ne pas montrer à un empereur nouvellement converti les dissensions de l'église. Les donatistes n'eurent pas cette discrétion. Cependant un tel scandale n'ébranla pas la foi de Constantin: mais on voit par sa conduite en toute cette affaire, qu'il n'était pas encore parfaitement instruit de la discipline de l'église. Ce prince aimait la paix; il la voulait sincèrement procurer; mais, trompé par les partisans secrets que les donatistes d'abord et ensuite les ariens avaient à la cour, il croyait souvent la trouver où elle n'était pas; plus ardent à chercher la lumière, que ferme à la suivre quand il l'avait une fois connue. Après le concile, Donat ne put obtenir la permission de retourner en Afrique, même sous la condition qu'il n'approcherait pas de Carthage. Pour l'en consoler, Filumène son ami, qui était en crédit auprès de l'empereur, persuada à ce prince de retenir aussi Cécilien à Brescia [*Brixia*] en Italie, pour le bien de la paix. Constantin envoya encore deux évêques à Carthage, pour reconnaître de quel côté était l'église catholique. Après quarante jours d'examen et de discussions, où les schismatiques montrèrent leur humeur turbulente, ces évêques prononcèrent pour le parti de Cécilien. Donat, afin de ranimer le sien par sa présence, retourna à Carthage contre l'ordre de l'empereur. Cécilien ne l'eut pas plus tôt appris, qu'il en fit autant, pour défendre son troupeau.

AN 314.

LXII. Plaintes des Donatistes.

La décision du concile de Rome, loin de fermer la bouche aux schismatiques, leur fit jeter de plus grands cris. Comme pour de bonnes raisons on n'avait pas jugé à propos d'entrer dans l'examen de la personne de Félix d'Aptunge, ils se plaignaient que leur cause, abandonnée à un petit nombre de juges, n'eût pas été entendue; ils représentaient ce concile comme une cabale; ils publiaient que les évêques, renfermés en particulier, avaient prononcé selon leurs passions et leurs intérêts. L'empereur, pour leur ôter tout prétexte, consentit à faire examiner dans un concile plus nombreux la cause de Félix et l'ordination de Cécilien: et comme ils avaient demandé pour juges des évêques de Gaule, il choisit la ville d'Arles. Pour avérer la conduite de Félix pendant la persécution, et décider s'il avait véritablement livré les saintes écritures, il fallait des informations faites sur les lieux. L'empereur en chargea Élien, proconsul d'Afrique en cette année 314. L'affaire fut instruite juridiquement et avec exactitude. Le 15 de février on entendit des témoins, on interrogea les magistrats et les officiers d'Aptunge; on reconnut l'innocence de Félix et la fourberie des adversaires qui avaient falsifié des actes et des lettres. Un secrétaire du magistrat, nommé Ingentius, dont ils s'étaient servis, découvrit toute l'imposture; et le procès-verbal, dont il nous reste encore une grande partie, fut envoyé à l'empereur.

LXIII. Convocation du concile d'Arles.

Pendant qu'on préparait par cette procédure les matières qui devaient être traitées dans le concile, Constantin convoquait les évêques. Il chargea Ablabius, vicaire d'Afrique, d'enjoindre à Cécilien et à ses adversaires de se rendre dans la ville d'Arles avant le 1er d'août, avec ceux qu'ils choisiraient pour les accompagner. Il lui ordonne de leur fournir des voitures par l'Afrique, la Mauritanie et l'Espagne, et de leur recommander de mettre ordre, avant leur départ, au maintien de la discipline et de la paix pendant leur absence. Il déclare que son intention est de faire donner dans ce concile une décision définitive, et que ces disputes de religion ne sont propres qu'à attirer la colère de Dieu sur ses sujets et sur lui-même. L'empereur écrivit en même temps une lettre circulaire aux évêques. Nous avons celle qui fut envoyée à Chrestus, évêque de Syracuse. Le prince y expose ce qu'il a déja fait pour la paix, l'opiniâtreté des donatistes, sa condescendance à leur procurer un nouveau jugement; il ajoute ensuite: «Comme nous avons convoqué les évêques d'un grand nombre de lieux différents pour se rendre à Arles aux calendes d'août, nous avons cru devoir aussi vous mander de vous rendre au même lieu, dans le même terme, avec deux personnes du second ordre, telles que vous jugerez à propos de les choisir, et trois valets pour vous servir dans le voyage. Latronianus, gouverneur de Sicile, vous fournira une voiture publique.» On voit avec quelle facilité on pouvait alors assembler des conciles, et le peu qu'il en coûtait à l'empereur pour les frais du voyage des évêques.

Le concile commença le 1er jour d'août. Marinus, évêque d'Arles, y présida. Le pape y envoya deux légats: c'étaient les prêtres Claudianus et Vitus. On a dans la lettre synodale la souscription de trente-trois évêques, dont seize étaient de la Gaule. Il y en avait sans doute un plus grand nombre; mais leurs souscriptions sont perdues. Constantin n'y assista pas: il était occupé de la guerre contre Licinius. On examina les accusations contre Cécilien, et surtout la cause de Félix. On ne trouva point de preuve que celui-ci eût livré les livres saints. Après un mûr examen, tous deux furent déclarés innocents, et leurs accusateurs, les uns renvoyés avec mépris, les autres condamnés. Cette sainte assemblée fit encore, avant que de se séparer, d'excellents canons de discipline. Les évêques écrivirent au pape, qu'ils appellent leur *très-cher frère*, une lettre synodale, où ils lui rendent compte de leur jugement et de leurs décrets, afin qu'il les fasse publier dans les autres églises.

LXIV. Les donatistes appellent du concile à l'empereur.

Un petit nombre de schismatiques, qui s'étaient égarés de bonne foi, rentrèrent dans le sein de l'église catholique, en se réunissant avec Cécilien. Les autres osèrent appeler de la sentence du concile à l'empereur. Il en fut indigné, et le témoigna dans une lettre qu'il écrivit aux évêques avant qu'ils fussent sortis d'Arles: *Ils attendent*, dit-il, *le jugement d'un homme, qui attend lui-même le jugement de Jésus-Christ. Quelle impudence! Interjeter appel d'un concile à l'empereur comme d'un tribunal séculier!* Il menace de faire amener à sa cour ceux qui ne se soumettront pas, et de les y retenir jusqu'à la mort. Il déclare qu'il a donné ordre au vicaire d'Afrique de lui envoyer sous bonne garde les réfractaires; il exhorte pourtant les évêques à la charité et à la patience, et leur donne congé de retourner dans leur diocèse, après qu'ils auront fait leurs efforts pour ramener les opiniâtres. Les plus séditieux furent conduits à la cour par des tribuns et des soldats. Les autres retournèrent en Afrique, et furent, aussi-bien que les évêques catholiques, défrayés dans leur retour par la générosité de Constantin.

FIN DU LIVRE SECOND.

LIVRE III.

I. Consuls de cette année. II. Première guerre entre Constantin et Licinius. III. Bataille de Cibalis. IV. Suites de cette bataille. V. Bataille de Mardie. VI. Traité de paix et de partage. VII. Loi en faveur des officiers du palais. VIII. Décennales de Constantin. IX. Révolte des Juifs réprimée. X. Lois en l'honneur de la croix. XI. Constantin en Gaule. XII. Il se détermine à juger de nouveau les donatistes. XIII. Nouveaux troubles en Afrique. XIV. Jugement rendu à Milan. XV. Mécontentement des donatistes. XVI. Violences des donatistes. XVII. Sylvanus exilé et rappelé. XVIII. Le schisme dégénère en hérésie. XIX. Donatistes à Rome. XX. Circoncellions. XXI. Constantin en Illyrie. XXII. Nomination des trois Césars. XXIII. Lactance chargé de l'instruction de Crispus. XXIV. Naissance de Constance. XXV. Éducation du jeune Constantin consul avec son père. XXVI. Persécution de Licinius. XXVII. Victoire de Crispus sur les Francs. XXVIII. Quinquennales des Césars. XXIX. Consuls. XXX. Les Sarmates vaincus. XXXI. Pardon accordé aux criminels. XXXII. Lois de Constantin. XXXIII. Loi pour la célébration du dimanche. XXXIV. Loi en faveur du célibat. XXXV. Loi de tolérance. XXXVI. Loi en faveur des ministres de l'église. XXXVII. Lois qui regardent les mœurs. XXXVIII. Lois concernant les officiers du prince et ceux des villes. XXXIX. Lois sur la police générale et sur le gouvernement civil. XL. Lois sur l'administration de la justice. XLI. Lois sur la perception des impôts. XLII. Lois pour l'ordre militaire. XLIII. Causes de la guerre entre Constantin et Licinius. XLIV. Préparatifs de guerre. XLV. Piété de Constantin et superstition de Licinius. XLVI. Approches des deux armées. XLVII. Harangue de Licinius. XLVIII. Bataille d'Andrinople. XLIX. Guerre sur mer. L. Licinius passe à Chalcédoine. LI. Bataille de Chrysopolis. LII. Suites de la bataille. LIII. Mort de Licinius.

AN 314.

I. Consuls de cette année.

Idat. chron.

Till. note 5, sur Constantin.

Buch. de cycl. p. 238.

Il y avait treize ans que les Augustes et les Césars, dont l'empire était surchargé, s'étaient emparés du consulat ordinaire. Jaloux de cette dignité, quand ils ne jugeaient pas à propos de la remplir eux-mêmes, ils avaient pris le parti de la laisser vacante et de dater de leurs consulats précédents. Les sujets ne pouvaient atteindre qu'à des places de consuls subrogés; leur gloire et la récompense de leurs services restaient comme étouffées entre ce grand nombre de souverains. Toute la puissance étant enfin réunie sur deux têtes, pour l'être bientôt sur une seule, le mérite des particuliers se trouva plus au large et dans un plus grand jour. Constantin voulut bien leur faire place et partager avec eux la première charge de l'empire. Cette année Volusianus et Annianus furent consuls ordinaires, c'est-à-dire qu'ils entrèrent en fonction au 1er de janvier. Ce Volusianus est celui qui avait été sous Maxence préfet de Rome en 310, consul pendant les quatre derniers mois de l'année 311, et en même temps préfet du prétoire, et qui en cette année-là avait vaincu Alexandre et réduit l'Afrique. Constantin capable de sentir le vrai mérite dans ses ennemis même, lui tint compte des talents qu'il avait montrés au service de Maxence; il lui donna de nouveau en 314, avec le consulat, la charge de préfet de Rome.

II. Première guerre entre Constantin et Licinius.

Zos. l. 2. c. 18.

[Eutrop. l. 10.]

Anony. Vales.

Tandis que l'empereur s'efforçait de terminer par des conciles la contestation qui divisait l'église d'Afrique, il décidait lui-même par les armes la querelle survenue entre lui et Licinius. En voici l'occasion. Constantin voulant donner le titre de César à Bassianus qui avait épousé sa sœur Anastasia, envoya un des grands de sa cour, nommé Constantius, à Licinius pour obtenir son consentement. Il lui faisait part en même temps du dessein qu'il avait d'abandonner à Bassianus la souveraineté de l'Italie, qui ferait par ce moyen une ligne de séparation entre les états des deux empereurs. Ce projet déplut à Licinius. Pour en traverser le succès, il employa Sénécion, homme artificieux, dévoué à ses volontés, et qui étant frère de Bassianus, vint à bout de lui inspirer des défiances, et de le porter à la révolte contre son beau-frère et son bienfaiteur. Cette perfidie fut découverte: Bassianus fut convaincu et paya de sa tête son ingratitude. Sénécion, auteur de toute l'intrigue, était à la cour de Licinius; Constantin le demanda pour le punir: le refus de Licinius fut regardé comme une déclaration de guerre. On peut croire que Constantin la souhaitait; il était sans doute jaloux de n'avoir point profité de la dépouille de Maximin: Zosime fait entendre que Constantin demandait qu'on lui cédât quelques provinces. Licinius commença par faire abattre les statues de son collègue à Émona en Pannonie sur les confins de l'Italie.

III. Bataille de Cibalis.

Cod. Just. lib. 3, tit. 1. leg. 8.

Anony. Vales.

Zos. l. 2, c. 18.

Vict. epit. p. 223.

Idat. chron.

[Eutrop. l. 10.]

La rupture des deux princes n'éclata qu'après le 15 de mai, jour duquel est encore datée une loi attribuée à tous les deux. Constantin laisse en Gaule son fils Crispus, et marche vers la Pannonie. Licinius y assemblait ses troupes auprès de Cibalis. C'était une ville fort élevée; on y arrivait par un chemin large de six cents pas, bordé d'un côté par un marais profond, nommé *Hiulca*, et de l'autre par un coteau. Sur ce coteau s'étendait une grande plaine, où s'élevait une colline, sur laquelle la ville était bâtie. Licinius se tenait en bataille au pied de la colline. Son armée était de trente-cinq mille hommes. Constantin ayant rangé au pied du coteau la sienne, qui n'était que de vingt mille hommes, fit marcher en tête les cavaliers, comme plus capables de soutenir le choc, si les ennemis venaient fondre sur lui dans ce chemin escarpé et difficile. Licinius au lieu de profiter de son avantage, les attendit dans la plaine. Dès que les troupes de Constantin eurent gagné la hauteur, elles chargèrent celles de Licinius: jamais victoire ne fut mieux disputée.

Après avoir épuisé les traits de part et d'autre, ils se battent long-temps à coups de piques et de lances. Le combat commencé au point du jour, durait encore avec le même acharnement aux approches de la nuit, lorsque enfin l'aile droite commandée par Constantin enfonça l'aile gauche des ennemis qui prit la fuite. Le reste de l'armée de Licinius, voyant son chef, qui jusque-là avait combattu à pied, sauter à cheval pour se sauver, se débanda aussitôt, et prenant à la hâte ce qu'il fallait de vivres seulement pour cette nuit, elle abandonna ses bagages et s'enfuit en toute diligence à Sirmium sur la Save. Cette bataille fut livrée le 8 d'octobre. Licinius laissa vingt mille hommes sur la place.

IV. Suites de la bataille.

Zos. l. 2, c. 19.

Anony. Vales.

Il ne s'arrêta à Sirmium que pour y prendre avec lui sa femme, son fils et ses trésors; et ayant rompu le pont dès qu'il l'eut passé, il gagna la Dacie[25] où il créa César Valens général des troupes qui gardaient la frontière. De là il se retira vers la ville d'Andrinople [*Hadrianopolis*], aux environs de laquelle Valens rassembla une nouvelle armée. Cependant Constantin s'étant rendu maître de Cibalis, de Sirmium et de toutes les places que Licinius laissait derrière lui, détacha cinq mille hommes pour le suivre de plus près. Ceux-ci se trompèrent de route et ne purent l'atteindre. Constantin ayant rétabli le pont sur la Save, suivait les vaincus avec le reste de son armée. Il arriva à Philippopolis en Thrace, où des envoyés de Licinius vinrent lui proposer un accommodement: ce qui fut sans effet, parce que Constantin exigeait pour préliminaire la déposition de Valens.

[25] Il ne s'agit pas ici des pays au nord du Danube, conquis autrefois par Trajan, et qui forment chez les modernes la Transylvanie et les deux principautés de Moldavie et de Valachie. Il est question des provinces de la Mœsie, situées au sud du Danube, qui répondent à la Bulgarie des modernes, et qui étaient alors nommées Dacie.—S.-M.

V. Bataille de Mardie.

Le vainqueur continuant sa marche trouva l'ennemi campé dans la plaine de Mardie. La nuit même de son arrivée il donne l'ordre de la bataille, et met son armée sous les armes. A la pointe du jour Licinius voyant déja Constantin à la tête de ses troupes, se hâte avec Valens de ranger aussi les siennes. Après les décharges de traits, on s'approche, on se bat à coups de main. Pendant le fort du combat, les troupes de détachement que Constantin avait envoyées à la poursuite et qui s'étaient égarées, paraissent sur une éminence à la vue des deux armées et prennent un détour par une colline, d'où elles devaient en descendant rejoindre leurs gens et envelopper en même temps les ennemis. Ceux-ci rompirent ces mesures par un mouvement fait à propos, et se défendirent de tous côtés avec courage. Le carnage était grand et la victoire incertaine. Enfin, lorsque l'armée de Licinius commençait à s'affaiblir, la nuit étant survenue lui épargna la honte de fuir. Licinius et Valens profitant de l'obscurité décampèrent à petit bruit, et tournant sur la droite vers les montagnes, se retirèrent à Bérhée. Constantin prit le change, et tirant vers Byzance, il ne s'aperçut qu'il avait laissé Licinius bien loin derrière lui, qu'après avoir lassé par une marche forcée ses soldats déja fatigués de la bataille.

VI. Traité de partage.

Zos. l. 2, c. 20.

Petr. Patric. excerp. leg. p. 27.

Vict. epit. p. 221 et 222.

Eutrop. l. 10.

Toinard, in Lact. p. 417.

Godef. in Chron. p. 9.

Till. art. 37.

Dès le jour même le comte Mestrianus vint trouver Constantin pour lui faire des propositions de paix. Ce prince refusa pendant plusieurs jours de l'écouter. Enfin, réfléchissant sur l'incertitude des événements de la guerre, et ayant même depuis peu perdu une partie de ses équipages, qui lui avaient été enlevés dans une embuscade, il donna audience à Mestrianus. Ce ministre lui représenta, «Qu'une victoire remportée sur des compatriotes était un malheur plutôt qu'une victoire: que dans une guerre civile le vainqueur partageait les désastres du vaincu; et que celui qui refusait la paix devenait l'auteur de tous les maux de la guerre». Constantin justement irrité contre Licinius, et naturellement prompt et impatient dans sa colère, reçut fièrement cette remontrance, qui semblait le rendre responsable des suites funestes qu'avait entraînées la perfidie de Licinius; et montrant son courroux par l'air de son visage et par le ton de sa voix: *Allez dire à votre maître que je ne suis pas venu des bords de l'Océan jusqu'ici, les armes à la main et toujours victorieux, pour partager la puissance des Césars avec un vil esclave, moi qui n'ai pu souffrir les trahisons de mon beau-frère et qui ai renoncé à son alliance.* Il déclara ensuite à Mestrianus qu'avant que de parler de paix, il fallait ôter à Valens le titre de César. On y consentit. Selon quelques auteurs, Valens fut seulement réduit à la condition privée; selon d'autres, Constantin demanda sa mort; Victor dit que ce fut Licinius qui le fit mourir. Cet obstacle étant levé, la paix fut conclue à condition d'un nouveau partage. Constantin ajouta à ce qu'il possédait déja, la Grèce, la Macédoine, la Pannonie, la Dardanie, la Dacie, la première Mésie, et toute l'Illyrie. Il laissa à Licinius la Thrace, la seconde Mésie, la petite Scythie, toute l'Asie et l'Orient. Ce traité fut confirmé par le serment des deux princes. Constantin passa le reste de cette année et la suivante dans ses nouveaux états, c'est-à-dire dans les provinces de Grèce et d'Illyrie.

VII. Loi en faveur des officiers du palais.

Cod. Th. lib. 6, tit. 35.

Dig. lib. 49, tit. 17.

Tant d'expéditions et de voyages fatiguaient les officiers de son palais. Pour les en dédommager, il les exempta de toute fonction municipale et onéreuse, soit qu'ils fussent actuellement à la suite, soit qu'ils se fussent retirés de la cour après avoir obtenu leur congé; il défendit de leur susciter à ce sujet aucune inquiétude: il étendit cette exemption à leurs fils et à leurs petits-fils. Il renouvela et expliqua plusieurs fois cette loi, pour dissiper les chicanes qu'on leur faisait sur cette immunité, et déclara que par rapport aux biens qu'ils auraient pu acquérir à son service, ils jouiraient des mêmes priviléges dont jouissaient les soldats pour les biens acquis à la guerre: *Parce que le service du prince devait être mis au même rang que le service de l'état; le prince lui-même étant sans cesse occupé de voyages et d'expéditions laborieuses, et sa maison étant, pour ainsi dire, un camp perpétuel.* En effet, si l'on excepte les premières années de son règne, où l'humeur inquiète des Francs lui fit choisir Trèves pour sa résidence; et les dernières années de sa vie, dans lesquelles le soin d'établir sa nouvelle ville le fixa plus long-temps en Illyrie et à Constantinople, il ne fit nulle part de longs séjours. Souvent aux prises avec Maxence, avec Licinius, avec les Barbares qui attaquaient les diverses frontières, et dans les intervalles de ces guerres toujours occupé de la discipline, on le voit courir sans cesse d'une extrémité à l'autre de son vaste empire. Il porte sa présence partout où l'appelle le besoin de l'état, avec une promptitude qui fait souvent perdre la trace de ses voyages.

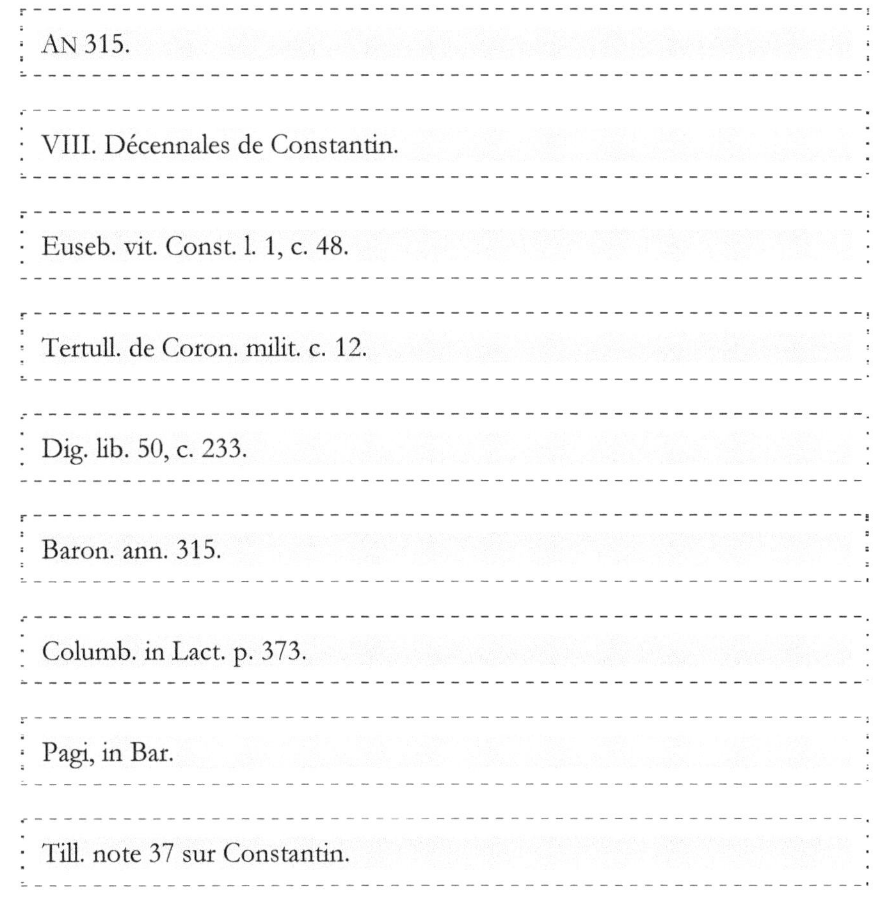
AN 315.

VIII. Décennales de Constantin.

Euseb. vit. Const. l. 1, c. 48.

Tertull. de Coron. milit. c. 12.

Dig. lib. 50, c. 233.

Baron. ann. 315.

Columb. in Lact. p. 373.

Pagi, in Bar.

Till. note 37 sur Constantin.

La concorde paraissait solidement rétablie entre les deux princes; ils furent consuls ensemble pour la quatrième fois en 315. Cette année fut presque toute employée à faire des lois utiles dont nous parlerons bientôt. Constantin entrait au 25 de juillet dans la dixième année de son règne, et plusieurs auteurs croient avec fondement qu'il fit alors ses décennales. C'était une espèce de fête, que les empereurs solennisaient tantôt au commencement, tantôt à la fin de la dixième année de leur empire. Ils célébraient aussi la révolution de cinq ans de règne, ce qui s'appellait les quinquennales. Ces fêtes aussi bien que deux autres, qui se faisaient l'une le 3 de janvier, l'autre le jour anniversaire de la naissance des empereurs, avaient été jusqu'alors infectées de paganisme. Constantin les purgea de toutes ces superstitions; il en bannit les sacrifices, il défendit d'offrir à Dieu pour lui autre chose que des prières et des actions de grace. Licinius par une émulation frivole, pour ne pas reconnaître qu'il n'était empereur que postérieurement à Constantin, célébra aussi cette année ses décennales, quoiqu'il n'entrât que dans la neuvième année de son empire le 11 de novembre.

IX. Révolte des Juifs réprimée.

Zonar. l. 13, t. 2, p. 4.

Cedrenus. t. I, p. 273.

S. Chrysost. Hom., 2 adv. Jud. t. I, p. 605.

Baron. in an. 315.

Vorb. hist. Rom. Germ. t. 2, p. 165.

Cod. Th. lib. 16, tit. 8 et ibi Godef.

Ibid. tit. 9.

La controverse rapportée dans les actes de saint Silvestre, aussi-bien que par Zonaras et Cédrénus, dans laquelle ce saint pape confondit les docteurs de la synagogue, porte tous les caractères d'une fable. Mais un fait attesté par saint Jean Chrysostôme, c'est que les Juifs jaloux de la prospérité du christianisme, se révoltèrent sous Constantin. Ils entreprirent de rebâtir leur temple, et violèrent les anciennes lois qui leur interdisaient l'entrée de Jérusalem. Cette révolte ne coûta au prince que la peine de la punir. Il fit couper les oreilles aux plus coupables, et les traîna en cet état à sa suite, voulant intimider par cet exemple de sévérité cette nation que la vengeance divine avait depuis long-temps dispersée par tout l'empire. On ne sait pas le temps précis de cet événement. Ce qui nous engage avec quelques modernes à le mettre en cette année, c'est que la première loi de Constantin contre les Juifs est datée de son quatrième consulat. Ils poussaient la fureur jusqu'à maltraiter et même lapider ceux d'entre eux qui passaient au christianisme: l'empereur condamne au feu ceux qui se rendront désormais coupables, et même complices de ces excès; et si quelqu'un ose embrasser leur secte impie, il menace de punir sévèrement et le prosélyte et ceux qui l'auront admis. Il s'adoucit cependant quelques années après; et comme depuis Alexandre Sévère, tous les Juifs avaient été exempts des charges personnelles et civiles, il continua ce privilége à deux ou trois par synagogue; il l'étendit ensuite à tous les ministres de la loi. La rage de ce peuple l'obligea encore, un an avant sa mort, à renouveler sa première loi; et de plus il déclara libre tout esclave chrétien ou même de quelque religion qu'il fût, qu'un Juif maître de cet esclave aurait fait circoncire. Son fils Constance alla plus loin: il ordonna la confiscation de tout esclave d'une autre nation ou d'une autre secte qui serait acheté par un juif, la peine capitale si le juif avait fait circoncire l'esclave, et la confiscation de tous les biens du juif, si l'esclave acheté était chrétien.

X. Lois en l'honneur de la croix.

Soz. l. 1, c. 8.

Aurel. Vict. de Cæs. p. 176.

Cod. Th. lib. 9, tit. 40. et ibi Godef.

Lact. Instit. l. 4, c. 26, 27.

Les honneurs que Constantin rendit à la croix de Jésus-Christ ne durent pas causer moins de dépit aux juifs que de joie aux chrétiens. Elle était déja sur les étendards; il ordonna qu'elle fût gravée sur ses monnaies et peinte dans tous les tableaux qui porteraient l'image du prince. Il abolit le supplice de la croix et l'usage de rompre les jambes aux criminels. C'était la coutume de marquer au front ceux qui étaient condamnés à combattre dans l'arène ou à travailler aux mines; il le défendit par une loi, et permit seulement de les marquer aux mains et aux jambes, afin de ne pas déshonorer la face de l'homme, qui porte l'empreinte de la majesté divine. On croit que ces pieuses idées lui furent inspirées par Lactance, qui était alors avec Crispus dans les Gaules en qualité de précepteur, et qui dans ses livres des Institutions divines, qu'il composa dans ce temps-là, fait un magnifique éloge de la croix et de la vertu qu'elle imprime sur le front des chrétiens.

AN 316.

XI. Constantin en Gaule.

Vict. epit. p. 223.

Godef. chr.

Till., art. 40.

Cod. Th. lib. 4, tit. 13.

Au commencement de l'année suivante, sous le consulat de Sabinus et de Rufinus, Constantin vint en Gaule, et y passa les deux tiers de l'année. Il était à Trèves dès le 11 de janvier; il honora la dixième année de son règne par une action de générosité: il déclara que tous ceux qui se trouvaient posséder quelque fonds détaché du domaine impérial, sans avoir été troublés dans cette possession jusqu'à ses décennales, ne pourraient plus être inquiétés dans la propriété de ces biens. Après avoir passé à Vienne, il vint à Arles, et répara cette ville, qui prit par reconnaissance le nom de Constantine; mais il ne paraît pas qu'elle l'ait long-temps conservé. Fausta y mit au monde, le 7 d'août, son premier fils, qui porta le même nom que son père. Vers le mois d'octobre, l'empereur quitta les Gaules où il ne revint plus, et prit la route d'Illyrie.

XII. Il se détermine à juger de nouveau les Donatistes.

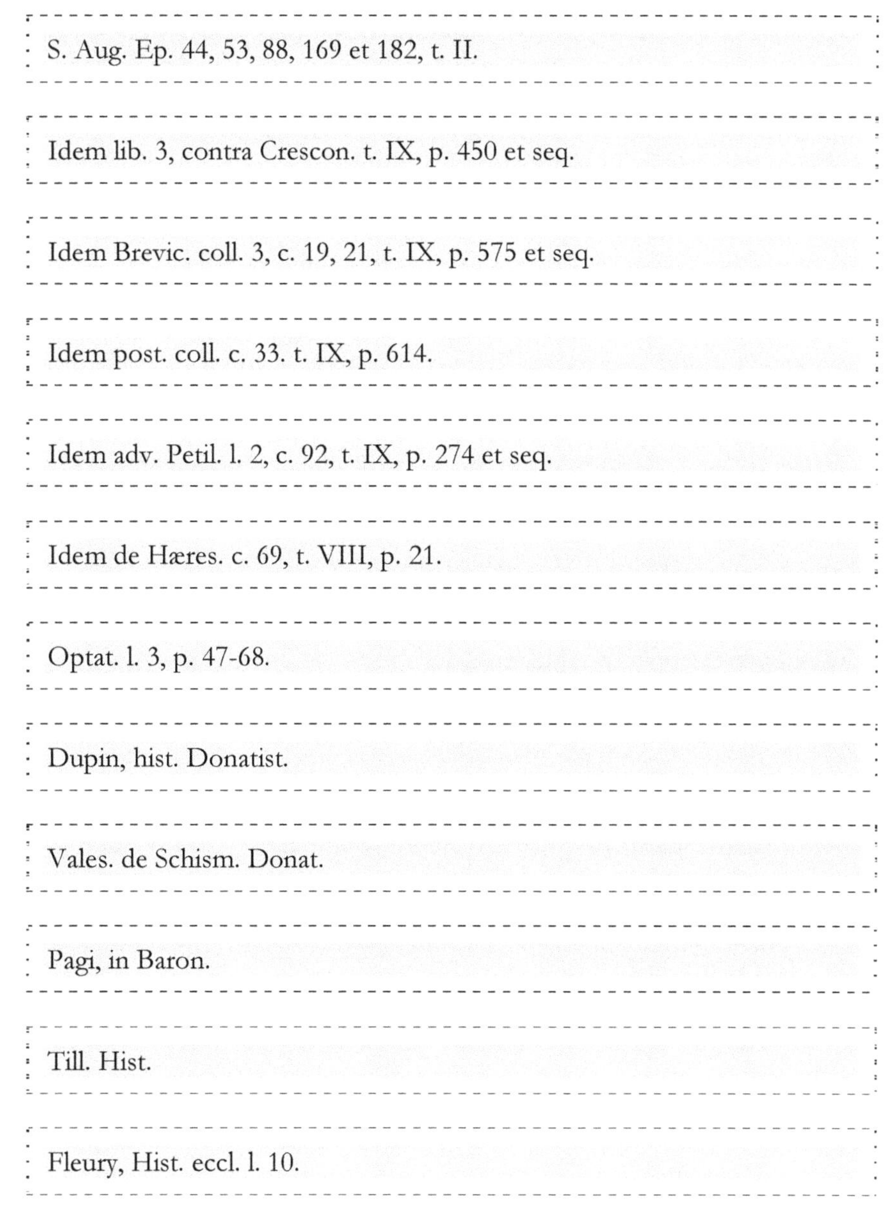
S. Aug. Ep. 44, 53, 88, 169 et 182, t. II.

Idem lib. 3, contra Crescon. t. IX, p. 450 et seq.

Idem Brevic. coll. 3, c. 19, 21, t. IX, p. 575 et seq.

Idem post. coll. c. 33. t. IX, p. 614.

Idem adv. Petil. l. 2, c. 92, t. IX, p. 274 et seq.

Idem de Hæres. c. 69, t. VIII, p. 21.

Optat. l. 3, p. 47-68.

Dupin, hist. Donatist.

Vales. de Schism. Donat.

Pagi, in Baron.

Till. Hist.

Fleury, Hist. eccl. l. 10.

En passant par Milan, il rendit contre les Donatistes ce jugement fameux, qui montre tout à la fois et les bonnes intentions du prince et son inconstance. Les schismatiques, qu'il avait fait amener à sa cour pour les punir de l'insolence avec laquelle ils avaient appelé du concile à l'empereur, réussirent par leurs intrigues à diminuer insensiblement l'indignation qu'il avait témoignée de leur procédé. On lui représenta qu'ils étaient excusables de ne vouloir s'en rapporter qu'à son équité et à ses lumières; et l'amour-propre sut bien appuyer sans doute des insinuations si flatteuses. Il consentit à juger après un concile, qu'il avait convoqué lui-même pour décider définitivement. Il voulut d'abord mander Cécilien: mais ayant changé d'avis, il crut plus convenable que les Donatistes retournassent en Afrique pour y être jugés par des commissaires qu'il nommerait. Enfin, craignant qu'ils ne trouvassent encore quelque prétexte pour réclamer contre la décision de ces commissaires, il en revint à son premier avis, et prit le parti de prononcer lui-même. Il rappela donc les Donatistes, et envoya ordre à Cécilien de se rendre à Rome dans un temps qu'il prescrivit: il promit à ses adversaires que s'ils pouvaient le convaincre sur un seul chef, il le regarderait comme coupable en tous. Il manda en même temps à Petronius Probianus, proconsul d'Afrique, de lui envoyer le scribe Ingentius, convaincu de faux par l'information d'Élien. Cécilien, sans qu'on en sache la raison, ne se rendit pas à Rome au jour marqué. Ses ennemis en prirent avantage pour presser l'empereur de le condamner comme contumace. Mais le prince, qui voulait terminer cette affaire sans retour, accorda un délai et ordonna aux parties de se rendre à Milan. Cette indulgence révolta les schismatiques; ils commencèrent à murmurer contre l'empereur, qui montrait, disaient-ils, une partialité manifeste. Plusieurs s'évadèrent; Constantin donna des gardes aux autres, et les fit conduire à Milan.

XIII. Nouveaux troubles en Afrique.

Cependant, ceux des Donatistes qui étaient arrivés en Afrique y causèrent des troubles, et suscitèrent bien des affaires à Domitius Celsus, vicaire de la province, et chargé d'y remettre le calme. Le parti schismatique avait repris depuis peu de nouvelles forces par la hardiesse et la capacité d'un nouveau chef. Majorinus était mort: il avait pour successeur Donat, non pas cet évêque des Cases-Noires dont nous avons parlé jusqu'ici, mais un autre du même nom, qui, avec autant de malice, était encore plus dangereux par la supériorité de ses talents. C'était un homme savant dans les lettres, éloquent, irréprochable dans ses mœurs, mais fier et orgueilleux, méprisant les évêques même de sa secte, les magistrats et l'empereur. Il se déclarait hautement chef de parti: *Mon parti*, disait-il, toutes les fois qu'il parlait de ceux qui lui étaient attachés. Il leur imposa tellement par ces airs impérieux, qu'ils juraient par le nom de Donat, et qu'ils se donnèrent eux-mêmes dans les actes publics le nom de Donatistes; car c'est de lui et non pas de l'évêque des Cases-Noires, qu'ils ont commencé à prendre cette dénomination. Il soutint son parti par son audace, par les dehors d'une vertu austère, et par ses ouvrages, où il glissa quelques erreurs conformes à l'arianisme, mais qui trouvèrent même dans sa secte peu d'approbateurs. S'estimant beaucoup lui-même, et se réservant pour les grandes occasions, il laissa le rôle de chef des séditieux à Ménalius, évêque en Numidie, qui, dans la persécution, avait sacrifié aux idoles.

Domitius se plaignit de celui-ci à l'empereur, qui lui manda de fermer les yeux pour le présent, et de signifier à Cécilien et à ses adversaires, qu'incessamment l'empereur viendrait en Afrique, pour connaître de tout par lui-même et punir sévèrement les coupables. Ces lettres du prince intimidèrent Cécilien; il prit le parti de se rendre à Milan.

XIV. Jugement rendu à Milan.

Dès que l'empereur fut arrivé dans cette ville, il se prépara à traiter cette grande affaire. Il entendit les parties, se fit lire tous les actes; et après l'examen le plus scrupuleux il voulut juger seul, pour ménager l'honneur des évêques, et ne pas rendre les païens témoins des discordes de l'église. Il fit donc retirer tous ses officiers et les juges consistoriaux, dont la plupart étaient encore idolâtres; et prononça la sentence, qui déclarait Cécilien innocent et ses adversaires calomniateurs. Ce jugement fut rendu au commencement de novembre; un mois après, le prince était à Sardique. Saint Augustin excuse ici Constantin sur la droiture de ses intentions, et sur le désir et l'espérance qu'il avait de fermer pour toujours la bouche aux schismatiques. Il ajoute qu'il reconnut sa faute dans la suite, et qu'il en demanda pardon aux évêques. On croit que ce fut à la fin de sa vie, quand il reçut le baptême.

XV. Mécontentement des Donatistes.

Le prince ne pouvait se flatter que sa décision fût plus respectée que celle du concile d'Arles; aussi ne produisit-elle pas plus d'effet. Il reconnut bientôt que nulle autre puissance que celle de la grace divine ne pouvait changer le cœur des hommes. Les Donatistes, loin d'acquiescer à son jugement, l'accusèrent lui-même de partialité: il s'était, disaient-ils, laissé séduire par Osius. Irrité de cette opiniâtreté insolente, il voulut d'abord punir de mort les plus mutins; mais, et ce fut peut-être, dit saint Augustin, sur les remontrances d'Osius, il se contenta de les exiler et de confisquer leurs biens. Il écrivit en même temps aux évêques et au peuple de l'église d'Afrique une lettre vraiment chrétienne, par laquelle il les exhorte à la patience, même jusqu'au martyre, et à ne point rendre injure pour injure. Les Donatistes abusèrent bientôt de cette indulgence. Dans les lieux où ils se trouvaient les plus forts, et ils l'étaient dans beaucoup de villes, surtout de la Numidie, ils faisaient aux catholiques toutes les insultes dont ils pouvaient s'aviser. Enfin l'empereur ordonna de vendre au profit du fisc tous les édifices dans lesquels ils s'assemblaient: et cette loi subsista jusqu'au règne de Julien, qui leur rendit leurs basiliques.

XVI. Violence des Donatistes.

Rien ne pouvait réduire ces esprits indomptables: l'impunité les rendait plus insolents, et la punition plus furieux. Ils s'emparèrent de l'église de Constantine que l'empereur avait fait bâtir; et malgré les ordres du prince qui leur furent signifiés par les évêques et par les magistrats, ils refusèrent de la rendre. Les évêques en firent leurs plaintes à l'empereur et lui demandèrent une autre église; il leur en fit bâtir une sur les fonds de son domaine, et tâcha d'arrêter par de sages lois les chicanes que les schismatiques ne cessaient d'inventer contre les clercs catholiques.

XVII. Silvanus exilé et rappelé.

Le principal auteur de cette persécution était Silvanus, évêque Donatiste de Constantine. Dieu suscita pour le punir un de ses diacres nommé Nundinarius, qui le convainquit devant Zénophile, gouverneur de Numidie, d'avoir livré les saintes écritures, et d'être entré dans l'épiscopat par simonie et par violence. Ce fut alors que toute l'intrigue de l'ordination de Majorinus fut révélée. Les actes de cette procédure, qui sont datés du 13 décembre 320, furent envoyés à Constantin: il exila Silvanus et quelques autres. Mais, six mois après, les évêques Donatistes présentèrent requête à Constantin pour lui demander le rappel des exilés et la liberté de conscience, protestant de mourir plutôt mille fois que de communiquer avec Cécilien, qu'ils traitaient dans ce mémoire avec beaucoup de mépris. Ce bon prince, accoutumé à sacrifier au bien de la paix les insultes faites à sa propre personne, ne s'arrêta point à celles qu'on faisait à un homme qu'il avait lui-même justifié; il n'écouta que sa douceur naturelle; il manda à Verinus, vicaire d'Afrique, qu'il rappelait d'exil les Donatistes, qu'il leur accordait la liberté de conscience, et qu'il les abandonnait à la vengeance divine. Il exhortait encore les catholiques à la patience.

XVIII. Le schisme dégénère en hérésie.

Jusque là les Donatistes n'avaient été que schismatiques: ils s'accordaient dans tous les points de doctrine avec l'église catholique, dont ils n'étaient séparés qu'au sujet de l'ordination de Cécilien. Mais comme il n'est pas possible qu'un membre détaché du corps conserve la vie et la fraîcheur, l'hérésie, ainsi qu'il est toujours arrivé depuis, se joignit bientôt au schisme. Voyant que toutes les églises du monde chrétien communiquaient avec Cécilien, ils allèrent jusqu'à dire que l'église catholique ne pouvait subsister avec le péché; qu'ainsi elle était éteinte par toute la terre, excepté dans leur communion. En conséquence, suivant l'ancien dogme des Africains, qu'il n'y avait hors de la vraie église ni baptême ni sacrements, ils rebaptisaient ceux qui passaient dans leur secte, regardaient les sacrifices des catholiques comme des abominations, foulaient aux pieds l'eucharistie consacrée par eux, prétendaient leurs ordinations nulles, brûlaient leurs autels, brisaient leurs vases sacrés, et consacraient de nouveau leurs églises. Il y eut pourtant en l'année 330 en Afrique, un concile de deux cent soixante et dix évêques Donatistes, qui décidèrent qu'on pouvait recevoir les Traditeurs, c'est ainsi qu'ils nommaient les catholiques, sans les rebaptiser. Mais Donat chef du parti, et plusieurs autres, persistèrent dans l'avis contraire: ce qui cependant ne produisit pas de schisme parmi eux. On voit par ce grand nombre d'évêques Donatistes, combien cette secte s'était multipliée dans l'Afrique.

XIX. Donatistes à Rome.

Elle était renfermée dans les bornes de ce pays; et malgré son zèle à faire des prosélytes, elle ne put pénétrer qu'à Rome, ville où se sont toujours aisément communiqués tous les biens et tous les maux de la vaste étendue dont elle est le centre. Le poison du schisme n'y infecta qu'un petit nombre de personnes: mais c'en fut assez pour engager les Donatistes à y envoyer un évêque. Le premier fut Victor, évêque de Garbe; le second, Boniface, évêque de Balli en Numidie: ils n'osèrent ni l'un ni l'autre prendre le titre d'évêques de Rome. Des quarante basiliques de cette ville, ils n'en avaient pas une. Leurs sectateurs s'assemblaient hors de la ville dans une caverne, et de là leur vinrent les noms de *Montenses*, *Campitæ*, *Rupitæ*. Mais ceux qui succédèrent à ces deux évêques schismatiques, se nommèrent hardiment évêques de Rome; et c'est en cette qualité que Félix assista à la conférence de Carthage en 410. Les Donatistes avaient encore un évêque en Espagne; mais son diocèse ne s'étendait que sur les terres d'une dame du pays qu'ils avaient séduite.

XX. Circoncellions.

Une secte hautaine, outrée, ardente, était une matière toute préparée pour le fanatisme. Aussi s'éleva-t-il parmi eux, on ne sait précisément en quelle année, mais du vivant de Constantin, une espèce de forcenés qu'on appela Circoncellions, parce qu'ils rôdaient sans cesse autour des maisons dans les campagnes. Il est incroyable combien de ravages et de cruautés ces brigands firent en Afrique pendant une longue suite d'années. C'étaient des paysans grossiers et féroces, qui n'entendaient que la langue punique. Ivres d'un zèle barbare, ils renonçaient à l'agriculture, faisaient profession de continence, et prenaient le titre de vengeurs de la justice et de protecteurs des opprimés. Pour remplir leur mission, ils donnaient la liberté aux esclaves, couraient les grands chemins, obligeaient les maîtres de descendre de leurs chars, et de courir devant leurs esclaves qu'ils faisaient monter en leur place; ils déchargeaient les débiteurs, en tuant les créanciers, s'ils refusaient d'anéantir les obligations. Mais le principal objet de leur cruauté étaient les catholiques, et surtout ceux qui avaient renoncé au Donatisme. D'abord ils ne se servaient pas d'épées, parce que Dieu en a défendu l'usage à saint Pierre; mais ils s'armaient de bâtons qu'ils appelaient bâtons d'Israël: ils les maniaient de telle sorte, qu'ils brisaient un homme sans le tuer sur-le-champ: il en mourait après avoir long-temps langui. Ils croyaient faire grace quand ils ôtaient la vie. Ils devinrent ensuite moins scrupuleux, et se servirent de toute sorte d'armes. Leur cri de guerre était: *Louange à Dieu*; ces paroles étaient dans leur bouche un signal meurtrier, plus terrible que le rugissement d'un lion. Ils avaient inventé un supplice inoui: c'était de couvrir les yeux de chaux délayée avec du vinaigre, et d'abandonner en cet état les malheureux qu'ils avaient meurtris de coups et couverts de plaies. On ne vit jamais mieux quelles horreurs peut enfanter la superstition dans des ames grossières et impitoyables. Ces scélérats qui faisaient vœu de chasteté, s'abandonnaient au vin et à toute sorte d'infamies, courant avec des femmes et de jeunes filles ivres comme eux, qu'ils appelaient des vierges sacrées, et qui souvent portaient des preuves de leur incontinence. Leurs chefs prenaient le nom de *Chefs des Saints*. Après s'être rassasiés de sang, ils tournaient leur rage sur eux-mêmes, et couraient à la mort avec la même fureur qu'ils la donnaient aux autres. Les uns grimpaient au plus haut des rochers et se précipitaient par bandes; d'autres se brûlaient ou se jetaient dans la mer. Ceux qui voulaient acquérir le titre de martyrs le publiaient long-temps auparavant: alors, on leur faisait bonne chère, on les engraissait comme des taureaux de sacrifice; après ces préparations ils allaient se précipiter. Quelquefois ils donnaient de l'argent à ceux qu'ils rencontraient, et menaçaient de les égorger, s'ils ne les faisaient martyrs. Théodoret raconte qu'un jeune homme robuste et hardi, rencontré par une troupe de ces fanatiques, consentit à les tuer quand il les aurait liés; et que les ayant mis par ce moyen hors de défense, il les fouetta de toutes ses forces, et les laissa ainsi garrottés. Leurs évêques les blâmaient en apparence, mais ils s'en servaient en effet pour intimider ceux qui seraient tentés de quitter leur secte: ils les honoraient même comme des saints. Ils n'étaient pourtant pas les maîtres de gouverner ces monstres furieux; et plus d'une fois ils se virent obligés de les abandonner, et même d'implorer contre eux la puissance séculière. Les comtes Ursacius et Taurinus furent employés à les réprimer: ils en tuèrent un grand nombre, dont les Donatistes firent autant de martyrs. Ursacius, qui était bon catholique et homme religieux, ayant perdu la vie dans un combat contre des Barbares, les Donatistes ne manquèrent pas de triompher de sa mort comme d'un effet de la vengeance du ciel. L'Afrique fut le théâtre de ces scènes sanglantes pendant tout le reste de la vie de Constantin. Ce prince se voyant possesseur de tout l'empire après la dernière défaite de Licinius, songeait aux moyens d'étouffer entièrement ce schisme meurtrier: mais les violents assauts que l'arianisme livrait à l'église l'occupèrent tout entier; et nous ne parlerons plus des Donatistes que sous le règne de ses successeurs.

AN 317.

XXI. Constantin en Illyrie.

Buch. Cycl. p. 238.

Porph. Optat. c. 19, 22, 23.

On ne sait pourquoi il n'y eut point de consuls au commencement de l'année 317. Gallicanus et Bassus n'entrèrent en charge que le 17 de février. Après le jugement rendu à Milan, le prince était allé en Illyrie; il y resta pendant six ans, jusqu'à la seconde guerre contre Licinius, résidant ordinairement à Sardique, à Sirmium, à Naïsse sa patrie. Il passa ce temps-là à défendre la frontière contre les Barbares. C'étaient les Sarmates, les Carpes, et les Goths qui donnaient de fréquentes alarmes. Il les défit en plusieurs combats, à Campona, à Margus, à Bononia, villes situées sur le Danube. Nous ne savons point le détail de ces guerres. Dans l'espace de ces six années il fit plusieurs voyages à Aquilée.

XXII. Nomination des trois Césars.

V. pit. p. 223.

Zos. l. 2, c. 20.

Anony. Vales.

Idat. chron.

Chron. Alex. vel Paschal. p. 281.

Hieron. chron.

Liban. Basilic. t. II, p. 111. ed. Morel.

Till. note 40 sur Constantin.

Eus. vit. Const. l. 4. c. 51, 52.

Till. art. 85.

Il avait deux fils, Crispus né avant l'an 300, et Constantin dont nous avons marqué la naissance au 7 d'août de l'année précédente. Crispus qu'il avait eu de Minervina sa première femme était un prince bien fait, spirituel, et qui donnait les plus belles espérances. Quoiqu'il fût tout au plus dans sa dix-huitième année au temps de la première guerre contre Licinius, son père comptait déja assez sur sa capacité et sur sa valeur, pour le laisser en sa place dans la Gaule, exposée aux fréquentes attaques d'une nation turbulente et redoutable. Licinius de son côté avait de Constantia un fils du même nom que lui, qui n'avait encore que vingt mois. Ce n'est donc pas celui qu'il avait sauvé deux ans et demi auparavant à Sirmium après sa défaite, et qui était mort apparemment depuis ce temps-là. Les deux empereurs pour resserrer plus étroitement le nœud de leur alliance, convinrent de donner à leurs trois fils le titre de César: ce qui fut exécuté le premier jour de mars de cette année. Nous verrons que Constantin fit aussi César de bonne heure Constance, qui lui naquit dans la suite. Il était bien aise, dit Libanius, de faire faire à ses enfants dès leurs premières années l'essai du commandement: il pensait que le souverain doit avoir l'ame élevée, et que sans cette élévation l'autorité, si elle ne perd pas son ressort, perd son éclat. Il savait aussi que l'esprit des hommes prend le pli de leurs occupations; il voulut donc nourrir ses enfants dans le noble exercice de la grandeur, pour les sauver de la petitesse d'esprit, et pour donner à leur ame une trempe de vigueur et de force, afin que dans l'adversité ils ne descendissent pas de cette hauteur de courage, et que dans la prospérité ils eussent l'esprit aussi grand que leur fortune. Il leur donna dès qu'ils furent Césars une maison et des troupes. Mais de peur qu'ils ne s'enivrassent de leur pouvoir, il voulut les instruire par lui-même, et les tint long-temps sous ses yeux, pour leur apprendre à commander aux autres, en leur apprenant à lui obéir. Il ne les occupait que des exercices qui forment les héros, et qui rendent les princes également capables de soutenir les fatigues de la guerre, et le poids des grandes affaires pendant la paix. Pour fortifier leur corps, on leur apprenait de bonne heure à monter à cheval, à faire de longues marches à pied chargés de leur armure, à manier les armes, à endurer la faim, la soif, le froid, le chaud, à dormir peu, à ne consulter pour leur nourriture que le besoin naturel, à ne chercher que dans les travaux du corps le délassement de ceux de l'esprit. Plus attentif encore à leur former l'esprit et le cœur, il leur donna les plus excellents maîtres pour les lettres, pour la science militaire, pour la politique et la connaissance des lois. Il ne les laissait aborder que par des personnes capables de leur inspirer les sentiments d'une piété mâle et sans superstition, d'une droiture sans roideur, d'une bonté sans faiblesse, et d'une libéralité éclairée. Il autorisait lui-même par ses paroles et par son exemple ces précieuses leçons: mais entre les maximes qu'il tâchait de graver dans leur cœur, il y en avait une qu'il s'attachait surtout à leur enseigner, à leur mettre en tout temps sous les yeux, à leur répéter sans cesse; c'est que la justice doit être la règle, et la clémence l'inclination du prince; et que le plus sûr moyen d'être le maître de ses sujets c'est de s'en montrer le père. Après ces instructions, qui commençaient dès qu'ils étaient en état de les entendre, il les éprouvait dans les gouvernements et à la tête des armées, et ne cessait de les guider, soit par lui-même, soit par des hommes remplis de son esprit et de ses maximes.

XXIII. Lactance chargé de l'instruction de Crispus.

Vita Lact. apud Lenglet.

Comme Crispus son aîné était éloigné de sa personne et employé à couvrir une frontière importante, il lui envoya pour le guider le plus habile maître, et un des hommes les plus vertueux de tout l'empire. C'était Lactance, né en Afrique, qui avait reçu dans sa jeunesse les leçons du fameux Arnobe. Il fut élevé dans le paganisme. Dioclétien le fit venir à Nicomédie vers l'an de Jésus-Christ 290, pour y enseigner la rhétorique. Malgré son rare mérite, il était si pauvre qu'il manquait du nécessaire; et cette pauvreté fit en lui un effet tout contraire à celui qu'elle a coutume de produire; ce fut de lui donner du goût pour elle: il s'en fit une si douce habitude, que dans la suite, à la cour de Crispus et à la source des richesses, il ne sentit augmenter ni ses besoins ni ses désirs. Il s'était converti au christianisme avant l'édit de Dioclétien. On ne sait comment il échappa à la persécution: peut-être demeura-t-il caché sous le manteau de philosophe. Constantin crut que son fils n'avait jamais eu plus de besoin d'instructions solides, que quand il commençait à gouverner les hommes. Rien n'est plus louable que cette sagesse du père, si ce n'est peut-être celle du fils, qui eut l'ame assez ferme pour résister à la séduction de la puissance souveraine, et à celle des adulateurs de cour, qui ont la bassesse d'admirer dès le berceau la suffisance des princes, et souvent intérêt de flatter et d'entretenir leur ignorance. Il était beau de voir un César de vingt ans, qui gouvernait de vastes provinces et commandait de grandes armées, au sortir d'un conseil ou au retour d'une victoire, venir avec docilité écouter les leçons d'un homme qui n'avait rien de grand que ses talents et ses vertus. On croit que Lactance mourut à Trèves dans une extrême vieillesse. Les ouvrages qu'il a laissés donnent une idée très-avantageuse de son savoir et de son éloquence. C'est un de ces génies heureux qui ont su se sauver de la barbarie ou du mauvais goût de leur siècle; et de tous les auteurs latins ecclésiastiques, il n'en est point dont le style soit plus beau et plus épuré. On l'appela le Cicéron chrétien. Quoiqu'il ne montre pas autant de force à établir la religion chrétienne, qu'à détruire le paganisme, et qu'il soit tombé dans quelques erreurs, l'église a toujours estimé ses ouvrages, et les lettres les honoreront toujours comme un de leurs plus précieux monuments.

XXIV. Naissance de Constance.

Jul. or. 1. p. 5. ed. Spanh.

Cod. Th. 6, tit. 4, leg. 10.

Constance le second fils de Fausta naquit cette année en Illyrie le 13 d'août, comme il le dit lui-même dans une de ses lois: témoignage plus authentique que celui de plusieurs calendriers qui mettent sa naissance au 7 du même mois.

AN. 318, 319, 320.

XXV. Éducation du jeune Constantin consul avec son père.

Idat. chron.

Nazar. Pan. c. 37.

Du Cange, Fam. Byz. p. 48.

Constantin ayant donné à Crispus le titre de César, le fit consul en 318 avec Licinius, qui prenait cette dignité pour la cinquième fois. En l'année 319 il rendit au fils de son collègue l'honneur que son collègue venait de faire à

Crispus son fils, et exerça son cinquième consulat avec le jeune César Licinius. Des trois nouveaux Césars il ne restait que le jeune Constantin âgé de trois ans et demi, qui n'eût point encore été décoré du consulat. Son père prit ce titre pour la sixième fois en l'année 320, afin de le partager avec lui. Depuis que tout le pouvoir était concentré dans la personne des empereurs, le consulat n'était plus qu'un nom qui servait de date aux actes publics. Celui du jeune prince fut du moins fécond en belles espérances. La conformité de nom avec son père, faible motif sans doute, suffisait cependant au peuple pour tirer les pronostics les plus heureux; et le père y ajoutait un fondement plus raisonnable par l'éducation qu'il donnait à son fils. Cet enfant savait déja écrire, et l'empereur exerçait sa main à signer des graces, il se plaisait à faire passer par sa bouche toutes les faveurs qu'il accordait: noble apprentissage de la puissance souveraine, née pour faire du bien aux hommes. Cette année donna à Constantin un troisième fils; il eut le nom de Constant. On ne sait pas le jour précis de sa naissance.

XXVI. Persécution de Licinius.

Euseb. chron.

Idem hist. eccl. l. 10, c. 8.

Idem. vit. Const. l. 1, c. 49 et seq. et l. 2, c. 1, 2.

Anony. Vales.

Socr. l. 1, c. 2.

Soz. l. 1, c. 7.

Cedren. t. I, p. 282.

Vales. in not. Euseb. p. 207.

Baluz. ad Lact. p. 279.

Depuis le traité de partage, la bonne intelligence semblait rétablie entre les deux empereurs. Ces dehors étaient sincères de la part de Constantin: mais Licinius ne pouvait lui pardonner la supériorité de ses armes non plus que celle de son mérite. Persuadé de la préférence qui était due à son collègue, il croyait la lire dans le cœur de tous les peuples. Cette sombre jalousie le porta à une espèce de désespoir et donna l'essor à tous ses vices. Il trama d'abord des complots secrets pour le faire périr. L'histoire n'en donne aucun détail; elle se contente de nous dire que ses mauvais desseins ayant été plusieurs fois découverts, il tâchait d'étouffer par de basses flatteries les justes soupçons que sa malice avait fait naître: ce n'était de sa part qu'apologies, que protestations d'amitié, que serments qu'il violait dès qu'il trouvait occasion de renouer une nouvelle intrigue. Enfin las de voir avorter tous ses projets contre un prince que Dieu couvrait de sa puissance, il tourna sa haine contre Dieu même qu'il n'avait jamais bien connu. Il s'imagina que tous les chrétiens de son obéissance étaient contre lui dans les intérêts de son rival, qu'ils y mettaient le ciel par leurs prières, et que tous leurs vœux étaient à son égard autant de trahisons et de crimes de lèse-majesté. Prévenu de cette folle pensée, fermant les yeux sur les châtiments funestes qui avaient éteint la race des persécuteurs, et dont il avait été le témoin et même le ministre, il n'écouta que sa colère contre les chrétiens. Il leur fit d'abord la guerre sourdement et sans la déclarer: sous des prétextes frivoles il interdit aux évêques tout commerce avec les païens; c'était en effet pour empêcher la propagation du christianisme. Il voulut aussi leur ôter le plus sûr moyen d'entretenir l'uniformité de foi et de discipline, en leur défendant par une loi expresse de sortir de leurs diocèses et de tenir des synodes. Ce prince abandonné à la débauche la plus effrénée, prétendit que la continence était une vertu impraticable; et en conséquence, par une maligne affectation de veiller à la décence publique, qu'il violait sans cesse lui-même par des adultères scandaleux, il fit une loi qui défendait aux hommes de s'assembler dans les églises avec les femmes, aux femmes d'aller aux instructions publiques, aux évêques de leur faire des leçons sur la religion, qui devait, disait-il, leur être enseignée par des personnes de leur sexe. Enfin il alla jusqu'à ordonner que les assemblées des chrétiens se tinssent en pleine campagne; l'air y était beaucoup meilleur et plus pur, disait-il, que dans l'étroite enceinte des églises d'une ville. Regardant les évêques comme les chefs d'une prétendue conspiration dont il avait l'imagination frappée, il fit périr les plus vertueux par les calomnies qu'il leur suscitait; il en fit couper plusieurs par morceaux et jeter leurs membres dans la mer. Ces cruautés exercées sur les pasteurs alarmèrent tout le troupeau. On fuyait, on se sauvait dans les bois, dans les déserts, dans les cavernes; il semblait que tous les anciens persécuteurs fussent de nouveau sortis des enfers. Licinius enhardi par cette épouvante générale lève le masque; il chasse de son palais tous les chrétiens; il exile ses officiers les plus fidèles; il réduit aux ministères les plus vils ceux qui tenaient auparavant les premières charges de sa maison, il confisque leurs biens, et menace enfin de mort quiconque osera conserver le caractère du christianisme. Il casse tous les officiers des tribunaux qui refusaient de sacrifier aux idoles; il défend de porter des aliments et de procurer aucune assistance à ceux qui étaient détenus dans les prisons pour cause de religion; il ordonne d'emprisonner et de punir comme eux, ceux qui leur rendraient ces devoirs d'humanité. Il fait abattre ou fermer les églises afin d'abolir le culte public. Sa fureur et son avarice, qui ne se portaient d'abord que sur les chrétiens, se débordèrent bientôt sans distinction sur tous ses sujets. Il renouvela toutes les injustices de Galérius et de Maximin: exactions excessives et cruelles, taxes sur les mariages et sur les sépultures, tributs imposés sur les morts qu'on supposait vivants, exils et confiscations injustes, tous ces affreux moyens remplissaient ses trésors sans remplir son avidité: au milieu des immenses richesses qu'il avait pillées, il se plaignait sans cesse de son indigence, et son avarice le rendait pauvre en effet. Épuisé par les débauches de sa vie passée, mais brûlant d'infâmes désirs jusque dans les glaces de la vieillesse, il enlevait les femmes à leurs maris et les filles à leurs pères. Souvent après avoir fait jeter dans les fers des hommes nobles et distingués par leurs dignités, il livrait leurs épouses à la brutalité de ses esclaves. C'est ainsi qu'il passa les quatre dernières années de son règne, jusqu'à ce que Constantin qu'il avait aidé à détruire les tyrans, détruisit à son tour sa tyrannie, comme nous le raconterons en son lieu.

XXVII. Victoire de Crispus sur les Francs.

Naz. pan. c. 17 et 36.

AN 321.

Cependant les Francs s'ennuyaient d'un trop long repos. Quoique cette nation eût essuyé sept ans auparavant un horrible massacre, elle se joignit aux Allemands et vint insulter les frontières de la Gaule. Crispus marcha au-devant d'eux. Ils combattirent en désespérés. Mais leur acharnement ne servit qu'à rendre la victoire plus éclatante. Le prince romain montra dans cette bataille une prudence et une valeur dignes du fils de Constantin[26]. C'était au commencement de l'hiver; et avant la fin de cette saison le jeune vainqueur courut avec empressement en Illyrie à travers les glaces et les neiges pour aller joindre son père qu'il n'avait vu depuis long-temps, et lui faire hommage de sa première victoire. Les Francs instruits enfin par tant de défaites de l'ascendant que Constantin avait sur eux, demeurèrent en paix tout le reste de son règne; et tandis que ses armes faisaient trembler l'Occident, sa renommée lui attira une ambassade de la part des Perses, la plus fière nation de l'univers, qui vinrent demander son amitié.

[26] On voit sur des médailles de Constantin et de Crispus, la légende GAVDIVM ROMANORVM, et au-dessous on lit ALAMANNIA, et sur d'autres FRANCIA ou FRANC. ET ALAM., avec un trophée, auprès duquel est une femme assise et affligée. Elles ont sans doute été frappées en mémoire des victoires que Crispus remporta sur les Francs unis aux Allemands.—S.-M.

XXVIII. Quinquennales des Césars.

Idat. chron.

Nazar. pan. c. 1.

Cod. Theod.

Hier. chron.

La victoire de Crispus fut récompensée d'un second consulat, dont il fut honoré avec son jeune frère Constantin en 321. La cinquième année des trois Césars, qui concourait avec la quinzième de Constantin, fut célébrée avec beaucoup de joie et de magnificence. Nazarius, fameux orateur, prononça un panégyrique que nous avons encore: il y a apparence que ce fut à Rome. Constantin était en Illyrie et passa quelque temps à Aquilée au mois de mai ou de juin. Ce Nazarius eut une fille qui se rendit par son éloquence aussi célèbre que son père.

XXIX. Consuls.

Idat. chron. Cod. Th.

Symm. app. p. 299.

Prud. ad Sym. l. 1, v. 554.

Les deux consuls de l'an 322 furent aussi distingués par leur mérite que par leurs dignités. C'étaient Pétronius Probianus et Anicius Julianus. Le premier avait été proconsul d'Afrique et préfet du prétoire. Il fut dans la suite préfet de Rome. Il réunissait deux qualités qui ne peuvent tenir ensemble que dans les grandes ames, la dextérité dans les affaires, et la franchise. Aussi n'en coûta-t-il rien à sa vertu pour s'acquérir et se conserver l'amour et la confiance des princes. L'autre avait été gouverneur de l'Espagne Tarraconaise, et fut aussi pendant plusieurs années préfet de Rome. Il avait suivi le parti de Maxence: son mérite lui fit trouver un bienfaiteur dans un prince dont il avait été l'ennemi. Constantin l'éleva aux premières charges. Il eut l'honneur d'être le premier d'entre les sénateurs qui embrassa la religion chrétienne, comme nous l'avons déja observé. Les païens même le comblent d'éloges: ils ne mettent rien au-dessus de sa noblesse, de ses richesses, de son crédit, si ce n'est son génie, sa sagesse, et une bonté généreuse, qui faisait de tous ces avantages personnels le bien commun de l'humanité. Il y a lieu de croire que c'est lui qui fut père de Julien comte d'Orient, et de Basilina, mariée à Jule Constance frère de Constantin, et mère de Julien l'Apostat.

XXX. Les Sarmates vaincus.

Zos. l. 2, c. 21.

Buch. in cycl. p. 287.

Anony. Vales.

Cod. Th. Chron.

Till. art. 48.

Vales. not. in Anony.

Band. in num. t. 2, p. 253.

Les Sarmates exerçaient depuis quelques années les armes romaines. Ces peuples, qui habitaient les environs des Palus Méotides, passaient souvent le Danube et venaient faire le dégât sur la frontière. Les années précédentes plusieurs de leurs partis avaient été défaits; les autres se sauvaient au-delà du fleuve sans attendre le vainqueur. Cette année, tandis que Constantin était à Thessalonique, ces Barbares ayant trouvé la frontière mal gardée, ravagèrent la Thrace et la Mésie, et eurent même l'assurance de venir au-devant de Constantin, sous la conduite de leur roi Rausimodus. Dans leur marche ils s'arrêtèrent devant une ville, dont l'histoire ne marque pas le nom; les murailles jusqu'à une certaine hauteur étaient bâties de pierres, le reste n'était que de bois. Quoiqu'il y eût une bonne garnison, ils se flattèrent de l'emporter avec facilité, en mettant le feu à la partie supérieure. Ils s'approchèrent à la faveur d'une grêle de traits. Mais ceux qui défendaient la muraille, résistant avec courage et accablant les Barbares de javelots et de pierres, donnèrent à l'empereur le temps de venir à leur secours: l'armée romaine fondant comme un torrent des éminences d'alentour, tua et prit la plus grande partie des assiégeants. Le reste repassa le Danube avec Rausimodus, qui s'arrêta sur le bord, dans le dessein de faire une nouvelle tentative. Il n'en eut pas le temps. On n'avait vu depuis long-temps les aigles romaines au-delà du Danube; Constantin le traversa et vint forcer l'ennemi, qui s'était retiré sur une colline couverte de bois. Le roi y laissa la vie. Après un grand carnage, le vainqueur fit quartier à ceux qui le demandaient; il recouvra les prisonniers qu'ils avaient faits sur les terres de l'empire; et ayant repassé le fleuve avec un grand nombre de captifs, il les distribua dans les villes de la Dacie et de la Mésie. La joie que causa cette victoire fait honneur aux Sarmates: on établit en mémoire de leur défaite les jeux Sarmatiques, qui se célébraient tous les ans pendant six jours à la fin de novembre[27]. Le récit de cette guerre est tiré de Zosime. Mais l'auteur anonyme de l'histoire de Constantin ne parle que d'une incursion des Goths en Thrace et en Mésie, réprimée par Constantin; ce qui a fait juger à Godefroi et à M. de Tillemont que c'étaient deux guerres différentes, et que celle des Goths devait être renvoyée au commencement de l'année suivante. Il me semble que cette opinion resserre trop les faits de l'année 323, qui fut d'ailleurs assez remplie par les préparatifs et les événements d'une guerre bien plus considérable. Il est plus facile de croire avec M. de Valois que l'anonyme donne ici le nom de Goths à ceux que Zosime appelle Sarmates, d'autant plus qu'il est fort possible que ces deux peuples alors voisins se fussent unis pour cette expédition[28].

[27] Il existe beaucoup de médailles dont les légendes rappellent le souvenir des succès de Constantin contre les Sarmates et d'autres nations barbares. SARMATIA DEVICTA. VICTORIA GOTHICA. DE BELLATORI

GENTIUM BARBARARUM. EXVPERATOR OMNIVM GENTIVM.—S.-M.

[28] Optatianus, poète contemporain, rapporte que les Sarmates furent vaincus avec les Carpes et les Gètes ou Goths, en plusieurs lieux situés sur les bords du Danube.—S.-M.

XXXI. Pardon accordé aux criminels.

Cod. Th. lib. 9, tit. 38. leg. 1 et ibi Godef.

Till. art. 46.

Vers la fin de cette année, l'empereur fit publier à Rome un pardon général pour tous les criminels; il excepta les empoisonneurs, les homicides, les adultères. La loi fut affichée le 30 d'octobre. Le texte en est très-obscur. Il semble signifier à la lettre, quoiqu'en termes assez impropres, que la naissance d'un fils de Crispus et d'Hélène était la cause de cette indulgence. Mais on ne connaît point d'ailleurs Hélène femme de Crispus; et cette raison jointe à l'impropriété de l'expression, fait conjecturer que le texte est corrompu[29], et qu'il s'agit plutôt d'un voyage que Crispus faisait à Rome avec Hélène son aïeule. Ce prince était resté en Illyrie depuis le commencement de l'année précédente, et il pourrait être retourné à Rome en ce temps-ci.

[29] Le texte de cette loi ne présente cependant aucune ambiguité. *Propter Crispi et Helenæ partum omnibus indulgemus.* On ne voit pas d'ailleurs pourquoi Crispus n'aurait pas eu pour femme une princesse nommée Hélène, dont il ne serait pas resté d'autre souvenir que cette loi.—S.-M.

XXXII. Lois de Constantin.

Zos. l. 2, c. 22.

Nazar. pan. c. 38.

Après la défaite des Sarmates, Constantin revint à Thessalonique, où il se disposait à tirer vengeance des perfidies de Licinius. Mais avant que d'entrer dans le récit de cette importante guerre, je crois qu'il est à propos de rendre compte des lois principales que ce prince avait faites depuis l'an 314, et dont je n'ai pas encore eu l'occasion de parler. Ce fut dans cet intervalle qu'il s'appliqua davantage à réformer les mœurs, à réprimer l'injustice, à bannir les chicanes qui s'autorisent des lois mêmes, et à inspirer à ses sujets des sentiments de concorde et d'humanité conformes à cette fraternité spirituelle qu'établit le christianisme. La législation est la fonction la plus auguste et la plus essentielle du souverain. C'est le montrer seulement en passant et comme sur un théâtre, que de ne le faire voir qu'au milieu des batailles.

XXXIII. Loi pour la célébration du dimanche.

Cod. Th. l. 2, tit. 8.

Lib. 8, tit. 8.

Lib. 5, tit. 5.

Cod. Just. lib. 3, tit. 12.

Euseb. vit. Const. l. 4, c. 18, 19, 20.

Soz. l. 1, c. 8.

Nous commencerons par les lois qui concernent la religion. Depuis le temps des Apôtres, les chrétiens sanctifiaient le dimanche par des œuvres de piété. Constantin défendit de travailler pendant ce jour, et de faire aucun acte juridique. Il permit seulement les travaux de l'agriculture, de peur que les hommes ne perdissent l'occasion de prendre de la main de la Providence la nourriture qu'elle leur présente. Il permit aussi d'émanciper et d'affranchir ce jour-là, qui est celui de l'affranchissement du genre humain. Ses successeurs défendirent même d'exiger les tributs, et de donner des spectacles le dimanche. Sozomène dit que Constantin fit la même loi pour le vendredi, et Eusèbe semble aussi le dire pour le samedi. Mais ou ces deux dernières lois n'eurent pas d'exécution, ou il faut seulement entendre qu'elles ordonnaient de consacrer aux exercices de religion une partie de ces deux jours. Ce ne fut qu'en Orient que la coutume s'établit de fêter aussi le samedi. Pour faciliter aux soldats chrétiens l'assistance aux offices de l'église, Constantin les dispensa le dimanche de tout exercice militaire; il ordonna même que les gens de guerre qui n'étaient pas chrétiens sortiraient ce jour-là de la ville, et qu'en pleine campagne ils réciteraient tous ensemble, au signal donné, une courte prière dont il leur donna la formule: c'était une reconnaissance de la puissance de Dieu, qui seul donne la victoire; ils demandaient à l'être souverain de leur continuer sa protection, et de conserver l'empereur et ses enfants.

XXXIV. Loi en faveur du célibat.

Cod. Th. l. 8, tit. 16.

Cod. Just. l. 5, tit. 26.

Euseb. vit. Const. l. 4, c. 26.

Soz. l. 1, c. 9.

On peut mettre au nombre des lois favorables au christianisme, celle qu'il fit pour abolir les peines imposées par la loi *Papia poppæa*, à ceux qui à l'âge de vingt-cinq ans n'étaient pas mariés, ou qui n'avaient point d'enfants de leur mariage. Les premiers n'héritaient que de leurs proches parents; les autres ne recevaient que la moitié de ce qu'on leur laissait par testament, et ne pouvaient prétendre que le dixième dans l'héritage de leurs femmes: le fisc profitait de leurs pertes. Constantin ne crut pas cette loi compatible avec une religion qui honore la virginité: il sacrifia généreusement l'intérêt de son trésor, dont il fermait une des sources les plus abondantes: il ordonna que les uns et les autres, tant hommes que femmes, jouiraient en matière d'héritage des mêmes droits que les pères de famille. Cependant, par un tempérament politique, en délivrant le célibat de ce qui pouvait être regardé comme une peine, il n'oublia pas d'encourager la population: il conserva à ceux qui avaient des enfants leurs anciennes prérogatives, et laissa subsister la partie de la loi qui ne donnait au mari ou à la femme sans enfants que le dixième de l'héritage du prédécédé: c'était, comme il le dit lui-même, pour empêcher l'effet de la séduction conjugale, souvent plus adroite et plus puissante que toutes les précautions et les défenses des lois. Mais aussi il releva la virginité évangélique par un nouveau privilége: il donna à ceux des deux sexes qui s'y seraient consacrés le pouvoir de tester, même avant l'âge fixé par les lois: il crut ne devoir pas leur refuser un droit que les païens avaient accordé à leurs vestales. Il défendit aux gens mariés d'entretenir des concubines.

XXXV. Lois de tolérance.

Cod. Th. lib. 9, tit. 16.

Lib. 16, tit. 10.

Lib. 16, tit. 2.

Euseb. vit. Const., l. 2, c. 45.

Soz. l. 1, c. 8.

Zos. l. 2, c. 29.

Mais dans le temps même qu'il attaquait ouvertement le vice, il n'osa toucher qu'avec ménagement à la superstition, parce que celle-ci, toujours armée d'un beau prétexte, se défend avec plus de hardiesse et de chaleur. Rome avait été de tout temps infatuée de divinations, d'augures, de présages: Constantin, pour ne pas effaroucher le paganisme, cacha le motif de religion sous celui de la politique; et comme s'il n'avait craint que les sourdes pratiques et les maléfices de ces prétendus devins, il défendit aux aruspices l'entrée des maisons particulières, et ne leur permit de prononcer leurs prédictions qu'en public dans les temples. Il toléra les consultations superstitieuses au sujet des édifices publics qui seraient frappés de la foudre; mais il ordonna qu'elles lui seraient envoyées. Il proscrivit toute opération magique qui tendrait à nuire aux hommes, ou à inspirer la passion de l'amour, et laissa subsister l'usage des prétendus secrets qui n'avaient qu'un objet innocent, comme de guérir les maladies, d'écarter les pluies et les orages: en un mot, il composa en quelque sorte avec le paganisme; et lui laissant ce qui n'était qu'extravagant, il lui ôta ce qu'il avait de dangereux. Mais, quand il eut porté le premier coup aux divinations domestiques, qui étaient les plus intéressantes pour les particuliers, il ne lui fut pas difficile de couper entièrement cette branche d'idolâtrie, ce qu'il fit quelques années après. Sa patience à l'égard des païens n'allait pas jusqu'à leur laisser prendre aucun avantage: comme ils étaient encore les plus forts, surtout à Rome et dans l'Italie, ils contraignaient les chrétiens à prendre part aux sacrifices et aux cérémonies qui se faisaient pour la prospérité publique, sous prétexte que tout citoyen doit s'intéresser au bonheur de l'état. L'empereur arrêta cette injuste contrainte par des peines proportionnées à la condition des contrevenants.

XXXVI. Lois en faveur des ministres de l'église.

Cod. Th. lib. 4, t. 7.

Lib. 16, t. 2.

Cod. Just. lib. 1, t. 13.

Euseb. vit. Const., l. 2, c. 21.

Zos. l. 1, c. 9.

Godef. ad Cod. Th.

Pour attirer plus de respect à la religion, il s'efforça de donner de la considération à ses ministres par des priviléges et des avantages temporels. L'affranchissement plein et entier des esclaves, qui donnait aux affranchis droit de citoyens romains, était assujetti à des formalités embarrassantes; il déclara qu'il suffirait de leur donner la liberté dans l'église en présence des évêques et du peuple, en sorte qu'il en restât une attestation signée des évêques; de plus, il accorda aux ecclésiastiques le droit d'affranchir leurs esclaves par leur seule parole, sans formalité et sans témoins. Sozomène dit que de son temps ces lois s'écrivaient toujours à la tête des actes d'affranchissement. Cette nouvelle forme ne fut pourtant reçue en Afrique qu'au siècle suivant. C'était surtout le jour de Pâques qu'on choisissait pour cette cérémonie. Mais la loi la plus fameuse de Constantin en faveur de l'église, est celle qui fut publiée à Rome le 3 juillet de l'an 321. Ce prince avait déja fait rendre aux églises tous les biens dont elles avaient été dépouillées pendant la persécution; il leur avait encore donné l'héritage de tous les martyrs qui n'avaient point laissé de parents: la loi dont je parle fut la source la plus féconde des richesses ecclésiastiques et de tout ce qui en est la suite. Constantin y donne à toute sorte de personnes, sans exception, la liberté de laisser par testament à l'église catholique telle partie de leurs biens qu'elles jugeront à propos; il autorise ces donations, qui trouvaient apparemment dès ce temps-là des contradicteurs, et qui par leur affluence ont depuis attiré l'attention des princes et les restrictions des lois.

XXXVII. Lois qui regardent les mœurs.

Cod. Th. lib. 11, t. 27.

Lib. 5, t. 8, et 7.

Lib. 9, t. 18, c. 19, 15, 12, 24, 8.

Lib. 4, t. 20.

Lib. 3, t. 5.

Cod. Just., lib. 6, t. 1.

Dig. lib. 23, t. 1.

Lact. instit. lib. 6, c. 20.

Rien n'échappait à Constantin de ce qui intéressait les mœurs, la conduite des officiers, la police générale de l'état, le bon ordre dans les jugements, la perception des deniers publics, la discipline militaire. L'Italie et l'Afrique avaient été désolées par les cruautés de Maxence: la misère y avait étouffé les sentiments les plus vifs de la nature, et rien n'était si commun que d'y voir des pères qui vendaient, exposaient ou même tuaient leurs propres enfants. Pour arrêter cette barbarie, l'empereur se déclara le père des enfants de ses sujets; il ordonna aux officiers publics de fournir sans délai des aliments et des vêtements, pour tous les enfants dont les pères déclareraient qu'ils étaient hors d'état de les élever: ces frais étaient pris indifféremment sur le trésor des villes et sur celui du prince. *Ce serait*, dit-il, *une cruauté tout-à-fait contraire à nos mœurs, de laisser aucun de nos sujets mourir de faim, ou se porter par indigence à quelque action indigne.* Et comme ce soulagement n'empêchait pas encore le malheureux trafic que certains pères faisaient de leurs enfants, il voulut que ceux qui les auraient achetés et nourris en fussent les maîtres légitimes, et que les pères ne pussent les répéter sans en donner le prix. Il paraît même qu'il ôta dans la suite aux pères qui auraient exposé leurs enfants, la liberté de les racheter des mains de ceux qui, après les avoir élevés, les auraient adoptés pour leurs fils, ou mis au rang de leurs esclaves. On croit que ces lois lui furent encore suggérées par Lactance, qui, dans ses ouvrages, invective avec force contre les pères dénaturés. Il condamna à être dévorés par les bêtes ou égorgés par les gladiateurs, ceux qui enlevaient les enfants à leurs pères pour en faire des esclaves; c'était encore l'usage de faire servir les punitions à des divertissements cruels. Il prit de nouvelles précautions pour faciliter la conviction du crime de faux dans les testaments, et pour en abréger la poursuite devant les tribunaux. Il arrêta les fraudes de ceux qui donnaient retraite aux esclaves fugitifs pour se les approprier. La loi ancienne sur le supplice des parricides fut renouvelée. Il étendit ses soins paternels jusque sur les derniers des hommes. Avant Constantin, les maîtres se permettaient toutes sortes de cruautés dans le châtiment de leurs esclaves; ils employaient à leur gré le fer, le feu, les chevalets: l'empereur corrigea cette inhumanité; il défendit aux maîtres toute punition meurtrière, sous peine de se rendre coupable d'homicide; il les déchargea pourtant de ce crime, si l'esclave venait à mourir à la suite d'un châtiment modéré. C'est une impudence plus criminelle d'en imposer au prince, que de tromper les magistrats; aussi ceux qui osaient l'abuser, furent-ils plus sévèrement punis. Il fit des réglements pour les donations que se feraient mutuellement les fiancés avant le mariage: en faveur des soldats que le service de la patrie peut long-temps retenir hors de leur pays, il déclara que l'engagement contracté avec eux par les fiançailles ne pourrait être rompu qu'après deux ans écoulés sans que le mariage fût conclu. Une des lois les plus rigoureuses de ce prince fut celle qu'il fit contre le rapt: avant Constantin le ravisseur restait impuni, si la fille ne réclamait pas contre la violence et qu'elle le demandât pour mari. Par la loi de ce prince, le consentement de la fille n'avait d'autre effet que de la rendre complice: elle était alors punie comme le ravisseur; lors même qu'elle avait été enlevée par force, à moins qu'elle ne prouvât qu'il n'y avait eu de sa part aucune imprudence, et qu'elle avait employé tous les moyens de résistance dont elle était capable, elle était privée de la succession de ses père et mère; le ravisseur convaincu n'avait point la ressource de l'appel. Ces séductrices domestiques, qui, trompant la vigilance des pères et des mères, ou qui, abusant de leur confiance, trafiquent de l'honneur de leurs filles, souffraient une peine assortie à leur crime: on leur versait dans la bouche du plomb fondu; les parents qui ne poursuivaient pas le criminel étaient bannis, et leurs biens confisqués. On traitait de même tous ceux de condition libre qui avaient prêté leur ministère à l'enlèvement: les esclaves étaient brûlés vifs sans distinction de sexe; l'esclave qui dans le silence des parents dénonçait le crime, avait pour récompense la liberté. Cette loi ne marque pas quel était le supplice du ravisseur: on peut conjecturer par une loi de Constance, qu'il était livré aux bêtes dans l'amphithéâtre. Une loi ancienne défendait au tuteur d'épouser sa pupille, ou de la faire épouser à son fils: Constantin leva cette défense; mais si le tuteur séduisait sa pupille, il était banni à perpétuité avec confiscation de tous ses biens. Pour maintenir l'honnêteté publique, il défendit, sous peine de mort, les mariages entre les femmes et leurs esclaves: les enfants nés de ces alliances indécentes étaient libres selon les lois: mais il les déclara inhabiles à posséder aucune partie des biens de leur mère.

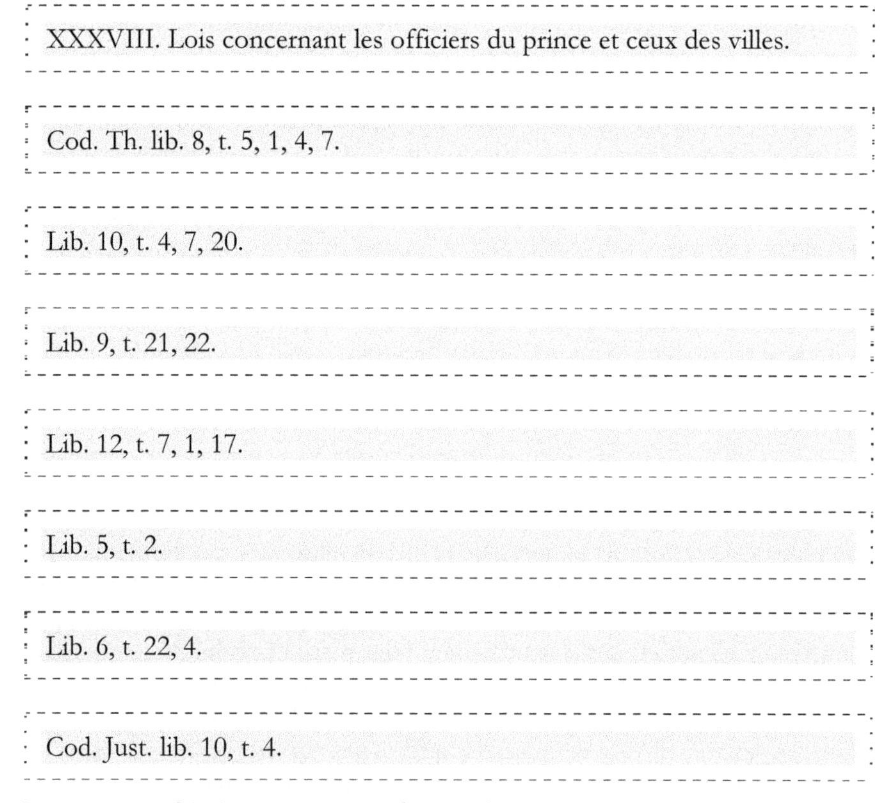

XXXVIII. Lois concernant les officiers du prince et ceux des villes.

Cod. Th. lib. 8, t. 5, 1, 4, 7.

Lib. 10, t. 4, 7, 20.

Lib. 9, t. 21, 22.

Lib. 12, t. 7, 1, 17.

Lib. 5, t. 2.

Lib. 6, t. 22, 4.

Cod. Just. lib. 10, t. 4.

Constantin se faisait exactement informer des moindres abus et ne négligeait rien pour y remédier. Il en corrigea plusieurs qui s'étaient introduits dans l'usage des postes et des voitures dont le public faisait les frais en faveur de certains officiers. Il était surtout indigné contre ceux qui abusaient de la confiance du prince pour tourmenter ses sujets; les lois qu'il fit sur cet article portent un ton de menace et de colère: il condamna à être brûlés vifs les receveurs de ses domaines qui seraient convaincus de déprédations, et même de chicanes odieuses: *Ceux qui sont sous notre main, dit-il, et qui reçoivent immédiatement nos ordres, doivent être plus rigoureusement punis.* Comme plusieurs d'entre eux, pour se mettre à couvert de la punition, obtenaient des grades honorables qui leur donnaient des priviléges, il leur ferma l'entrée de toute dignité supérieure, jusqu'à ce qu'ils eussent rempli le temps de leur office d'une manière irréprochable. Il réprima l'ambition des officiers qui étaient au service des tribunaux, en réglant l'ordre de leur promotion selon leur antiquité et leur capacité, en établissant des peines et des récompenses suivant leur mérite, en fixant le temps de leur exercice. Il défendit à ceux qui étaient chargés de dénoncer les délinquants, de les tenir en chartre privée. Les troubles de l'empire avaient favorisé tous les crimes: les faux monnayeurs s'étaient multipliés. Il s'était encore glissé un autre abus par rapport aux monnaies: les païens, qui faisaient sans comparaison le plus grand nombre, aigris contre Constantin décriaient les espèces marquées au coin de ce prince: sous de frivoles prétextes, et par une estimation arbitraire, ils donnaient plus de valeur à celles des empereurs précédents, quoiqu'elles fussent de même poids et au même titre: le prince réprima cette bizarrerie insolente; il intimida par des lois sévères les faux monnayeurs et leurs complices; il attacha les monétaires à leur profession d'une manière irrévocable, de peur qu'ils ne fussent tentés d'exercer pour leur compte un art qui devient criminel dès qu'il sort du service du prince: il détermina avec justesse le poids des espèces, et porta le scrupule jusqu'à prescrire la manière de peser l'or qui serait apporté pour le paiement des impôts. Chaque ville de province avait une sorte de sénat, dont les membres s'appelaient décurions, et les chefs décemvirs: la qualité de décurion était attachée à la naissance; on le devenait aussi par la nomination du sénat, par héritage, ou par l'acquisition du patrimoine d'un décurion: quelques-uns ayant le bien convenable s'engageaient volontairement dans cette compagnie; mais le plus grand nombre cherchaient à s'y soustraire à cause des fonctions onéreuses dont les décurions étaient chargés: ils payaient eux-mêmes de plus fortes contributions, et répondaient de celles qui étaient imposées aux autres citoyens; ils avaient le détail des subsistances, le soin des magasins et des ouvrages publics: c'était à eux à faire exécuter les ordres des gouverneurs; ils portaient tout le poids de l'administration civile. Constantin fit grand nombre de lois pour maintenir des fonctions si nécessaires; il en régla les rangs, il en releva la dignité, il renonça aux droits du fisc sur les biens de ceux d'entre eux qui mouraient *ab intestat* et sans laisser d'héritiers légitimes, et voulut que ces biens tournassent au profit du corps: il fixa l'âge auquel on pourrait entrer dans ces compagnies; il imposa des peines à ceux qui se dérobaient à ces charges; en un mot, il réforma autant qu'il put cette injustice commune, de prétendre aux avantages de la société sans y rien mettre du sien. Il exempta pourtant ceux qui prouvaient leur pauvreté, ou qui avaient cinq enfants. Il en dispensa aussi ceux qui avaient reçu du prince des brevets honoraires, pourvu qu'ils les eussent mérités par des services réels et non pas achetés à prix d'argent. Le désir de multiplier les honneurs et les récompenses, qui ne deviennent jamais plus communes que quand le mérite est plus rare, avait alors établi la mauvaise coutume de donner des brevets honoraires, c'est-à-dire des titres sans fonction. Comme ces distinctions n'exigeaient ni talents ni travail, rien n'était plus à la portée de l'intrigue et de la richesse; l'avarice des courtisans en avait fait un trafic: Constantin ne crut pas que des titres qui ne prouvaient que le crédit ou l'opulence, dussent dispenser de contribuer aux charges de l'État. Les noms de consuls, de préteurs, de questeurs subsistaient encore; mais ce n'étaient plus que des noms; les fonctions de ces magistrats se réduisaient à donner à leurs frais des jeux au peuple dans le cirque et sur le théâtre: quelquefois, pour éviter ces dépenses, ils s'absentaient de Rome; on les condamnait alors à fournir dans les greniers publics, une certaine quantité de blé: on croit que les préteurs étaient taxés à cinquante mille boisseaux: l'empereur dispensa de l'obligation de faire la dépense des jeux, ceux qui étaient revêtus de ces dignités au-dessous de vingt ans.

XXXIX. Lois sur la police générale et sur le gouvernement civil.

Cod. Th. lib. 13, t. 5, 3.

Lib. 14, t. 3, 25.

Lib. 9, t. 40, 34, 10.

Lib. 10, t. 18, 8, 11.

Lib. 8, t. 18, 12.

Lib. 2, t. 9, 19.

Lib. 3, t. 1, 2.

Lib. 5, t. 1.

Lib. 15, t. 3, 1.

Lib. 4, t. 22.

Cod. Just. lib. 6, t. 61.

Lib. 5, t. 71.

Lib. 8, t. 10.

Nous avons vu Constantin attentif à la conservation de ses sujets; il ne le fut pas moins à les entretenir dans l'abondance. L'Afrique et l'Égypte fournissaient aux habitants de Rome la plus grande partie du blé nécessaire à leur nourriture; et les magasins de ces deux fertiles pays étaient transportés dans la capitale de l'empire sur deux flottes, qui partaient l'une de Carthage, l'autre d'Alexandrie. Une partie de ce blé était le tribut de ces provinces, l'empereur payait l'autre partie. L'Espagne envoyait aussi du blé. Le transport ne coûtait rien à l'état. Il y avait un ordre de personnes obligées de fournir des vaisseaux d'une certaine grandeur et de faire les frais de la traite: on les appelait *Naviculaires*. Cette obligation n'était pas personnelle, mais attachée aux possessions; c'était une servitude imposée à certaines terres: quand ces terres passaient en d'autres mains, soit par succession, soit par vente, l'obligation d'entretenir ces vaisseaux passait aux héritiers ou aux acquéreurs. Ce blé rendu au port d'Ostie, était transporté à Rome sur des barques, et mis entre les mains d'une autre compagnie, qui était aussi par la condition de ses biens assujettie au soin d'en faire du pain. Le grain était moulu à force de bras, et c'était la punition des moindres crimes d'être condamné à tourner la meule. Une partie de ce pain était distribuée gratuitement au peuple, l'autre était vendue au profit du trésor. Constantin fit plusieurs lois pour maintenir ces utiles navigateurs; il ne voulut pas que ceux qui possédaient les biens assujettis à ce service, pussent s'en exempter sous prétexte d'aucune immunité ni d'aucune dignité; mais il défendit aussi d'exiger d'eux rien au-delà; il les déclara exempts de toute autre fonction, de toute contribution; il augmenta leurs priviléges, déja très-étendus, et leur assigna des droits à prendre sur le blé même. Il pourvut aussi à entretenir l'abondance dans

Carthage, la plus grande ville de l'Afrique. Quand il eut bâti Constantinople, il y établit le même ordre pour les subsistances; et des deux flottes occupées à la fourniture de l'ancienne Rome, il détacha celle d'Alexandrie pour apporter à la nouvelle le blé d'Égypte. Sous les empereurs précédents, la loi avait varié sur l'article des trésors que le hasard faisait trouver. Constantin décida que celui qui aurait trouvé un trésor le partagerait par moitié avec le fisc, s'il venait en faire la déclaration, et qu'on s'en rapporterait à sa bonne foi sans autre recherche; mais qu'il perdrait le tout et serait mis à la question, s'il était convaincu de cacher la découverte. Il fit de sages ordonnances par rapport aux testaments. Il régla la succession des biens maternels. Il pourvut à la sûreté et à la bonne foi des ventes et des achats. Il défendit le prêt sur gage, permis jusqu'alors. Il régla la validité et la forme des donations. Il détermina la portion des mères dans la succession de leurs fils morts sans enfants et sans testament. L'intérêt des mineurs, même dans le cas où ils seraient débiteurs du fisc, ne fut pas négligé. Il assura la possession des biens qui venaient de la libéralité du prince. La licence des dénonciations anonymes fut réprimée; les magistrats eurent ordre de n'y avoir égard que pour en rechercher l'auteur, le contraindre à la preuve, et le punir même quand il aurait prouvé; il leur ordonna pourtant d'avertir l'accusé, de ne pas se contenter de l'innocence, mais de vivre de manière qu'il ne pût être légitimement soupçonné. Il prit grand soin des chemins publics, dont l'entretien était, sans aucune exemption, à la charge des possesseurs des terres. La construction et la réparation des édifices publics ne fut pas le dernier de ses soins; il envoyait des inspecteurs pour lui rendre compte de l'attention des magistrats sur cet objet: les gouverneurs des provinces ne devaient pas entreprendre de nouveaux ouvrages, qu'ils n'eussent achevé ceux que leurs prédécesseurs avaient commencés. Pour éviter le danger des incendies, il ne permit de bâtir qu'à la distance de cent pieds des greniers publics. Curieux de la décoration des villes, il défendit aux particuliers, sous peine de confiscation de leurs maisons de campagne, d'y transporter les marbres et les colonnes qui faisaient l'ornement de leurs maisons de ville. Ceux qui employaient la violence pour se mettre en possession d'une terre, étaient anciennement punis par l'exil et par la confiscation de leurs biens: Constantin changea d'abord cette peine en celle de mort; il revint cependant dans la suite à la première punition, avec cette distinction, que si l'auteur de la violence était un injuste usurpateur, il serait banni et perdrait tous ses propres biens; s'il était propriétaire légitime, la moitié des biens dont il se serait remis en possession par force, serait confisquée au profit du domaine: il s'appliqua surtout à mettre les absents à couvert des invasions, et chargea les juges ordinaires de veiller à leur défense, et de leur donner toute faveur. Afin que les médecins et les professeurs des arts libéraux, tels que la grammaire, la rhétorique, la philosophie, la jurisprudence, pussent vaquer librement et sans inquiétude à leurs emplois, il confirma les privilèges qui leur avaient été accordés par les empereurs précédents, et que la grossièreté municipale s'efforçait de temps en temps de leur arracher: il les déclara exempts de toute fonction onéreuse: il défendit sous de grosses amendes de les inquiéter par des chicanes de procédures, de leur faire aucun outrage, de leur disputer l'honoraire qui leur était assigné sur la caisse publique des villes: il leur donna entrée aux honneurs municipaux, mais il défendit de les y contraindre; il étendit ces exemptions à leurs femmes et à leurs enfants; il les dispensa du service militaire et du logement des gens de guerre, et de tous ceux qui, étant chargés de commission publique, avaient droit de se loger chez les particuliers.

XL. Lois sur l'administration de la justice.

Cod. Th. lib. 1, t. 2, 10.

Lib. 4, t. 26.

Lib. 9, tit. 3, 42.

Lib. 2, t. 6, 18, 10.

Lib. 11, t. 35.

Cod. Just. lib. 1, t. 40.

Lib. 7, t. 49.

Lib. 2, t. 6.

Tant de lois eussent été inutiles, s'il n'en eût procuré l'exécution par une exacte administration de la justice. Bien instruit que la vraie autorité du prince est inséparablement liée avec celle des lois, il défendit aux juges d'exécuter ses propres rescrits, de quelque manière qu'ils eussent été obtenus, s'ils étaient contraires à la justice, et il leur donna pour règle générale d'obéir aux lois préférablement à des ordres particuliers. Avant que de mettre en exécution les arrêts qu'il rendait sur des requêtes, il ordonna aux magistrats d'informer de la vérité des faits avancés dans ces requêtes; et en cas de faux exposé, il voulut que l'affaire fût instruite de nouveau. Pour faire respecter les jugements et se mettre lui-même à l'abri des surprises, il défendit d'admettre les rescrits du prince obtenus sur une sentence dont on n'aurait pas appelé, et condamna à la confiscation des biens et au bannissement, ceux qui useraient de cette voie pour faire casser un jugement. Selon l'ancien droit romain on ne pouvait tirer personne de sa maison par force pour le mener en justice: on avait dérogé à cette loi; Constantin la renouvela en faveur des femmes, sous peine de mort pour les contrevenants. Afin de mettre les faibles à l'abri des vexations, il abolit les évocations dans les causes des pupilles, des veuves, des infirmes, des pauvres; il voulut qu'ils fussent jugés sur les lieux; mais il leur laissa le droit qu'il ôtait à leurs adversaires, et leur permit de traduire au jugement du prince ceux dont ils redoutaient le crédit et la puissance. Il ordonna que dans les causes criminelles, les coupables, sans égard à leur rang ni à leurs priviléges, seraient jugés par les juges ordinaires et dans la province même où le forfait aurait été commis: Car, dit-il, *le crime efface tout privilége et toute dignité.* Quand un oppresseur puissant, dans une province, se mettait au-dessus des lois et des jugements, les gouverneurs avaient ordre de s'adresser au prince ou au préfet du prétoire pour secourir les opprimés. Un grand nombre de lois recommande aux juges l'exactitude dans les informations, la patience dans les audiences, la prompte expédition et l'équité dans les jugements. S'ils se laissent corrompre, outre la perte de leur honneur ils sont condamnés à réparer le dommage que leur sentence a causé: si la conclusion des affaires est différée par leur faute, ils sont obligés d'indemniser les parties à leurs dépens: quand on appelle de leur sentence, il leur est enjoint de donner à ceux qu'ils ont condamnés une expédition de toute la procédure, pour faire preuve de leur équité. Une de ces lois, par les termes dans lesquels elle est conçue, et par le serment qui la termine, respire le zèle le plus ardent pour la justice: *Si quelqu'un, de quelque condition qu'il soit, se croit en état de convaincre qui que ce soit d'entre les juges ou d'entre mes conseillers et mes officiers, d'avoir agi contre la justice, qu'il se présente hardiment, qu'il s'adresse à moi; j'entendrai tout; j'en prendrai connaissance par moi-même; s'il prouve ce qu'il avance, je me vengerai: encore une fois, qu'il parle sans crainte et selon sa conscience; si la chose est prouvée, je punirai celui qui m'aura trompé par une fausse apparence de probité, et je récompenserai celui à qui j'aurai l'obligation d'être détrompé: Qu'ainsi le Dieu souverain me soit en aide, et qu'il maintienne l'état et ma personne en honneur et prospérité.* Il confisqua les biens des contumaces qui ne se représentaient pas dans l'espace d'un an; et cette confiscation avait lieu quoique dans la suite ils parvinssent à prouver leur innocence. Il renouvela les lois qui ôtaient aux femmes la liberté d'accuser, sinon dans les cas où elles poursuivraient une injure faite à elles-mêmes ou à leur famille, et il défendit aux avocats de leur prêter leur ministère. Les avocats qui dépouillent leurs clients sous prétexte de les défendre, et qui par des conventions secrètes se font donner une partie de leurs biens, ou une portion de la chose contestée, sont exclus pour jamais d'une profession honorable, mais dangereuse dans des ames intéressées. Selon l'ancien usage, tous les biens des proscrits étaient confisqués, et leur punition entraînait avec eux dans la misère ceux qui n'avaient d'autre crime que de leur appartenir: Constantin voulut qu'on laissât aux enfants et aux femmes tout ce qui leur était propre, et même ce que ces pères et ces maris malheureux leur avaient donné avant que de se rendre coupables: il ordonna même qu'en lui produisant l'inventaire des biens confisqués, on l'instruisît si le condamné avait des enfants, et si ces enfants avaient déja reçu de leur père quelque avantage: il excepta pourtant les officiers qui maniaient les deniers publics, et déclara, que les donations qu'ils auraient faites à leurs enfants et à leurs femmes n'auraient lieu qu'après l'apurement de leurs comptes. La bonté du prince descendit jusque dans les prisons, pour y épargner des souffrances qui ne servent de rien à l'ordre public, et pour châtier l'avarice de ces bas et sombres officiers qui s'établissent un revenu sur leur cruauté, et qui vendent bien cher aux malheureux jusqu'à l'air qu'ils respirent: il déclara qu'il s'en prendrait aux juges mêmes, s'ils manquaient de punir du dernier supplice les geôliers et leurs valets qui auraient causé la mort d'un prisonnier faute de nourriture ou par mauvais traitement; il recommanda la diligence, surtout dans les jugements criminels, pour abréger l'injustice que la détention faisait à l'innocence, et pour prévenir les accidents qui pouvaient dérober le coupable à la vindicte publique: il voulut même que tout accusé fût d'abord entendu, et qu'il ne fût mis en prison qu'après un premier examen, s'il donnait un légitime fondement de soupçonner qu'il fût coupable.

XLI. Lois sur la perception des impôts.

Cod. Th. lib. 2, t. 30.

Lib. 11, t. 16, 3.

Lib. 12, t. 6.

Lib. 4, t. 12.

Ce prince ne montra pas moins d'humanité dans les réglements qu'il fit pour la perception des deniers publics. Les anciennes lois ne permettaient pas de saisir les instruments nécessaires à l'agriculture, il défendit sous peine capitale d'enlever les esclaves et les bœufs employés au labourage; c'était, en effet, rendre le paiement impossible, en même temps qu'on l'exigeait. Outre les impositions annuelles, les besoins de l'état obligeaient quelquefois d'imposer des taxes extraordinaires: il régla la répartition de ces taxes; il la confia non pas aux notables des lieux, qui en faisaient tomber tout le poids sur les moins riches pour s'en décharger eux-mêmes, mais aux gouverneurs des provinces: il recommanda à ceux-ci de régler les corvées avec équité, et leur défendit d'y contraindre les laboureurs dans le temps de la semaille et de la récolte. L'avarice toujours ingénieuse à se soustraire aux dépenses publiques, avait introduit un abus qui appauvrissait le fisc, et accablait les pauvres; les riches profitant de la nécessité d'autrui, achetaient les meilleures terres à condition qu'elles seraient pour leur compte franches et quittes de toute contribution; et les anciens possesseurs restaient par le contrat de vente chargés d'acquitter ce qui était dû pour le passé, et de payer dans la suite les redevances. Il arrivait de là que le fisc était frustré, ceux qui étaient dépouillés de leurs terres étant hors d'état de payer, et ceux qui les avaient acquises se prétendant déchargés à l'égard du fisc: l'empereur déclara ces contrats nuls; il ordonna que les redevances seraient payées par les possesseurs actuels. Les magistrats des villes qui nommaient les receveurs, furent rendus responsables envers le fisc des banqueroutes de ceux qu'ils auraient choisis. Il prit des précautions pour épargner les frais aux provinciaux qui portaient leurs taxes à la ville principale, et pour leur procurer une prompte expédition. La ferme des traites publiques avait pour objet de transporter au trésor les tributs des provinces; des magistrats la donnaient à qui il leur plaisait, et pour le temps qu'ils voulaient; et ces fermiers ne manquaient ordinairement ni d'avidité, ni de moyens pour vexer les habitants: il réforma ces abus en ordonnant que ses fermes seraient adjugées au plus offrant, sans aucune préférence; qu'elles dureraient trois ans; et que les fermiers qui exigeraient au-delà de ce qui était dû à la rigueur, seraient punis de peine capitale.

XLII. Lois pour l'ordre militaire.

Cod. Th. lib. 7, t. 21, 20, 12.

Lib. 6, t. 22.

La discipline militaire, le principal ressort de la puissance romaine, se relâchait insensiblement. Ce prince guerrier, qui devait à ses armes une grande partie de son empire, ne pouvant rétablir cette discipline dans son ancienne vigueur, en retarda du moins la décadence par de sages réglements. La faveur, qui tient lieu de mérite, faisait obtenir des brevets de titres militaires à des gens qui n'avaient jamais vu l'ennemi; Constantin leur ôta les priviléges attachés à ces titres, comme n'étant dus qu'à des services effectifs. Il en accorda de considérables aux vétérans; il leur donna des terres vacantes avec exemption de taille à perpétuité, et leur fit fournir tout ce qui était nécessaire pour les faire valoir: il les exempta encore de toute fonction civile, des travaux publics, de toute imposition; s'ils voulaient faire le commerce, il les déchargea d'une grande partie des droits que payaient les marchands. Ces exemptions furent réglées selon les espèces, les grades et les dignités des soldats. Il étendit les priviléges des vétérans à leurs enfants mâles, qui suivraient la profession des armes. Mais comme quelques-uns de ceux-ci prétendaient jouir des avantages de leurs pères sans éprouver les fatigues et les périls de la guerre; et que cette lâcheté allait si loin que plusieurs d'entre eux, surtout en Italie, se coupaient le pouce, pour se rendre inhabiles au service; l'empereur ordonna que les fils des vétérans qui refuseraient de s'enrôler, ou qui ne seraient pas propres à la guerre, seraient déchus de tout privilége et assujettis à toutes les fonctions municipales; que ceux au contraire qui embrasseraient le métier des armes, seraient favorisés dans l'avancement aux grades militaires. Les frontières tant du côté du Danube, que vers les bords du Rhin, étaient garnies de soldats placés en différents postes, pour servir de barrières contre les Francs, les Allemans, les Goths, et les Sarmates; mais quelquefois ces troupes corrompues par les Barbares, les laissaient entrer sur les terres de l'empire et partageaient le butin avec eux. L'empereur condamna au feu ceux qui seraient coupables d'une si noire trahison; et pour rendre plus sûre et plus exacte la garde des frontières, il défendit aux officiers de donner aucun congé, sous peine de bannissement, si pendant l'absence du soldat les Barbares ne faisaient aucune entreprise; et de mort, s'il survenait alors quelque alarme.

AN 323.

XLIII. Causes de la guerre entre Constantin et Licinius.

Euseb. vit. Const. l. 2, c. 31, 32, 33, 34.

Zos. l. 2, c. 22.

Anony. Vales.

Hist. misc. l. 11. apud Muratori, t. I, p. 71.

Philost. l. 5, c. 2.

Suidas in Ἀυξέντιος.

Baronius, ann. 316.

Socr. l. 1, c. 2.

[Euseb. Hist. eccl. l. 10, c. 8].

C'est ainsi que dans les intervalles de repos que lui laissait la guerre, Constantin s'occupait à régler l'intérieur de ses états. Au commencement de l'année 323, Sévère et Rufin étant consuls, il était à Thessalonique, où il faisait faire un port. Cette ville ancienne et voisine de la mer manquait encore de cet avantage. La jalousie de Licinius vint troubler ces travaux pacifiques. L'année précédente Constantin avait été chercher les Sarmates et les Goths jusque dans la Thrace et dans la seconde Mésie, qui appartenaient à son collègue. Celui-ci s'en plaignit comme d'une infraction du traité de partage; il prétendit que Constantin n'avait pas dû mettre le pied dans des provinces sur lesquelles il n'avait aucun droit. Il haïssait ce prince, mais il le craignait: ainsi flottant et irrésolu, il envoyait députés sur députés, dont les uns portaient des reproches, les autres des excuses. Ces bizarreries lassèrent la patience de Constantin, et la guerre fut déclarée. Il songea moins sans doute à étouffer les premières semences de discorde, qu'à profiter de l'occasion de se défaire d'un collègue odieux; et pour prendre les armes, il n'avait pas besoin d'y être excité, comme le dit Eusèbe, par l'intérêt de la religion persécutée. Mais un si beau prétexte mettait dans son parti tous les chrétiens de l'empire, tandis que Licinius semblait ne rien oublier pour les aliéner. Comme plusieurs d'entre eux refusaient de s'engager dans une armée qui allait combattre contre la croix, Licinius les fit mourir, et prit le parti de chasser de ses troupes comme des traîtres tous ceux qui faisaient profession du christianisme. Il en condamna une partie à travailler aux mines; il enferma les autres dans des manufactures publiques pour y faire de la toile et d'autres ouvrages de femmes. On raconte qu'un officier distingué, nommé Auxentius, ayant refusé de faire une offrande à Bacchus, fut cassé sur-le-champ. Cet Auxentius fut depuis évêque de Mopsueste, et donna lieu de soupçonner qu'il favorisait les Ariens.

XLIV. Préparatifs de guerre.

Zos. l. 2, c. 22.

Jornand. de reb. Get. c. 21.

Amm. l. 15, c. 5.

Quoique Licinius eût exclu les chrétiens du service militaire, il mit cependant sur pied des forces considérables. Ayant envoyé des ordres dans toutes ses provinces, il fit armer en diligence tout ce qu'il avait de vaisseaux de guerre. L'Égypte lui en fournit quatre-vingts, la Phénicie autant; les Ioniens et les Doriens d'Asie, soixante; il en tira trente de Cypre, vingt de Carie, trente de Bithynie et cinquante de Libye. Tous ces vaisseaux étaient montés de trois rangs de rameurs. Son armée de terre était de près de cent cinquante mille hommes de pied; la Phrygie et la Cappadoce lui donnèrent quinze mille chevaux. La flotte de Constantin était composée de deux cents galères à trente rames, tirées presque toutes des ports de la Grèce, et plus petites que celles de Licinius; il avait plus de deux mille vaisseaux de charge. On comptait dans son armée cent vingt mille fantassins; les troupes de mer et la cavalerie faisaient ensemble dix mille hommes. Il avait pris des Goths à sa solde; et Bonit, capitaine Franc, lui rendit en cette guerre de bons services, à la tête d'un corps de troupes de sa nation. Le rendez-vous de l'armée navale de Constantin, commandée par Crispus, son fils, était au port d'Athènes; celle de Licinius sous le commandement d'Abantus ou d'Amandus s'assembla dans l'Hellespont.

XLV. Piété de Constantin et superstition de Licinius.

Euseb. vit. Const. l. 2, c. 4, 5, 6, 12.

Soz. l. 1, c. 7, 8.

Constantin mit sa principale confiance dans le secours de Dieu et dans l'étendard de la croix. Il faisait porter une tente en forme d'oratoire, où l'on célébrait l'office divin. Cette chapelle était desservie par des prêtres et par des diacres, qu'il menait avec lui dans ses expéditions, et qu'il appelait *les gardes de son ame*. Chaque légion avait sa chapelle et ses ministres particuliers, et l'on peut regarder cette institution comme le premier exemple des aumôniers d'armée. Il faisait dresser cet oratoire hors du camp pour y vaquer plus tranquillement à la prière, dans la compagnie d'un petit nombre d'officiers dont la piété et la fidélité lui étaient connues. Il ne livrait jamais bataille, qu'il n'eût été auparavant prendre aux pieds du trophée de la croix des assurances de la victoire. C'était au sortir de ce saint lieu, que, comme inspiré de Dieu même, il donnait le signal du combat, et communiquait à ses troupes l'ardeur dont il était embrasé. Licinius faisait des railleries de toutes ces pratiques religieuses; mais cet esprit fort donnait dans les plus absurdes superstitions; il traînait à sa suite une foule de sacrificateurs, de devins, d'aruspices, d'interprètes de songes, qui lui promettaient en vers pompeux et flatteurs les succès les plus brillants. L'oracle d'Apollon qu'il envoya consulter à Milet, fut le seul qui se dispensa d'être courtisan; il répondit par deux vers d'Homère, dont voici le sens:[A] «Vieillard, il ne t'appartient pas de combattre de jeunes guerriers, tes forces sont épuisées, le grand âge t'accable.» Aussi cette prédiction fut-elle la seule que le prince n'écouta pas.

[A]

Ὦ γέρον, ἦ μάλα δή σε νέοι τείρουσι μαχηταί,

Σὴ τε βίη λέλυται, χαλεπὸν δέ σε γῆρας ἱκάνει.

(Il. 8, 102.)

XLVI. Approches des deux armées.

Zos. l. 2, c. 22.

Anony. Vales.

Il passa le détroit et alla camper près d'Andrinople [*Hadrianopolis*] dans la Thrace. Constantin étant parti de Thessalonique s'avança jusqu'aux bords de l'Hèbre. Les deux armées furent plusieurs jours en présence, séparées par le fleuve. Celle de Licinius postée avantageusement sur la pente d'une montagne, défendait le passage. Constantin ayant découvert un gué hors de la vue des ennemis, usa de ce stratagème: il fait apporter des forêts voisines quantité de bois et tordre des câbles, comme s'il était résolu de jeter un pont sur le fleuve; en même temps il détache cinq mille archers et quatre-vingts chevaux, et les fait cacher sur une colline couverte de bois, au bord du gué qu'il avait découvert: pour lui, à la tête de douze cavaliers seulement, il passe le gué, fond sur le premier poste des ennemis, les taille en pièces ou les renverse sur les postes voisins, qui, se repliant les uns sur les autres, portent l'épouvante dans le gros de l'armée: étonnée de cette attaque imprévue elle reste immobile; les troupes embusquées joignent Constantin, qui, s'étant assuré des bords du fleuve, fait passer l'armée entière.

XLVII. Harangue de Licinius.

Eus. vit. Const. l. 2, c. 5.

Buch. cycl. p. 283.

On se préparait de part et d'autre à une bataille, qui devait donner un seul maître à tout l'empire, et déterminer le sort de ses anciennes divinités. La veille ou peut-être le jour même de cette décision importante, qui fut le 3 de juillet, Licinius ayant pris avec lui les plus distingués de ses officiers, les mena dans un de ces lieux, auxquels l'imagination païenne attachait une horreur religieuse. C'était un bocage épais, arrosé de ruisseaux, où l'on apercevait à travers une sombre lueur les statues des dieux. Là, après avoir allumé des flambeaux et immolé des victimes, élevant la main vers ces idoles: «Mes amis, s'écria-t-il, voilà les dieux qu'adoraient nos ancêtres, voilà les objets d'un culte consacré par l'antiquité des temps. Celui qui nous fait la guerre, la déclare à nos pères, il la déclare aux dieux mêmes, il ne reconnaît qu'une divinité étrangère et chimérique, pour n'en reconnaître aucune; il déshonore son armée, en substituant un infâme gibet aux aigles romaines: ce combat va décider lequel des deux partis est dans l'erreur; il va nous prescrire qui nous devons adorer. Si la victoire se déclare pour nos ennemis, si ce Dieu isolé, obscur, inconnu dans son origine comme dans son être, l'emporte sur tant de puissantes divinités dont le nombre même est redoutable, nous lui adresserons nos vœux, nous nous rendrons à ce Dieu vainqueur, nous lui élèverons des autels sur les débris de ceux qu'ont dressés nos pères. Mais si, comme nous en sommes assurés, nos dieux signalent aujourd'hui leur protection sur cet empire, s'ils donnent la victoire à nos bras et à nos épées, nous poursuivrons jusqu'à la mort, et nous éteindrons dans son sang une secte sacrilége, qui les méprise.» Après avoir proféré ces blasphèmes il retourne au camp et se prépare à la bataille.

XLVIII. Bataille d'Andrinople.

Eus. vit. Const. l. 2, c. 6, 10, 11, 13, 14.

Zos. l. 2, c. 22.

Anony. Vales.

Cependant Constantin prosterné dans son oratoire, où il avait passé le jour précédent en jeûne et en prières, implorait le Dieu véritable pour le salut des siens et de ses ennemis mêmes. Il sort plein de confiance et de courage, et faisant marcher à la tête l'étendard de la croix, il donne pour mot à ses troupes: *Dieu Sauveur*. L'armée de Licinius était rangée en bataille devant son camp sur le penchant de la montagne: celle de Constantin y monte en bon ordre; malgré le désavantage du terrain elle garde ses rangs, et du premier choc elle enfonce les premiers bataillons. Ceux-ci mettent bas les armes, se jettent aux pieds du vainqueur, qui, plus empressé à les conserver qu'à les détruire, leur accorde la vie. La seconde ligne fit plus de résistance. En vain Constantin les invite avec douceur à se rendre, il fallut combattre; et le soldat devenu plus fier par la soumission des autres, en fait un horrible carnage. La confusion qui se mit dans leurs bataillons leur fut aussi funeste que le fer ennemi: serrés de toutes parts, ils se perçaient les uns les autres. Le principal soin du vainqueur fut d'épargner leur sang: blessé légèrement à la cuisse, il courait au plus fort de la mêlée; il criait à ses troupes de faire quartier et de se souvenir que les vaincus étaient des hommes; il promit une somme d'argent à tous ceux qui lui amèneraient un captif: l'armée ennemie semblait être devenue la sienne. Mais la bonté du prince ne put arrêter l'acharnement du soldat; le massacre dura jusqu'au soir: trente-trois mille des ennemis restèrent sur la place. Licinius fut un des derniers à prendre la fuite; et ramassant tout ce qu'il put des débris de son armée, il traversa la Thrace en toute diligence pour gagner la flotte. Constantin empêcha les siens de le poursuivre; il espérait que ce prince instruit par sa défaite, consentirait à se soumettre. Au point du jour les ennemis sauvés du massacre, qui s'étaient retirés sur la montagne et dans les vallons, vinrent se rendre, ainsi que ceux qui n'avaient pu suivre Licinius fuyant à toute bride. Ils furent traités avec humanité. Licinius s'enferma dans Byzance, où Constantin vint l'assiéger.

XLIX. Guerre sur mer.

Zos. l. 2, c. 23 et 24.

Anony. Vales.

La flotte de Crispus étant partie du Pirée, s'était avancée sur les côtes de Macédoine, lorsqu'elle reçut ordre de l'empereur de le venir joindre devant Byzance. Il fallait traverser l'Hellespont, qu'Abantus tenait fermé avec trois cent cinquante vaisseaux. Crispus entreprit de forcer le passage avec quatre-vingts de ses meilleures galères, persuadé que dans un canal si étroit un plus grand nombre ne serait propre qu'à l'embarrasser. Abantus vint au-devant de lui à la tête de deux cents voiles, méprisant le petit nombre des ennemis et se flattant de les envelopper. Le signal étant donné de part et d'autre, les deux flottes s'approchent et celle de Crispus s'avance en bon ordre. Dans celle d'Abantus au contraire, trop resserrée par la multitude des vaisseaux qui se heurtaient et se nuisaient dans leurs manœuvres, il n'y avait que trouble et confusion; ce qui donnait aux ennemis la facilité de les prendre à leur avantage et de les couler à fond. Après une perte considérable de bâtiments et de soldats du côté de Licinius, la nuit étant survenue, la flotte de Constantin alla mouiller au port d'Éléunte à la pointe de la Chersonnèse de Thrace; celle de Licinius au tombeau d'Ajax dans la Troade. Le lendemain à la faveur d'un vent de nord, qui soufflait avec force, Abantus prit le large pour recommencer le combat. Mais Crispus s'étant fait joindre pendant la nuit par le reste de ses galères qui étaient restées en arrière, Abantus étonné d'une augmentation si considérable balança de les attaquer. Pendant cette incertitude, vers l'heure de midi le vent tourna au sud, et souffla avec tant de violence, que repoussant les vaisseaux d'Abantus vers la côte d'Asie, il fit échouer les uns, brisa les autres contre les rochers, et en submergea un grand nombre avec les soldats et les équipages. Crispus profitant de ce désordre, avança jusqu'à Gallipoli [Callipolis] prenant ou coulant à fond tout ce qu'il trouvait sur son passage. Licinius perdit cent trente vaisseaux et cinq mille soldats, dont la plupart étaient de ceux qu'il avait sauvés de la défaite et qu'il faisait passer en Asie, pour soulager Byzance surchargée d'une trop grande multitude. Abantus se sauva avec quatre vaisseaux. Les autres furent dispersés. La mer étant devenue libre, Crispus reçut un convoi de navires chargés de toutes sortes de provisions, et fit voile vers Byzance pour seconder les opérations du siége et bloquer la ville du côté de la mer. A la nouvelle de son approche, une partie des soldats qui étaient dans Byzance craignant d'être enfermés sans ressource, se jetèrent dans les barques qu'ils trouvèrent dans le port et côtoyant les rivages se sauvèrent à Éleunte.

L. Licinius passe à Chalcédoine.

Zos. l. 2, c. 25.

Anony. Vales.

Aurel. Vict. de Cæs. p. 176 et 177.

Vict. epit. p. 223.

Banduri, numm. in Martiniano.

[Eckhel, Doct. Num. vet. t. VIII, p. 70.]

Constantin pressait le siége avec vigueur. Il avait élevé une terrasse à la hauteur des murs; on y avait construit des tours de bois, d'où l'on tirait avec avantage sur ceux qui défendaient la ville. A la faveur de ces ouvrages, il faisait avancer les béliers et les autres machines pour battre la muraille. Licinius désespérant du salut de la ville, prit le parti d'en sortir et de se retirer à Chalcédoine avec ses trésors, ses meilleures troupes et les officiers les plus attachés à sa personne. Il s'échappa apparemment avant l'arrivée de la flotte ennemie. Il espérait rassembler une nouvelle armée en Asie et se mettre en état de continuer la guerre. Son fils, déja César, mais âgé seulement de neuf ans, ne pouvait lui être d'aucun secours. Il crut appuyer sa fortune, en donnant le titre de César, et peut-être même celui d'Auguste, à Martinianus, son maître des offices, et qui en cette qualité commandait tous les officiers de son palais. C'était dans la circonstance un présent bien dangereux, et l'exemple de Valens avait de quoi faire trembler Martinianus. Mais la puissance souveraine enchante toujours les hommes; elle fixe tellement leurs yeux, qu'ils oublient de regarder derrière eux les naufrages qu'elle a causés. Licinius l'envoie à Lampsaque avec un détachement, afin de défendre le passage de l'Hellespont. Pour lui, il se place sur les hauteurs de Chalcédoine, et garnit de troupes toutes les gorges des montagnes qui aboutissaient à la mer.

LI. Bataille de Chrysopolis.

Euseb. vit. Const. l. 2, c. 11, 15, 16, 17.

Zos. l. 2, c. 26.

Anony. Vales.

Socr. l. 1, c. 2.

Le siége de Byzance traînait en longueur et pouvait donner à Licinius le temps de rétablir ses forces. Constantin laissant la ville bloquée, résolut de passer en Asie. Comme le rivage de Bithynie était d'un abord difficile pour les grands vaisseaux, il fit préparer des barques légères, et étant remonté vers l'embouchure du Pont-Euxin jusqu'au promontoire sacré à huit ou neuf lieues de Chalcédoine, il descendit en cet endroit et se posta sur des collines. Il y eut alors quelque négociation entre les deux princes: Licinius voulait amuser l'ennemi par des propositions; Constantin pour épargner le sang, lui accorda la paix à certaines conditions, elle fut jurée par les deux empereurs. Mais ce n'était qu'une feinte de la part de Licinius; il ne cherchait qu'à gagner du temps pour rassembler des troupes. Il rappela Martinianus; il mendiait secrètement le secours des Barbares; et grand nombre de Goths commandés par un de leurs princes, vinrent le joindre. Il se vit bientôt à la tête de cent trente mille hommes. Alors aveuglé par une nouvelle confiance, il rompt le traité; et oubliant la déclaration qu'il avait faite avant la bataille d'Andrinople, que s'il était vaincu il embrasserait la religion de son rival, il eut recours à de nouvelles divinités, comme s'il eût été trahi par les anciennes, et se livra à toutes les superstitions de la magie. Ayant remarqué la vertu divine attachée à l'étendard de la Croix, il avertit ses soldats d'éviter cette redoutable enseigne et d'en détourner même leurs regards; il y supposait un caractère magique, qui lui était funeste. Après ces préparatifs il encourage ses troupes; il leur promet de marcher à leur tête dans tous les hasards, et va présenter la bataille, faisant porter devant son armée des images de dieux nouveaux et inconnus. Constantin s'avança jusqu'à Chrysopolis: cette ville située vis-à-vis de

Byzance servait de port à Chalcédoine. Mais pour ne pas être accusé d'avoir fait le premier acte d'hostilité, il attend l'attaque des ennemis. Dès qu'il les voit tirer l'épée, il fond sur eux; le seul cri de ses troupes porte l'effroi dans celles de Licinius; elles plient au premier choc. Vingt-cinq mille sont tués; trente mille se sauvent par la fuite; les autres mettent bas les armes et se rendent au vainqueur.

LII. Suites de la bataille.

Idat. chron.

Zos. l. 2, c. 26 et 28.

Anony. Vales.

Praxag. apud Phot. cod. 62.

Cette victoire remportée le 18 de septembre ouvrit à Constantin les portes de Byzance et de Chalcédoine. Licinius s'enfuit à Nicomédie; où se voyant assiégé, sans troupes et sans espérance, il consentit à reconnaître pour maître celui qu'il n'avait pu souffrir pour collègue. Dès le lendemain de l'arrivée de Constantin, sa sœur Constantia femme de Licinius vint au camp du vainqueur, lui demander grace pour son mari. Elle obtint qu'on lui laisserait la vie, et cette promesse fut confirmée par serment. Sur cette assurance le vaincu sort de la ville, et ayant déposé la pourpre impériale aux pieds de son beau-frère, il se déclare son sujet et lui demande humblement pardon. Constantin le reçoit avec bonté, l'admet à sa table, et l'envoie à Thessalonique pour y vivre en sûreté.

LIII. Mort de Licinius.

Eus. vit. Const. l. 2, c. 18, et Hist. eccl. l. 10, c. 9.

Zos. l. 2, c. 28.

Eutrop. l. 10.

Hier. Chron.

Anony. Vales.

Zonar. l. 13, t. 2, p. 3.

Socr. l. 1, c. 6.

Cedrenus, t. I, p. 284.

Theoph. p. 16.

[Anony. Vales.]

Il y fut mis à mort peu de temps après; et la cause de ce traitement, si important pour fixer le caractère de Constantin, est en même temps la circonstance la plus équivoque de sa vie. Dans le passage des auteurs à ce sujet, la postérité ne peut asseoir de jugement assuré. Les uns racontent la mort de Licinius comme la punition d'un nouveau crime; les autres en font un crime à Constantin. Ceux-ci disent que l'empereur, contre la foi du serment, fit étrangler ce prince infortuné. Quelques-uns pour adoucir l'odieux d'une si noire perfidie, ajoutent qu'on avait lieu de craindre que Licinius à l'exemple de Maximien ne voulût reprendre la pourpre; et que Constantin se vit forcé par les soldats mutinés à lui ôter la vie. D'autres disent que l'empereur, pour ne pas irriter ses troupes mécontentes de ce qu'il épargnait un prince si souvent infidèle, s'en rapporta au sénat sur le sort qu'il méritait, et que le sénat en laissa la décision aux soldats qui le massacrèrent. Mais ni ces craintes, ni cette mutinerie des soldats, ni l'avis d'un sénat, qu'on ne consulte jamais après une parole donnée que quand on n'a pas dessein de la tenir, n'excuseraient la violation d'un serment fait librement et sans contrainte, si Licinius n'eût mérité la mort par un nouveau forfait. Aussi les historiens favorables à Constantin rapportent que le prince dépouillé fut convaincu de former des intrigues secrètes pour rappeler les Barbares et pour recommencer la guerre. Selon Eusèbe, ses ministres et ses conseillers furent punis de mort; et la plupart de ses officiers reconnaissant l'illusion de leur fausse religion embrassèrent la véritable. Martinianus perdit sa nouvelle dignité avec la vie, soit que Constantin l'ait abandonné à ses soldats qui le tuèrent lorsque Licinius se rendit; soit qu'il ait péri avec celui qui ne lui avait fait part que de ses désastres. Un auteur dit, sans en marquer aucune circonstance, qu'il fut tué quelque temps après en Cappadoce. On laissa vivre le fils de Licinius privé du titre de César. Les statues et les autres monuments du père furent renversés; et il ne resta d'un prince, dont les commencements avaient été heureux, qu'un odieux et funeste souvenir de ses impiétés et de ses malheurs. Il avait tenu l'empire environ seize ans.

FIN DU LIVRE TROISIÈME.

LIVRE IV.

I. Aventures d'Hormisdas. II. Il se réfugie auprès de Constantin. III. Récit de Zonare. IV. Constantin seul maître de tout l'empire. V. Il profite de sa victoire pour étendre le christianisme. VI. Lettre de Constantin aux peuples d'Orient. VII. Il défend les sacrifices. VIII. Édit de Constantin pour tout l'Orient. IX. Tolérance de Constantin. X. Piété de Constantin. XI. Corruption de sa cour. XII. Discours de Constantin. XIII. Troubles de l'Arianisme. XIV. Commencements d'Arius. XV. Son portrait. XVI. Progrès de l'Arianisme. XVII. Premier concile d'Alexandrie contre Arius. XVIII. Eusèbe de Nicomédie. XIX. Eusèbe de Césarée. XX. Mouvements de l'Arianisme. XXI. Concile en faveur d'Arius. XXII. Lettre de Constantin à Alexandre et à Arius. XXIII. Second concile d'Alexandrie. XXIV. Généreuse réponse de Constantin. XXV. Convocation du concile de Nicée. XXVI. Occupation de Constantin jusqu'à l'ouverture du concile. XXVII. Les évêques se rendent à Nicée. XXVIII. Évêques orthodoxes. XXIX. Évêques Ariens. XXX. Philosophes païens confondus. XXXI. Trait de sagesse de Constantin. XXXII. Conférences préliminaires. XXXIII. Séances du concile. XXXIV. Constantin au concile. XXXV. Discours de Constantin. XXXVI. Liberté du concile. XXXVII. Consubstantialité du verbe. XXXVIII. Jugement du concile. XXXIX. Question de la pâque terminée. XL. Réglement au sujet des Mélétiens et des Novatiens. XLI. Canons et symbole de Nicée. XLII. Lettres du concile et de Constantin. XLIII. Vicennales de Constantin. XLIV. Conclusion du concile. XLV. Exil d'Eusèbe et de Theognis. XLVI. Saint Athanase évêque d'Alexandrie. XLVII. Lois de Constantin. XLVIII. Mort de Crispus. XLIX. Mort de Fausta. L. Insultes que Constantin reçoit à Rome. LI. Constantin quitte Rome pour n'y plus revenir. LII. Consuls. LIII. Découverte de la croix. LIV. Église du Saint-Sépulcre. LV. Piété d'Hélène. LVI. Retour d'Hélène. LVII. Sa mort. LVIII. Guerres contre les Barbares. LIX. Destruction des idoles. LX. Temple d'Aphaca. LXI. Autres débauches et superstitions abolies. LXII. Chêne de Mambré. LXIII. Églises bâties. LXIV. Arad et Maïuma deviennent chrétiennes. LXV. Conversions des Éthiopiens et des Ibériens. LXVI. Établissement des monastères. LXVII. Restes de l'idolâtrie. LXVIII. Date de la fondation de Constantinople. LXIX. Motifs de Constantin pour bâtir une nouvelle ville. LXX. Il veut bâtir à Troie. LXXI. Situation de Byzance. LXXII. Abrégé de l'histoire de Byzance jusqu'à Constantin. LXXIII. État du christianisme à Byzance. LXXIV. Nouvelle enceinte de Constantinople. LXXV. Bâtiments faits à Constantinople. LXXVI. Places publiques. LXXVII. Palais. LXXVIII. Autres ouvrages. LXXIX. Statues. LXXX. Églises bâties. LXXXI. Égouts de Constantinople. LXXXII. Prompte exécution de ces ouvrages. LXXXIII. Maisons bâties à Constantinople. LXXXIV. Nom et division de Constantinople.

I. Aventures d'Hormisdas.

Zos. l. 2, c. 27.

Eutrop. l. 9.

Agathias, l. 4, p. 135.

Suid. in Μαρσύας.

Dans le temps que Constantin vainqueur à Chrysopolis se préparait à marcher à Nicomédie pour y forcer Licinius, il vit arriver dans son camp avec une suite d'Arméniens un prince étranger, qui venait auprès de lui chercher un asyle. C'était Hormisdas petit-fils de Narsès. Il s'était depuis peu échappé d'une dure prison, où il avait eu le temps de se repentir d'une parole brutale et inconsidérée. Son père Hormisdas II, huitième roi des Perses depuis qu'Artaxerxès avait rétabli leur empire l'an de Jésus-Christ 226, célébrait avec un grand appareil l'anniversaire de sa naissance. Pendant le festin qu'il donnait aux seigneurs de la Perse, Hormisdas son fils aîné entra dans la salle au retour d'une grande chasse. Les convives ne s'étant pas levés pour lui rendre l'honneur qui lui était dû, il en fut indigné, et il échappa à ce jeune prince de dire, qu'un jour il les traiterait comme avait été traité Marsyas. Le sens de ces paroles qu'ils n'entendaient pas, leur fut expliqué par un Perse qui avait vécu en Phrygie et qui leur apprit que Marsyas avait été écorché vif. C'était un supplice assez ordinaire en Perse. Cette menace fit sur eux une impression profonde, et coûta au prince la plus belle couronne du monde et la liberté. Le père étant mort après sept ans et cinq mois de règne, les grands se saisirent d'Hormisdas, le chargèrent de chaînes, et l'enfermèrent dans une tour sur une colline située à la vue de sa capitale. Le roi avait laissé sa femme enceinte: ils consultèrent les mages sur le sexe de l'enfant; et ceux-ci leur ayant assuré que ce serait un prince, ils posèrent la couronne sur le ventre de la mère, proclamèrent roi le fruit encore enfermé dans ses entrailles, et lui donnèrent le nom de Sapor II. Leur attente ne fut pas trompée. Sapor, roi avant que de naître, vécut et régna soixante et dix années; et les grands événements de son règne répondirent à des commencements si extraordinaires.

II. Il se réfugie auprès de Constantin.

Zos. l. 2, c. 27.

Il y avait treize ans qu'Hormisdas languissait dans les fers: ses craintes croissaient en même temps que croissait son frère; il ne pouvait guère se flatter de sauver sa vie des défiances du monarque, dès que celui-ci serait en âge d'en concevoir. Sa femme s'avisa d'une ruse pour le tirer de sa captivité et de ses alarmes: elle lui fit tenir par un eunuque une lime cachée dans le ventre d'un poisson; elle envoya en même temps aux gardes de son mari une abondante provision de vin et de viandes. Tandis que ceux-ci ne songent qu'à faire bonne chère et à s'enivrer, Hormisdas avec la lime qui lui avait été apportée, vient à bout de couper ses chaînes, prend l'habit de l'eunuque et sort de sa prison. Accompagné d'un seul domestique, il se sauve d'abord chez le roi d'Arménie[30], son ami; et ayant reçu de ce prince une escorte pour sa sûreté, il va se jeter entre les bras de Constantin. L'empereur lui fit un accueil honorable, et lui assigna un entretien convenable à sa naissance. Sapor fut bien aise d'être délivré de la nécessité de faire un crime, ou de l'embarras de garder un prisonnier aussi dangereux: loin de le redemander, il lui renvoya sa femme avec honneur. Ce prince vécut environ quarante ans à la cour de Constantin et de ses successeurs, qu'il servit utilement dans les guerres contre les Perses. La religion chrétienne qu'il embrassa adoucit ses mœurs, et il donna sous Julien des marques de son zèle pour la foi. On dit qu'il était très-vigoureux, et si adroit à lancer le javelot, qu'il annonçait en quelle partie du corps il allait frapper l'ennemi. J'aurai occasion de parler de lui dans la suite.

[30] Le prince qui régnait alors en Arménie, était Chosroès II, fils de Tiridate qui avait embrassé la religion chrétienne. Il avait succédé à son père vers l'an 314.—S.-M.

III. Récit de Zouaras.

Zon. l. 13, t. 2, p. 12.

D'autres auteurs rapportent cette histoire avec quelque différence. Selon eux, Narsès laissa quatre fils. Il avait eu Sapor d'une femme de basse condition. Adanarsès[31], Hormisdas, et un troisième dont le nom n'est pas connu, étaient nés de la reine. Adanarsès étant l'aîné devait succéder à son père[32]; mais il s'était rendu odieux aux Perses par un penchant décidé à la cruauté. On raconte qu'un jour qu'on avait apporté à son père une tente de peaux de diverses couleurs, travaillée dans la célèbre manufacture de Babylone, Narsès l'ayant fait dresser et demandant à ce fils encore fort jeune, s'il la trouvait à son gré, cet enfant répondit: *Quand je serai roi, j'en ferai faire une bien plus belle avec des peaux humaines.* Des inclinations si monstrueuses firent peur aux Perses. Après la mort de Narsès, ils se défirent d'Adanarsès, et prévenus contre les enfants de la reine, ils mirent sur le trône Sapor, qui fit enfermer Hormisdas, et crever les yeux à son autre frère. Le reste du récit s'accorde avec ce que nous avons raconté[33].

[31] Ce nom assez commun chez les Arméniens y existe sous la forme *Adernerseh*, qui doit différer peu de celle qui était en usage chez les Perses.—S.-M.

[32] Le texte dit positivement qu'il succéda à son père. Τελευτήσαντος δὲ Ναρσοῦ..... Ἀδανάρσης τῆς ἀρχῆς διάδοχος γέγονεν.—S.-M.

[33] J'ignore ce qui a pu donner lieu à ce récit de Zonaras. Sapor II n'était pas fils, mais petit-fils de Narsès et fils d'Hormisdas II. Tous les auteurs orientaux sont d'accord sur ce point et sur la longueur du règne de Sapor, qui égala la durée de sa vie, ce prince ayant été pour ainsi dire couronné lorsqu'il était encore dans le ventre de sa mère. Il est possible que dans l'espèce d'interrègne qui s'écoula entre la mort d'Hormisdas II et la naissance de Sapor, les Perses aient mis à mort un fils d'Hormisdas dont ils redoutaient la cruauté et qu'ils aient privé de la couronne ses frères moins âgés. S'il en fut ainsi, il faut toujours admettre que Zonaras s'est trompé sur la généalogie du roi de Perse.—S.-M.

IV. Constantin seul maître de tout l'empire.

Euseb. Hist. eccl. l. 10, c. 9.

Idem vit. Const. l. 2, c. 19.

Idat. chron.

Chron. Alex. vel Paschal. p. 281.

[Eckhel, Doct. Num. vet. t. VIII, p. 90.]

La puissance impériale se trouvait réunie tout entière en la personne de Constantin, qui donna le titre de César, le 8 de novembre, à Constance, son troisième fils, âgé de six ans. Il conféra le consulat de l'année suivante 324, à ses deux autres fils Crispus et Constantin: ils possédaient cette dignité pour la troisième fois. L'empereur resta cinq mois à Nicomédie, occupé à mettre ordre aux affaires de l'Orient, que Licinius avait épuisé par son avarice. Vainqueur de tous ses rivaux, il prit le nom de Victorieux qui se voit sur ses médailles aussi-bien qu'à la tête de ses lettres, et qui passa comme un titre héréditaire à plusieurs de ses successeurs. Cet heureux changement semblait donner une vie nouvelle à tous les peuples de la domination romaine. Les membres de ce vaste empire, divisés depuis long-temps par les intérêts, souvent déchirés par les guerres, et devenus comme étrangers les uns aux autres, reprenaient avec joie leur ancienne liaison; et les provinces orientales, jalouses jusqu'alors du bonheur de l'Occident, se promettaient des jours plus sereins sous un gouvernement plus équitable.

V. Il profite de sa victoire pour étendre le christianisme.

Eus. vit. Const. l. 3, c. 24, et seq.

Cod. Th. lib. 15, t. 14.

Les chrétiens surtout crurent voir dans le triomphe du prince celui de leur religion. Le principal usage que fit Constantin de l'étendue de sa puissance, fut d'affermir et d'étendre le christianisme. Après avoir terrassé dans les batailles les images de ces dieux chimériques, il les attaqua jusque sur leurs autels. Mais en détruisant les idoles, il épargna les idolâtres; il n'oublia pas qu'ils étaient ses sujets, et que s'il ne pouvait les guérir, il devait du moins les conserver. Il fit à l'égard de l'Orient ce qu'il avait fait pour l'Italie après la défaite de Maxence: il cassa les décrets de Licinius, qui se trouvaient contraires aux anciennes lois et à la justice. Reconnaissant que c'était à Dieu seul qu'il devait tant de succès, il en voulut faire une protestation publique à la face de tout l'empire; ce fut dans ce dessein qu'il écrivit deux lettres circulaires, l'une aux églises, l'autre à toutes les villes de l'Orient. Eusèbe nous a conservé la dernière, copiée sur l'original signé de la main de l'empereur, et déposé dans les archives de Césarée. Elle est trop longue pour être rapportée ici en entier.

VI. Lettre de Constantin aux peuples d'Orient.

Le prince y montre, d'un côté, les avantages qu'il vient de remporter sur les ennemis du christianisme; de l'autre, la fin funeste des persécuteurs, comme une double preuve de la toute-puissance de Dieu: il se représente sous la main du souverain être qui, l'ayant choisi pour établir son culte dans tout l'empire, l'avait conduit des bords de l'Océan Britannique jusqu'en Asie, fortifiant son bras, et faisant tomber devant lui les plus fermes barrières: il annonce sa reconnaissance par le dessein où il est de protéger de tout son pouvoir les serviteurs fidèles de celui par qui il a été protégé lui-même; en conséquence, il rappelle ceux que la persécution avait bannis; il rend aux chrétiens leur liberté, leurs dignités, leurs priviléges; il ordonne de restituer aux particuliers et aux églises tous leurs biens, à quelque titre qu'ils soient passés dans des mains étrangères, même ceux dont le fisc était en possession, sans obliger pourtant à la restitution des fruits. Il finit par féliciter les chrétiens de la lumière dont ils jouissent, après que, sous la tyrannie du paganisme, ils ont si long-temps langui dans les ténèbres et dans la captivité.

VII. Il défend les sacrifices.

Eus. vit. Const. l. 2, c. 44 et seq.

Cod. Th. lib. 16. t. 10, leg. 2.

Zos. l. 2, c. 29.

Soz. l. 1, c. 8.

Théod. l. 5, c. 20.

Hier. Chron.

Oros. l. 7, c. 28.

Anony. Vales.

Eunap. in Ædesio, t. 1, p. 20, ed. Boiss.

Cedren. t. I, p. 296.

God. ad Cod. Th. lib. 9, t. 17, leg. 2.

Ces lettres, adressées à des peuples la plupart idolâtres, tendaient à ouvrir la voie aux grands changements qu'il méditait. Il prit bientôt la coignée à la main pour abattre les idoles; mais il porta ses coups avec tant de précaution, qu'il n'excita aucun trouble dans ses états. Et certes si l'on considère la force du paganisme, dont les racines plus anciennes et plus profondes que celles de l'empire semblaient y être inséparablement attachées, on s'étonnera que Constantin ait pu les arracher sans effusion de sang, sans ébranler sa puissance; et que le bruit de tant d'idoles qui tombaient de toutes parts n'ait pas alarmé leurs adorateurs. Dans une révolution qui devait être si tumultueuse et qui fut si tranquille, on ne peut s'empêcher d'admirer l'art du prince à préparer les événements, son discernement à prendre le point de maturité, sa vigilance à étudier la disposition des esprits, et sa prudence à ne pas aller plus loin que la patience de ses sujets. Il commença par envoyer dans les provinces des gouverneurs attachés inviolablement à la vraie foi, ou du moins à sa personne; et il exigea de ceux-ci, aussi-bien que de tous les officiers supérieurs et des préfets du prétoire, qu'ils s'abstinssent d'offrir aucun sacrifice. Il en fit ensuite une loi expresse pour tous les peuples des villes et des campagnes; il leur défendit d'ériger de nouvelles statues à leurs dieux, de faire aucun usage de divinations, d'immoler des victimes. Il ferma les temples, il en abattit ensuite plusieurs, aussi-bien que les idoles qui servaient d'ornement aux sépultures. Il construisit de nouvelles églises et répara les anciennes, ordonnant de leur donner plus d'étendue, pour recevoir cette foule de prosélytes qu'il espérait amener au vrai Dieu. Il recommanda aux évêques, qu'il appelle dans ses lettres ses très-chers frères, de demander tout l'argent nécessaire pour la dépense de ces édifices; aux gouverneurs de le fournir de son trésor, et de ne rien épargner.

VIII. Édit de Constantin pour tout l'Orient.

Eus. vit. Const. l. 2, c. 48 et seq.

Pour joindre sa voix à celle des évêques, qui appelaient les peuples à la foi, il fit publier dans tout l'Orient un édit, dans lequel, après avoir relevé la sagesse du Créateur, qui se fait connaître et par ses ouvrages, et même par ce mélange de vérité et d'erreur, de vice et de vertu qui partage les hommes, il rappelle la douceur de son père, et la cruauté des derniers empereurs. Il s'adresse à Dieu, dont il implore la miséricorde sur ses sujets; il lui rend graces de ses victoires; il reconnaît qu'il n'en a été que l'instrument; il proteste de son zèle pour rétablir le culte divin profané par les impies: il déclare pourtant qu'il veut que, sous son empire, les impies même jouissent de la paix et de la tranquillité; que c'est le plus sûr moyen de les ramener dans la bonne voie. Il défend de leur susciter aucun trouble; il veut qu'on abandonne les opiniâtres à leur égarement. Et comme les païens accusaient de nouveauté la religion chrétienne, il observe qu'elle est aussi ancienne que le monde; que le paganisme n'en est qu'une altération, et que le fils de Dieu est venu pour rendre à la religion primitive toute sa pureté. Il tire de cet ordre si uniforme, si invariable qui règne dans toutes les parties de la nature, une preuve de l'unité de Dieu. Il exhorte ses sujets à se supporter les uns les autres malgré la diversité des sentiments; à se communiquer mutuellement leurs lumières, sans employer la violence ni la contrainte, parce qu'en fait de religion il est beau de souffrir la mort, mais non de la donner. Il fait entendre qu'il recommande ces sentiments d'humanité, pour adoucir le zèle trop amer de quelques chrétiens, qui, se fondant sur les lois que l'empereur avait établies en faveur du christianisme, voulaient que les actes de la religion païenne fussent regardés comme des crimes d'état.

IX. Tolérance de Constantin.

Eus. vit. Const. l. 4, c. 23, 25.

God. Geogr. p. 15, 21, 35.

Les termes de cet édit, et la liberté que conserva encore long-temps le paganisme, prouvent que Constantin sut tempérer par la douceur la défense qu'il fit de sacrifier aux idoles; et qu'en même temps qu'il en proscrivait le culte, il fermait les yeux sur l'indocilité des idolâtres obstinés. En effet, d'un côté, il est hors de doute que l'usage des cérémonies païennes fut interdit à tous les sujets de l'empire, et surtout aux gouverneurs des provinces; qu'il fut défendu de pratiquer, même dans le secret, les mystères profanes; que les plus célèbres idoles furent enlevées, la plupart des temples dépouillés, fermés, plusieurs détruits de fond en comble. D'un autre côté, il n'est pas moins certain que les délateurs ne furent pas écoutés; que l'idolâtrie continua de régner à Rome où elle était maintenue par l'autorité du sénat; qu'elle subsista dans une grande partie de l'empire, mais avec plus d'éclat que partout ailleurs en Égypte, où, selon la description d'un auteur qui écrivait sous Constance, les temples étaient encore superbement ornés, les ministres et les adorateurs des dieux en grand nombre, les autels toujours fumants d'encens, toujours chargés de victimes; où tout, en un mot, respirait l'ancienne superstition.

X. Piété de Constantin.

Euseb. vit. Const. l. 3, c. 1, 24, l. 4, c. 18, 24, 29, 31, 54.

La religion entrait dans toute la conduite de Constantin. Il s'attacha à combler de largesses et de faveurs ceux qui se distinguaient par leur piété: il n'en fallut pas davantage pour étendre bien loin l'extérieur du christianisme. Aussi Eusèbe remarque-t-il que, par un effet de sa candeur naturelle, il devenait souvent la dupe de l'hypocrisie, et que cette crédulité le fit tomber dans des fautes, qui sont autant de taches dans une si belle vie: peut-être Eusèbe lui-même est-il un exemple de la trop grande facilité de Constantin à se laisser éblouir par une apparence de vertu. Le prince aimait à s'entretenir avec les évêques, quand les affaires de leur église les attiraient à sa cour; il les logeait dans son palais; il écrivait fréquemment aux autres. Il faisait par lettres des exhortations aux peuples qu'il appelait ses frères et ses conserviteurs; il se regardait lui-même comme l'évêque de ceux qui étaient encore hors de l'église. Il donna une grande autorité dans sa maison à des diacres et à d'autres ecclésiastiques dont il connaissait la sagesse, la vertu, le désintéressement, et qui durent y produire un grand fruit, s'ils ne s'occupèrent que du ministère spirituel. Il passait quelquefois les nuits entières à méditer les vérités de la religion.

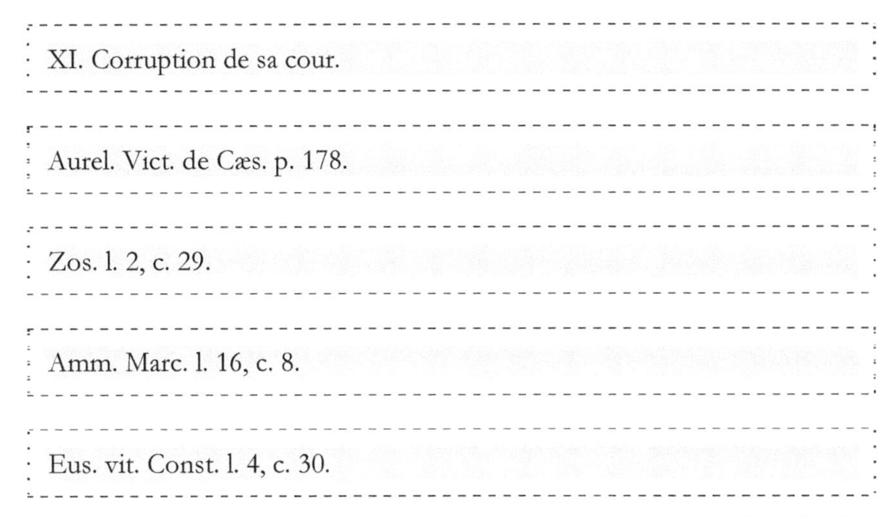

XI. Corruption de sa cour.

Aurel. Vict. de Cæs. p. 178.

Zos. l. 2, c. 29.

Amm. Marc. l. 16, c. 8.

Eus. vit. Const. l. 4, c. 30.

La piété du maître donnait sans doute le ton à toute sa cour. Le vice n'osait s'y démasquer, mais il ne perdait rien de sa malice, et il savait bien, hors de la vue du prince, se dédommager de cette contrainte. Au lieu de le punir, l'empereur plaçait son zèle dans des fonctions étrangères à ce que son rang exigeait de lui: il composait des discours et les prononçait lui-même. On peut croire qu'il ne manquait pas d'auditeurs. Il prenait ordinairement pour texte quelque point de morale; et quand son sujet le conduisait à parler des matières de religion, alors prenant un air plus grave et plus recueilli, il combattait l'idolâtrie; il prouvait l'unité de Dieu, la Providence, l'Incarnation; il représentait à ses courtisans la sévérité des jugements de Dieu, et censurait avec tant de force leur avarice, leurs rapines, leurs violences, que les reproches de leur conscience, réveillés par ceux du prince, les couvraient de confusion. Mais ils rougissaient sans se corriger. Quoique l'empereur tonnât dans ses lois et dans ses discours contre l'injustice, sa faiblesse dans l'exécution donnait l'essor à la licence et aux concussions des officiers et des magistrats. Les gouverneurs des provinces imitant cette indulgence laissaient les crimes impunis; et sous un bon prince, l'empire était en proie à l'avidité de mille tyrans, moins puissants à la vérité, mais, par leur acharnement et leur multitude, plus fâcheux peut-être que ceux qu'il avait détruits. Aussi le plus grand reproche que lui fasse l'histoire, c'est d'avoir donné sa confiance à des gens qui en étaient indignes; d'avoir épuisé le trésor public par des libéralités mal placées; d'avoir laissé libre carrière à l'avarice de ceux qui l'approchaient. Le prince, aussi-bien que les peuples, gémissait de l'abus qu'on faisait de sa bonté; et prenant un jour par le bras un de ces courtisans insatiables: *Eh! quoi*, lui dit-il, *ne mettrons-nous jamais de frein à notre cupidité?* Alors décrivant sur la terre, avec le bout de sa pique, la mesure d'un corps humain: *Accumulez*, ajouta-t-il, *si vous le pouvez, toutes les richesses du monde, acquérez le monde entier; il ne vous restera qu'autant de terre que j'en viens de tracer, pourvu même qu'on vous l'accorde.* Cet avertissement, dit Eusèbe, fut une prophétie: ce courtisan et plusieurs de ceux qui avaient abusé de la faiblesse de l'empereur, furent massacrés après sa mort et privés de la sépulture.

XII. Discours de Constantin.

Oratio ad Sanctor. cœtum. ap. Eus. ad calc. vit. Const.

Till. art. 87.

Il composait ses discours en latin et les faisait traduire en grec. Il nous en reste un, qu'il prononça dans le temps de la Passion. On ne sait en quelle année. M. de Tillemont conjecture que ce fut entre la défaite de Maximin et celle de Licinius. Il est adressé à l'assemblée des saints, c'est-à-dire à l'église, et n'a rien de remarquable que sa longueur. Ce goût de Constantin passa à ses successeurs. Il s'introduisit dans la cour de Constantinople un mélange bizarre des fonctions ecclésiastiques avec les fonctions impériales. C'était un article du cérémonial, que les empereurs prêchassent leur cour dans certaines fêtes de l'année; et plusieurs d'entre eux étant tombés dans l'hérésie, comme ils avaient la puissance exécutrice, et que la foudre suivait leur parole, ils furent malgré leur incapacité de très-redoutables et très-dangereux prédicateurs.

XIII. Troubles de l'Arianisme.

Eus. vit. Const. l. 2, c. 72.

Constantin avait dessein de faire un voyage en Orient, c'est-à-dire en Syrie et en Égypte. Ces provinces, nouvellement acquises, avaient besoin de sa présence. Sur le point du départ une affligeante nouvelle l'obligea de changer d'avis, ne voulant pas être témoin de ce qu'il n'apprenait qu'avec une extrême douleur. Une hérésie factieuse, hardie, violente, née pour succéder aux fureurs de l'idolâtrie, excitait de grands troubles dans Alexandrie et dans toute l'Égypte. C'était l'Arianisme, dont nous allons exposer la naissance et les progrès.

XIV. Commencements d'Arius.

Athan. apol. 2.

contr. Arian. t. I, p. 133. et seq.

Socr. l. 1, c. 5.

Theod. l. 1, c. 2.

Soz. l. 1, c. 14.

Pag. in Baron.

Till. Arian. art. 3.

Vers l'an 301 Mélétius évêque de Lycopolis en Thébaïde, convaincu de plusieurs crimes et entre autres d'avoir sacrifié aux idoles, fut déposé dans un concile par Pierre évêque d'Alexandrie, et commença un schisme qui s'accrédita beaucoup et qui durait encore cent cinquante ans après. Arius s'attacha d'abord à Mélétius. S'étant réconcilié avec Pierre, il fut fait diacre; mais comme il continuait de cabaler en faveur des Mélétiens excommuniés, Pierre le chassa de l'église. Ce saint évêque ayant reçu la couronne du martyre, Achillas son successeur se laissa toucher du repentir que témoignait Arius; il l'admit à sa communion, lui conféra la prêtrise, et le chargea du soin d'une église d'Alexandrie nommée Baucalis. Alexandre succéda bientôt à Achillas. Arius, plein d'ambition, avait prétendu à l'épiscopat; dévoré de jalousie, il ne regarda plus son évêque que comme un rival heureux: il chercha toutes les occasions de se venger de la préférence. Les mœurs d'Alexandre ne donnaient point de prise à la calomnie: Arius, armé de toutes les subtilités de la dialectique, prit le parti de l'attaquer du côté de la doctrine. Un jour qu'Alexandre instruisait son clergé, comme il parlait du premier et du plus incompréhensible de nos mystères, il dit, selon l'expression de la foi, que le fils est égal au père, qu'il a la même substance, en sorte que dans la trinité il y a unité. Arius se récrie aussitôt que c'est là l'hérésie de Sabellius proscrite soixante ans auparavant, qui confondait les personnes de la trinité: que si le fils est engendré, il a eu un commencement; qu'il y a donc eu un temps où il n'était pas encore, d'où il s'ensuit qu'il a été tiré du néant. Il ne rougissait pas d'admettre les conséquences impies qui sortaient de ce principe, et il ne donnait au fils de Dieu que le privilége d'être une créature choisie, et, disait-il, infiniment plus excellente que les autres. Alexandre s'efforça d'abord de ramener Arius par des avertissements charitables, et par des conférences où il lui laissa la liberté de défendre son opinion. Mais voyant que ces disputes ne servaient qu'à échauffer son opiniâtreté, et que plusieurs prêtres et diacres s'étaient déja laissé séduire, il l'interdit des fonctions du sacerdoce et l'excommunia.

XV. Son portrait.

Epiph. hær. 69. t. I, p. 727-731.

Les talents d'Arius contribuaient à faire valoir une doctrine, qui se prêtait d'ailleurs à la faiblesse orgueilleuse de la raison humaine. C'était le plus dangereux ennemi que l'église eût encore vu sortir de son sein pour la combattre. Il était de la Libye Cyrénaïque, quelques-uns disent d'Alexandrie. Instruit dans les sciences humaines, d'un esprit vif, ardent, subtil, fécond en ressources, s'exprimant avec une extrême facilité, il passait pour invincible dans la dispute. Jamais poison ne fut mieux préparé par le mélange des qualités, dont il savait déguiser les uns et montrer les autres. Son ambition se dérobait sous le voile de la modestie, sa présomption sous une feinte humilité. Rusé et à la fois impétueux, prompt à pénétrer le cœur des hommes et habile à en mouvoir les ressorts; plein de détours, né pour l'intrigue, rien ne semblait plus simple, plus doux, plus rempli de franchise et de droiture, plus éloigné de toute cabale. Son extérieur aidait à la séduction; une taille haute et déliée, un visage composé, pâle, mortifié; un abord gracieux, un entretien flatteur et persuasif: tout en sa personne semblait ne respirer que vertu, charité, zèle pour la religion.

XVI. Progrès de l'arianisme.

Socr. l. 1. c. 6.

Theod. l. 1, c. 3, 4.

Soz. l. 1, c. 14.

Epiph. hær. 69. t. I, p. 729 et 735.

Un homme de ce caractère devait s'attirer beaucoup de sectateurs. Aussi séduisit-il un grand nombre de simples fidèles, des diacres, des prêtres, des évêques même. Sécundus, évêque de Ptolémaïs dans la Pentapole, et Théonas évêque de la Marmarique furent les premiers à se déclarer pour lui. Les femmes surtout se laissèrent prendre à cette apparence d'une dévotion tendre et insinuante; et sept cents vierges d'Alexandrie et du nome de Maréotis s'attachèrent à lui comme à leur père spirituel. Ces prosélytes faisaient jour et nuit des assemblées, où l'on débitait des blasphèmes contre J.-C. et des calomnies contre l'évêque. Ils dogmatisaient dans les places publiques; ils obtenaient par artifice des lettres de communion de la part des évêques étrangers, et s'en faisaient honneur auprès de leurs adhérents, qu'ils entretenaient ainsi dans l'erreur. Plusieurs d'entre eux se répandaient dans les autres églises, et s'y faisant d'abord admettre par leur adresse à déguiser leur hérésie, ils réussissaient bientôt à en communiquer le venin. Pleins d'arrogance ils méprisaient les anciens docteurs et prétendaient posséder seuls la sagesse, la connaissance des dogmes et l'intelligence des mystères. On n'entendait plus dans les villes et dans les bourgades d'Égypte, de Syrie, de Palestine, que disputes et contestations sur les questions les plus difficiles; chaque rue, chaque place était devenue une école de théologie; les maîtres de part et d'autre faisaient publiquement assaut de doctrine; et le peuple spectateur du combat s'en rendait juge, et prenait parti. Les familles étaient divisées; toutes les maisons retentissaient de querelles, et l'esprit de contention armait les frères les uns contre les autres.

XVII. Premier Concile d'Alexandrie contre Arius.

Athan. Orat. 1. t. I, p. 407.

Socr. l. 1, c. 6.

Theod. l. 1, c. 4, 5.

Epiph. hær. 69. t. I, p.731 et 732.

Vales. in vit. Euseb.

Till. Arian. art. 4.

Afin d'arrêter ces désordres par les voies canoniques, Alexandre convoqua un concile à Alexandrie. Il s'y trouva près de cent évêques d'Égypte et de Libye. Arius y fut anathématisé avec les prêtres et les diacres de son parti. On n'épargna pas Sécundus et Théonas. L'hérésiarque essaya de soulever contre ce jugement tous les évêques d'Orient; il leur envoya sa profession de foi, et se plaignit amèrement de l'injustice d'une condamnation, qui enveloppait, disait-il, tous les orthodoxes. Ses plus grands cris s'adressèrent à Eusèbe de Nicomédie, qui engagea plusieurs autres évêques à solliciter Alexandre de rétablir Arius dans sa communion. Pour prévenir une séduction générale,

Alexandre écrivit de son côté à tous les évêques d'Orient une lettre circulaire, et une autre en particulier à l'évêque de Byzance, qui portait le même nom que lui, et que sa vertu rendait recommandable dans toute l'église. Il développe fort au long dans ces lettres la doctrine d'Arius; il rend compte de ce qui s'est passé dans le concile; il prévient ses collègues contre les fourberies des nouveaux hérétiques, et surtout d'Eusèbe de Nicomédie, dont il démasque l'hypocrisie.

XVIII. Eusèbe de Nicomédie.

Socr. l. 1, c. 6.

Philost. l. 2, c. 13.

Niceph. Call. l. 8, c. 31.

Till. Arian, art. 6.

C'était la plus ferme colonne du parti, et peut-être était-il Arien avant Arius même. Aussi défendit-il cette hérésie avec chaleur. Les Ariens lui donnaient le nom de *Grand*, et lui attribuaient des miracles. Auparavant évêque de Béryte, il avait été transféré à Nicomédie par le crédit de Constantia, princesse crédule et d'un esprit faux, plus digne d'avoir Licinius pour mari, que Constantin pour frère. Dans sa jeunesse il avait apostasié durant la persécution de Maximin, aussi-bien que Maris et Théognis qui furent depuis, l'un évêque de Chalcédoine, l'autre de Nicée, et Ariens déclarés. S. Lucien les avait ramenés au sein de l'église; ils prétendaient dans la nouvelle doctrine ne soutenir que celle de leur maître, et s'honoraient, aussi-bien qu'Arius, du titre de Collucianistes. Eusèbe intrigant, hardi, fait au manége de la cour, devint puissant auprès de Licinius. Quelques-uns le soupçonnaient de s'être prêté aux fureurs de ce prince, et d'avoir, pour lui plaire, persécuté plusieurs saints évêques. D'abord ennemi de Constantin, il sut pourtant le regagner par son adresse; et il était bien avant dans sa confiance, quand les premiers troubles éclatèrent à Alexandrie.

XIX. Eusèbe de Césarée.

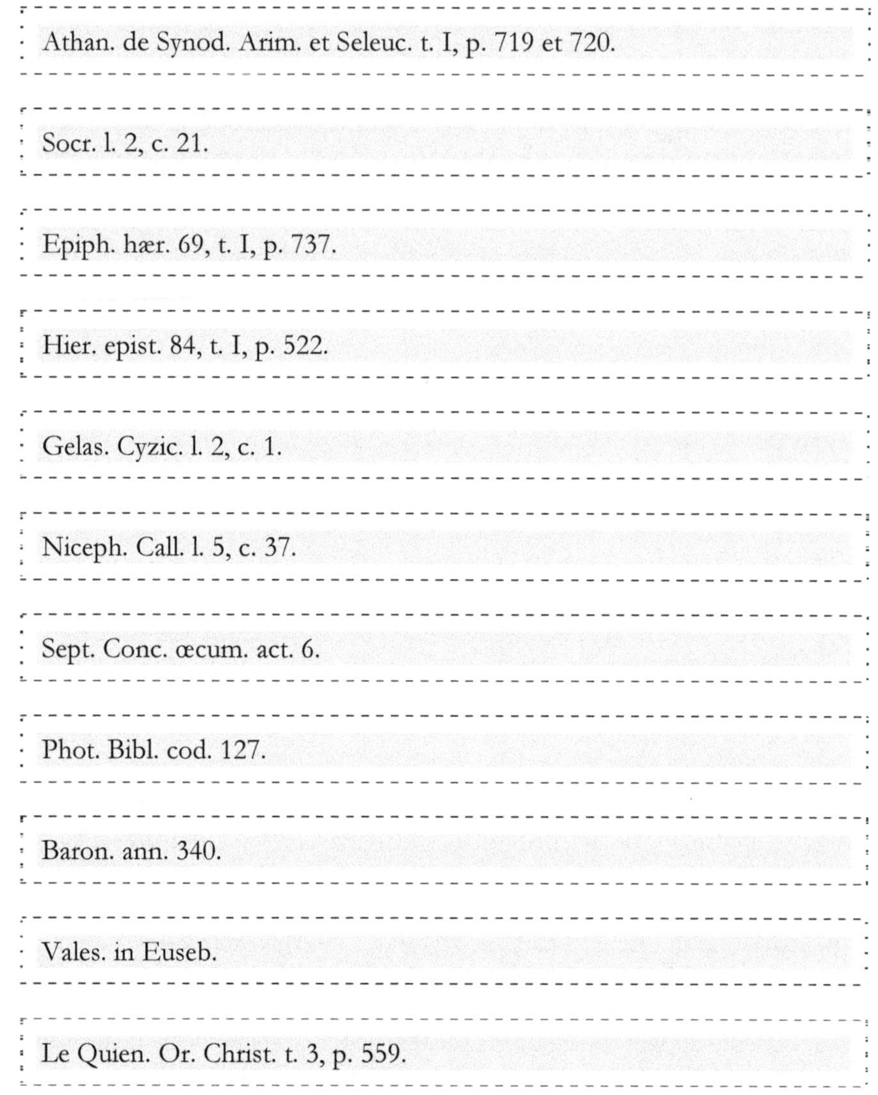
Athan. de Synod. Arim. et Seleuc. t. I, p. 719 et 720.

Socr. l. 2, c. 21.

Epiph. hær. 69, t. I, p. 737.

Hier. epist. 84, t. I, p. 522.

Gelas. Cyzic. l. 2, c. 1.

Niceph. Call. l. 5, c. 37.

Sept. Conc. œcum. act. 6.

Phot. Bibl. cod. 127.

Baron. ann. 340.

Vales. in Euseb.

Le Quien. Or. Christ. t. 3, p. 559.

Tandis qu'Eusèbe de Nicomédie intriguait à la cour en faveur de l'Arianisme, un autre Eusèbe aussi courtisan que lui, quoique éloigné de la cour, donnait asyle à Arius qui s'était retiré d'Alexandrie. C'était l'évêque de Césarée, fameux par son histoire ecclésiastique, et par d'autres grands ouvrages. Il tenait un rang considérable entre les prélats de l'Orient, plus encore par son savoir, par son éloquence, et par la beauté de son esprit, que par la dignité de son église, métropole de la Palestine. Disciple du célèbre martyr Pamphile, il fut soupçonné d'avoir évité la mort en sacrifiant aux idoles; et ce soupçon ne fut jamais bien éclairci. Ce n'était pas là le seul rapport qui pouvait se trouver entre les deux Eusèbes: tous deux flatteurs, insinuants, se pliant aux circonstances; mais le premier plus haut, plus entreprenant, plus décidé, jaloux de la qualité de chef de parti, et déterminément méchant; l'autre circonspect, timide, plus vain que dominant. L'un devenait souple par nécessité, l'autre l'était par caractère. Ils agissaient d'intelligence; cependant l'évêque de Césarée ne se prêtait qu'avec réserve aux violentes impressions de l'autre. Quelques-uns croient sans beaucoup de fondement, qu'ils étaient frères ou du moins proches parents. On a voulu purger du soupçon d'arianisme un écrivain aussi utile à l'église qu'Eusèbe de Césarée; mais toute sa conduite l'accuse, et ses écrits ne le justifient pas. Le septième concile œcuménique le déclare Arien; et ce qui prouve qu'après avoir enfin consenti à signer la consubstantialité du verbe dans le concile de Nicée, il continua d'être Arien dans le cœur, c'est que dans tout ce qu'il écrivit depuis ce temps-là, il évite avec soin le terme de consubstantiel; que dans son histoire il ne nomme pas Arius; qu'il le couvre de toute son adresse; que dans le récit du concile de Nicée, il ne parle que de la question de la Pâque, et comme pour éblouir et donner le change, il s'étend avec pompe sur la forme du concile, sans toucher un seul mot de l'arianisme qui en était le principal objet; c'est enfin qu'il conserva toute sa vie des liaisons avec les principaux Ariens, et se prêta constamment à la plupart de leurs manœuvres.

XX. Mouvements de l'arianisme.

Socr. l. 1, c. 6.

Soz. l. 1, c. 14.

Epiph. hær. 69, t. I, p. 727-735.

Philost. l. 2, c. 2.

Athen. deipn. l. 14. § 13. t. V, p. 248. ed. Schweigh.

God. in Philost. l. 1, c. 7.

Till. Arian. art. 5, 7, 8.

Fleury, Hist. eccl. l. 10, c. 36.

Tout était en mouvement dans les églises d'Égypte, de Libye, d'Orient. Ce n'était que messages, que lettres souscrites par les uns, rejetées par les autres. Eusèbe de Nicomédie n'était pas homme à pardonner à Alexandre le portrait que celui-ci avait osé faire de lui dans sa lettre circulaire: il ne cessait pourtant pas de lui écrire en faveur d'Arius; mais en même temps il s'efforçait de soulever contre lui toutes les églises. L'esprit de parti ne ménageait pas les injures; et le scandale était si public, que les païens en prenaient sujet de risée, et jouaient sur les théâtres les divisions de l'église chrétienne. Pour augmenter le trouble, Mélétius et ses adhérents favorisaient les Ariens. Cependant on assemblait partout des synodes. Arius retiré en Palestine obtint d'Eusèbe de Césarée, et de plusieurs autres évêques, la permission de faire les fonctions du sacerdoce; ce qui, par une réserve affectée, ne lui fut pourtant accordé, qu'à condition qu'il resterait soumis de cœur à son évêque, et qu'il ne cesserait de travailler à se réconcilier avec lui. Après quelque séjour en Palestine, il alla se jeter entre les bras de son grand protecteur Eusèbe de Nicomédie: de là il écrit à Alexandre, et en lui exposant le fonds de son hérésie, il a l'audace de protester qu'il n'enseigne que ce qu'il a appris de lui-même. Ce fut dans cet asyle que pour insinuer plus agréablement son erreur, il composa un poème intitulé *Thalie*: ce titre n'annonçait que la joie des festins et de la débauche: l'exécution de l'ouvrage était encore plus indécente; il était versifié dans la même mesure que les chansons de Sotade, décriées chez les païens mêmes pour la lubricité qu'elles respiraient, et qui avaient coûté la vie à leur auteur. Arius y avait semé tous les principes de sa doctrine; et pour la mettre à la portée des esprits les plus grossiers, dont le zèle brutal rend un hérésiarque redoutable, il fit des cantiques accommodés au génie des divers états du peuple: il y en avait pour les nautoniers, pour ceux qui tournaient la meule, pour les voyageurs. La qualité de proscrit, de persécuté, qu'Arius savait bien faire valoir, lui attirait la compassion du vulgaire, qui ne manque presque jamais de croire les hommes innocents dès qu'il les voit malheureux.

XXI. Concile en faveur d'Arius.

Socr. l. 1, c. 6.

Soz. l. 1, c. 14.

Eusèbe de Nicomédie servit son ami avec chaleur en faisant assembler en concile les évêques de Bithynie. Il y fut résolu d'écrire à tous les évêques du monde, pour les exhorter à ne pas abandonner Arius, dont la doctrine n'avait rien que d'orthodoxe; et à se réunir pour vaincre l'injuste opiniâtreté d'Alexandre. Toutes les lettres écrites par les deux partis depuis le commencement du procès furent recueillies en un corps, d'un côté par Alexandre, de l'autre par Arius; et composèrent, pour ainsi dire, le code des orthodoxes et celui des Ariens.

XXII. Lettre de Constantin à Alexandre et à Arius.

Euseb. vit. Const. l. 2, c. 63, et seq. l. 3, c. 5, et 18.

Idem. Hist. eccl. l. 5, c. 23, et seq.

Athanas. de Synod. t. I, p. 719.

Socr. l. 1, c. 7.

Soz. l. 1, c. 15.

Theod. l. 1, c. 7.

Constantin fut averti de ces agitations de l'église d'Orient, lorsqu'il se disposait à partir pour la Syrie et l'Égypte. Il gémissait de voir s'élever dans le sein du christianisme une division capable de l'étouffer, ou du moins d'en retarder les progrès. Il ne jugea pas à propos de se rendre témoin de ces désordres, de peur de compromettre son autorité, ou de se mettre dans la nécessité de punir. Il prit donc le parti de se tenir éloigné, et d'employer les voies de la douceur. Eusèbe de Nicomédie profita de cette disposition pacifique du prince pour lui persuader qu'il ne s'agissait que d'une dispute de mots; que les deux partis s'accordaient sur les points fondamentaux, et que toute la querelle ne roulait que sur des subtilités où la foi n'était nullement intéressée. L'empereur le crut; il écrivit à Alexandre et à Arius qui était apparemment déja retourné à Alexandrie. Sa lettre avait pour but de rapprocher les esprits; il y blâmait l'un et l'autre d'avoir donné l'essor à leurs pensées et à leurs discours sur des objets impénétrables à l'esprit humain: il prétendait que, ces points n'étant pas essentiels, la différence d'opinion ne devait pas rompre l'union chrétienne; que chacun pouvait prendre intérieurement le parti qu'il voudrait, mais que pour l'amour de la paix il fallait s'abstenir d'en discourir. Il comparait ces dissensions aux disputes des philosophes d'une même secte, qui ne laissaient pas de faire corps, quoique les membres ne s'accordassent pas sur plusieurs questions. Ce bon prince, animé d'une tendresse paternelle, finissait en ces termes: «Rendez-moi des jours sereins et des nuits tranquilles; faites-moi jouir d'une lumière sans nuage. Si vos divisions continuent, je serai réduit à gémir, à verser des larmes; il n'y aura plus pour moi de repos. Où en trouverai-je, si le peuple de Dieu, si mes conserviteurs se déchirent avec opiniâtreté? Je voulais vous aller visiter; mon cœur était déja avec vous: vos discordes m'ont fermé le chemin de l'Orient. Réunissez-vous pour me le rouvrir. Donnez-moi la joie de vous voir heureux comme tous les peuples de mon empire: que je puisse joindre ma voix à la vôtre, pour rendre de concert au souverain Être des actions de graces de la concorde qu'il nous aura procurée.» Il mit cette lettre entre les mains d'Osius, pour la porter à Alexandrie. Il comptait beaucoup sur la sagesse de ce vieillard, évêque de Cordoue depuis trente années, respecté dans toute l'église pour son grand savoir et pour le courage avec lequel il avait confessé Jésus-Christ dans la persécution de Maximien. Afin d'étouffer toute semence de division, il lui recommanda aussi de travailler à réunir les églises partagées sur le jour de la célébration de la Pâque. C'était une dispute ancienne, qui n'avait pu être terminée par les décisions de plusieurs conciles. Tout l'Occident et une grande partie de l'Orient célébraient la fête de Pâque le premier dimanche après le quatorzième de la lune de mars: la Syrie et la Mésopotamie persistaient à la solenniser avec les Juifs le quatorzième de la lune, en quelque jour de la semaine qu'il tombât. C'était dans le culte une diversité qui donnait occasion à des contestations opiniâtres et scandaleuses. Osius fut chargé de tâcher de rétablir aussi dans ce point l'uniformité.

XXIII. Second concile d'Alexandrie.

Euseb. vit. Const., l. 2, c. 73. et l. 3, c. 4.

Socr. l. 1, c. 7.

Soz. l. 1, c. 16.

Gelas. Cyzic. l. 3, c. 1.

Baron. in ann. 319.

Ce grand évêque avait assez de zèle et de capacité pour s'acquitter d'une commission si importante. Il assembla à Alexandrie un concile nombreux. Mais il trouva trop d'aigreur dans les esprits. Il ne tira d'autre fruit de ses démarches que de se convaincre lui-même de la mauvaise foi d'Arius, et du danger de sa doctrine. On renouvela pourtant dans ce concile la condamnation de Sabellius et de Mélétius. On y condamna un prêtre nommé Colluthus qui avait fait schisme et usurpé les fonctions de l'épiscopat: il se soumit et rentra dans son rang de simple prêtre; mais plusieurs de ses sectateurs se joignirent à ceux de Mélétius et d'Arius. Constantin était retourné à Thessalonique dès le commencement de mars. Osius, s'étant rendu auprès de lui, le détrompa; il lui fit ouvrir les yeux sur la justice et la sagesse de la conduite d'Alexandre. Eusèbe méritait d'être puni pour en avoir imposé au prince; cet adroit courtisan sut se mettre à couvert. Arius osa même envoyer à l'empereur une apologie: nous avons une réponse attribuée à l'empereur, et adressée à Arius et aux Ariens. C'est une pièce satirique, remplie de raisonnements confus, et plus encore d'invectives, d'ironie, d'allusions froides et d'injures personnelles. Si c'est l'ouvrage du prince dont elle porte le nom, et non pas celui de quelque déclamateur, il faut avouer que ce style n'est pas digne de la majesté impériale. Il ne convenait pas à Constantin d'entrer en lice contre un sophiste: il était né pour dire et faire de grandes choses, et pour donner de grands exemples.

XXIV. Généreuse réponse de Constantin.

Jean. Chrysost. hom. 21. ad pop. Antioch. t. 2, p. 219.

Il donna aux princes dans cette occasion celui d'une clémence vraiment magnanime. L'audace et l'emportement des hérétiques croissaient tous les jours. Les évêques s'armaient contre les évêques, les peuples contre les peuples. Toute l'Égypte depuis le fond de la Thébaïde jusqu'à Alexandrie était dans une horrible confusion. La fureur ne respecta pas les statues de l'empereur. Il en fut informé; le zèle, courtisan toujours ardent à la punition d'autrui, l'excitait à la vengeance; on se récriait sur l'énormité de l'attentat; on ne trouvait pas de supplice assez rigoureux pour punir des forcenés qui avaient insulté à coups de pierres la face du prince: dans la rumeur de cette indignation universelle, Constantin portant la main à son visage, dit en souriant: *Pour moi, je ne me sens pas blessé.* Cette parole ferma la bouche aux courtisans, et ne sera jamais oubliée de la postérité.

XXV. Convocation du concile de Nicée.

Euseb. vit. Const. l. 3, c. 6.

Theod. l. 1, c. 7.

Strabo, l. 12. p. 565. ed. Casaub.

Contre un parti si turbulent, si audacieux, déja soutenu de plusieurs évêques, Constantin crut devoir réunir toutes les forces de l'église. Maître de tout l'empire, il conçut une idée digne de sa puissance et de sa piété; ce fut d'assembler un concile universel. Il choisit Nicée pour le lieu de l'assemblée. C'était une ville célèbre, en Bithynie, sur le bord du lac Ascanius, dans une plaine étendue et fertile. L'empereur y invita tous les évêques de ses états. Il donna ordre de leur fournir aux dépens du public les voitures, les mulets, les chevaux dont ils auraient besoin, et n'exigea d'eux que la diligence. Le rendez-vous était indiqué au mois de mai de l'année suivante.

XXVI. Occupations de Constantin jusqu'à l'ouverture du concile.

Cod. Th. lib. 2, tit. 17, 24, 33.

Idem. l. 12.

Canon. Nic. 17.

Cod. Just. lib. 6, tit. 21.

L'empereur resta jusqu'à ce temps-là partie à Thessalonique, partie à Nicomédie. On ne voit pas qu'il ait fait alors autre chose que des lois. Il régla les dispenses d'âge que le prince accordait aux mineurs pour l'administration de leurs biens. Afin de diminuer les occasions de procès, il donna une nouvelle étendue à l'autorité des pères et des mères, par rapport au partage des biens entre leurs enfants. Il défendit aux magistrats de toucher aux contributions des provinces, gardées dans les dépôts publics, et d'en changer la destination, même à dessein de les remplacer ensuite. L'usure n'avait plus de bornes: pour la restreindre, il permit à ceux qui prêtaient des fruits secs ou liquides, comme du blé, du vin, de l'huile, d'exiger moitié en sus de ce qu'ils auraient prêté, par exemple, trois boisseaux de blé pour deux boisseaux; quant à l'intérêt de l'argent, il le réduisit à douze pour cent. Cette usure, tout excessive qu'elle est, était le denier autorisé par les lois romaines. Il ajoute que le créancier qui refusera le remboursement du principal pour prolonger le profit de l'intérêt, perdra l'intérêt et le principal. Cette loi ne pouvait être d'usage que pour les païens; elle ne fut jamais adoptée par l'église, qui a toujours défendu le prêt usuraire. Et ce fut sans doute pour affermir en ce point sa discipline, que trois mois après elle déclara par un canon exprès, dans le concile de Nicée, que tout clerc qui prêterait à intérêt, de quelque manière que ce fût, serait retranché du clergé. En faveur de ceux qui exposent leur vie pour le salut de l'état, il ordonna que leur dernière volonté, s'ils mouraient en campagne, serait exécutée sans contestation, de quelque manière qu'elle fût manifestée. Ainsi leur disposition testamentaire écrite avec leur sang sur le fourreau de leur épée, sur leur bouclier, ou même tracée avec leur pique sur la poussière du champ de bataille où ils perdaient la vie, avait la force d'un acte revêtu de toutes les formalités. C'était bien en effet le plus noble caractère, et la forme la plus sacrée dans laquelle un testament pût être conçu. Quelques-unes de ces lois furent publiées pendant le concile. Le prince donnait au réglement de l'état tous les moments que lui laissaient alors les affaires importantes de l'église. Il publia encore, en attendant l'ouverture du concile, plusieurs autres ordonnances, que nous avons déja indiquées à l'occasion des lois faites dans les années précédentes.

AN 325.

XXVII. Les évêques se rendent à Nicée.

Euseb. vit. Const. l. 3, c. 6. 8, 9.

Socr. l. 1, c. 11.

Au commencement de l'année 325, sous le consulat de Paulinus et de Julianus, les évêques accompagnés des plus savants de leurs prêtres et de leurs diacres, qui faisaient presque toute leur suite, accouraient à Nicée de toutes parts. Ils quittaient leurs églises au milieu des prières et des vœux de leurs peuples. Toutes les villes de leur passage recevaient avec vénération et avec joie ces généreux athlètes, qui, pleins d'espérance et d'ardeur pour rétablir la paix, volaient à la guerre contre les ennemis de l'église. Ils laissaient partout sur leur route l'odeur de leurs vertus, et les présages de leur victoire. Constantin était à Nicomédie au commencement de février; et dès le mois de mai, il se rendit à Nicée pour y recevoir les Pères du concile. Il leur faisait l'accueil le plus honorable: on leur fournit à ses dépens pendant leur séjour les choses nécessaires à la vie, avec une magnificence qui n'était bornée que par la simplicité et l'austérité de ces saints personnages. Jamais tant de vertus n'avaient été réunies. Nicée recevait dans son enceinte ce que la terre avait dc plus auguste et de plus saint. C'était le champ de bataille où la religion et la vérité allaient combattre l'impiété et l'erreur. On y voyait les plus illustres chefs des églises du monde, depuis les confins de la haute Thébaïde jusqu'au pays des Goths, depuis l'Espagne jusqu'en Perse. Rien ne ressemblait mieux, dit Eusèbe, à cette première assemblée, dont il est parlé dans les Actes des Apôtres, lorsqu'au jour de la naissance de l'église un grand nombre d'hommes religieux et craignant Dieu, de toutes les nations qui sont sous le ciel, accoururent au bruit de la descente du Saint-Esprit. C'était aussi la première fois que l'église avait pu s'assembler toute entière: elle renaissait en quelque sorte par la liberté dont elle commençait à jouir; et c'était le même Esprit qui devait descendre. Le prince révérait dans ces illustres confesseurs les preuves de courage que plusieurs d'entre eux portaient sur leur corps; il distinguait, entre les autres, Paphnutius, évêque dans la haute Thébaïde, homme simple et pauvre, mais recommandable par la sainteté de sa vie, par ses miracles, et par la perte d'un de ses yeux au temps de la persécution de Maximin: c'était auprès de l'empereur le plus beau titre de noblesse; il faisait souvent venir Paphnutius au palais; il baisait avec respect la cicatrice, et lui rendait les plus grands honneurs.

XXVIII. Évêques orthodoxes.

Act. Conc. Nic.

Athan. Apol. 2 cont. Arian. t. 1, p. 128-130. et Synod. p. 719.

Socr. l. 1, c. 7.

Theod. l. 1, c. 5, 7, et l. 2, c. 30.

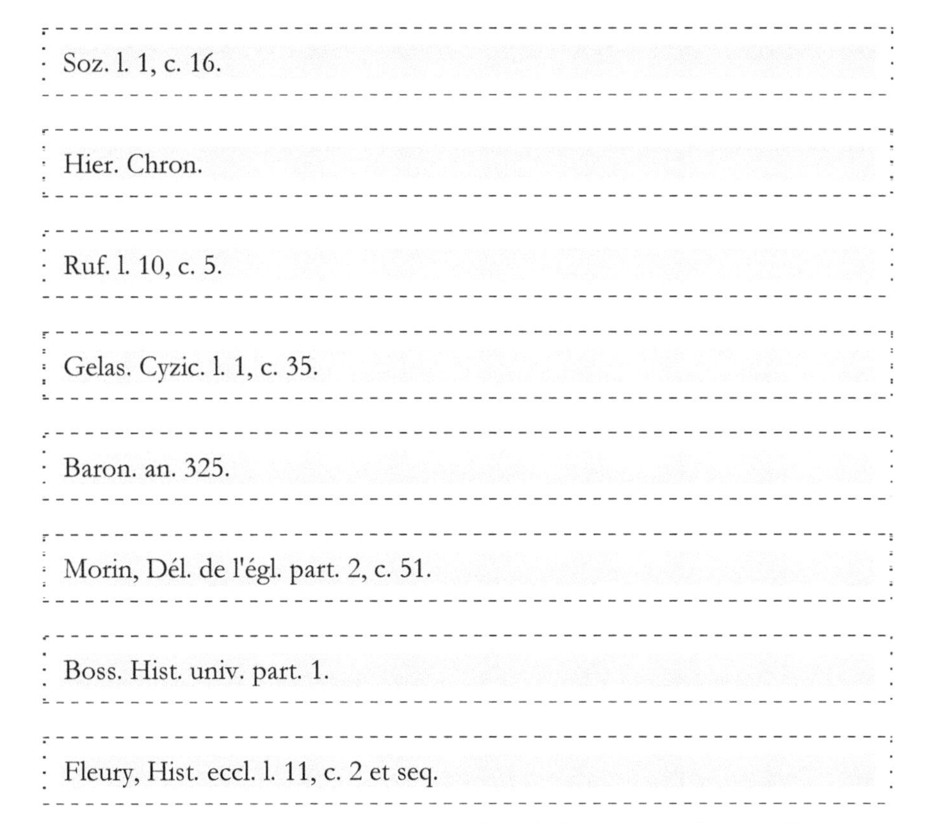

Le concile fut composé de trois cent dix-huit évêques, entre lesquels il n'y en avait que dix-sept qui fussent infectés d'arianisme. Il appartient à l'histoire de l'Église de faire connaître tous ceux dont les noms se sont conservés. Je ne nommerai que les plus célèbres, dont l'histoire est liée avec celle de Constantin ou de ses enfants. Eustathius était né à Side en Pamphylie: il avait été évêque de Bérhée en Syrie, et transféré malgré lui à Antioche par le suffrage unanime des évêques, du clergé et du peuple après la mort de Philogonus. Ce prélat était également illustre par sa science et par sa vertu: il avait confessé la foi en présence des tyrans, et était destiné à souffrir encore une persécution plus opiniâtre de la part des Ariens. De trois Alexandres qui assistèrent au concile, l'un évêque d'Alexandrie, l'autre de Byzance, sont déja connus; le troisième gouvernait l'église de Thessalonique, et il se signala dans la suite par son zèle pour St-Athanase persécuté. Macarius, évêque de Jérusalem, était un des orthodoxes que les Ariens haïssaient davantage: il seconda dans la suite l'impératrice Hélène dans la découverte de la croix. Nous avons déja parlé de Cécilien, évêque de Carthage. Marcel d'Ancyre, dès lors célèbre par son opposition aux Ariens, le fut encore depuis par les erreurs dont il fut accusé, et qui ont fait de son orthodoxie un sujet de dispute. Jacques évêque de Nisibe, en Mésopotamie, fameux par ses austérités et par ses miracles, fut vingt-cinq ans après le plus fort rempart de sa ville épiscopale contre l'armée innombrable de Sapor, et força ce prince à lever le siége. Le plus considérable de tous ces prélats était le grand Osius, que nous avons déja fait connaître. Le pape Silvestre retenu à Rome par sa vieillesse envoya deux prêtres, Vitus et Vincent, en qualité de légats. Mais le plus formidable ennemi que les Ariens éprouvèrent dans ce concile, fut le jeune Athanase, diacre d'Alexandrie. L'évêque Alexandre qui l'avait élevé, et qui le chérissait comme son fils, l'avait amené avec lui. Les Ariens le connaissaient déja et le haïssaient mortellement: ils attribuaient à ses conseils la fermeté inflexible d'Alexandre. La Providence, qui le destinait à combattre pour l'église pendant le cours d'une longue vie jusqu'au dernier soupir, lui fit faire, pour ainsi dire, ses premières armes dans ce concile; il y soutint avec gloire à la face de l'église universelle les plus violents assauts, et se signala dès lors par une éloquence et une force de raisonnement qui confondit plusieurs fois les plus habiles d'entre les Ariens et Arius lui-même, et qui étonna l'empereur et toute sa cour. Outre les prêtres, les diacres, et les acolytes, les évêques s'étaient fait accompagner de plusieurs laïcs habiles dans les lettres humaines.

XXIX. Évêques Ariens.

Philost. l. 1, c. 9 et ibi God. dissert.

Les Ariens, dont l'hérésie s'était répandue depuis la haute Libye jusqu'en Bithynie, ne purent pourtant rassembler que dix-sept évêques. Les plus renommés sont Sécundus de Ptolémaïs, Théonas ou Théon de la Marmarique, le fameux Eusèbe de Césarée, Théognis de Nicée, Maris de Chalcédoine, et le grand défenseur de tout le parti, Eusèbe de Nicomédie. Arius les animait par sa présence et leur prêtait ses ruses et ses artifices.

XXX. Philosophes païens confondus.

Socr. l. 1, c. 7.

Soz. l. 1, c. 17.

Avant l'ouverture du concile les théologiens, par une espèce de prélude, eurent à s'exercer contre quelques philosophes païens. Ceux-ci étaient venus les uns par curiosité, pour s'instruire de la doctrine des chrétiens; les autres, par haine et par jalousie, pour les embarrasser dans la dispute. Un de ces derniers, arrogant et avantageux, se prévalait de sa dialectique, et traitait avec mépris les ecclésiastiques qui entreprenaient de le réfuter; lorsqu'un vieillard du nombre des confesseurs, laïc simple et ignorant, se présenta pour entrer en lice. Sa prétention fit rire d'avance les païens qui le connaissaient, et fit craindre aux chrétiens qu'il ne se rendît vraiment ridicule. Cependant on n'osa par respect lui fermer la bouche. Alors imposant silence au nom de Jésus-Christ, à ce superbe philosophe: *Écoute*, lui dit-il; et après lui avoir exposé en termes clairs et précis, mais sans entrer dans la discussion des preuves, les mystères les plus incompréhensibles de la religion, la trinité, l'incarnation, la mort du fils de Dieu, son avénement futur: *Voilà*, lui ajouta-t-il, *ce que nous croyons sans curiosité. Cesse de raisonner en vain sur des vérités qui ne sont accessibles qu'à la foi; et réponds-moi si tu les crois.* A ces mots, la raison du philosophe fut terrassée par une puissance intérieure; il s'avoua vaincu, remercia le vieillard, et devenu lui-même prédicateur de l'Évangile, il protestait avec serment à ses semblables, qu'il avait senti dans son cœur l'impression d'une force divine, dont il ne pouvait expliquer le secret.

XXXI. Trait de sagesse de Constantin.

Theod. l. 1, c. 11.

Soz. l. 1, c. 16.

De tant d'évêques rassemblés plusieurs avaient entre eux des querelles particulières. Ils croyaient l'occasion favorable pour porter leurs plaintes au prince et en obtenir justice. C'était tous les jours de nouvelles requêtes, de nouveaux mémoires d'accusation. L'empereur, en ayant reçu un grand nombre, les fit rouler ensemble, sceller de son anneau; et assigna un jour pour y répondre. Il travailla dans cet intervalle à réunir les esprits divisés. Le jour venu, les parties s'étant rendues devant lui pour recevoir la décision, il se fit apporter le rouleau, et le tenant entre ses mains, «Tous ces procès, dit-il, ont un jour auquel ils sont assignés, c'est celui du jugement général; ils ont un juge naturel, c'est Dieu même. Pour moi qui ne suis qu'un homme, il ne m'appartient pas de prononcer dans des causes où les accusateurs et les accusés sont des personnes consacrées à Dieu. C'est à eux à vivre sans mériter de reproches, et sans en faire. Imitons la bonté divine, et pardonnons ainsi qu'elle nous pardonne: effaçons jusqu'à la mémoire de nos plaintes par une réconciliation sincère, et ne nous occupons que de la cause de la foi qui nous rassemble». Après ces paroles il jeta au feu tous ces libelles, assurant avec serment qu'il n'en avait pas lu un seul: *Il faut*, disait-il, *se donner de garde de révéler les fautes des ministres du Seigneur, de peur de scandaliser le peuple et de lui prêter de quoi autoriser ses désordres.* On dit même qu'il ajouta, que s'il surprenait un évêque en adultère, il le couvrirait de sa pourpre, pour en cacher le scandale aux yeux des fidèles. Il marqua en même temps le 19 juin, pour la première séance publique.

XXXII. Conférences préliminaires.

Soz. l. 1, c. 16.

En attendant ce jour, les évêques s'assemblèrent plusieurs fois en particulier, pour préparer et débattre les matières. Ils firent venir Arius, ils l'écoutèrent, ils discutèrent ses opinions. Ce fut dans ces conférences que d'un côté Arius mit en œuvre tous ses talents, toute son adresse, tantôt dévoilant sa doctrine pour sonder les esprits, tantôt la repliant, pour ainsi dire, et l'enveloppant de termes orthodoxes pour en déguiser l'horreur; et que, de l'autre, Athanase parut comme une vive lumière qui déconcertait l'hérésie, et la poursuivait dans ses détours les plus ténébreux.

XXXIII. Séances du concile.

Eus. vit. Const. l. 3, c. 11 et proœmio operis.

Soz. l 1, c. 18.

Conc. Chalc. act. 1.

Chron. Alex. vel Paschal. p. 282.

Baron. ann. 325.

Pagi, in Baron.

Vales. not. in Euseb. vit. Const. l. 3, c. 10, 11 et 14.

Herm. vie de S. Athan. l. 2.

Till. Arian. art. 8, et not. 1, 6.

La première séance se tint le 19 juin. L'antiquité ecclésiastique nous a précieusement conservé la doctrine de ce grand concile, et tout ce qui s'y passa d'important par rapport à la foi. C'est un des points historiques les plus sûrs et les mieux constatés. C'est aussi le seul qui intéresse véritablement l'église, dont les victoires doivent être immortelles. Mais pour les articles de pure curiosité, tels que le nombre des séances, leur distinction, le lieu où elles se tinrent, combien de fois et en quels jours Constantin y assista, quel fut l'évêque qui y présida, tout cela est resté dans l'obscurité. La cause de ces incertitudes, c'est que les actes du concile ne furent pas rédigés par écrit; on n'écrivit que la profession de foi, les canons, et les lettres synodiques. Il est impossible de rien déterminer sur le nombre des sessions, et de distinguer ce qui se fit dans chacune. Quant au lieu de l'assemblée et à la présence de Constantin, il me paraît très-probable que les Pères s'assemblèrent dans l'église de Nicée; mais qu'ils se rendirent au palais pour la dernière session, à laquelle Constantin voulut assister, et qui fit la clôture du concile. Pour ce qui regarde le président, les uns sont portés à croire que ce fut Eustathius d'Antioche: c'était en effet un des plus grands évêques de l'église; il était assis le premier à droite, et l'on croit que ce fut lui qui harangua Constantin au nom du concile. Mais le terme de *droite* employé ici par Eusèbe est équivoque, et peut aussi bien signifier la droite en entrant, ce qu'on appelle dans l'église le côté de l'épître, que le côté opposé, qui était dans le concile la place d'honneur, comme on le voit par les séances de celui de Chalcédoine. Il n'est pas même bien certain que ce soit Eustathius qui ait porté la parole à l'empereur: Eusèbe semble dire que ce fut lui-même; Sozomène confirme ce sentiment, et d'autres attribuent cet honneur à l'évêque d'Alexandrie. Quoi qu'il en soit, il ne paraît pas nécessaire que ce soit le président du concile qui ait harangué l'empereur: cette fonction a pu être donnée à celui qu'on regardait comme le plus éloquent. L'opinion qui me semble le mieux appuyée, c'est qu'Osius présida au concile au nom du pape Silvestre; le nom d'Osius se trouve avec celui des deux autres légats Vitus ou Victor et Vincent à la tête des souscriptions.

XXXIV. Constantin au concile.

Euseb. vit. Const. l. 3, c. 10.

Theod. l. 1, c. 7.

Socr. l. 1, c. 7.

Soz. l. 1, c. 18.

Les sessions durèrent jusqu'au 25 août. On voit par les actes du concile d'Éphèse qu'elles étaient alors fort longues, commençant sur les huit ou neuf heures du matin et durant jusqu'au soir. On mettait sur un trône ou pupitre, au milieu de l'assemblée, le livre des Évangiles. Après qu'on eut discuté les questions de foi, entendu les Ariens, arrêté les canons de discipline qu'il était à propos de confirmer par l'autorité de l'église universelle, les Pères, pour prononcer le jugement définitif, se rendirent, selon le désir du prince, dans la plus grande salle du palais. On leur avait préparé des siéges à droite et à gauche. Chacun prit sa place, et attendit en silence l'arrivée de l'empereur. Bientôt on le vit paraître sans gardes, accompagné seulement de ceux de ses courtisans qui professaient le christianisme. A son approche, les évêques se levèrent. Il parut, dit Eusèbe, comme un ange de Dieu: sa pourpre enrichie d'or et de pierreries éblouissait par son éclat; mais ce qui frappait bien plus les yeux de ces saints prélats, c'était la noble piété que respirait tout son extérieur. Ses yeux baissés, la rougeur de son visage, sa démarche modeste et respectueuse, ajoutaient une grace chrétienne à la hauteur de sa taille, à la force de ses traits, et à cet air de grandeur qui annonçait le maître de l'empire. Après avoir traversé l'assemblée, il se tint debout au haut de la salle devant un siége d'or plus bas que celui des évêques, et ne s'assit qu'après qu'ils l'en eurent prié par des signes de respect. Tous s'assirent après lui. Alors un des prélats complimenta le prince en peu de mots au nom du concile, et rendit à Dieu au nom du prince des actions de graces. Quand cet évêque eut cessé de parler, tous les autres dans un profond silence fixèrent les yeux sur l'empereur, qui, promenant des regards doux et sereins sur cette auguste compagnie, et s'étant un peu recueilli, parla en ces termes:

XXXV. Discours de Constantin.

Euseb. vit. Const. l. 3, c. 12.

«Mes vœux sont accomplis. De toutes les faveurs dont le roi du ciel et de la terre a daigné me combler, celle que je désirais avec le plus d'ardeur, c'était de vous voir assemblés et réunis dans le même esprit. Je jouis de ce bonheur;

graces en soient rendues au Tout-Puissant. Que l'ennemi de la paix ne vienne plus troubler la nôtre. Après que par le secours du Dieu Sauveur nous avons détruit la tyrannie de ces impies qui lui faisaient une guerre ouverte, que l'esprit de malice n'ose plus désormais attaquer par la ruse et l'artifice notre sainte religion. Je le dis du fond du cœur; les discordes intestines de l'église de Dieu sont à mes yeux les plus périlleux de tous les combats. Victorieux de mes ennemis, je me flattais de n'avoir plus qu'à louer l'auteur de mes victoires, et à partager avec vous ma reconnaissance et le fruit de mes succès. La nouvelle de vos divisions m'a plongé dans une douleur amère. C'est pour remédier à ce mal, le plus funeste de tous, que je vous ai assemblés sans délai. La joie que me donne votre présence ne sera parfaite que par la réunion de vos cœurs. Ministres d'un Dieu pacifique, faites renaître entre vous cet esprit de charité que vous devez inspirer aux autres; étouffez toute semence de discorde, affermissez en ce jour une paix inaltérable. Ce sera l'offrande la plus agréable au Dieu que vous servez, et le présent le plus précieux à un prince qui le sert avec vous.»

XXXVI. Liberté du concile.

Euseb. vit. Const. l. 3, c. 13.

Soz. l. 1, c. 19.

Herm. vie de S. Athan. l. 2.

Ce discours, prononcé en latin par l'empereur, fut ensuite interprété en grec, la plupart des Pères du concile n'entendant que cette langue. Constantin les parlait toutes deux; mais le latin était encore la langue régnante, et la majesté impériale ne s'exprimait point autrement. L'empereur ne donna aucune atteinte à la liberté du concile: il la laissa toute entière aux Ariens avant que le jugement fût prononcé. Dans les vives contestations qui s'élevèrent entre eux et les catholiques, le prince écoutait tout avec attention et avec patience; il se prêtait aux propositions de part et d'autre; il appuyait celles qui lui paraissaient propres à rapprocher les esprits; il s'efforçait de vaincre l'opiniâtreté par sa douceur, par la force de ses raisons, par des instances pressantes, et par des remontrances assaisonnées d'éloges. Il faut pourtant convenir que la présence du souverain dans un concile était un exemple dangereux, dont Constance abusa depuis dans les conciles d'Antioche et de Milan.

XXXVII. Consubstantialité du Verbe.

Athan. epist. contra Arianos. t. I, p. 270-294.

Theod. l. 1, c. 7, 8.

Till. Arian. art. 9.

Fleury, Hist. eccl. l. 11, c. 12.

Les Ariens présentèrent une profession de foi artificieusement composée. Elle révolta tous les esprits; on se récria: elle fut mise en pièces. On lut une lettre d'Eusèbe de Nicomédie, remplie de blasphèmes si outrageants contre la personne du Fils de Dieu, que les Pères, pour ne les point entendre, se bouchèrent les oreilles: on la déchira avec horreur. Les catholiques voulaient dresser un symbole, qui ne fût susceptible d'aucune ambiguité, d'aucune interprétation favorable au dogme impie d'Arius, et qui exclût absolument de la personne de Jésus-Christ toute idée de créature. Les Ariens, au contraire, ne cherchaient qu'à sortir d'embarras en sauvant l'erreur sous l'équivoque des termes. D'abord on exigea d'eux qu'ils reconnussent selon les saintes Écritures, que Jésus-Christ est par nature Fils unique de Dieu, son verbe, sa vertu, son unique sagesse, splendeur de sa gloire, caractère de sa substance: ils ne firent aucune difficulté d'adopter tous ces termes, parce que, selon eux, ils n'étaient pas incompatibles avec la qualité de créature. Ils trouvaient moyen de pratiquer dans toutes ces expressions un retranchement à l'erreur. Mais on les força tout-à-fait quand, en ramassant dans un seul mot les notions répandues dans l'Écriture touchant le Fils de Dieu, on leur proposa de déclarer qu'il était consubstantiel à son Père. Ce mot fut pour eux un coup de foudre; il ne laissait aucun subterfuge à l'hérésie: c'était reconnaître que le Fils est en tout égal à son Père et le même Dieu que lui. Aussi s'écrièrent-ils que ce terme était nouveau, qu'il n'était point autorisé par les Écritures. On leur répliqua que les termes dont ils se servaient pour dégrader le Fils de Dieu ne se trouvaient pas non plus dans les livres saints; que d'ailleurs ce mot était déja consacré par l'usage qu'en avaient fait près de quatre-vingts ans auparavant d'illustres évêques de Rome et d'Alexandrie (c'étaient les deux saints Denis), pour confondre les adversaires de la divinité de Jésus-Christ. Les Pères du concile se tinrent constamment attachés à ce terme qui tranchait toutes les subtilités d'Arius, et qui fut depuis ce temps le signal distinctif des orthodoxes et des Ariens. Ce qu'il y a de remarquable, c'est que ce glaive dont ils égorgeaient l'hérésie leur avait été fourni par l'hérésie même: on avait lu une lettre d'Eusèbe de Nicomédie, dans laquelle il disait que reconnaître le Fils incréé ce serait le déclarer consubstantiel à son Père.

XXXVIII. Jugement du concile.

Athan. ad Monach. t. 1, p. 369.

Socr. l. 1, c. 7.

Soz. l. 1, c. 19.

Theod. l. 1, c. 8. 12.

Philost. l. 1, c. 9.

Baron. an. 325.

Pagi, ibid.

Herm. vie de S. Athan. l. 2.

Till. Arian. art. 9.

Fleury, Hist. Eccles. l. 11, c. 13.

Bayle, dict. art. Arius rem. A.

Tous les orthodoxes, étant d'accord sur la foi de l'église, en souscrivirent le formulaire dressé par Osius, et prononcèrent l'anathème contre Arius et sa doctrine. Les dix-sept partisans de l'hérésiarque refusèrent d'abord de souscrire; mais la plupart se réunirent, du moins en apparence. La crainte de l'exil, dont l'empereur menaçait les réfractaires, les fit signer contre leur conscience, comme ils le firent bien voir dans la suite. Eusèbe de Césarée balança, et souscrivit enfin. La lettre qu'il adressa à son église, semble faite pour rassurer les Ariens de Césarée, que la nouvelle de sa signature avait sans doute alarmés. Il y explique le terme de consubstantiel, et l'affaiblit en l'expliquant. On sent un courtisan qui se plie aux circonstances, et qui ne change que de langage. Eusèbe de Nicomédie et Théognis de Nicée disputèrent long-temps le terrain. Le premier employa tout le crédit qu'il avait auprès du prince pour se mettre à couvert, sans être obligé d'adhérer à la décision du concile. Enfin vaincu par la fermeté de l'empereur, il consentit à signer la profession de foi, mais non pas l'anathème: il connaissait trop, disait-il, l'innocence et la pureté de la foi d'Arius. Il paraît que Théognis le suivit pas à pas dans toutes ses démarches. Philostorge prétend que par le conseil de Constantia, attachée à la nouvelle doctrine, les Ariens trompèrent l'empereur et les orthodoxes, en insérant dans le mot grec qui signifie *consubstantiel* une lettre qui en change le sens, et réduit ce mot à n'exprimer que *semblable en substance*[34]: il n'est guère probable que ce faible artifice ait échappé à tant d'yeux clairvoyants. Sécundus et Théonas restèrent seuls obstinés: on les condamna avec Arius et les autres prêtres ou diacres déja frappés d'anathème dans le concile d'Alexandrie, tels que Pistus et Euzoïus, qui, à la faveur des troubles de l'hérésie, usurpèrent quelque temps après, l'un le siége d'Alexandrie, l'autre celui d'Antioche. Les écrits d'Arius, et en particulier sa Thalie, furent condamnés. En exécution de ce jugement du concile, que la puissance séculière appuya, mais qu'elle ne prévint pas, Constantin, dans une lettre adressée aux évêques absents et à tous les fidèles, ordonne que ces livres pernicieux soient jetés au feu, sous peine de mort contre tous ceux qui en seront trouvés saisis. Le concile avait défendu à Arius de retourner à Alexandrie; l'empereur le relégua à Nicée en Illyrie, avec Sécundus, Théonas et ceux qui avaient subi l'anathème. On a blâmé Constantin de cette disproportion dans les peines: on lui a reproché d'avoir condamné à mort ceux qui liraient des ouvrages dont il se contentait de bannir l'auteur. On ne peut excuser ce défaut que par un autre que nous avons déja relevé, et qui semble avoir sa racine dans la bonté même du prince: il était bien plus sévère à l'égard des crimes à commettre, qu'à l'égard des crimes commis: l'amour du bon ordre le portait à faire craindre les châtiments les plus rigoureux, et sa clémence naturelle arrêtait la punition; ainsi, par l'événement, les peines prononcées dans ses lois devenaient simplement comminatoires. Il eût sans doute mieux rempli le devoir de législateur et de souverain, s'il eût été plus retenu dans les menaces et plus ferme dans l'exécution. Il veut, dans la même lettre, que les Ariens soient désormais nommés Porphyriens, à cause de la conformité qu'il trouve entre Porphyre et Arius, tous deux ennemis mortels de la religion chrétienne qu'ils ont attaquée par des écrits impies; tous deux exécrables à la postérité et dignes de périr avec leurs ouvrages. Mais cette dénomination ne prit pas faveur; et ce n'est pas la seule fois que le langage s'est soustrait, ainsi que la pensée, à toute l'autorité des souverains.

[34] Ὁμοἱουσιος pour Ὁμοόυσιος.—S.-M.

XXXIX. Question de la pâque terminée.

Euseb. vit. Const. l. 3, c. 17 et seq. et l. 4, c. 34, 35.

Dionys. exig. apud Buch. in cyclis, p. 485.

Baron. in ann. 325.

Constantin avait fort à cœur l'uniformité dans la célébration de la pâque. On s'accorda sur ce point. Il fut décidé que cette fête serait fixée au premier dimanche d'après le quatorzième de la lune de mars, et qu'on se servirait du cycle de Méton: c'est une révolution de dix-neuf ans, après lesquels la lune recommence à faire les mêmes lunaisons. Eusèbe de Césarée se chargea de composer un canon pascal de dix-neuf années: il l'adressa à Constantin avec un traité complet sur cette matière. Nous avons la lettre de l'empereur, qui le remercie de cet ouvrage. L'astronomie florissait alors surtout en Égypte: ce fut dans la suite l'évêque d'Alexandrie qui fut chargé de faire pour chaque année le calcul de la pâque, et d'en donner avis à l'évêque de Rome. Celui-ci en instruisait les autres églises. Cette coutume fut long-temps observée; mais lorsque le siége d'Alexandrie fut occupé par des prélats hérétiques, on ne voulut plus recevoir leurs lettres pascales. Malgré ce réglement du concile de Nicée, il y eut quelques évêques qui s'obstinèrent long-temps à célébrer la pâque le même jour que les Juifs: ils firent schisme, et furent nommés Quartodécimans.

XL. Réglement au sujet des Mélétiens et des Novatiens.

Socr. l. 1, c. 7, 10.

Theod. l. 1, c. 9.

Soz. l. 1, c. 21, 23.

Canon 8. conc. Nic.

Baron. an. 325.

Le concile aurait bien souhaité terminer toutes les disputes qui agitaient l'église. Il traita Mélétius avec plus d'indulgence qu'Arius: il lui laissa le nom et la dignité d'évêque, mais il lui ôta les ordinations. Quant aux évêques que Mélétius avait établis, ils devaient, après une nouvelle imposition des mains, conserver leur titre, à condition qu'ils céderaient le rang à ceux qu'Alexandre avait ordonnés, et à qui ils pourraient succéder, en observant les formes canoniques. Cette sage disposition du concile fut rendue inutile par l'indocilité de Mélétius, qui perpétua les troubles en se nommant un successeur quand il se vit près de mourir. Théodoret dit que de son temps, c'est-à-dire plus de cent ans après le concile de Nicée, ce schisme subsistait encore, surtout parmi quelques moines d'Égypte qui s'écartaient de la saine doctrine, et qui se livraient à des pratiques ridicules et superstitieuses. L'église était encore divisée depuis quatre-vingts ans par le schisme des Novatiens. Il avait eu pour auteur Novatianus, qui, s'étant séparé du pape Corneille, avait pris le titre d'évêque de Rome. Ces hérétiques affectaient une sévérité outrée, et se donnaient pour cette raison un nom qui, dans la langue grecque, signifie *purs*[35]. Ils retranchaient pour toujours de leur communion ceux qui, depuis leur baptême, avaient commis des crimes soumis à la pénitence publique: ils prétendaient que Dieu seul pouvait absoudre, et ils ôtaient à l'église le pouvoir de lier et de délier. Ils condamnaient les secondes noces comme des adultères. Leur secte était fort étendue: elle avait en Occident, et plus encore en Orient, des évêques, des prêtres, des églises. L'extérieur de régularité la rendait la moins odieuse de toutes les sectes hérétiques, et elle subsista jusque dans le huitième siècle. Les Pères de Nicée consentaient à les recevoir dans le sein de l'église, s'ils voulaient renoncer à leurs fausses préventions: ils offraient à leurs prêtres de les conserver dans le clergé, à leurs évêques de les admettre au nombre des prêtres, même de leur laisser leur titre, mais et sans fonction et seulement par honneur, si les évêques catholiques des lieux ne s'y opposaient pas. Ces offres furent inutiles. L'empereur lui-même s'employa en vain à leur réunion: il fit venir à Nicée Acésius, évêque novatien de Byzance, qu'il estimait pour la pureté de ses mœurs. Il lui communiqua les décisions du concile, et lui demanda s'il approuvait la profession de foi et ce qu'on avait statué sur la pâque. Acésius répondit qu'on n'avait rien établi de nouveau, et que ces deux points étaient conformes à la croyance et à la pratique apostolique: *Pourquoi donc*, lui dit Constantin, *vous tenez-vous séparé de communion?* Alors l'évêque, prévenu des maximes excessives des Novatiens, se rejeta sur la corruption où il prétendait que l'église était tombée en s'attribuant le pouvoir de remettre les péchés mortels; et l'empereur sentit qu'un orgueilleux rigorisme n'est pas moins difficile à guérir que le relâchement.

[35] Καθάροι.—S.-M.

XLI. Canon et symbole de Nicée.

Canon. Nic.

Pagi, ad Baron. an. 325.

Nous laissons à l'histoire de l'église le détail des canons de ce saint concile. Entre les trésors de la tradition ecclésiastique, c'est la source la plus pure, où l'église puise encore ses règles de discipline. La célèbre profession de foi, qui fut depuis ce temps la terreur et l'écueil de l'arianisme, est ce qu'on appelle aujourd'hui le symbole de Nicée. Le second concile général tenu à Constantinople y a fait quelques additions pour développer davantage les points essentiels de notre croyance. L'église d'Espagne par le conseil du roi Récarède à la fin du sixième siècle, fut la première qui le chanta à la messe, pour affermir dans la foi les Goths nouvellement sortis de l'arianisme. Sous Charlemagne, on commença à le chanter en France. Cet usage n'était pas encore établi à Rome sous le pontificat de Jean VIII du temps de Charles-le-Chauve.

XLII. Lettres du concile et de Constantin.

Socr. l. 1, c. 7.

Gelas. Cyzic. l. 2, c. 37.

Après avoir réglé ce qui regardait la foi et la discipline, le concile chargea nommément les principaux évêques d'en instruire toutes les églises, et il leur assigna à chacun leur département. Mais il jugea à propos d'appliquer lui-même le remède à la partie la plus malade. Il écrivit une lettre synodale aux églises d'Alexandrie, d'Égypte, de Libye et de Pentapole. On y remarque la douceur évangélique de ces saints évêques: loin de triompher de l'exil d'Arius, ils en paraissent affligés: *Vous avez sans doute appris*, disent-ils, *ou vous apprendrez bientôt ce qui est arrivé à l'auteur de l'hérésie. Nous n'avons garde d'insulter à un homme qui a reçu la punition que méritait sa faute.* Ils n'en disent pas davantage sur le châtiment d'Arius. Cette lettre fut accompagnée d'une autre adressée par le prince à l'église d'Alexandrie: il y remercie Dieu d'avoir confondu l'erreur à la lumière de la vérité, il rend témoignage aux Pères du concile de leur scrupuleuse exactitude à examiner et à discuter les matières; il gémit sur les blasphèmes que les Ariens ont osé prononcer contre Jésus-Christ; il exhorte les membres séparés à se rejoindre au corps de l'église; et il finit par ces paroles: *La sentence prononcée par trois cents évêques doit être révérée comme sortie de la bouche de Dieu même; c'était le Saint-Esprit qui les éclairait et qui parlait en eux. Qu'aucun de vous n'hésite à les écouter: rentrez tous avec empressement dans la voie de la vérité, afin qu'à mon arrivée je puisse de concert avec vous rendre grace à celui qui pénètre le fond des consciences.* On voit qu'il avait dessein d'aller incessamment en Égypte; ce qu'il n'a pas exécuté. Il écrivit encore deux autres lettres à toutes les églises: l'une est celle dont nous avons déja parlé, dans laquelle il proscrivait la doctrine et les écrits d'Arius; par l'autre il exhortait tous les fidèles à se conformer à la décision du concile sur la célébration du jour de Pâque.

XLIII. Vicennales de Constantin.

Euseb. vit. Const. l. 1, c. 1, et l. 3, c. 15 et 16.

Theod. l. 1, c. 11.

Soz. l. 1, c. 24.

Pagi, ad Baron. an. 325.

Till. art. 59.

La fête des Vicennales de Constantin tombait au 25 juillet de cette année: c'était le commencement de la vingtième de son règne. On croit que pour ne pas interrompre des affaires plus importantes, cette cérémonie fut remise à la fin du concile, qui se termina le 25 août. Eusèbe de Césarée fit en présence de l'assemblée l'éloge de l'empereur; et celui-ci invita tous les évêques à un festin qu'il fit préparer dans son palais. Ils furent reçus entre deux haies de gardes qui avaient l'épée nue. La salle était richement ornée; on y avait dressé plusieurs tables. L'empereur fit asseoir à la sienne les plus illustres prélats, et distingua par des honneurs et des caresses ceux qui portaient les marques glorieuses de leurs combats pour Jésus-Christ: il se sentait en les embrassant échauffer d'un nouveau zèle pour la foi qu'ils avaient si généreusement défendue. Tout se passa avec la grandeur et la modestie convenable à un empereur et à des évêques. Après le festin il leur fit des présents et leur donna des lettres pour les gouverneurs de ses provinces: il ordonnait à ceux-ci de distribuer tous les ans du blé dans chaque ville aux veuves, aux vierges, aux ministres de l'église. La quantité en fut mesurée, dit Théodoret, sur la libéralité du prince, plutôt que sur le besoin des pauvres. Julien abolit cette distribution. Jovien n'en rétablit que le tiers: la disette qui affligeait alors l'empire, ne lui permit pas de la renouveler en entier; mais ce tiers même était fort considérable et se distribuait encore du temps de Théodoret. L'empereur acheva la solennité de ses vicennales à Nicomédie, et la réitéra à Rome l'année suivante.

XLIV. Conclusion du concile.

Euseb. vit. Const. l. 3, c. 21.

Soz. l. 1, c. 24.

Baron. an. 325.

Avant que les évêques se séparassent, Constantin les fit assembler encore une fois; il les exhorta à conserver entre eux cette heureuse union, qui rendrait la religion vénérable même aux païens et aux hérétiques; à bannir tout esprit de domination, de contention, de jalousie. Il leur conseilla de ne pas employer seulement les paroles pour convertir les hommes: «Il en est peu, leur dit-il, qui cherchent sincèrement la vérité, il faut s'accommoder à leur faiblesse; acheter pour Dieu ceux qu'on ne peut convaincre; mettre en œuvre les aumônes, la protection, les marques de bienveillance, les présents même; en un mot, comme un habile médecin, varier le traitement selon la disposition de ceux qu'on veut guérir.» Enfin, après leur avoir demandé le secours de leurs prières et leur avoir dit adieu, il les renvoya dans leurs diocèses, et les défraya pour le retour, comme il avait fait depuis qu'ils étaient sortis de leurs églises. Telle fut la conclusion du concile de Nicée, le modèle des conciles suivants; respectable à jamais par la grandeur de la cause qui y fut traitée, et par le mérite des évêques qui la défendirent. L'église y fit la revue de ses forces; elle apprit à l'erreur à redouter ces saintes armées, composées d'autant de chefs, où le Saint-Esprit commande et donne à la vérité une victoire assurée. Mais ce qui jette sur ce concile une plus vive lumière, c'est que l'église, sortant alors des longues épreuves des persécutions, se présente à nos esprits avec toute la pureté et tout l'éclat de l'or qui sort de la fournaise. La mémoire de cette assemblée a été consacrée par la vénération des fidèles; et l'église d'Orient solennise la fête des évêques de Nicée le 28 de mai selon le ménologe des Grecs.

XLV. Exil d'Eusèbe et de Théognis.

Theod. l. 1, c. 20.

Philost. l. 1, c. 10.

Gelas. Cyzic. l. 3, c. 2.

Till. Arian. art. 10, 11 et not. 8.

Aussitôt après la séparation des évêques, Eusèbe de Nicomédie et Théognis de Nicée levèrent le masque et recommencèrent à enseigner leurs erreurs. Ils se déclarèrent protecteurs de quelques Ariens obstinés, que Constantin avait mandés à sa cour, parce qu'ils semaient de nouveaux troubles dans Alexandrie. Le prince, irrité de la mauvaise foi des deux prélats, fit assembler un concile de quelques évêques trois mois après celui de Nicée. Ils y furent condamnés et déposés. L'empereur les relégua dans les Gaules, et écrivit à ceux de Nicomédie pour les en instruire. Il dépeint dans cette lettre Eusèbe comme un scélérat qui s'était prêté avec fureur à la tyrannie de Licinius, au massacre des évêques, à la persécution des fidèles: il le traite comme son ennemi personnel: il exhorte ses diocésains à se préserver de la contagion d'un si pernicieux exemple, et menace de punition quiconque prendra le parti de cet apostat. On mit à la place de ces deux prélats Amphion sur le siége de Nicomédie, et Chrestus sur celui de Nicée. Nous raconterons dans la suite par quels artifices ces deux hérétiques se procurèrent, à trois ans de là, le rappel et le rétablissement dans leurs siéges.

XLVI. S. Athanase évêque d'Alexandrie.

Socr. l. 1, c. 11.

Theod. l. 1, c. 26.

Herm. vie de S. Athan. l. 1.

Cinq mois après le concile de Nicée, l'évêque d'Alexandrie alla recevoir la récompense de ses travaux. Étant prêt de mourir, il désigna par un esprit prophétique Athanase pour son successeur. Ce diacre qui dans un âge peu avancé égalait en mérite les plus anciens prélats et en modestie les plus humbles, se cacha, fut découvert, et malgré ses résistances élu selon les formes canoniques. Il fut pendant quarante-six ans que dura son épiscopat, le chef de l'armée d'Israël, et le plus ferme rempart de l'église. Cinq fois banni, souvent en danger de perdre la vie, toujours en butte à la fureur des Ariens, il ne se laissa jamais ni vaincre par leur violence, ni surprendre par leurs artifices. Génie vraiment héroïque, plein de force et de lumières, trop élevé pour être en prise aux séductions de la faveur, inébranlable au milieu des orages, il résista à des cabales armées de toute la puissance de l'enfer et de la cour. Ce fut dans la suite un malheur pour Constantin et une des plus grandes taches de son règne, de s'être laissé prévenir contre un évêque si digne de sa confiance; et rien ne montre mieux combien les ennemis d'Athanase étaient adroits et dangereux.

XLVII. Lois de Constantin.

Cod. Th. lib. 11, tit. 39. l. 15, tit. 12.

Euseb. vit. Const. l. 4, c. 25.

Socr. l. 1, c. 18.

Soz. l. 1, c. 8.

Lact. Instit. l. 6, c. 20.

Ide. epit. c. 6.

Joseph. Antiq. jud. l. 19, c. 7.

Liban. de vita sua, t. 11, p. 3, ed. Morel.

Cod. Th. lib. 7, tit. 4.

Cod. Just. l. 5, tit. 71.

L'empereur passa le reste de l'année et le commencement de la suivante en Thrace, en Mésie, en Pannonie. Ce temps de repos fut employé à faire des lois utiles. C'était une règle de droit, que le demandeur seul fût obligé à faire preuve de la justice de sa prétention: Constantin pour ne laisser aucun nuage dans l'esprit des juges, voulut qu'en certains cas le défendeur fût astreint à prouver la légitimité de sa possession. Quant à la nature des preuves judiciaires, telles que les écritures et les témoins, il ordonna dans les années suivantes qu'on n'aurait égard à aucunes des écritures produites par une des deux parties, si elles se combattaient l'une l'autre; que les témoins prêteraient le serment avant que de parler; que les témoignages auraient plus ou moins de poids selon le rang et le mérite des personnes; mais que la déposition d'un seul, de quelque rang qu'il fût, ne serait jamais écoutée. Une loi bien plus célèbre est celle qui défendait les combats de gladiateurs, et qui pour l'avenir condamnait au travail des mines ceux que la sentence des juges avait coutume de réserver pour ces divertissements cruels. Les chrétiens avaient toujours détesté ces jeux sanglants: Lactance venait encore d'en montrer l'horreur dans ses Institutions divines qui avaient paru quatre ou cinq ans auparavant; et il y a lieu de croire que les Pères de Nicée, dans les entretiens qu'ils eurent avec l'empereur, n'avaient pas oublié cet article. Constantin, qui avait plusieurs fois fait couler le sang des captifs dans ces affreux spectacles, devenu plus humain par la pratique des vertus chrétiennes, sentait toute la barbarie de ces combats. Il eût bien voulu les détruire dans tout l'empire; on le sent par sa loi. Il paraît cependant qu'elle n'eut d'effet que pour Béryte en Phénicie, où elle fut adressée. Cette ville était fameuse par un amphithéâtre magnifique, qu'avait autrefois bâti Agrippa roi de Judée: elle était fort adonnée à ces spectacles. Cette coutume inhumaine régna long-temps en Orient et plus encore à Rome, où elle ne fut abolie que par Honorius. Libanius parle d'un combat de gladiateurs qui fut donné à Antioche en 328, c'est-à-dire, trois ans après cette loi. L'empereur remédia à un abus qu'avait introduit l'avidité des officiers militaires. Ils devaient recevoir par jour une certaine quantité de vivres, qui se tirait des dépôts publics, dans lesquels on les tenait en réserve. Ils se faisaient donner leurs rations en argent; d'où il arrivait deux inconvénients: les dépositaires des vivres, ne vidant pas leurs magasins, exigeaient des provinces de l'argent au lieu des denrées dont ils n'avaient que faire; et les vivres séjournant trop long-temps dans les greniers s'altéraient et se distribuaient en cet état aux soldats. Constantin défendit sous peine de mort, aux gardes des magasins de se prêter à ce commerce. Il prescrivit aussi de nouvelles formalités pour l'aliénation des biens des mineurs qui se trouvaient débiteurs du fisc.

AN 326.

XLVIII. Mort de Crispus.

Idat. chron.

Cod. Th. Chron.

Philost. l. 2, c. 4.

Vict. epit. p. 224.

Eutrop. l. 10.

Amm. l. 14, c. 11.

Zos. l. 2, c. 29.

Sidon. l. 5, epist. 8.

Cod. orig. Const. p. 34.

Au mois d'avril de l'an 326, Constantin consul pour la septième fois, ayant pris pour collègue son fils Constance âgé de huit ans et demi et déja César, résolut d'aller à Rome, dont il était absent depuis long-temps. Il passa par Aquilée et par Milan, où il paraît qu'il fit quelque séjour. Il était à Rome le 8 de juillet, et y demeura près de trois mois. Il y célébra de nouveau ses vicennales. Le concours des décennales des deux Césars Crispus et Constantin augmenta la solennité. Mais la joie de ces fêtes se changea en deuil par un événement funeste, qui fut pour l'empereur jusqu'à la fin de sa vie une source d'amertume. Crispus qui avait si heureusement remplacé son père dans la guerre contre les Francs, qui l'avait secondé avec tant de succès et de gloire dans la défaite de Licinius, et qui donnait encore de plus grandes espérances, fut accusé par sa belle-mère, d'avoir conçu pour elle une passion incestueuse, et d'avoir osé la lui déclarer. Quelques auteurs attribuent cette méchanceté de Fausta à la jalousie que lui inspiraient les brillantes qualités du fils de Minervina: d'autres prétendent qu'embrasée d'un criminel amour pour ce jeune prince et rebutée avec horreur, elle l'accusa du crime dont elle était seule coupable. Tous conviennent que Constantin emporté par sa colère, le condamna à mort sans examen. Il fut mené loin des yeux de son père à Pola en Istrie, où il eut la tête tranchée. Sidonius dit qu'on le fit mourir par le poison. Il était âgé d'environ trente ans. Sa mort fut bientôt vengée. Le père infortuné commença par se punir lui-même. Accablé des reproches de sa mère Hélène et plus encore de ceux de sa conscience, qui l'accusait sans cesse d'une injuste précipitation, il se livra à une espèce de désespoir. Toutes les vertus de Crispus irritaient ses remords: il semblait avoir renoncé à la vie. Il passa quarante jours entiers dans les larmes, sans faire usage du bain, sans prendre de repos. Il ne trouva d'autre consolation que de signaler son repentir par une statue d'argent qu'il fit dresser à son fils; la tête était d'or; sur le front étaient gravés ces mots: *C'est mon fils injustement condamné.* Cette statue fut ensuite transportée à Constantinople, où elle se voyait dans le lieu appelé *Smyrnium.*

XLIX.

Mort de Fausta.

Zos. l. 2, c. 29.

Philost. l. 2, c. 11.

Vict. epit. p. 224.

Eutrop. l. 10.

Sidon. tit. 5, epist. 8.

La mort de Crispus, chéri de tout l'empire, attira sur Fausta l'indignation publique. On osa bientôt avertir Constantin des désordres de sa perfide épouse. Elle fut accusée d'un commerce infâme, qu'il avait peut-être seul ignoré jusqu'alors. Ce nouveau crime devint une preuve de la calomnie. Aussi malheureux mari que malheureux père, également aveugle dans sa colère contre sa femme et contre son fils, il ne se donna pas non plus cette fois le temps d'avérer l'accusation, et il courut encore le risque de l'injustice et des remords. Il fit étouffer Fausta dans une étuve. Plusieurs officiers de sa cour furent enveloppés dans cette terrible vengeance. Le jeune Licinius qui n'avait pas encore douze ans, et dont les bonnes qualités semblaient dignes d'un meilleur sort, perdit alors la vie, sans qu'on en sache le sujet. Ces exécutions firent horreur. On trouva affichés aux portes du palais deux vers satiriques où l'on rappelait la mémoire de Néron[36]. Des événements si tragiques ont noirci les dernières années de Constantin: ils contribuèrent sans doute à l'éloigner de la ville de Rome, où s'étaient passées tant de scènes sanglantes; il la regarda comme un séjour funeste.

[36]

Saturni aurea secla quis requirat?

Sunt hæc gemmea, sed Neroniana.

SIDON. lib. 5, epist. 8.—S.-M.

L.

Insultes que Constantin reçoit à Rome.

Liban. or. 14 t. 11, p. 393. ed. Morel.

Ducange, Fam. Byz. p. 48 et 49.

Rome de son côté ne lui épargna pas les malédictions et les injures. On raconte qu'un jour ayant été insulté par le peuple, il consulta deux de ses frères sur la conduite qu'il devait tenir en cette rencontre. L'un lui conseilla de faire massacrer cette canaille insolente, et s'offrit à se mettre à la tête des troupes; l'autre fut d'avis qu'il convenait à un grand prince de fermer les yeux et les oreilles à ces outrages. L'empereur suivit ce dernier conseil, et regagna par cette douceur ce que les rigueurs précédentes lui avaient fait perdre dans le cœur du peuple. L'auteur qui rapporte ce trait, ajoute que Constantin distingua par des emplois et des dignités celui de ses frères qui l'avait porté à la clémence, et qu'il laissa l'autre dans une espèce d'obscurité. Ce qui peut faire croire que le premier était Jule Constance qui fut consul et patrice, ou Delmatius qui fut censeur et employé dans les plus grandes affaires, et que l'autre était Hanniballianus qui eut en effet si peu de distinction, que plusieurs auteurs le retranchent du nombre des frères de Constantin et le confondent avec Delmatius.

LI.

Constantin quitte Rome pour n'y plus revenir.

Chron. Cod. Th.

Amm. l. 14, c. 6.

Ces dégoûts que l'empereur avait éprouvés à Rome, joints à l'attachement que cette ville enivrée du sang des martyrs conservait pour le paganisme, lui firent naître la pensée d'établir ailleurs le siége de son empire. On peut juger par le peu de résidence qu'il avait fait à Rome, depuis qu'il s'en était rendu maître, que cette ville n'avait jamais eu pour lui beaucoup d'attraits. En effet ce n'était plus depuis long-temps le séjour de la vertu et d'une simplicité magnanime: c'était le rendez-vous de tous les vices et de toutes les débauches. La mollesse, la parure, la pompe des équipages, l'ostentation des richesses, la dépense de table y tenaient lieu de mérite. Les grands dominaient en tyrans, et les petits rampaient en esclaves. Les hommes en place ne récompensaient plus que les services honteux et les talents frivoles. La science et la probité étaient rebutées comme des qualités inutiles ou même importunes. On achetait des valets la faveur des maîtres. Les études sérieuses se cachaient dans le silence; les amusements étaient seuls en honneur; tout retentissait de chants et de symphonies. Le musicien et le maître de danse tenaient dans l'éducation une place plus importante que le philosophe et l'orateur. Les bibliothèques étaient des solitudes ou plutôt des sépulcres, tandis que les théâtres et les salles de concert regorgeaient d'auditeurs: et dans une disette publique, où l'on fut obligé de faire sortir les étrangers, on chassa tous les maîtres des arts libéraux, et l'on garda les comédiennes, les farceurs, et trois mille danseuses avec autant de pantomimes; tant la science et la vertu étaient devenues étrangères! Ajoutez à cette peinture toutes les intrigues de la corruption, toutes les manœuvres de l'ambition et de l'avarice, l'ivrognerie de la populace, la passion désespérée du jeu, la fureur et la cabale des spectacles. Telle est l'idée que nous donne de cette ville un auteur judicieux, qui peignait à la postérité ce qu'il avait sous les yeux. Constantin l'abandonna pour n'y plus revenir, sans être encore déterminé sur le choix de sa nouvelle demeure. Il en sortit vers la fin de septembre, et retourna en Pannonie, en passant par Spolète et par Milan.

AN 327.

LII. Consuls.

Chron. Cod. Theod.

Buch. Cycl. p. 239, 250, 253.

Il demeura toute l'année suivante 327 dans l'Illyrie et dans la Thrace, pendant le consulat de Constance et de Maxime. Ce Constance n'était pas de la famille de Constantin; il avait alors avec le consulat la dignité de préfet du prétoire. Cette année est à jamais mémorable par la découverte de l'instrument de notre rédemption; qui après avoir été enseveli pendant près de trois cents ans, reparut à la chute de l'idolâtrie, et s'éleva à son tour sur ses ruines.

LIII. Découverte de la croix.

Euseb. vit. Const. l. 3, c. 25 et seq.

Theod. l. 1, c. 17, 18.

Soz. l. 2, c. 1.

Paulin. epist. 31. t. p. 193. ed. 1685.

Hieron. epist. 58, t. I, p. 319.

Constantin avait résolu d'honorer Jérusalem d'un monument digne de son respect pour cette terre sacrée. Hélène sa mère, remplie de ce noble dessein, était partie de Rome l'année précédente après la mort de Crispus, pour aller chercher quelque consolation sur les vestiges du Sauveur. Agée de soixante et dix-neuf ans, elle ne se rebuta pas des fatigues d'un si long voyage. A son arrivée, sa piété fut attendrie de l'état déplorable où elle trouvait le Calvaire. Les païens, pour étouffer le christianisme dans son berceau même, avaient pris à tâche de défigurer ce lieu: ils avaient élevé sur la colline quantité de terre, et après avoir couvert le sol de grandes pierres, ils l'avaient environné d'une muraille. C'était depuis Hadrien un temple consacré à Vénus, où la statue de la déesse recevait un encens profane, et éloignait les hommages des chrétiens qui n'osaient approcher de ce lieu d'horreur. Ils avaient perdu jusqu'à la mémoire du sépulcre de Jésus-Christ. Hélène, sur les indices d'un Hébreu plus instruit que les autres, fit abattre les statues et le temple, enlever les terres qui furent jetées loin de la ville, et découvrir le sépulcre. En fouillant aux environs, on trouva trois croix, les clous dont le Sauveur avait été attaché, et séparément, l'inscription telle qu'elle est rapportée par les évangélistes. Un miracle fit distinguer la croix de Jésus-Christ.

LIV. Eglise du S. Sépulcre.

Euseb. vit. Const. l. 3, c. 29 et seq.

Socr. l. 1, c. 1.

Soz. l. 2, c. 1.

Valois, epist. de Anastasi.

Fleury, Hist. eccl. l. 11, c. 54.

La découverte d'un si riche trésor combla de joie l'empereur. Il ne pouvait se lasser de louer la Providence, qui, ayant si long-temps conservé un bois de lui-même corruptible, le manifestait enfin au ciel et à la terre, lorsque les chrétiens devenus libres pouvaient marcher sans crainte sous leur étendard général. Il fit bâtir une église qui est nommée dans les auteurs, tantôt l'*Anastase*, c'est-à-dire, la Résurrection, tantôt l'église de la Croix ou de la Passion, tantôt le Saint-Sépulcre. L'empereur recommanda à l'évêque Macarius de ne rien épargner pour en faire le plus bel édifice de l'univers. Il donna ordre à Dracilianus, vicaire des préfets et gouverneur de la Palestine, de fournir tous les ouvriers et les matériaux que demanderait l'évêque. Il envoya lui-même les pierreries, l'or, et les plus beaux marbres. Selon quelques auteurs, Eustathius prêtre de Byzance en fut l'architecte. Voici la description que fait Eusèbe de ce temple magnifique. La façade superbement ornée s'élevait sur un large parvis, et donnait entrée dans une vaste cour bordée de portiques à droite et à gauche. On entrait dans le temple par trois portes du côté de l'occident. Le bâtiment se divisait en trois corps. Celui du milieu, que nous appelons la nef, et qu'on nommait proprement la basilique, était très-étendu dans ses dimensions, et fort exhaussé. L'intérieur était incrusté des marbres les plus précieux: au-dehors les pierres étaient si bien liées et d'un si beau poli, qu'elles rendaient l'éclat du marbre. Le plafond formé de planches exactement jointes, décoré de sculpture et revêtu entièrement d'un or très-pur et très-éclatant, semblait un océan de lumière suspendu sur toute la basilique. Le toit était couvert de plomb. Vers l'extrémité s'élevait un dôme en plein cintre, soutenu sur douze colonnes, dont le nombre représentait celui des apôtres; sur les chapiteaux étaient placés autant de grands vases d'argent. De chaque côté de la basilique s'étendait un portique, dont la voûte était enrichie d'or. Les colonnes qui lui étaient communes avec la basilique, avaient beaucoup d'élévation; l'autre partie portait sur des pilastres très-ornés. On avait pratiqué sous terre un autre portique, qui répondait au supérieur dans toutes ses dimensions. De l'église on passait dans une seconde cour pavée de belles pierres polies, autour de laquelle régnaient des trois côtés de longs portiques. Au bout de cette cour et au chef de tout l'édifice était la chapelle du saint Sépulcre, où l'empereur s'était efforcé d'imiter par l'éclat de l'or et des pierres précieuses, la splendeur dont avait brillé ce saint lieu au moment de la résurrection. Cet édifice commencé sous les yeux d'Hélène ne fut achevé et dédié que huit ans après. Il n'en reste plus de vestiges, parce qu'il a été plusieurs fois ruiné: il se forma à l'entour une autre ville, qui reprit l'ancien nom de Jérusalem, et qui semblait être, dit Eusèbe, la nouvelle Jérusalem, prédite par les prophètes. Celle-ci renfermait le saint Sépulcre et le Calvaire. L'ancienne, qui depuis Hadrien portait le nom d'Ælia, fut abandonnée; et dès ce temps-là commencèrent les pélerinages, et les offrandes des chrétiens, que la dévotion y appelait de toutes les parties du monde.

LV. Piété d'Hélène.

Euseb. vit. Const. l. 3, c. 41 et seq.

Socr. l. 1, c. 17.

Soz. l. 2, c. 1.

Theoph. p. 21.

Suid. in Ἐστίαδες et in Ἑλένη.

La pieuse princesse bâtit encore deux autres églises, l'une à Bethléem dans le lieu où était né le Sauveur, l'autre sur le mont des Olives d'où il s'était élevé au ciel. Elle ne se borna pas à la pompe des édifices. Sa magnificence se fit encore bien mieux connaître par les bienfaits qu'elle aimait à répandre sur les hommes. Dans le cours de ses voyages elle versait sur le public et sur les particuliers les trésors de l'empereur, qui fournissait sans mesure à toutes ses libéralités: elle embellissait les églises et les oratoires des moindres villes; elle faisait de sa propre main des largesses aux soldats; elle nourrissait et habillait les pauvres; elle délivrait les prisonniers, faisait grace à ceux qui étaient condamnés aux mines, tirait d'oppression ceux qui gémissaient sous la tyrannie des grands, rappelait les exilés; en un mot, dans ce pays habité autrefois par le Sauveur du monde, elle retraçait son image, faisant pour les corps ce qu'il y avait fait pour les ames. Ce qui la rapprochait encore davantage de cette divine ressemblance, c'était la simplicité de son extérieur, et les pratiques d'humilité qui voilaient la majesté impériale sans l'avilir. On la voyait prosternée dans les églises au milieu des autres femmes dont elle ne se distinguait que par sa ferveur. Elle assembla plusieurs fois toutes les filles de Jérusalem qui faisaient profession de virginité, elle les servit à table, et ordonna qu'elles fussent nourries aux dépens du public.

LVI. Retour d'Hélène.

Socr. l. 1, c. 17.

Theod. l. 1, c. 18.

Soz. l. 2, c. 1.

Cod. orig. C. P. p. 17.

Après avoir rendu aux saints lieux tout leur éclat, elle partit pour aller rejoindre son fils. La sainte croix enfermée dans une châsse d'argent, fut mise entre les mains de l'évêque, qui ne la montrait au peuple qu'une fois l'année au vendredi saint. Constantin reçut de sa mère les clous, l'inscription, et une portion considérable de la croix, dont il envoya une partie à Rome avec l'inscription: il la fit déposer dans la basilique du palais Sessorien, qui fut pour cette raison appelée l'église de Sainte-Croix, ou l'église d'Hélène. Il garda l'autre partie, qu'il fit dans la suite enfermer à Constantinople dans sa statue posée sur la colonne de porphyre. L'usage qu'il fit des clous n'est pas aussi clairement énoncé: tout ce qu'on peut tirer des expressions des auteurs originaux, c'est qu'il les fit entrer dans la composition de son casque et du mors de son cheval, pour lui servir de sauvegarde dans les batailles. Le pape Silvestre établit une fête de l'Invention de la sainte croix au troisième de mai.

LVII. Sa mort.

Euseb. vit. Const. l. 3, c. 46 et 47.

Socr. l. 1, c. 17.

Theod. l. 1, c. 17.

Soz. l. 2, c. 1.

Anastas. in Silvest.

Theoph. p. 21.

Niceph. Call. l. 8, c. 31.

Chron. Alex. vel Paschal. p. 283.

Hesych. Miles.

Philost. l. 2, c. 13.

Justin. Coll. 4, tit. 7, nov. 28, c. 1.

Baron. an. 326.

Hélène ne vécut pas long-temps après cette pieuse conquête. Elle mourut au mois d'août, âgée de quatre-vingts ans, entre les bras de son fils, qu'elle fortifia dans la foi par ses dernières paroles, et qu'elle combla de bénédictions. Il fit porter son corps à Rome, où il fut mis dans un tombeau de porphyre au milieu d'un mausolée que Constantin fit construire sur la voie Lavicane, près de la basilique Saint-Marcellin-et-Saint-Pierre. Il orna cette basilique d'un grand nombre de vases précieux. Les Romains prétendent encore posséder le corps de cette princesse. Si l'on en croit les historiens grecs, il fut deux ans après transporté à Constantinople et déposé dans l'église des Saints-Apôtres. Ce qu'il y a de certain, c'est que ce prince avait comblé d'honneurs sa mère pendant sa vie; il lui donna le titre d'Auguste; il fit graver le nom d'Hélène sur les monnaies[37]; il la laissa maîtresse de ses trésors. Elle n'en usa que pour satisfaire une piété magnifique et une charité inépuisable. Mais il est vraisemblable que d'un côté l'enlèvement de toutes les richesses des temples, de l'autre les pieuses profusions d'Hélène sont le principal fondement du reproche, que les auteurs païens font à Constantin, d'avoir prodigué d'une main ce qu'il ravissait de l'autre. Après la mort d'Hélène, son fils ne cessa d'honorer sa mémoire. Il lui érigea une statue à Constantinople dans une place qui prit de là le nom d'*Augustéon*. Ayant fait une ville du bourg de Drépane en Bithynie, pour honorer saint Lucien martyr, dont les reliques y reposaient, il l'appela Hélénopolis, et déclara exempt, tout le terrain d'alentour, jusqu'où la vue pouvait s'étendre. Quelques-uns disent que ce fut Hélène elle-même, qui à son retour augmenta cette bourgade; et c'est ce qui leur a donné lieu de croire qu'elle y était née. Sozomène parle encore d'une ville de Palestine que Constantin nomma Hélénopolis. Il changea aussi en son honneur le nom d'une partie de la province du Pont, et l'appela Hélénopontus. Justinien étendit ensuite cette dénomination à toute la province.

[37] C'est là un fait très-douteux. Il n'existe aucune médaille de Constantin où on trouve le nom d'Hélène. Celles qui le portent paraissent plutôt appartenir à Fl. Julia Helena, femme de Julien l'Apostat.—S.-M.

LVIII. Guerres contre les Barbares.

Vict. epit. p. 224.

Chron. Alex. vel Paschal. p. 284.

Theoph. p. 22.

God. Chron.

Cod. Th. et in not. t. 2, p. 240.

Grut. p. 159, n. 6.

Les affaires de l'Église dont nous rendrons compte ailleurs, retinrent Constantin à Nicomédie une grande partie de l'année suivante, où Januarinus et Justus furent consuls. Il en sortit pour une expédition dont on ignore le détail. Une inscription de cette année qui lui donne pour la vingt-deuxième fois le titre d'*Imperator*, est le monument d'une victoire. La chronique d'Alexandrie, dit qu'il passa alors plusieurs fois le Danube, et qu'il fit bâtir sur ce fleuve un pont de pierre. Théophane s'accorde avec elle, et ajoute qu'il remporta une victoire signalée sur les Germains, les Sarmates et les Goths; et qu'après avoir ravagé leurs terres, il les réduisit en servitude. Mais il répète la même chose deux ans après, et l'on ne peut compter sur l'exactitude de cet auteur. La situation de la ville d'Oëscos dans la seconde Mésie sur le Danube, où Constantin était au commencement de juillet, peut faire conjecturer qu'il faisait alors la guerre aux Goths et aux Taïfales. Ceux-ci étaient une peuplade de Scythes déja connue dans l'empire; ils habitaient une partie de ce qu'on appelle aujourd'hui la Moldavie et la Valachie.

LIX. Destruction des idoles.

Euseb. vit. Const. liv. 3, c. 54, 57.

Socr. l. 1, c. 18.

Soz. l. 2, c. 4.

Au milieu de ces expéditions, l'empereur ne perdait pas de vue le dessein qu'il avait formé d'affaiblir l'idolâtrie: et tandis que pendant cette année et les suivantes, comme je l'expliquerai bientôt, l'Asie voyait une nouvelle capitale s'élever avec splendeur au-delà du Bosphore, elle entendait d'une autre part le fracas des idoles et des temples qu'on abattait en Cilicie, en Syrie, en Phénicie, provinces infectées des plus absurdes et des plus honteuses superstitions. La prudence du prince servait de guide à son zèle: pour ne pas donner l'alarme, il n'employait aucun moyen violent; il envoyait sans éclat dans chaque contrée deux ou trois officiers de confiance, munis de ses ordres par écrit. Ces commissaires traversant les plus grandes villes, et les campagnes les plus peuplées, détruisaient les objets de l'adoration publique. Le respect qu'on avait pour l'empereur leur tenait lieu d'armes et d'escorte. Ils obligeaient les prêtres eux-mêmes de tirer de leurs sanctuaires obscurs leurs propres divinités; ils dépouillaient ces dieux de leurs ornements à la vue du peuple, et se plaisaient à lui en montrer la difformité intérieure. Ils faisaient fondre l'or et l'argent, dont l'éclat avait ébloui la superstition; ils enlevaient les idoles de bronze; on voyait traîner hors de leurs temples ces statues célébrées par les fables des Grecs, et qui passaient parmi le vulgaire pour être tombées du ciel. Le peuple qui tremblait d'abord et qui croyait que la foudre allait écraser, ou la terre engloutir ces ravisseurs sacriléges, voyant l'impuissance et la honte de ses dieux, rougissait de ses hommages; comme il ne leur avait attribué qu'un pouvoir temporel et terrestre, il ne les regardait plus comme des dieux, dès qu'on les outrageait impunément; ainsi une erreur guérissait l'autre. Plusieurs embrassaient la religion chrétienne; les plus indociles cessaient d'en suivre aucune. Leur surprise était de ne voir dans les souterrains de ces sanctuaires, et dans le vide intérieur de ces idoles, que quelques ordures, et même des crânes et des ossements, restes affreux des cérémonies magiques ou des sacrifices de victimes humaines. Ils s'étonnaient de n'y trouver aucun de ces dieux qui avaient fait autrefois parler ces images, aucun génie, aucun fantôme; et ces lieux devinrent méprisables dès qu'ils cessèrent d'être secrets et inaccessibles.

LX. Temple d'Aphaca.

Euseb. vit. Const. liv. 3, c. 55.

Soz. l. 2, c. 4.

Zos. liv. 1, c. 58.

Senec. Nat. Quæst. l. 3, c. 26.

Etymol. in Ἄφακα.

Il y avait des temples dont l'empereur se contentait de faire enlever les portes ou découvrir le toit. Mais il faisait abattre de fond en comble ceux dans lesquels triomphait plus insolemment la débauche ou l'imposture. Sur un des sommets du Liban, entre Héliopolis et Byblos, près du fleuve Adonis, était un lieu nommé Aphaca. Là dans une retraite écartée, au milieu d'un bocage épais, s'élevait un temple de Vénus. A côté était un lac si régulier dans son contour, qu'il semblait fait de main d'homme. Dans le temps des fêtes de la déesse, on voyait un certain jour, après une invocation mystérieuse, une étoile s'élever de la cime du Liban et s'aller plonger dans l'Adonis; c'était, disait-on, Vénus-Uranie. Personne ne contestait la réalité de ce phénomène, et Zosime qui se refuse à toutes les merveilles du christianisme, n'ose douter de celle-là. Le lac était encore fameux par un autre miracle: les dévots de la déesse y jetaient à l'envi des offrandes de toute espèce: les présents qu'elle voulait bien accepter ne manquaient pas, disait-on, d'aller à fond, fussent-ils des matières les plus légères, tels que des voiles de soie et de lin; mais ceux que la divinité refusait, restaient sur l'eau quelque pesants qu'ils fussent. Ces fables accréditées par la tradition des amours de Vénus et d'Adonis, dont on plaçait la scène en ce lieu, augmentaient les charmes de cet agréable paysage. Tout y respirait la volupté. Des femmes impudiques et des hommes semblables à ces femmes venaient célébrer dans ce temple leurs infâmes orgies; la dissolution n'y craignait point de censeur, parce que la pudeur et la vertu n'en approchaient jamais. Constantin fit détruire jusqu'aux fondements cet asyle d'impureté, ainsi que les idoles et les offrandes: il en fit purifier le terrain souillé de tant d'obscénités, et arrêta par de terribles menaces le cours de cette dévotion impure et sacrilége.

LXI. Autres débauches et superstitions abolies.

Euseb. vit. Const. l. 3, c. 56 et 58.

Socr. l. 1, c. 18.

Soz. l. 2, c. 4.

Le désordre n'était pas une dévotion, c'était une loi immémoriale à Héliopolis dans le même pays. Les femmes y étaient communes, et les enfants n'y pouvaient reconnaître leurs pères. Avant que de marier les filles, on les prostituait aux étrangers. Constantin tâcha d'abolir par une loi sévère cette infâme coutume, et de rétablir dans les familles l'honneur et les droits de la nature. Il écrivit aux habitants pour les appeler à la connaissance du vrai Dieu; il fit bâtir une grande basilique; il y établit un évêque et un clergé; et pour ouvrir une voie plus facile à la vérité, il répandit dans la ville beaucoup d'aumônes. Son zèle n'eut pas le succès qu'il en attendait; et l'indocilité de ce peuple fit voir que les cœurs corrompus par de honteuses voluptés, sont les moins disposés à recevoir les semences de l'Évangile. Nous verrons comment ils se vengèrent sous Julien de la violence que Constantin leur avait faite pour les rendre raisonnables. L'empereur trouva moins d'opiniâtreté à Égès en Cilicie, où il ne s'agissait que de détruire l'imposture. On accourait de toutes parts au temple d'Esculape pour y recouvrer la santé. Le Dieu apparaissait pendant la nuit, guérissait en songe ou révélait les remèdes. Constantin étouffa cette charlatanerie en renversant et le dieu et le temple. L'Égypte adorait le Nil, comme l'auteur de sa fertilité; elle lui avait consacré une société de prêtres efféminés, qui avaient oublié jusqu'à la distinction de leur sexe. La mesure dont on se servait pour déterminer l'accroissement du Nil était en dépôt à Alexandrie dans le temple de Sérapis. On attribuait à ce dieu le pouvoir de faire répandre le fleuve sur les terres. Le prince fit transporter cette mesure dans l'église d'Alexandrie. Toute l'Égypte en fut alarmée; on ne doutait pas que Sérapis irrité ne se vengeât par la sécheresse; et pour rassurer les esprits, il ne fallut rien moins qu'une inondation plus favorable, comme elle arriva en effet plusieurs années de suite. Ce que Constantin fit sans doute de trop en cette rencontre, c'est qu'il ordonna de massacrer les prêtres du Nil. C'étaient à la vérité des hommes abominables; mais c'étaient des aveugles, qu'il devait au moins essayer de détromper avant que de les perdre.

LXII. Chêne de Mambré.

Euseb. vit. Const. liv. 3, c. 51. et seq.

Vales. not. Ibid.

Socr. l. 2, c. 3.

Till. art. 68.

Une autre superstition s'était établie en Palestine. A dix lieues de Jérusalem près d'Hébron était un lieu nommé le Térébinthe, à cause d'un arbre de cette espèce qu'une tradition populaire faisait aussi ancien que le monde. Ce lieu s'appelait aussi le chêne de Mambré, parce qu'on prétendait y voir encore celui sous lequel Abraham était assis quand il fut visité par les anges qui allaient ruiner Sodome. On y montrait le tombeau de ce patriarche. C'était un pélerinage et une foire célèbre, où dans un certain temps de l'année on se rendait en foule de toutes les contrées de la Palestine, de la Phénicie, de l'Arabie, autant pour acheter et vendre des marchandises que par dévotion. Là les chrétiens, les juifs et les païens faisaient, chacun à leur manière, les actes de leur religion. On y sacrifiait des victimes, on y versait des libations en l'honneur d'Abraham, de tout temps très-révéré par les Orientaux. Les anges représentés en peinture à côté des divinités païennes, le chêne même et le térébinthe, tout était un objet d'idolâtrie. On campait sous des tentes dans cette plaine nue et découverte; et la confusion ne produisait aucun désordre: une exacte continence était une des lois de la fête, et les maris l'observaient même avec leurs femmes. Le puits d'Abraham était pendant tout ce temps bordé de lampes ardentes; on y jetait du vin, des gâteaux, des pièces de monnaie, et des parfums de toute espèce. Eutropia belle-mère de l'empereur, que la piété avait apparemment conduite en Palestine, l'instruisit de cet abus par ses lettres. Il écrivit aussitôt à Macarius et aux autres évêques de la province, pour leur faire des reproches de n'avoir pas été les premiers à remarquer et à réprimer ce culte superstitieux. Il leur fait savoir qu'il a chargé le comte Acacius de brûler sans délai toutes les images qui se trouveront en ce lieu, de détruire l'autel, et de punir sévèrement tous ceux qui oseront dans la suite y pratiquer aucun acte d'idolâtrie. Il recommande aux évêques de veiller avec soin à maintenir la pureté de ce lieu, et de l'avertir de tout ce qui pourrait s'y passer de contraire au culte de la vraie religion. On y bâtit par ordre de l'empereur une belle église. Le chêne de Mambré ne subsista pas long-temps au-delà, il n'en restait que le tronc du temps de saint Jérôme. Mais la superstition échappa à l'autorité de Constantin et à la vigilance des évêques: elle durait encore dans le cinquième siècle.

LXIII. Églises bâties.

Euseb. vit. Const. liv. 3, c. 50.

Soz. l. 2, c. 2.

Fleury, Hist. eccl. liv. 11, c. 35.

En même temps que l'empereur abattait les temples des faux dieux, il en élevait d'autres au véritable. Il en fit bâtir à ses dépens un très-grand et très-magnifique à Nicomédie, et le dédia au *Sauveur* en reconnaissance de ses victoires, que Dieu avait couronnées en cette ville par la soumission de Licinius. Il n'y avait guère de cité qu'il n'embellît de quelque édifice consacré au culte divin. Antioche était comme la capitale de l'Orient. Il la décora d'une basilique distinguée par sa grandeur et par sa beauté. C'était un vaisseau de forme octogone, fort élevé, au centre d'une spacieuse enceinte. Il était environné de logements pour le clergé, de salles et de bâtiments à plusieurs étages, sans parler des souterrains. L'or, le bronze, les matières les plus précieuses y étaient prodiguées: on l'appela l'église d'or. Joseph, personnage considérable entre les Juifs, qui très-endurci d'abord dans son aveuglement s'était enfin converti à force de miracles, et que l'empereur avait honoré du titre de comte, muni d'une commission du prince, fit aussi construire un grand nombre d'églises dans toute l'étendue de la Judée. Ce Joseph se rendit mémorable par son attachement à la foi orthodoxe. C'était le seul catholique habitant de Scythopolis, ville que son évêque Patrophile avait entièrement infectée d'arianisme. La dignité de comte le mit à l'abri de la persécution des Ariens.

LXIV. Arad et Maïuma deviennent chrétiennes.

Euseb. vit. Const. liv. 4, c. 38, 39.

Socr. l. 1, c. 18.

Soz. liv. 2, c. 5. et l. 5, c. 3.

Noris, epoch. Syr. p. 363.

God. ad Cod. Th. l. 15, t. 6. leg. 2.

La splendeur que Constantin procurait au christianisme, faisait ouvrir de plus en plus les yeux aux païens. On n'entendait parler que de villes et de villages qui sans en avoir reçu aucun ordre avaient brûlé leurs dieux, rasé leurs temples, construit des églises. Une ville de Phénicie (on croit que c'est Arad), ayant jeté au feu un grand nombre d'idoles, se déclara chrétienne. Constantin, en récompense de ce zèle, changea son nom en celui de Constantine. Il donna le nom de sa sœur Constantia ou de son fils Constantius à Maïuma, qu'il appela Constantia. Ce n'était qu'un bourg qui servait de port à la ville de Gaza en Palestine. Les habitants très-adonnés aux superstitions y renoncèrent tout à coup comme par inspiration. L'empereur honora ce lieu de grands priviléges; il lui donna le titre de ville, l'affranchit de la juridiction de Gaza, et voulut qu'il fût gouverné par ses propres lois et par ses propres magistrats. Il y établit un évêque. La jalousie qu'en conçut la ville de Gaza, attacha celle-ci plus fortement à l'idolâtrie. Elle se vengea sous Julien, qui dépouilla Maïuma de tous ces droits, et la réduisit à son premier état. Mais la distinction subsista dans l'ordre ecclésiastique, et Maïuma continua d'avoir son évêque particulier. Ce qu'il y a d'étonnant, c'est que cette ville devenue chrétienne conserva cependant une statue fort deshonnête de la déesse Vénus, qui avait encore quelques adorateurs. Il paraît même qu'elle laissa subsister son théâtre, renommé par des scènes lascives, qui firent donner le nom de Maïumes à des spectacles licencieux fort à la mode, surtout en Syrie. Ils ne furent entièrement abolis que par Arcadius à la fin de ce siècle.

LXV. Conversion des Éthiopiens et des Ibériens.

Socr. lib. 1, c. 18, 19 et 20.

Soz. l. 2, c. 6, 7, 8 et 24.

Theod. lib. 1, c. 23, 24.

Ruf. lib. 10, c. 9, 10.

Baron. Martyr. 15. Dec.

[Theoph. p. 18 et 19.]

[Soz. l. 2, c. 8.]

Déja l'empire était rempli de chrétiens. La vraie religion avait même depuis long-temps franchi les bornes de la domination romaine; elle avait passé en plusieurs endroits le Rhin et le Danube. Les Barbares qui depuis le règne de Gallien faisaient de fréquentes incursions en Europe et en Asie, remportaient la foi dans leur pays avec les trésors de l'empire; les prêtres et quelquefois les évêques captifs leur apprenaient le nom de Jésus-Christ; et la patience, la douceur, la vie exemplaire, les miracles de ces saints personnages leur faisaient admirer et aimer sa religion. Les Goths avaient reçu l'évangile[38]: un roi d'Arménie nommé Tiridate, avait converti son peuple[39]; et le commerce des Arméniens et des Osrhoëniens faisait pénétrer la foi bien avant dans la Perse. Constantin eut la joie de voir sous son règne cette lumière se répandre dans des contrées qu'elle n'avait jamais éclairées, du moins où elle s'était éteinte aussitôt après la prédication des Apôtres et de leurs premiers successeurs. Frumentius établit la foi chez les Éthiopiens, et fut ordonné par saint Athanase évêque d'Axoum[40], capitale du pays.

[38] Les Goths durent leur conversion aux captifs chrétiens, par eux emmenés de l'Asie Mineure et des autres provinces romaines, qu'ils avaient ravagées sous le règne de Gallien. Philostorge (l. 2, § 5) est l'auteur qui nous a transmis le plus de détails sur cette conversion et sur le christianisme des Goths.—S.-M.

[39] Voyez ce que j'ai dit ci-devant, p. 76 et 77, au sujet du roi Tiridate, de l'introduction du christianisme chez les Arméniens.—S.-M.

[40] *Axoum* ou *Auxoum*, est mentionnée dans Ptolémée (l. 4, c. 8), dans le Périple de la mer Erythrée attribué à Arrien, et dans quelques autres auteurs. Cette ville, dont il sera encore question sous le règne de Justin (ci-après l. XL, § 27), à cause des relations que les Ethiopiens eurent alors avec l'empire, est presque ruinée maintenant. Ses restes ont été visités en 1805 et en 1809, par le lord Valentia et par M. Salt, qui en a donné une intéressante relation.—S. M.

[Un philosophe nommé Métrodore fut la cause indirecte de la conversion de ces peuples. A l'imitation des anciens sages, il avait entrepris de longs voyages[41] pour connaître les régions lointaines et les mœurs de leurs habitants; il avait parcouru toute l'Inde intérieure[42]. C'est le nom que les Romains donnaient alors à la partie méridionale de l'Arabie, possédée par les Homérites, et aux provinces de l'Éthiopie, comprises entre le Nil et la mer Rouge. A son retour[43], ses récits donnèrent à un autre philosophe, Méropius de Tyr, le désir de visiter les mêmes pays; il emmena avec lui deux jeunes gens, ses parents et ses élèves, assez instruits dans les lettres grecques. Quoique les pays dont il s'agit fussent éloignés de l'empire, dont ils étaient séparés par des mers et des déserts, les peuples qui y vivaient, n'étaient cependant pas tout-à-fait sans relation avec les Romains. En devenant maîtres de l'Égypte, ceux-ci héritèrent du commerce que les Grecs avaient fait autrefois par la Mer-Rouge, tant avec les peuples de l'Asie et de l'Afrique qui occupaient les rivages de cette mer, qu'avec les nations plus éloignées, établies dans l'Inde, ou sur les côtes de l'Éthiopie, qui se prolongent au loin vers le sud dans l'Océan Indien[44]. Les avantages de ce commerce avaient porté les Romains à contracter quelquefois des alliances avec ces peuples barbares, et les profits qu'ils y trouvaient les firent renouveler plusieurs fois. Long-temps après cette époque, au moment où Méropius se préparait à revenir dans sa patrie, l'alliance avec les Romains fut rompue, on ignore par quelle cause, et le philosophe fut massacré avec tous ses compagnons de voyage. Ses deux disciples Édésius et Frumentius furent seuls épargnés, en considération de leur jeunesse. On les attacha au service du roi: Édésius devint son échanson, mais Frumentius qui avait plus de capacité fut son secrétaire intime[45], et même selon Sozomène, l'intendant de sa maison et de ses finances[46].

[41] Il est question de ce Métrodore et des présents qu'il fit à Constantin dans la chronique de S. Jérôme et dans celle de Cédrénus (t. 1 p. 295). Nous en reparlerons dans les additions que nous ajouterons au § 35e du livre V.—S.-M.

[42] *India ulterior*, selon Rufin (l. 10, c. 9); τὴν ἐνδοτέρω Ἰνδίαν, dans Socrate (l. 1, c. 19), et dans Sozomène (l. 12, c. 24); c'est τὴν ἐσχάτην Ἰνδίαν, dans Théodoret (l. 1, c. 23).—S.-M.

[43] Ce Métrodore entreprit encore d'autres voyages chez les Indiens orientaux pour visiter les Brachmanes.—S.-M.

[44] C'est au port d'Adulis sur la Mer-Rouge, à huit journées d'Axoum que se faisait ce commerce.—S.-M.

[45] Τῶν βασιλικῶν γραμματοφυλάκων φροντίζειν προσέταξεν. Socr., l. 1, c. 19. D'autres indications fournies par les anciens font voir qu'à cette époque, et long-temps avant, la langue grecque était souvent employée par les souverains de cette partie de l'Afrique. Il ne peut y avoir de doute sur un tel fait, des monuments publics en sont la preuve. Voyez la grande inscription grecque trouvée par M. Salt, dans les ruines d'Axoum, celle qui est rapportée dans la Topographie chrétienne du moine Cosmas (l. 2, t. 12, p. 142, *Coll. nava* de Montfaucon), et enfin la curieuse inscription découverte en Nubie par le voyageur Gau de Cologne, et relative à Silco, roi des Nubiens. Celle-ci a été publiée pour la première fois à Rome en 1822, par M. Niebuhr.—S.-M.

[46] Μείζονα δὲ τῆς αὐτοῦ οἰκίας, καὶ τῶν χρημάτων ἐπίτροπον Soz., l. 2, c. 24.—S.-M.

[Ludolf, hist. Æthiop. l. 3.

[Vansleb, Hist. de l'ég. d'Alex. l. 1, c. 9.]

[Le Quien, Oriens Chr. t. 2, p. 366. et 643.]

[Abou'l faradj, chron. arab. p 5 vers. lat.]

Leur esclavage fut d'assez courte durée, le roi cessa de vivre bientôt après, et en mourant il leur rendit la liberté. Sa veuve, tutrice d'un jeune prince en bas âge, eut recours aux talents des deux Grecs, et bientôt Frumentius eut la suprême direction des affaires. Pendant son administration il eut soin de s'informer, si parmi les Romains qui venaient trafiquer dans le pays, il ne s'en trouvait pas qui fussent chrétiens. Ses vœux furent satisfaits, il leur fit connaître ce qu'il était et les exhorta à révérer Dieu à la manière des chrétiens; il fit ensuite élever une église et convertit même plusieurs Barbares. Quand le jeune roi fut en âge de régner, Frumentius lui remit les rênes du gouvernement, demandant la grace de retourner dans sa patrie. Il partit malgré les instances du prince et de sa mère, Édésius le suivit. Celui-ci se rendit à Tyr; pour Frumentius, il se dirigea vers Alexandrie auprès de saint Athanase, qui en était depuis peu (en 326) patriarche. Il instruisit ce saint personnage des circonstances de son voyage et de son séjour en Éthiopie, ainsi que de l'espérance qu'il avait d'y voir la foi prospérer, si on y envoyait des prêtres et un pasteur. Athanase ne trouvant personne plus digne que Frumentius d'être l'apôtre de ce pays, il s'empressa de l'y renvoyer avec le saint caractère d'évêque. Sa prédication fut signalée par des miracles, beaucoup d'églises furent élevées, et la foi chrétienne se répandit parmi les Barbares. C'est à elle qu'on est redevable du peu de civilisation qui subsiste encore parmi les nations féroces qui habitent les pays de l'Afrique intérieure, compris entre le Nil et la Mer-Rouge. Les chrétiens de ces régions regardent Frumentius comme le premier de leurs pontifes. En l'an 1613, l'église d'Éthiopie était gouvernée par son 94e successeur. C'est à cause de son ordination par saint Athanase, que cette église a toujours eu l'usage d'aller demander au patriarche d'Alexandrie, la nomination ou la confirmation de ses métropolites ou supérieurs spirituels[47]. Cet usage se pratique encore actuellement. Les Éthiopiens ne sont pas les seuls peuples de l'Afrique qui vers cette époque embrassèrent le christianisme. Les Blemmyes, peuple nomade et presque sauvage, qui errait dans les déserts qui bordent le Nil au midi de l'Égypte, qu'il ne cessait de désoler par ses fréquentes invasions, connut aussi l'Évangile. Son exemple fut imité par les Nubiens; mais ceux-ci persévérèrent plus long-temps dans la foi, qu'ils n'ont totalement abandonnée qu'à une époque assez récente.]—S. M.

[47] A l'époque de leur conversion, les Arméniens en agirent à peu près de même. Comme leur apôtre, saint Grégoire l'illuminateur, avait été ordonné par l'archevêque de Césarée en Cappadoce, les premiers patriarches ses

successeurs prirent l'habitude de se faire sacrer dans la même ville. Cet usage dura environ deux siècles, mais il cessa à l'époque où les Arméniens devinrent sujets du roi de Perse.—S.-M.

[Rufin, l. 10, c. 10.

Socr. l. 1, c. 20.

Soz. l. 2, c. 7.

Theod. l. 1, c. 24.

Mos. Chorenensis, Hist. Arm. l. 2, c. 83.

Klaproth, Voyage de Georgie, t. 2, p. 145-160, edit. Allem.]

[Eugénius, Essai sur l'hist. civ. et eccl. de la Georgie, en allemand, p. 76.

Klaproth, Voyage en Georg., édit. allemande, t. 2, p. 160.]

Une captive fut l'apôtre de l'Ibérie.—[Ce pays qu'on appelle actuellement Georgie, est au nord de l'Arménie, au milieu du Caucase, dont il occupe la plus grande partie. La Colchide le séparait de la mer Noire, et l'Albanie, de la mer Caspienne; une race d'homme belliqueuse et presque sauvage y habitait. Restée toujours indépendante des grands empires qui s'étaient formés en Asie, elle n'avait pas connu jusqu'alors la religion chrétienne. Après la conversion de l'Arménie, il était difficile quelle restât long-temps dans l'erreur. Plusieurs vierges chrétiennes avaient abandonné l'empire, fuyant la persécution, et elles étaient venues chercher un asyle dans ce dernier royaume; mais comme Tiridate n'avait pas encore abandonné l'idolâtrie, elles n'y trouvèrent pas plus de sécurité. Elles y vécurent cachées et dispersées, Nino l'une d'elles se réfugia en Ibérie et elle y vécut saintement[48]. Le bruit de ses vertus et les guérisons miraculeuses qu'elle opérait, ne tardèrent pas à lui acquérir la vénération du peuple, enfin, elle sauva la vie de la femme de Mihran qui était roi du pays[49]. La conversion de cette princesse permit à

Nino de prêcher hautement l'Évangile, et Mihran n'y fut pas long-temps insensible. Le grand temple du dieu Aramazt ou Armaz[50], qui se voyait non loin de Mtskhitha, capitale du royaume[51], fut renversé malgré l'opposition des chefs de la ville, et Nino éleva sur ses ruines une grande croix, qui fut transportée à Pétersbourg en l'an 1801, par le prince George Bagration, mais qui fut bientôt reportée, par les ordres de l'empereur Alexandre, en Georgie où elle avait été révérée pendant une longue série de siècles comme le *palladium* de la monarchie. L'exemple de Mihran fut imité par tous les grands du pays; le christianisme se répandit dans toute l'Ibérie, il franchit même le mont Caucase, et par les défilés Caspiens il pénétra dans les vastes plaines qui s'étendent au nord de l'Ibérie.]—S.-M.

[48] Rufin, Socrate, Sozomène, Théodoret et aucun des auteurs qui, après eux, ont parlé de la conversion des Ibériens, n'ont fait connaître le nom de la vierge chrétienne qui fut leur apôtre. Il faut recourir aux auteurs arméniens et georgiens, pour savoir son nom et celui du prince qui régnait de son temps dans l'Ibérie. Les Georgiens appellent cette femme *Nino*, et les Arméniens *Nouni*.—S.-M.

[49] Selon les chroniques georgiennes ce Mihran, qui était devenu roi d'Ibérie en l'an 265, aurait été fils du roi de Perse. S'il fallait s'en rapporter à cette indication, dont nous n'avons pas les moyens d'apprécier l'exactitude, Mihran aurait été fils de Schahpour Ier, deuxième des princes Sassanides, qui occupaient alors le trône de Perse. Ce prince aurait fait épouser à son fils, l'héritière de la couronne d'Ibérie, à laquelle il aurait ajouté quelques provinces limitrophes du Cyrus et enlevées à l'Arménie. Voyez le Voyage en Georgie de M. Klaproth, t. 2, p. 138. (Édit. allemande).—S.-M.

[50] Le dieu nommé *Armaz* par les Ibériens, et *Aramazt* par les Arméniens, était le même que le Jupiter des Occidentaux; il était aussi, au moins pour le nom, l'*Ormouzd* des Persans. Mais celui-ci n'était, selon la doctrine de Zoroastre, que le chef des bons génies.—S.-M.

[51] Elle est nommée *Mestleta* par Ptolémée (l. 2, c. 11), et *Mechistha* par Agathias (l. 2, p. 60). On peut voir au sujet de cette ville située à une petite distance au nord de la moderne Teflis, ce que j'en ai dit dans mes *Mémoires historiques et géographiques sur l'Arménie*, t. 2, p. 181.—S.-M.

Le roi, ayant fait bâtir une église, députa à Constantin pour faire alliance avec lui, et pour lui demander des prêtres capables d'instruire sa nation. La conquête de ce royaume n'aurait pas causé autant de joie à l'empereur. Il envoya à ce prince de riches présents, dont le plus précieux était un évêque[52] rempli de l'esprit de Dieu, et accompagné de dignes ministres. La foi jeta de profondes racines en Ibérie, et elle s'y est long-temps conservée dans sa pureté, au milieu des hérésies qui l'environnaient.

[52] Selon les annales georgiennes (Voyez Klaproth, Voyage en Georgie, en allemand, t. 2, p. 160), l'évêque envoyé en Ibérie était Eustathius d'Antioche. Ce prélat, né à Side en Pamphylie, avait été évêque de Bérhée, actuellement Halep, puis patriarche d'Antioche en l'an 325. Il avait été déposé par les Ariens en l'an 331, et exilé par Constantin. On ignore le temps et le lieu de sa mort, mais on voit par le témoignage de Socrate (l. 4, c. 14), et par celui de Sozomène (l. 6, c. 13), qu'il vivait encore en l'an 370, époque à laquelle il sacra Evagrius évêque de Constantinople. C'est sans doute après son exil en 331, qu'Eustathius entreprit par l'ordre de l'empereur le voyage d'Ibérie.—S.-M.

LXVI. Établissement des Monastères.

Euseb. vit. Const. l. 4, c. 28.

Soz. lib. 1, c. 12, 13, 14.

[Soz. lib. 3, c. 14.]

Ce qui acheva sous Constantin d'affermir l'église et de rendre complète, pour ainsi dire, son armée spirituelle, ce fut l'établissement des monastères. Les persécutions avaient souvent fait fuir les chrétiens dans les montagnes et dans les déserts. Elles furent ainsi l'occasion de la vie solitaire. Mais cette même raison les tenait séparés les uns des autres. La paix étant rendue, ces ames célestes se réunirent; il se forma des communautés nombreuses, où les mérites de chaque membre devenaient le bien commun de tout le corps. Les déserts furent peuplés de vertus. Saint Antoine révéré de l'empereur, comme nous le verrons bientôt, rassembla le premier plusieurs disciples. Saint Pacôme fondait le monastère de Tabenne[53] dans le temps que Constantin bâtissait Constantinople. En peu de temps ces premiers plants de la vie cœnobitique se multiplièrent à l'ombre d'un gouvernement qui les protégeait; et l'on vit s'élever dans toutes les parties de l'empire ces monastères, si précieux à l'église tant qu'ils conservent la ferveur du premier institut ou de la réforme.

[53] Dans la Thébaïde.—S.-M.

LXVII. Restes de l'idolâtrie.

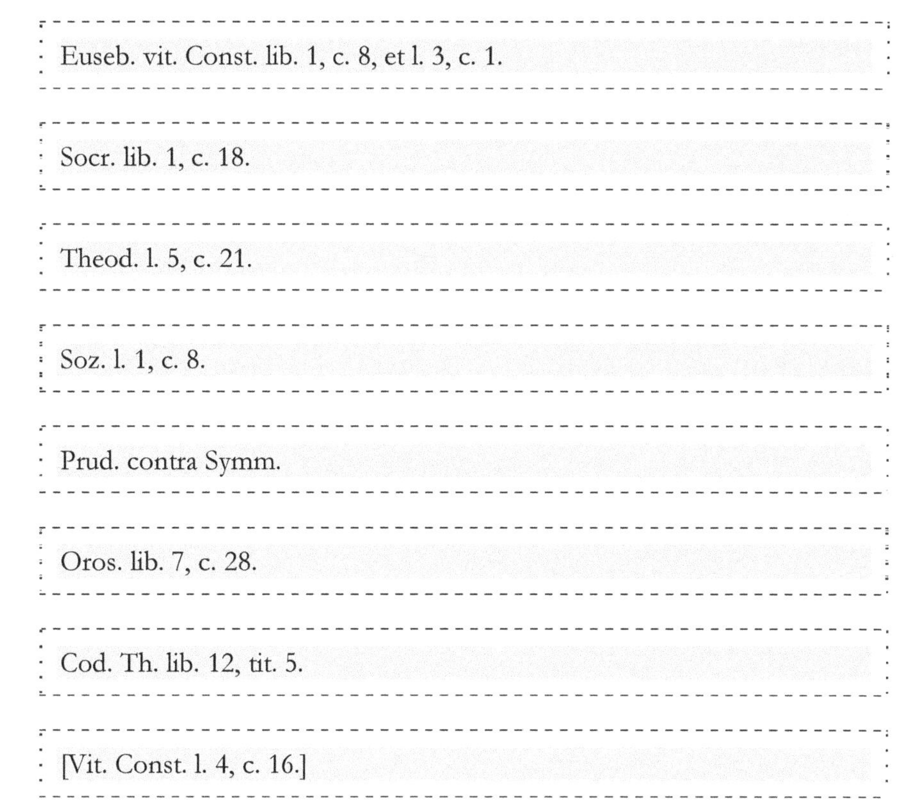
Euseb. vit. Const. lib. 1, c. 8, et l. 3, c. 1.

Socr. lib. 1, c. 18.

Theod. l. 5, c. 21.

Soz. l. 1, c. 8.

Prud. contra Symm.

Oros. lib. 7, c. 28.

Cod. Th. lib. 12, tit. 5.

[Vit. Const. l. 4, c. 16.]

Recueillons en peu de mots ce que fit Constantin pour la religion chrétienne, et l'état où il la laissa. Disons, pour n'y plus revenir, qu'il la consulta sur les mesures qu'il prit pour la favoriser, et qu'il n'employa que les moyens qu'elle approuve elle-même. Il distingua par des faveurs ceux qui la professaient; il s'efforça de faire mépriser et oublier le paganisme en fermant, déshonorant, démolissant les temples, en les dépouillant de leurs possessions, en manifestant les artifices des prêtres idolâtres, en interdisant les sacrifices, autant qu'il put y réussir, sans violence et sans compromettre la qualité de père de tous ses sujets, même de ceux qui étaient dans l'erreur. Où il ne put abolir la superstition, il étouffa du moins les désordres qui en étaient la suite. Il fit des lois sévères pour arrêter le cours de ces horribles dérèglements que la nature désavoue. Il prêcha lui-même Jésus-Christ par sa piété, par son exemple, par ses entretiens avec les députés des nations infidèles, et par les lettres qu'il écrivit aux Barbares. Loin de faire aux dieux des païens l'honneur de placer sa statue dans leurs temples, comme le dit faussement Socrate, il défendit cet abus par une loi expresse, selon Eusèbe. Il honora les évêques; il en établit en beaucoup de lieux. Il rendit le culte extérieur auguste et magnifique. Il fit planter partout le signe salutaire de la croix; ses palais présentaient cette image sur toutes les portes, sur toutes les murailles. On vit disparaître de dessus ses monnaies les inscriptions qui retraçaient la superstition: on l'y représenta le visage levé vers le ciel, et les mains étendues en posture de suppliant. Mais il ne se livra point à un zèle précipité: il voulut attendre du temps, des circonstances, et surtout de la grace divine, la consommation de l'ouvrage de Dieu. Les temples subsistèrent à Rome, à Alexandrie, à Antioche, à Gaza, à Apamée, en plusieurs autres lieux, où leur destruction aurait entraîné des suites funestes. Nous avons une loi affichée à Carthage la veille de sa mort, par laquelle il confirme les priviléges des prêtres païens en Afrique. Il était réservé à Théodose de porter les derniers coups. L'humanité et la religion elle-même savent gré à Constantin de n'avoir pas donné de martyrs à l'idolâtrie.

AN 329.

LXVIII. Date de la fondation de C. P.

Theoph. p. 17.

Cod. orig. C. P. p. 8.

Pagi, diss. p. 145.

Petav, doct. temp. l. 11, c. 42.

Till. not. 60. sur Const.

[Chron. Alex. vel Pasch. p. 285.]

Ces événements si intéressants pour la religion, n'ont point de date assurée. Plusieurs peuvent être antérieurs même au concile de Nicée; d'autres postérieurs à la fondation de Constantinople. Ils firent une partie considérable des soins de Constantin depuis qu'il fut seul empereur jusqu'à sa mort. Nous les avons réunis sous les yeux du lecteur, pour n'être plus occupés que de l'établissement de la nouvelle Rome. On sait certainement en quel temps Constantinople fut achevée et dédiée: mais on ne convient pas du temps où elle fut commencée. Selon quelques auteurs, ce fut dès l'an 325; selon d'autres, seulement à la fin de 329. Ce qui nous paraît plus probable, c'est que Constantin étant sorti de Rome en 326 avec le projet formé de donner une rivale à cette ville, il fut occupé l'année suivante à chercher un lieu propre à l'exécution de son dessein, et qu'après un premier essai bientôt abandonné, il se fixa au terrain de Byzance; où ayant commencé à bâtir en 328, il continua avec ardeur, et acheva presque l'ouvrage l'année suivante; en sorte que la ville fut en état d'être dédiée au mois de mai 330[54]. Cette conjecture nous détermine à ranger sous l'an 329 tout ce qui regarde la fondation de Constantinople, l'empereur étant consul pour la huitième fois, et son fils aîné pour la quatrième[55]. Il passa la plus grande partie de ces deux années dans le voisinage de son nouvel établissement, afin de pouvoir plus aisément se transporter souvent sur le lieu même, pour diriger et animer les travaux.

[54] Selon la chronique d'Alexandrie et Codin, cette dédicace eut lieu le 11 mai.—S.-M.

[55] Selon Codin, ce fut un mercredi, le 26 novembre 329, que l'on jeta les fondements de Constantinople.—S.-M.

LXIX. Motifs de Constantin pour bâtir une nouvelle ville.

La Bletterie, hist. de Jovien, t. 1, p. 353.

Si l'on consulte les règles d'une sage politique, on ne peut s'empêcher de blâmer Constantin d'avoir entrepris de bâtir une nouvelle capitale, et de diviser les forces de l'empire dans un temps où ce grand corps fatigué de la longueur des guerres civiles, épuisé par la tyrannie et le luxe de tant de princes qui l'avaient en même temps accablé, avait besoin de réunir et de concentrer ses esprits pour leur donner un nouveau ressort: cette distraction ne pouvait que dissiper un reste de chaleur. Constantinople formée et nourrie aux dépens de Rome, sans pouvoir jamais l'égaler en vigueur et en puissance, ne servit qu'à l'affaiblir. Mais les raisons d'état cédèrent aux goûts particuliers du prince, à l'éloignement qu'il avait conçu pour Rome et pour ses superstitions, et peut-être aussi à l'ambition d'être regardé comme fondateur d'un nouvel empire, en transportant le siége de l'ancien. Cette résolution étant une fois bien arrêtée, il s'agissait de choisir dans la vaste étendue de sa domination l'emplacement de sa ville impériale. La Perse était alors la seule puissance qui pût donner de l'inquiétude aux Romains, et Constantin prévoyait que Sapor ne resterait pas long-temps en paix. Il crut donc qu'il fallait reculer vers l'Orient le centre de ses forces, et opposer une barrière plus voisine à un si redoutable ennemi.

LXX. Il veut bâtir à Troie.

Suet. in Cæs. c. 79.

Zos. lib. 2, c. 30.

Soz. lib. 2, c. 3.

Crevier, Hist. des empereurs. t. 12, p. 186.

Le bruit avait couru autrefois que Jule-César voulait transporter à Troie toute la splendeur de Rome. Ce fut aussi la première vue de Constantin. Le souvenir de Troie était toujours cher aux Romains; et les Dardaniens d'Europe, chez lesquels il avait pris naissance, regardaient cette ville comme la patrie de leurs ancêtres. D'ailleurs, il se laissa sans doute enchanter par la beauté et la renommée des rivages de l'Hellespont, plus embellis encore par la poésie d'Homère que par la nature, et où tout lui rappelait des idées héroïques. Il traça donc l'enceinte de sa ville entre les deux promontoires de Rhétée et de Sigée, près du tombeau d'Ajax, et il en jeta les fondements. Les murailles sortaient déja de terre quand une vision céleste, selon Sozomène, ou sa propre réflexion lui fit abandonner l'entreprise, et préférer l'assiette de Byzance. Les navigateurs apercevaient encore long-temps après les portes de cette ville commencée sur une hauteur.

LXXI. Situation de Byzance.

Cod. orig.

Dionys. Byzant.

Zos. lib. 2, c. 30.

Polyb. l. 4, §. 38.

Proc. de ædif. l. 1, c. 5.

Gyll. de Bosp. Thrac. l. 1, c. 2.

Les Grecs, jaloux des merveilles qui ont ennobli la naissance de Rome, font ici usage de leur fécondité dans l'invention: ils promènent le lecteur de miracle en miracle. Nous nous dispensons d'en rapporter aucun: il n'en fallait point d'autre pour attirer Constantin à Byzance, que l'admirable situation de cette ville: elle est unique dans l'univers. Située sur un coteau dans un isthme à la pointe de l'Europe et à la vue de l'Asie, dont elle n'était séparée que par un détroit de sept stades, elle joignait les avantages de la sûreté et du commerce avec toutes les faveurs de la nature, et les charmes de la perspective. C'était la clé de l'Europe et de l'Asie, du Pont-Euxin et de la mer Égée. Les vaisseaux ne pouvaient passer d'une mer dans l'autre sans le congé des Byzantins. Baignée au midi par la Propontide, à l'orient par le Bosphore, au septentrion par un petit golfe nommé Chrysocéras ou la Corne-d'Or, elle ne tenait au continent que par le côté occidental. La température du climat, la fertilité de la terre, la beauté et la commodité de deux ports, tout contribuait à en faire un séjour délicieux. Les poissons, et surtout les thons, qui viennent en affluence du Pont-Euxin dans la Propontide, effrayés d'une roche blanche qui s'élève presque à fleur d'eau du côté de Chalcédoine, et se rejetant vers Byzance, y procuraient une pêche abondante. La ville avait quarante stades de circuit, c'est-à-dire, près de deux lieues, avant qu'elle eût été ruinée par l'empereur Septime Sévère.

LXXII. Abrégé de l'histoire de Byzance jusqu'à Constantin.

Herodot. l. 4, §. 144.

Thucyd. l. 1, §. 94.

Xenoph. hist. Græc. l. 1, c. 3.

Memnon apud Phot. cod. 224.

Justin. l. 9, c. 1.

Cic. orat. de prov. consul. c. 6.

Hesych. Miles.

Herodian. l. 3. §. 2 et 16.

Suet. in Ves. c. 8.

Treb. Pollio, in Gallieno, c. 6.

Syncell. p. 382.

Chron. Alex. vel Pasch. p. 265.

Tac. ann. l. 12, c. 63.

Les Byzantins ne manquaient pas de faire remonter leur origine jusqu'aux temps fabuleux. Ce qu'il y a de plus certain, c'est que les Mégariens ayant bâti Chalcédoine de l'autre côté du détroit, Byzas, chef d'une autre colonie de Mégare, vint fonder Byzance dix-sept ans après, et plus de six cent cinquante ans avant l'ère chrétienne. On ajoute que l'oracle d'Apollon lui avait ordonné de bâtir sa ville vis-à-vis des aveugles: c'étaient les Chalcédoniens assez peu clairvoyants, pour ne s'être pas aperçus de l'avantage que leur offrait le terrain au-delà du Bosphore. Cette ville, d'abord indépendante, tomba successivement sous la puissance de Darius, des Ioniens, de Xerxès. Pausanias l'assujettit aux Lacédémoniens, l'augmenta, et y établit une nouvelle colonie: ce qui l'a fait passer pour le second fondateur de Byzance. Sept ans après, les Athéniens s'en emparèrent, et les deux républiques s'en disputèrent long-temps la possession. A la faveur de ces querelles les Byzantins reprirent leur liberté, rendirent respectables leurs forces maritimes, résistèrent à Philippe de Macédoine qui les assiégea inutilement, et sortirent avec honneur de plusieurs guerres contre de puissants ennemis. Ils cédèrent avec le reste de la Grèce à la valeur romaine; et leurs nouveaux maîtres, pour les payer de leurs bons services dans la guerre contre Mithridate, leur accordèrent le privilége de se gouverner par leurs lois. Byzance était alors riche, peuplée, et embellie de magnifiques statues. Elle avait le titre de métropole. Vespasien lui ôta sa liberté. Pescennius Niger, qui disputait l'empire à Sévère, s'en étant emparé, et ayant perdu la vie, elle demeura fidèle au parti de ce prince, même après sa mort, et soutint pendant trois ans contre le vainqueur un de ces siéges mémorables par l'opiniâtre défense des assiégés, et par les extrémités les plus affreuses. Sévère, maître enfin de Byzance, traita sa conquête avec la plus grande cruauté: les principaux habitants furent mis à mort; les murs renommés pour leur structure furent rasés; la ville fut ruinée, et réduite à la qualité d'un simple bourg, soumis à Périnthe ou Héraclée. Sévère se repentit bientôt d'avoir détruit un si fort boulevard de l'empire; il la releva à la prière de son fils Caracalla; mais elle ne recouvra pas sa première étendue ni son ancien éclat. Sous Gallien elle fut encore détruite, et les habitants passés au fil de l'épée, sans que l'histoire en donne la raison. Il ne resta des anciennes familles que ceux que leur absence déroba à cet horrible massacre. Elle fut aussitôt rétablie par deux de ses citoyens, Cléodamus et Athénée. Du temps de Claude II, une flotte d'Hérules ayant traversé les Palus-Méotides et le Pont-Euxin, prit Byzance et Chrysopolis, située vis-à-vis, au-delà du détroit; mais ils furent bientôt obligés d'abandonner leur proie. Nous avons vu cette ville fidèle à Licinius, tant que ce prince conserva quelque espérance.

LXXIII. État du christianisme à Byzance.

Le Quien, Or. Christ. t. 1, p. 8 et 196.

Tertull. ad Scapul. c. 3.

L'origine de l'église de Byzance est moins constatée que celle de la ville. Les Grecs modernes, pour ne pas céder à l'église romaine l'avantage de l'ancienneté, en attribuent la fondation à l'apôtre saint André. Ils donnent depuis ce temps-là une suite d'évêques. D'autres disent, avec plus de vraisemblance, que le siége épiscopal n'y fut établi que du temps de Sévère, sous lequel il y avait, en effet, à Byzance beaucoup de chrétiens. Quelques-uns même ne lui attribuent pour premier évêque que Métrophane, qui mourut huit ou neuf ans avant le concile de Nicée. Alexandre lui avait succédé, et gouvernait cette église sous la métropole d'Héraclée.

LXXIV. Nouvelle enceinte de C. P.

Jul. orat. 1, p. 41, ed. Spanh.

Themist. orat. 18, p. 223.

Socr. l. 7, c. 1.

Chron. Alex. vel Paschal. p. 284 et 285.

Zonar. l. 13, t. 2. p. 42 et 43.

Tel était l'état de Byzance, lorsque Constantin entreprit d'en faire le siége principal de l'empire. Il la prolongea de quinze stades au-delà de l'ancienne enceinte, et la ferma d'une muraille qui devait s'étendre du golfe à la Propontide, mais qui ne fut achevée que par Constance. Cette enceinte reçut dans la suite divers accroissements sous Théodose le grand, Théodose le jeune, Héraclius et Léon l'Arménien. Une description de Constantinople, qu'on croit faite entre le règne du grand Théodose et celui de Justinien, donne à cette ville quatorze mille soixante et quinze pieds de longueur, en droite ligne, depuis la porte d'or à l'occident jusqu'à la pointe la plus orientale sur le Bosphore, et six mille cent cinquante pieds de largeur, apparemment à la base du triangle du côté de l'occident. Le terrain semblable à celui de Rome se partageait en sept collines.

LXXV. Bâtiments faits à C. P.

Du Cange, Const. Christ.

L'empereur s'efforça autant qu'il put d'achever cette conformité, en imitant dans la nouvelle Rome tous les ornements et toutes les commodités de l'ancienne. Il fit élever un capitole, construire des palais, des aqueducs, des thermes, des portiques, un arsenal, deux grands édifices pour les assemblées du sénat, deux autres bâtiments qui servaient de trésor, l'un destiné pour les deniers publics, l'autre pour renfermer les revenus patrimoniaux du prince.

LXXVI. Places publiques.

Euseb. vit. Const. l. 3, c. 48 et 49.

Zos. l. 2, c. 31 et 35.

Philos. l. 2, § 9.

Zonar. l. 13, t. 2, p. 7.

Cedren. t. 1, p. 322.

Deux grandes places faisaient une des principales beautés de la ville. L'une quarrée, entourée de portiques à deux rangs de colonnes, servait comme d'avant-cour commune à la grande église et au palais de l'empereur, dont les deux façades s'élevaient à l'opposite l'une de l'autre. Cette place s'appelait l'*Augustéon*, parce qu'il y fit poser sur une colonne la statue d'Hélène, qu'il avait, comme nous avons dit, honorée du titre d'Auguste. On voyait au milieu le milliaire d'or. Ce n'était pas comme à Rome une simple colonne de pierre posée sur une base et sommée d'un globe doré, c'était une arcade élevée et décorée de statues. L'usage en était le même qu'à Rome: tous les grands chemins de l'empire y devaient aboutir, et c'était le point d'où l'on partait pour compter les distances. L'autre place était ronde, pavée de larges pierres: elle faisait le centre de la ville, et portait le nom de Constantin. Elle était environnée d'un portique à deux étages, coupé en deux demi-cercles par deux grandes arcades de marbre de Proconnèse, opposées l'une à l'autre. Les entrecolonnes étaient garnies de statues: il y en avait encore un grand nombre dans la place même. Au milieu était une fontaine, sur laquelle s'élevait la figure du Bon-Pasteur, comme sur toutes les autres fontaines de la ville; mais celle-ci était de plus décorée d'un groupe de bronze représentant Daniel au milieu des lions. Le plus bel ornement de cette place était la fameuse colonne de porphyre, venue de Rome, sur laquelle était élevée l'image de Constantin couronné de rayons. C'était une figure d'Apollon qu'on avait apportée d'Ilion: on n'y avait fait d'autre changement que de lui donner le nom du prince. Ce fut dans cette statue qu'il renferma une partie de la vraie croix. Les Grecs parlent encore de plusieurs reliques qu'il fit déposer sous la base. Une inscription déclarait que Constantin mettait sa ville sous la protection de

Jésus-Christ. Cette colonne fut en grande vénération dans les siècles suivants. Tous les ans au 1er de septembre, où commençait l'année des Grecs, le patriarche accompagné du clergé y venait en procession avec l'empereur; et les Ariens ne manquèrent pas de taxer les chrétiens d'idolâtrie, comme si ces hommages se rapportaient à la statue de Constantin. Celle-ci fut renversée par un orage sous Alexis Comnène: on la remplaça d'une croix. Quelques Grecs superstitieux ont avancé que Constantin avait enseveli au-dessous, le Palladium qu'il avait secrètement enlevé de Rome: c'eût été faire un mélange monstrueux du sacré et du profane. Cette colonne se voit encore à Constantinople: elle est à la vérité très-endommagée; mais un savant voyageur a conclu des proportions de ce qui en reste, qu'elle devait avoir de hauteur plus de quatre-vingt-dix pieds, non compris le chapiteau ni la base.

LXXVII. Palais.

Zos. l. 2, c. 35.

Euseb. vit. Const. l. 3, c. 49.

Chron. Alex. vel Paschal. p. 284 et 285.

Ducange, Const. Christ. l. 2, c. 4, 5, 6.

Deux palais s'élevaient aux deux extrémités de la ville: l'un situé au bord de la mer, à peu près à l'endroit où est aujourd'hui le sérail, s'appellait le grand palais. Il ne cédait à celui de Rome ni par la beauté, ni par la grandeur de l'édifice, ni par la variété des ornements intérieurs. Dans la salle principale, enrichie de lambris dorés, au milieu du plafond était attachée une grande croix d'or rayonnante de pierreries. A l'autre bout de la ville du côté de l'occident était un autre palais nommé la Magnaure. Constantin fit encore bâtir près de l'Hippodrome un salon superbe, destiné aux festins que les empereurs faisaient à leur cour dans les grandes cérémonies, comme à leur couronnement, à celui de leurs femmes et de leurs enfants, et aux principales fêtes de l'année. L'empereur et les convives y étaient assis à table et servis en argenterie: mais au festin de la fête de Noël, ils étaient couchés à l'antique et servis en vaisselle d'or.

LXXVIII. Autres ouvrages.

Glycas, l. 4, p. 252.

Chron. Alex. vel Paschal. p. 265 et 284.

Cedrenus, t. 1, p. 252.

Ducange, Const. Christ. l. 1, c. 27.

Outre les ouvrages dont il fut l'auteur, et dont une description complète demanderait un gros volume, il augmenta tous ceux qu'il trouva subsistants, excepté la prison qu'il laissa petite et étroite. Elle ne fut agrandie que par le cruel Phocas, qui eût voulu y renfermer tout l'empire. Sévère avait déja bâti l'Hippodrome, le théâtre, l'amphithéâtre, les bains d'Achille, les thermes de Zeuxippe. Constantin rendit ces édifices dignes de la grandeur de sa ville. Il ajouta à l'Hippodrome des promenoirs, des degrés et d'autres embellissements. Comme il souhaitait d'abolir les spectacles des gladiateurs, l'amphithéâtre ne fut plus destiné qu'à des combats contre les bêtes; et dans la suite, le christianisme ayant peu à peu détaché les peuples de ce divertissement souvent ensanglanté, toujours dangereux, ce lieu ne servit plus qu'à l'exécution des criminels. Les thermes de Zeuxippe devinrent les plus belles du monde par le grand nombre de colonnes et de statues de marbre et de bronze dont il les enrichit.

LXXXIX. Statues.

Eus. vit. Const. l. 3, c. 54.

Soz. l. 2, c. 5.

Cod. or. C. P. p. 30, 31, 62.

Ces statues, dont on peut dire que Constantinople fut peuplée, étaient celles des dieux des païens, que Constantin avait enlevées de leurs temples. On voyait entre autres ces anciennes idoles, si long-temps les objets d'une adoration insensée; l'Apollon Pythien et celui de Sminthe, avec les trépieds de Delphes, les Muses de l'Hélicon, ce Pan si célèbre que Pausanias et les villes de la Grèce avaient consacré après la victoire remportée sur les Perses, la Cybèle placée par les Argonautes sur le mont Dindyme, la Minerve de Linde, l'Amphitrite de Rhodes, et surtout celles qui avaient autrefois rendu des oracles, et qui devenues muettes ne recevaient plus au lieu d'encens que du mépris et des railleries.

LXXX. Églises bâties.

Euseb. vit. Const. l. 4, c. 58 et seq.

Socr. l. 1, c. 16.

Soz. l. 2, c. 3.

Greg. Naz. carm. 9, t. 2, p. 78.

Theoph. p. 18.

Hist. Misc. l. 11, apud Muratori, t. 1, p. 73 et 74.

Cedren. t. 1, p. 284.

Niceph. Call. l. 7, c. 49.

Ducange, Const. Christ. l. 3, c. 3.

Pour purger sa ville de toute idolâtrie, il abattit les temples des dieux, ou les consacra au culte du dieu véritable. Il bâtit plusieurs églises. Celle de la Paix était ancienne; Constantin l'augmenta et l'embellit. Elle fut la principale de la ville, jusqu'à ce que Constance en ayant fait construire tout auprès une autre beaucoup plus grande, il les enferma toutes deux dans la même enceinte et n'en fit qu'une seule sous le nom de Sainte-Sophie. D'autres églises furent dédiées sous l'invocation des anges, des apôtres et des martyrs. Constantin destina à la sépulture des empereurs et des évêques de la ville l'église des Saints-Apôtres. Elle était bâtie en forme de croix, très-élevée, revêtue de marbre depuis le bas jusqu'en haut. La voûte était ornée d'un lambris d'or, le toit couvert de bronze doré, le dôme environné d'une balustrade d'or et de bronze. L'édifice était isolé au milieu d'une grande cour carrée: à l'entour régnait un portique, qui donnait entrée dans plusieurs salles et appartements pour l'usage de l'église et le logement du clergé. Cette église ne fut achevée que peu de jours avant la mort de Constantin; elle tombait en ruine vingt ans après. Elle fut rétablie par Constance, rebâtie par Justinien, et détruite par Mahomet II, qui se servit des débris de cet édifice pour construire une mosquée. Constantin fit encore bâtir plusieurs belles églises dans les environs de la ville: la plus célèbre fut celle de Saint-Michel, sur le bord du Bosphore, du côté de l'Europe: les peuples y venaient chercher la guérison de leurs maladies. Les premiers successeurs de ce prince ne paraissent pas avoir été aussi zélés pour les pieuses fondations. Il n'y eut que quatorze églises à Constantinople jusqu'au règne d'Arcadius.

LXXXI. Égouts de C. P.

Cod. Or. C. P. p. 11, et 73.

Ducange, Const. Christ. l. 1, c. 29.

Les égouts de Rome passaient pour être un des plus beaux ouvrages de cette ville. Constantin voulut encore égaler cette magnificence. Il fit creuser de larges et profonds souterrains qui traversaient toute la ville, et qui avaient leur décharge dans la mer. Un gros ruisseau, nommé le Lycus, dont on retenait les eaux par le moyen d'une écluse, servait à les nettoyer.

LXXXII. Prompte exécution de ces ouvrages.

Jornand. de reb. Get. c. 21.

Vict. epit. p. 224.

Themist. Or. 3, p. 43.

Tant d'immenses entreprises occupèrent Constantin le reste de sa vie. Il employa un nombre infini de bras, et attira quantité d'ouvriers du pays des Goths, et des autres Barbares d'au-delà du Danube. Il ne fut pas jaloux de l'honneur des inscriptions. Il en accepta fort peu entre un si grand nombre dont il aurait pu couvrir tous les édifices; et il se moquait de Trajan, qu'il appelait *la Pariétaire*, parce que le nom de ce prince se lisait sur toutes les murailles de Rome. Mais Trajan avait fait des ouvrages durables; et l'empressement de Constantin fut cause que les siens eurent bientôt besoin d'être réparés.

LXXXIII. Maisons bâties à C. P.

Soz. l. 2, c. 3.

Hesych. Miles.

Novel. Theod. jun. tit. 12.

Sidon. carm. 2, v. 30-75.

Eunap. in Ædes. p. 22 ed. Boiss.

Zos. l. 2, c. 35.

Les personnages distingués qui abandonnèrent Rome pour suivre le goût du prince, firent aussi bâtir à Constantinople des maisons conformes à leur rang et à leur fortune. L'empereur en fit construire à ses frais pour des gens illustres par leur mérite, qu'il y fit venir de toutes les contrées de l'empire, et même des pays étrangers, avec leurs familles. Il y attira par des priviléges et par les distributions de vivres dont nous parlerons bientôt, un peuple très-nombreux. Il ôta par une loi à tous ceux qui possédaient des fonds dans l'Asie proprement dite, et dans le Pont, la liberté d'en disposer, même par testament, à moins qu'ils n'eussent une maison à Constantinople: cette loi onéreuse ne fut abrogée que par Théodose le Jeune. En peu de temps la ville fut tellement peuplée, que l'enceinte de Constantin, quelque vaste qu'elle fût, se trouvait trop petite. Les maisons trop multipliées dans un terrain borné, rendirent les rues fort étroites: on avança les édifices jusque dans la mer sur des pilotis; et cette ville qui nourrissait autrefois Athènes, n'avait pas assez de toutes les flottes d'Alexandrie, d'Asie, de Syrie, de Phénicie, pour fournir à la subsistance de ses habitants.

LXXXIV. Nom et divisions de C. P.

Socr. l. 1, c. 16.

Hist. Misc. l. 11, apud Murat. t. I, p. 73.

Justinian. Nov. 43, c. 1.

Zonar. l. 13, t. 2, p. 6.

Vetus Topog. C. P.

[Mionnet, descr. de Med. t. I, p. 378.]

L'empereur donna à sa ville le nom de Constantinople, et celui de nouvelle Rome. Il lui assura ce dernier titre par une loi gravée sur une colonne de marbre, dans la place nommée le *Stratége*. Il la divisa comme la ville de Rome en quatorze quartiers: cette division avait déja été imitée à Carthage et à Alexandrie. Il attacha à chaque quartier un magistrat pour la police, une compagnie de bourgeois tirée de différents ordres pour remédier aux incendies, et cinq inspecteurs des rues pour veiller à la sûreté des habitants pendant la nuit. Pendant que tout l'empire se faisait un mérite de contribuer à la grandeur et à l'embellissement de Constantinople, l'opération la plus inutile fut celle d'un astrologue, nommé Valens, qui chargé, dit-on, par le prince de tirer l'horoscope de la ville, trouva à force de calculs qu'elle devait durer six cent quatre-vingt-seize ans. Cette prédiction ne s'est pas rencontrée dans le nombre de celles que le hasard rend quelquefois heureuses. On voit par les anciennes médailles de Byzance, que le croissant fut toujours un symbole attaché à cette ville.

FIN DU LIVRE QUATRIÈME.

LIVRE V.

AN 330.

I. Changement dans le gouvernement.

La fondation de Constantinople peut être regardée comme le commencement d'un nouvel empire. La seconde Rome éclipsa la première.

Un grand nombre de gens de mérite, qui font en tout genre le principal ornement et le véritable nerf de l'état, suivirent la cour, et portèrent leurs talents et leurs services dans la sphère des faveurs et des récompenses. Rome, abandonnée des empereurs, devint semblable à un grand et superbe édifice, qui, cessant d'être habité par le maître, perd d'abord ses ornements, et enfin sa solidité même. Il lui arriva ce qui arrive à nos climats, quand le soleil s'en éloigne: tout s'y refroidit et s'y glaça peu à peu, et un siècle après on ne trouvait plus de Romains au milieu de Rome. Le court intervalle pendant lequel l'empire divisé en deux branches lui laissa des souverains propres, mais qui ne furent la plupart que des fantômes de princes, ne lui rendit pas sa première fécondité. Ce ne fut pas là le seul effet de cette nouveauté; elle en produisit une autre dans la personne des empereurs: le gouvernement devint plus despotique. L'ancienne Rome avait créé ses maîtres; elle se flattait du moins de les avoir créés: quoiqu'ils l'eussent asservie, ils conservaient pour elle des égards; leur puissance était entée sur la république; ils y avaient trouvé des lois: les bons princes respectaient la majesté de Rome dans celle du sénat; les méchants ne la maltraitaient pas sans danger, et dans leurs emportements ils ne lui refusaient guère ces dehors de bienséance, que des fils dénaturés conservent souvent à l'égard de leurs mères. Mais les empereurs ayant créé Constantinople n'y virent d'autre autorité que la leur; plus anciens qu'elle, ils crurent ne lui rien devoir. Les uns la gouvernèrent en pères, les autres en tyrans; mais tous n'eurent dans l'ordre public d'autres lois que celles qu'ils se faisaient eux-mêmes. Ils en furent plus absolus et moins obéis.

II. Dédicace de C. P.

Idat. chron.

Hesych. Miles.

Chron. Alex. vel Paschal. p. 285.

Niceph. Call. l. 10, c. 23.

Cod. Or. Const. p. 25.

Baron. in an. 330.

Ducange, Const. Christ. l. 1, c. 3, 4.

La dédicace de Constantinople fut célébrée le 11 mai de l'an 320, sous le consulat de Gallicanus et de Symmachus. La fête dura quarante jours. C'était chez les païens une cérémonie mystérieuse et remplie de superstition; ce fut pour Constantin une pompe toute chrétienne. Les évêques et le clergé sanctifièrent par des prières le berceau de la nouvelle ville. L'empereur en fit une fête annuelle, dans laquelle on donnait, comme cette première fois, des jeux dans le Cirque; on faisait des largesses aux soldats et au peuple, et, sous les empereurs suivants, l'on promenait sur un char la statue de Constantin, suivie des officiers du palais et des soldats, portant des cierges, et chantant des hymnes. Le prince régnant, assis sur un trône dans l'hippodrome, saluait avec respect cette statue lorsqu'elle passait devant lui; tout le peuple l'honorait par des acclamations, jusqu'à ce qu'elle fût replacée sur la colonne de porphyre. Elle tenait en main une autre petite statue qu'on appelait la Fortune de Constantinople. La ville fut dédiée sous l'invocation de la sainte Vierge, qui en fut toujours honorée comme la patrone et la protectrice.

III. Précautions de Constantin pour la subsistance de C. P.

Eunap. in Ædes. p. 22, ed. Boiss.

Hier. Chron.

Anony. Vales.

Socr. l. 2, c. 13.

Philost. l. 2, c. 9.

Edict. Just. 13, c. 4, 6.

Claud. de bell. Gildon.

Soz. l. 2, c. 3.

Zos. l. 2, c. 32.

Cod. Th. lib. 14, tit. 16 et ibi Godef.

Suid. in. Παλατῖνοι.

Vales. ad Amm. l. 14, c. 6.

Constantin, ayant épuisé ses trésors et dépeuplé plusieurs autres villes pour peupler la sienne, songea à la subsistance de cette multitude d'habitants. Nous avons déja dit[56] que la flotte d'Alexandrie, qui portait auparavant du blé à Rome, changea de destination, et fut employée à nourrir Constantinople. C'était au préfet d'Égypte à y faire tenir, avant la fin du mois d'août, la quantité de blé nécessaire; il en répondait sur ses propres biens. On en donnait au peuple quatre-vingt mille mesures par jour. Constance irrité contre la ville en retrancha la moitié. Théodose Ier ajouta encore à ce que Constantin avait réglé. On distribuait aussi de l'huile, de la chair de porc et du vin. Ces largesses ne se faisaient qu'aux familles qui avaient des maisons dans la ville, afin d'engager à y bâtir.

[56] Liv. 4, § 83.

IV. Chrysargyre.

Zos. l. 2, c. 38.

Evagr. l. 3, c. 39.

Cedren. t. I, p. 357.

God. ad Cod. Th. t. 5, p. 4.

Suet. Calig. c. 40.

Lamprid. in Alex. c. 24.

Theod. jun. nov. 18.

Euseb. vit. Const. l. 4, c. 2, 3.

Quelques auteurs prétendent que, pour soutenir tant de dépenses, Constantin établit de nouveaux impôts. Le plus odieux était celui qu'on appela *chrysargyre*, mot grec, qui signifie *or* et *argent*, parce que les taxes ordinaires ne se payant qu'en or, celle-ci se pouvait payer en or ou en argent. Si l'on en croit Zosime, Constantin en fut l'auteur. C'était une taxe imposée sur les marchands de quelque espèce qu'ils fussent, jusqu'aux plus vils détailleurs, jusqu'à ces misérables qui faisaient ou avaient fait le honteux trafic de prostitution: on ajoute que les esclaves et les mendiants n'en étaient pas exempts; qu'il fallait payer pour les chevaux, les mulets, les bœufs, les ânes, les chiens même, soit dans les villes, soit dans les campagnes: ce tribut se percevait jusque sur les plus sales ordures; on achetait la permission de les faire enlever. On le recueillait tous les quatre ans. A l'approche de cette exaction, dit le même Zosime, ce n'était que larmes et désolation; et dès que les collecteurs commençaient à paraître, on n'entendait plus que coups de fouet; on ne voyait que tortures employées pour forcer la misère même à donner ce qu'elle n'avait pas. Les mères vendaient leurs enfants, les pères prostituaient leurs filles. Il y a grande apparence que cette peinture est une exagération de Zosime pour noircir la mémoire de Constantin: il est le seul qui attribue à ce prince l'établissement de cet impôt. La taxe imposée sur les femmes publiques était presque aussi ancienne que l'empire: elle fut imaginée par Caligula; on voit qu'elle existait encore sous Alexandre Sévère. Elle fut abolie par Théodose le jeune, qui chassa de Constantinople tous les courtiers de débauche; et après lui, Anastase anéantit tout-à-fait le chrysargyre. Tout ce qu'on peut reprocher à Constantin, c'est de n'avoir pas prévenu ces deux princes, et d'avoir laissé subsister un ancien impôt, moins cruel sans doute que ne le veut faire entendre Zosime, mais qui portait un caractère honteux. Loin que Constantin se soit montré avide de nouveaux subsides, il déchargea ses sujets du quart de la taxe qu'il trouva imposée sur les terres; et comme l'ancienne répartition passait pour injuste, et qu'elle excitait beaucoup de plaintes et de murmures, il en fit dresser une nouvelle avec une exactitude scrupuleuse.

V. Priviléges de C. P.

Socr. l. 1, c. 16; lib. 6, c. 2.

Soz. l. 2, c. 3. et 32, l. 4, c. 22, l. 7, c. 9.

Zos. l. 2, c. 32.

Anony. Vales.

Themist. Or. 3, p. 48, et 14, p. 183.

Conc. Constant. can. 3.

Godef. ad Cod. Th. lib. 14. tit. 13.

Vales. ad Amm. l. 26, c. 6.

Le Quien, Or. Christ. t. 1, p. 66.

Till. art. 67.

Dans le dessein de donner à sa ville tout le lustre de Rome, il lui accorda de grands priviléges, entre autres celui qu'on appelait le droit italique. C'était l'exemption de capitation et de taille, et le droit de suivre dans les actes et dans les contrats les mêmes lois et les mêmes coutumes que suivait l'Italie. Le peuple y fut divisé comme à Rome, en curies et en tribus. Il institua la même distinction entre les ordres, les mêmes magistrats, revêtus des mêmes droits et des mêmes honneurs. Il y établit un sénat: mais quoique ces sénateurs fussent créés sur le modèle de ceux de Rome, leur autorité ne fut jamais égale. Les offices exercés pendant un certain temps dans la cour des empereurs, y donnaient entrée. Selon quelques auteurs, ce n'était qu'un sénat du second ordre, et les membres n'avaient que le titre de *Clari*, au lieu que les sénateurs de Rome étaient appelés *Clarissimi*. Thémistius va jusqu'à dire que, vingt-cinq ans après Constantin, ce sénat avait encore si peu de considération, que l'ambition d'y parvenir était taxée de folie; et du temps de Théodose Ier, il avoue que ces sénateurs, qu'on appelait Pères Conscripts, étaient fort au-dessous de ce titre. Ce n'est pas que les empereurs n'eussent tâché de donner à leur sénat tout l'éclat qu'ils pouvaient lui communiquer; mais ce ne fut jamais qu'une lumière réfléchie: celui de Rome brillait de son propre fonds, et par l'antiquité de sa noblesse. Cette distinction primordiale, entre les deux sénats, se maintint dans l'opinion publique, malgré tous les efforts de la puissance souveraine pour la faire disparaître. Ajoutez que les empereurs firent tout pour relever le nouveau sénat, excepté la seule chose qui peut vraiment illustrer une compagnie politique; ils ne lui donnèrent aucune part dans le gouvernement, et ne le respectèrent pas assez pour le rendre respectable à leurs sujets. Constantin fit une espèce de partage entre Rome et Constantinople: il déclara celle-ci capitale de toute l'étendue comprise du Septentrion au Midi, entre le Danube et les extrémités de l'Égypte, et d'Occident en Orient, entre le golfe Adriatique et les frontières de la Perse. Il y mit le siége du préfet du prétoire d'Orient, et la détacha de la province d'Europe[57], et de la métropole d'Héraclée, pour la juridiction civile et ecclésiastique. Mais son église ne fut érigée en patriarchat qu'au concile de Chalcédoine en 451; ce qui fut jusqu'au commencement du treizième siècle un sujet de contestation entre cette église et celle de Rome. Constance établit ensuite un préfet de la ville; et la coutume s'introduisit que des deux consuls l'un résidât à Rome, l'autre à Constantinople.

[57] L'une des divisions administratives de la Thrace.—S.-M.

VI. Autres établissements.

Cod. Th. l. 13, t. 3.

Hist. Misc. l. 21, apud Murat. t. 1, p. 151.

Zonar. l. 14, t. 2, p. 52.

Euseb. vit. Const. l. 4, c. 36, 37.

Just. nov. 43 et 59.

Leon, nov. 12.

Ducange, Const. Christ. l. 2, c. 9, p. 150 et 151.

Till. art. 65.

Le fondateur voulut encore que sa ville partageât l'empire des sciences. Il y institua des écoles célèbres, dont les professeurs jouissaient de grands priviléges. Elles subsistèrent jusqu'à Léon l'Isaurien. La bibliothèque commencée par Constance, augmentée et placée dans un bel édifice par Julien, mise par Valens sous la garde de sept antiquaires, montait à cent vingt mille volumes quand elle fut brûlée sous Basilisque. Zénon la rétablit, et elle était déja fort nombreuse, lorsque ce même Léon, destructeur barbare de toute science, comme il eût voulu l'être de toute orthodoxie, la fit brûler avec le chef et les douze savants associés qui en avaient la direction. Constantin s'était contenté de fournir les églises de Constantinople d'exemplaires de l'Écriture sainte. Eusèbe nous donne la lettre par laquelle ce prince le prie de faire copier sur du parchemin bien préparé, par les plus habiles écrivains, cinquante de ces exemplaires, et de les lui envoyer dans deux chariots, sous la conduite d'un diacre de Césarée. Il chargea en même temps le receveur général de la province de faire les avances nécessaires. Ses ordres furent promptement exécutés, et l'empereur accoutumé à donner à ses peuples la subsistance corporelle, distribua aux églises avec encore plus de joie cette divine nourriture. Sa prévoyance s'étendit jusque sur les morts. Pour leur procurer gratuitement la sépulture, il fit don à l'église de Constantinople de neuf cent cinquante boutiques exemptes de toute imposition. Le loyer, dont cette exemption augmentait la valeur, était employé à gager un pareil nombre de personnes destinées au soin des funérailles dont ils faisaient tous les frais. On les appelait *Decani*, *Lecticarii*, *Copiatæ*. Ils étaient au rang des clercs. L'empereur Anastase en augmenta le nombre jusqu'à onze cents. Cette institution paraîtra peut-être de peu de conséquence, mais elle épargnait aux pauvres un surcroît de larmes; et la sépulture de ceux qui mouraient dans l'indigence, n'était plus pour leurs enfants un second dommage.

VII. Nouvel ordre politique.

Vict. epit. in Hadriano, p. 204.

C'est au temps de la fondation de Constantinople, qu'on doit, ce me semble, rapporter le nouvel ordre établi dans l'empire. Hadrien avait introduit des changements dans les emplois, tant civils que militaires: il avait réglé les offices de la maison des princes. Dioclétien et Constantin y firent encore quelques innovations. Les détails ont échappé à l'histoire: ces objets ne lui appartiennent en effet, qu'autant qu'ils intéressent l'administration publique. Ce sont aussi les seuls auxquels nous allons nous arrêter.

VIII. Nouvelle division de l'empire.

Euseb. hist. eccl. l. 8, c. 13.

Jusqu'à l'abdication de Dioclétien, l'empire n'avait formé qu'un corps indivisible. Le partage qui se fit alors entre les deux empereurs et les deux Césars, le sépara en quatre départements, dont chacun avait son préfet du prétoire et ses officiers. Constantin et Licinius étant restés seuls souverains, ce vaste empire ne fut plus divisé qu'en deux parties: Constantin réunit à sa domination ce qu'avait d'abord possédé Sévère, et ensuite Maxence; Licinius joignit à l'héritage de Galérius tout l'Orient, après la défaite et la mort de Maximin. La première guerre contre Licinius fit acquérir à Constantin la plus grande partie de ce que son rival possédait en Europe; et par la seconde il devint seul maître de tout l'empire. Le titre de capitale donné à Constantinople, sans être ôté à la ville de Rome, produisit la nouvelle division d'empire d'Orient et d'empire d'Occident: c'était à peu près le même partage que celui des états de Constantin et de Licinius, avant la bataille de Cibalis.

IX. Quatre préfets du prétoire établis.

Zos. l. 2, c. 33.

De la Barre, Mém. de l'Acad. des Inscrip. t. 8, p. 450.

Giannone, Hist. de Naples, l. 2, c. 1.

Constantin sentit bien que, pour faire obéir ces deux grands corps, et les rendre, pour ainsi dire, plus flexibles, il était nécessaire de les subdiviser encore. L'exemple de Dioclétien lui avait appris à ne pas se donner des collègues ou des subalternes qui fussent eux-mêmes souverains. Il se réserva la souveraineté toute entière, et se contenta de créer quatre préfets du prétoire, au lieu des deux qui avaient servi de lieutenants aux empereurs, depuis que la puissance avait été réunie entre les mains de Constantin et de Licinius. Ces quatre préfets avaient à peu près le même district qu'avaient eu les deux empereurs et les deux Césars, selon la division de Dioclétien. Ces districts étaient ceux d'Orient, d'Illyrie, d'Italie et des Gaules. Ils se subdivisaient en plusieurs parties principales qu'on appelait diocèses, dont chacun comprenait plusieurs provinces. L'Orient renfermait cinq diocèses: l'Orient propre, l'Égypte, l'Asie, le Pont, la Thrace. L'Illyrie n'en contenait que deux: la Macédoine et la Dacie. Sous le nom de Macédoine était comprise toute la Grèce. Ces deux préfectures formaient l'empire d'Orient. Celui d'Occident contenait les deux autres. L'Italie comprenait trois diocèses: l'Italie propre, l'Illyrie occidentale, et l'Afrique. Les Gaules en avaient le même nombre: savoir, la Gaule proprement dite, la Bretagne, et l'Espagne à laquelle était jointe la Mauritanie Tingitane. Chacun de ces diocèses était gouverné par un vicaire du préfet, auquel les gouverneurs immédiats des provinces étaient subordonnés. Le diocèse d'Italie avait seul deux vicaires, dont l'un résidait à Rome, l'autre à Milan. Le rang des gouverneurs variait aussi bien que leur nom, selon les divers ordres de dignité qu'il avait plu à l'empereur d'établir entre les provinces. Les plus considérables de celles-ci donnaient à leurs gouverneurs le titre de consulaires; à la tête de celles du second rang étaient les correcteurs; les présidents gouvernaient celles du dernier ordre.

[Malal. l. 13, part. 2, p. 3 et 5.

Amm. l. 14, c. 8.

Reland. Palæstin. l. 1, c. 34.]

[Constantin fit aussi quelques changements dans la division et la circonscription des provinces de l'empire. La Commagène qui séparait la Syrie de l'Osrhoène, et qui avait formé autrefois un état particulier, fut séparée de la Syrie, avec quelques autres portions de territoire, et elle fut érigée en province. L'Euphrate qui la bornait à l'Orient dans toute sa longueur, lui fit donner le nom d'Euphratèse; elle fut aussi appelée *Césareuphratense*, et la ville d'Hiérapolis, célèbre par ses superstitions et par le culte qu'elle rendait à la grande déesse des Syriens, sur lequel nous avons un traité curieux de Lucien, devint la métropole de ce nouveau gouvernement. La troisième Palestine, ou la Palestine salutaire, formée de l'ancienne Idumée et des portions de l'Arabie qui s'étendent entre l'Égypte et la Syrie, ainsi que la Phrygie salutaire, furent aussi des provinces de la création du même empereur]—S. M.

X. Des maîtres de la milice.

Zos. l. 2, c. 32, et 33.

Notit. Imp.

Till. art. 83.

Les préfets du prétoire qui n'étaient dans leur institution que les capitaines de la garde du prince, étaient devenus très-puissants dès le règne de Tibère. C'étaient eux qui levaient, payaient, punissaient les soldats; ils recueillaient les impôts par leurs officiers; ils avaient le maniement de la caisse militaire, et l'inspection générale de la discipline des armées. Les troupes leur étaient dévouées, parce qu'ils les tenaient sous leur main. Constantin leur laissa la supériorité sur les autres magistrats; mais il les désarma; il en fit des officiers purement civils, de judicature et de finance. Il leur ôta l'autorité directe sur les gens de guerre, qu'ils continuèrent pourtant de payer. Pour remplir toutes les fonctions qui concernent le maintien de la discipline, il créa deux maîtres de la milice, l'un pour la cavalerie, l'autre pour l'infanterie. Ces deux emplois se réunirent dans la même personne sous les enfants de Constantin; mais le nombre des maîtres de la milice s'accrut ensuite; on en trouve jusqu'à huit dans la notice de l'empire, faite du temps de Théodose le Jeune. Ils n'avaient au-dessus d'eux dans l'ordre des dignités, que les consuls, les patrices, les préfets du prétoire et les deux préfets de Rome et de Constantinople. Zosime accuse Constantin d'avoir affaibli la discipline, en séparant l'emploi de payer les troupes du droit de les punir: ces deux fonctions réunies auparavant dans le préfet du prétoire, contenaient les soldats dans le devoir, en leur faisant appréhender le retranchement de leur solde. Un autre inconvénient, selon lui, qui me paraît plus réel, c'est que ces nouveaux officiers, et plus encore leurs subalternes, dévoraient par de nouveaux droits la substance du soldat.

XI. Patrices.

Zos. l. 2, c. 40.

God. ad Cod. Th. t. 2, p. 75.

Ducange, Gloss. Lat. Patricius.

Pour rabaisser d'un degré les préfets du prétoire, et diminuer d'autant leur puissance et leur fierté, l'empereur institua une nouvelle dignité qu'il éleva au-dessus d'eux: c'était celle des patrices. Ce n'était qu'un honneur sans fonction. Le patrice cédait le rang aux consuls; mais il conservait ordinairement ce titre pendant toute sa vie. Il pouvait y en avoir plusieurs: Aspar, sous Théodose le Jeune, est appelé le premier des patrices.

XII. Des ducs et des comtes.

Zos. l. 2, c. 33.

Aurel. Vict. Proc. Ædif. l. 4, c. 7.

Amm. l. 27, c. 5.

Euseb. vit. Const. l. 4, c. 1.

Pancirol. in notit. or. c. 4, 36, 139.

God. ad Cod. Th. t. 2, p. 101.

Till. art. 84.

Sous les empereurs précédents, le nom de duc qui, dans l'origine, signifiait un chef, un conducteur, avait été particulièrement appliqué aux commandants des troupes distribuées sur les frontières, pour les défendre contre les incursions des Barbares. Ces troupes, placées de distance en distance dans des camps retranchés et dans des forts, formaient comme une barrière autour de l'empire. Zosime loue Dioclétien d'avoir fortifié cette barrière, et reproche à Constantin de l'avoir dégarnie, en retirant une grande partie des soldats dans des villes qui n'avaient pas besoin de garnison: ce qui causa, dit-il, plusieurs maux en même temps; l'entrée fut ouverte aux Barbares; les soldats par leurs rapines et leur insolence vexèrent les villes jusqu'à en faire déserter plusieurs, et les villes par leurs délices et leurs débauches énervèrent les soldats. Mais d'autres auteurs, même païens, louent ce prince d'avoir multiplié les forts des frontières; et l'histoire en nomme entre autres un des plus considérables, qu'elle appelle *Daphné de Constantin*, qu'Ammien Marcellin place au-delà, Procope en-deçà du Danube dans la seconde Mésie[58]. Les ducs, dont nous parlons, veillaient chacun à la défense d'une frontière. C'était une dignité supérieure à celle de tribun; ils étaient perpétuels; et afin de les attacher au département qu'ils défendaient, on leur assignait aussi-bien qu'à leurs soldats les terres limitrophes des Barbares, avec les esclaves et les bestiaux nécessaires pour les mettre en valeur. Ils les possédaient en toute franchise, avec droit de les faire passer à leurs héritiers, à condition que ceux-ci porteraient les armes. Ces terres s'appelaient *bénéfices*; et c'est, selon un grand nombre d'auteurs, le plus ancien modèle des fiefs. Quelques-uns de ces commandants de frontière furent honorés par Constantin du titre de comte, plus relevé alors que celui de duc. Les comtes étaient d'ancienne institution: dès le temps d'Auguste on voit des sénateurs choisis par le prince pour l'accompagner dans ses voyages, et pour lui servir de conseil. Ils furent ensuite distingués en trois ordres, selon le plus ou le moins d'accès qu'ils avaient auprès du prince: on les appelait *comites Augusti*; ce qui ne désignait qu'un emploi. On en fit ensuite une dignité. Ce titre fut donné aux principaux officiers du palais, au gouverneur du diocèse d'Orient, et à plusieurs de ceux qui commandaient les armées dans les provinces.

[58] Des médailles avec la légende CONSTANTIANA. DAFNE. furent frappées en mémoire de la fondation de cette forteresse. La Notice de l'empire fait mention de corps de troupes soumises au maître de la milice de Thrace, nommée *Balistarii Dafnenses* et *Constantini Dafnenses*. Ils étaient sans doute chargés de la défense de la même place. Elle fut probablement construite après les victoires remportées par Constantin sur les Goths. Voyez ci-après, § 16.—S.-M.

XIII. Multiplication des titres.

Pancirol. not. Or. c. 2.

La qualité de *noble* était depuis près d'un siècle attachée à la personne des Césars. Celle de *nobilissime* était née quelque temps avant Constantin: il la donna à ses deux frères Julius Constance et Hanniballianus, avec la robe d'écarlate brodée d'or. Ce nom fut ensuite affecté aux fils des empereurs, qui n'avaient pas encore celui de César. Ce fut vers ce temps-là qu'on vit se multiplier les titres fastueux, qui s'attachèrent aux divers grades de dignité, de commandement, de magistrature. Les noms d'illustres, de considérables (*spectabiles*), de clarissimes, de perfectissimes, de distingués (*egregii*), eurent entre eux une gradation marquée. C'était une grande affaire de les bien ranger dans sa tête, et une faute impardonnable de les confondre. Le style se hérissa d'épithètes enflées, et se chargea d'une politesse exagérée. On convint de s'humilier et de s'enorgueillir tour à tour en donnant et recevant les noms de sublimité, d'excellence, de magnificence, de grandeur, d'éminence, de révérence, et de quantité d'autres dont le rapport était toujours frivole et souvent ridicule. Le mérite baissa en même proportion que haussèrent les titres.

XIV. Luxe de Constantin.

Jul. in Cæs. p. 318 et 336 ed. Spanh.

Vict. epit. p. 224.

Cedren. t. 1, p. 295.

Ducange, de numm. inf. ævi, c. 17.

La Bléterie, note sur les Césars de Julien, p. 212 et 213.

Quoique toute cette vanité eût commencé avant Constantin, et qu'elle se soit augmentée après lui, il mérite qu'on lui en attribue une partie. Fondateur de Constantinople, il en pouvait être le législateur: c'était l'occasion la plus favorable de réformer les mœurs, et de les ramener à l'ancienne sévérité. Au lieu d'orner ses sénateurs et ses magistrats de tant de pompe extérieure, il eût pu les décorer de vertus en resserrant les nœuds de la discipline. Sa ville n'eût rien perdu de son éclat; elle aurait gagné du côté de la solide et véritable grandeur: Rome et tout l'empire auraient profité de cet exemple. Mais Constantin aimait l'appareil; et les reproches que lui fait Julien quoique envenimés par la haine, ne paraissent pourtant pas destitués de fondement. Il multiplia sur l'habit impérial les perles, dont Dioclétien avait introduit l'usage; il affectait de porter toujours le diadème, dont il fit une espèce de casque ou de couronne fermée et semée de pierreries. Il donna cours au luxe en enrichissant trop certains particuliers, dont la fortune excita une dangereuse émulation de faste et d'opulence. Cependant, quoiqu'il ne fût pas ennemi des plaisirs honnêtes, il n'en fut rien moins que l'esclave, tel que Julien le représente. Il s'occupa toute sa vie des affaires de l'état et peut-être un peu trop de celles de l'église. Il composait lui-même ses lois et ses dépêches; il donnait de fréquentes audiences, et recevait avec affabilité tous ceux qui s'adressaient à lui; et s'il porta trop loin la magnificence des fêtes et la pompe de sa cour, c'était un délassement qu'on peut pardonner à ses travaux et à ses victoires.

XV. Suite de l'histoire de Constantin.

Idat. chron. Zos. l. 2, c. 31.

AN. 331.

AN 332.

Après avoir rassemblé sous un seul aspect ce qui regarde la fondation de Constantinople et les principaux changements que cet établissement produisit dans l'ordre politique, nous allons reprendre la suite des faits. L'année 331, sous le consulat de Bassus et d'Ablabius, fut employée à faire des lois et à régler plusieurs affaires de l'église, dont nous parlerons ailleurs. Dès l'année suivante 332, Pacatianus et Hilarianus étant consuls, l'empereur reprit les armes, d'abord pour défendre les Sarmates, et ensuite pour les punir. Zosime avance que depuis que Constantinople fut bâtie, le bonheur de Constantin l'abandonna, et qu'il ne fit plus la guerre que pour y recevoir des affronts. Il raconte qu'un parti de cinq cents cavaliers Taïfales s'étant jeté sur les terres de l'empire, Constantin n'osa en venir aux mains avec eux; mais qu'ayant perdu la plus grande partie de son armée (il ne dit pas comment), effrayé des ravages de ces Barbares, qui venaient l'insulter jusqu'aux portes de son camp, il se crut trop heureux de se sauver par la fuite. Ce récit ne s'accorde ni avec le caractère de Constantin, ni avec tous les autres témoignages de l'histoire, qui nous montre ce prince toujours victorieux.

XVI. Guerre contre les Goths.

Idat. chron. Anony. Vales.

Euseb. vit. Const., l. 4, c. 5.

Socr. l. 1, c. 18.

Soz. l. 1, c. 8.

Themist. or. 15, p. 191.

Cod. Th. lib. 7, t. 22. leg. 4 et ibi Godef.

[Julian, or. 1, p. 9, ed. Spanh.

Aurel. Vict. de Cæs. p. 177.

Eutr. l. 10.]

Il le fut encore deux fois cette année. Les Sarmates attaqués par les Goths implorèrent le secours des Romains. Le prince leva une grande armée pour les défendre, et renouvela à cette occasion la loi qui obligeait les fils des soldats vétérans, au-dessus de l'âge de seize ans, à porter les armes, s'ils voulaient profiter des priviléges accordés à leurs pères. Il s'avança lui-même jusqu'à Marcianopolis dans la basse Mésie, et fit passer le Danube à son fils Constantin à la tête de ses troupes. Le jeune César remporta le 20 avril une glorieuse victoire[59]. Près de cent mille ennemis périrent dans cette guerre par le fer, par la faim et par le froid[60]. Les Goths furent réduits à donner des ôtages, entre lesquels était le fils de leur roi Ariaric. Cette défaite les tint en respect pendant le reste de la vie de Constantin et sous le règne de son fils Constance. La pension annuelle que les princes précédents s'étaient engagés à leur payer, au grand déshonneur de l'empire, fut abolie; les Goths s'obligèrent même à fournir aux Romains quarante mille hommes, qui étaient entretenus sous le titre d'alliés[61]. La religion chrétienne s'étendit chez eux, et avec elle l'humanité et la douceur des mœurs. Comme la nation était partagée en un grand nombre de peuples, tous n'eurent pas le même sort. Constantin sut gagner, par des négociations et des ambassades, ceux qu'il n'avait pas réduits par les armes. Il se fit aimer de ces anciens ennemis de l'empire, et porta peut-être un peu trop loin la facilité à leur égard, en élevant les plus distingués aux honneurs et aux dignités. Il fit même ériger une statue dans Constantinople à un de leurs rois, père d'Athanaric, pour retenir ce prince barbare dans les intérêts des Romains.

[59] Gibbon, rapporte (t. III. p. 448) que Constantin fut vaincu par les Goths dans une première bataille. Aucun auteur ancien ne fait mention d'un tel événement. C'est sans aucun doute une erreur de Gibbon.—S.-M.

[60] Il existe des médailles frappées à l'occasion des succès que Constantin obtint dans cette guerre. Elles portent la légende VICTORIA GOTHICA. Voyez Eckhel, *Doct. num. vet.*, t. VIII, p. 90.—S.-M.

[61] Selon Jornandès (de reb. Get. c. 21), ce sont les rois des Goths, Araric et Aoric, qui fournirent à Constantin un corps de quarante mille auxiliaires.—S.-M.

[Constant. Porphyr. de adm. imp. c. 53.]

—[Pendant que Constantin et son fils combattaient les Goths dans la Thrace et sur les bords du Danube, une diversion s'était opérée sur un autre point en faveur des Romains. L'empereur se rappelant des relations d'amitié qui avaient existé autrefois entre son père Constance et les Chersonites[62], peuple grec qui avait conservé une existence indépendante au milieu des Barbares de la Tauride, il eut l'idée de s'adresser à leur république pour en obtenir des secours. La situation de leur pays était tout-à-fait avantageuse pour attaquer les Goths, sur leur propre territoire. La proposition de Constantin fut bien accueillie par Diogène, fils de Diogène, qui était à cette époque chef et *stéphanéphore*[63] de Cherson[64]. Un armement fut préparé; on envoya aussitôt des chars de guerre et des arbalétriers[65] sur les bords du Danube, où les Goths furent défaits par les Chersonites. Constantin, touché du service que ces Grecs lui avaient rendu, manda après la guerre leurs chefs dans la ville impériale, où il les combla d'honneurs et de distinctions flatteuses. Il ne borna pas là sa reconnaissance; des distributions de vivres et de matériaux, pour la construction de machines de guerre, furent faites aux Chersonites, qui obtinrent en outre pour leurs bâtiments de commerce, et pour tous les particuliers de leur nation, des immunités et de grands priviléges dans toutes les parties de l'empire.]—S.-M.

[62] La ville de Cherson nommée d'abord *Chersonesus*, avait été fondée par une colonie venue d'Héraclée en Bithynie, dont elle avait aussi porté le nom. Long-temps indépendante et riche par son commerce, elle fut obligée, pour échapper à la domination des Scythes, de se mettre, environ un siècle avant notre ère, sous la protection du célèbre Mithridate Eupator, roi de Pont, qui prit le titre de *Prostate* de cette ville (Strab., l. 7, p. 308). Elle fut ensuite soumise aux rois du Bosphore; et plus tard, au premier siècle de notre ère, elle avait recouvré sa liberté, par l'intervention des Romains (Plin., IV, c. 12).—S.-M.

[63] Στεφανηφοροῦντος και πρωτέυοντος τος τῆς Χερσωνιτῶν Διογένους του Διογένους. Presque toutes les colonies grecques répandues dans la Chersonèse taurique et sur les côtes de la mer Noire, étaient d'origine ionienne et pour la plupart venues de Milet. Le premier magistrat de cette ville avait le titre de *Stéphanéphore*, ou *Porte-Couronne*, ce qui se pratiquait aussi dans d'autres cités ioniennes. On ne doit donc pas être surpris de voir désigné de la même façon le suprême magistrat d'une république, qui, quoique d'origine dorienne, étant environnée partout de républiques ioniennes, a pu imiter leurs usages.—S.-M.

[64] Gibbon (t. III, p. 449) a confondu les habitants de la ville de Cherson, l'antique *Chersonesus*, avec les peuples de la Chersonèse taurique. S'il avait lu avec plus d'attention le chapitre de Constantin Porphyrogénète, d'où ce récit est tiré, il y aurait vu que cet auteur distingue bien la république de Cherson, du reste de la presqu'île Taurique, possédée alors par les rois du Bosphore cimmérien, et que la ville de Cherson fournit seule des secours aux Romains. L'historien anglais se trompe encore en disant que le stéphanéphore des Chersonites était un magistrat perpétuel, tandis qu'il est si facile de reconnaître, par la grande quantité des stéphanéphores de Cherson mentionnés par Constantin Porphyrogénète, que ces magistrats étaient annuels, comme presque tous ceux qui gouvernaient les républiques grecques.—S.-M.

[65] Τὰ πολεμικὰ ἅρματα καὶ τὰς χειροβολίσρας. On entend par ce dernier mot des balistes qui se manœuvraient avec la main, par conséquent une espèce d'arbalète.—S.-M.

XVII. Sarmates vaincus.

Anony. Vales.

Socr. l. 1, c. 18.

Les Sarmates délivrés des Goths attaquèrent leurs libérateurs[66]. Ils firent des courses sur les terres des Romains: tant l'amour du pillage était chez ces Barbares supérieur à tout autre sentiment. L'empereur les fit repentir de cette ingratitude: ils furent défaits par lui-même ou par son fils[67]. Ce fut le dernier exploit de Constantin: pendant les quatre ans et demi qu'il vécut encore, son repos ne fut troublé que par une incursion des Perses. Ceux-ci l'obligèrent, la dernière année de sa vie, à faire des préparatifs de guerre, que sa mort interrompit.

[66] Gibbon suppose (t. III, p. 450) que cette guerre fut produite parce que Constantin avait retranché aux Sarmates une partie de la gratification que ses prédécesseurs leur avaient accordée. On ne trouve rien de pareil dans les auteurs; on y voit, au contraire, qu'après sa victoire et pour punir les Sarmates des ravages qu'ils avaient commis, il leur ôta les sommes qu'on était dans l'usage de leur donner.—S.-M.

[67] Nous avons en mémoire de ces succès des médailles avec la légende SARMATIA. DEVICTA. Voy. Eckhel, *Doct. num. vet.*, t. VIII, p. 87.—S.-M.

AN 333.

XVIII. Delmatius consul.

Idat. chron.

Chron. Alex. vel Paschal. p. 285, 286.

Auson. Prof. 16.

God. ad Cod. Th. tome 6, p. 357.

Vales. ad Amm. l. 14, c. 1.

Till. art. 71 et 85.

Idem. n. 61.

[Liban. t. 2, or. 3, p. 108, 109 et 110; or. 7, p. 217; or. 10, p. 262.]

Jusqu'à cette entière tranquillité de l'empire, Constantin avait écarté ses frères des affaires publiques. Peut-être était-ce l'effet d'une défiance politique. Il est étonnant que des princes, qui avaient sur Constantin l'avantage d'être nés dans la pourpre, aient été assez dociles pour ne jamais se départir de l'obéissance pendant le cours d'un long règne. C'était le premier exemple de fils d'empereurs, qui fussent restés dans l'état de particuliers. Le testament de leur père qui les avait exclus du gouvernement, loin d'étouffer leur ambition, n'eût fait qu'aigrir leur jalousie, si la douceur de leur naturel, et les précautions que prit apparemment Constantin ne les eussent tenus dans la dépendance. Comme ils étaient demeurés orphelins fort jeunes, il fut le maître de leur éducation; et l'on ne peut douter qu'il ne les ait élevés dans la subordination qu'il désirait de leur part. Ils vécurent long-temps éloignés de la cour, tantôt à Toulouse, où ils honorèrent de leur amitié le rhéteur [Æmilius Magnus] Arborius, tantôt à Corinthe. Selon Julien, Hélène leur belle-mère ne les aimait pas; elle les tint, tant qu'elle vécut, dans une espèce d'exil. Enfin Constantin les rapprocha de sa personne, et l'an 333 il nomma Delmatius consul avec Xénophile. Peu de temps après, il le créa censeur. L'autorité de cette ancienne magistrature avait été, comme celle de toutes les autres, absorbée par la puissance impériale: le titre même en était depuis long-temps aboli. L'empereur Décius l'avait fait revivre en faveur de Valérien, qui n'avait pas eu de successeur dans la censure; elle s'éteignit pour toujours dans la personne de Delmatius. Il eut deux fils, dont l'aîné, de même nom que lui, jette de l'équivoque dans son histoire. On le confond avec son père, et un grand nombre d'auteurs attribuent au fils le consulat de cette année.

XIX. Peste et famine en Orient.

Hier. chron. Theoph. p. 23.

L'empereur la passa à Constantinople jusqu'au mois de novembre: il fit alors en Mésie un voyage dont on ignore le sujet. Le repos que lui procurait la paix fut troublé par des fléaux plus terribles que la guerre. Salamine, dans l'île de Cypre, fut renversée par un tremblement de terre, et quantité d'habitants périrent dans ses ruines. La peste et la famine désolèrent l'Orient, surtout la Cilicie et la Syrie. Les paysans du voisinage d'Antioche, s'étant attroupés en grand nombre, venaient comme des bêtes féroces pendant la nuit se jeter dans la ville, et entrant de force dans les maisons, pillaient tout ce qui était propre à la nourriture: bientôt enhardis par le désespoir ils accouraient en plein jour, forçaient les greniers et les magasins. L'île de Cypre était en proie aux mêmes violences. Constantin envoya du blé aux églises pour le distribuer aux veuves, aux orphelins, aux étrangers, aux pauvres et aux ecclésiastiques. L'église d'Antioche en reçut trente-six mille boisseaux.

XX. Mort de Sopater.

Zos. l. 2, c. 40.

Soz. l. 1, c. 5.

Eunap. in Ædes. p. 21-25, ed. Boiss.

Suid. Σώπατρος.

C'est peut-être au temps de cette famine, qu'il faut rapporter la mort de Sopater: elle arriva dans les dernières années de Constantin. C'était un philosophe natif d'Apamée, attaché à l'école platonicienne et à la doctrine de Plotin. Après la mort d'Iamblique son maître, comme il était éloquent et présomptueux, il crut que la cour était le seul théâtre digne de ses talents. Il se flatta même de servir le paganisme dont il était fort entêté, et d'arrêter le bras de l'empereur qui foudroyait toutes les idoles. Si l'on en veut croire Eunapius son admirateur, Constantin le goûta tellement qu'il ne pouvait se passer de lui, et qu'il le faisait asseoir à sa droite dans les audiences publiques. Ce grand crédit, ajoute Eunapius, alarma les favoris. La cour allait devenir philosophe; ce rôle les eût embarrassés; il était plus court de perdre le réformateur: ils le firent, et cet homme rare fut, comme Socrate, victime de la calomnie. On répandit le bruit dans Constantinople que Sopater était un grand magicien. La disette affligeait alors la ville, parce que les vents contraires fermaient le port aux vaisseaux qui apportaient le blé d'Alexandrie, et qui ne pouvaient y entrer que par un vent du midi. Le peuple affamé s'assembla au théâtre; mais au lieu des acclamations dont il avait coutume de saluer l'empereur, ce n'était qu'un morne silence. Constantin, encore plus affamé d'éloges, en était désespéré. Les courtisans prirent ce moment pour lui insinuer que c'était Sopater qui tenait le vent du midi enchaîné par ses sortilèges. Le prince crédule lui fit sur l'heure trancher la tête. Le chef de cette cabale était Ablabius, préfet du prétoire, à qui la gloire du philosophe portait ombrage. Tout ce récit sent l'ivresse d'un sophiste, qui dans l'ombre de son école compose un roman sur des intrigues de cour. Suidas dit simplement que Constantin fit mourir Sopater pour faire connaître l'horreur qu'il avait du paganisme; et il blâme ce prince par une raison excellente, c'est que ce n'est pas la force, mais la charité qui fait les chrétiens. Si l'on veut rendre justice à Constantin, on devinera aisément que ce fanatique téméraire, qui avait porté à la cour un zèle outré pour l'idolâtrie, se sera laissé emporter à quelque trait d'insolence, ou même à quelque complot criminel, qui méritait la mort.

XXI. Ambassades envoyées à Constantin.

Euseb. vit. Const. l. 1, c. 8 et l. 4, c. 7.

Tout le monde connu retentissait du nom de Constantin. Ce prince travaillait avec ardeur à la conversion des rois barbares, et ceux-ci s'empressaient à leur tour de lui envoyer des présents; ils recherchaient son amitié, et lui dressaient même des statues dans leurs états. On voyait dans son palais des députés de tous les peuples de la terre: des Blemmyes, des Indiens, des Éthiopiens. Ils lui présentaient, comme un hommage de leurs monarques, ce que la nature ou l'art produisaient de plus précieux dans leurs pays: des couronnes d'or, des diadèmes ornés de pierreries, des esclaves, de riches étoffes, des chevaux, des boucliers, des armes. L'empereur ne se laissait pas vaincre en magnificence; non content de surpasser ces rois dans les présents qu'il leur envoyait à son tour, il enrichissait leurs ambassadeurs; il conférait aux plus distingués des titres de dignités romaines; et plusieurs d'entre eux, oubliant leur patrie, restèrent à la cour d'un prince si généreux.

XXII. Lettre de Constantin à Sapor.

Euseb. vit. Const. l. 4, c. 8 et seq.

Theod. l. 1, c. 25.

Soz. l. 2, c. 8-15.

Le plus puissant de tous ces rois était Sapor qui régnait en Perse. Constantin prit occasion de l'ambassade que lui envoyait ce prince, pour tenter de l'adoucir en faveur des chrétiens. Sapor, animé contre eux par les mages et par les Juifs, les chargeait de tributs accablants. Il préparait dès lors cette horrible persécution qui dura une grande partie de son règne[68], et dans laquelle il détruisit les églises et fit mourir tant d'évêques, tant de prêtres, et une quantité innombrable de chrétiens de tout âge, de tout sexe, de toute condition. Il n'épargna pas même Usthazanès[69], vieillard vénérable qui avait été son gouverneur, et qui devait lui être cher par l'ancienneté et la fidélité de ses services. Constantin, affligé du malheureux sort de tant de fidèles, sentit que le moyen de leur procurer du soulagement, n'était pas d'aigrir par des reproches ou des menaces un prince hautain et jaloux de son pouvoir absolu. Il accorda à ses ambassadeurs toutes leurs demandes, et écrivit au roi une lettre où, sans paraître instruit des desseins cruels de Sapor, il se contente de lui recommander les chrétiens, protestant qu'il prendra sur son compte tout ce que le roi voudra bien faire en leur faveur; il l'exhorte à ménager une religion si salutaire aux souverains. Il lui met sous les yeux, d'un côté, l'exemple de Valérien persécuteur que Dieu avait puni par le ministère de Sapor I; de l'autre, les victoires que Dieu lui a fait remporter à lui-même sous l'étendard de la croix. Cette lettre ne fit aucun effet sur l'ame farouche du roi de Perse.

[68] Cette persécution commença en la 117e année du règne des Sassanides en Perse, la 31e de Sapor, 342 et 343 de l'ère chrétienne. On peut en voir le récit dans l'Histoire ecclésiastique de Sozomène (l. 2, c. 9-14). Nous possédons, en langue syriaque, les actes des principaux martyrs qui succombèrent alors; ils ont été rédigés au cinquième siècle, par Maruta, évêque de Miafarekin ou Martyropolis dans la Sophène. Le savant E. Evode Assemani les a fait imprimer avec une version latine, en deux volumes in-folio. Rome, 1748.—S.-M.

[69] Ou plutôt *Ustazad*. C'est un nom persan dont le sens est *Fils du maître ou du docteur*.—S.-M.

[Soz. l. 2, c. 9.

Act. martyr. Syr. Assem. t. 1, p. 20.]

—[On voit par les auteurs syriens et par la nombreuse liste des siéges épiscopaux de la Perse, tous occupés par des évêques syriens, que la foi chrétienne[70] avait fait un grand nombre de prosélytes dans ce royaume, et surtout parmi la population syrienne qui y était très-nombreuse. Les persécutions des empereurs contribuèrent peut-être à la répandre dans la

Perse, en intéressant la politique du souverain de ce pays à laisser aux chrétiens une pleine liberté dans l'exercice de leur culte, malgré le caractère tout-à-fait exclusif de la doctrine de Zoroastre, professée par les monarques persans. Il n'en fut plus de même après la conversion de Constantin. La position politique des chrétiens fut tout-à-fait changée. Les rois de Perse purent croire que, dans les guerres fréquentes qui divisaient les deux empires, leurs sujets chrétiens seraient plus disposés à favoriser les Romains et des souverains de leur religion. Ces motifs se conçoivent sans peine; ils sont plusieurs fois allégués par Sapor dans ses persécutions, et il est permis de croire qu'ils ne furent pas toujours dépourvus de fondement: ils fournirent au moins des prétextes plausibles aux accusations des Juifs et des mages, qu'on donne pour les instigateurs de ces persécutions. Telles sont les raisons qui peuvent jusqu'à un certain point justifier la conduite de Sapor, conduite si différente de celle des rois ses prédécesseurs. Le changement religieux arrivé dans l'empire romain, eut de même une grande influence sur les relations politiques des rois d'Arménie. Ces princes, qui étaient depuis trois siècles les utiles alliés des Romains, ne maintenaient qu'avec peine une indépendance toujours menacée par les rois de Perse, qui s'emparèrent plusieurs fois de leurs états. Le christianisme qu'ils embrassèrent et auquel ils se montrèrent très-attachés, éleva une barrière insurmontable entre les Persans et leurs sujets. Il rendit plus fréquentes et plus acharnées les guerres qui survinrent entre les deux royaumes, et il contribua à leur donner un caractère national qu'elles n'avaient jamais eu auparavant; il attacha davantage les Arméniens au parti des Romains, et il acheva d'en faire une nation particulière, qui a conservé son existence jusqu'à nos jours. Sans le christianisme, les Arméniens en perdant leur indépendance, n'auraient pas tardé à se confondre avec les Persans. Les dissensions qui survinrent plus tard entre les chrétiens, et les diverses sectes qui naquirent alors, produisirent un autre changement dans la politique des successeurs de Sapor; les persécutions devinrent plus rares et moins sanglantes, et elles ne frappèrent presque plus que les catholiques, et uniquement parce qu'on les regardait comme favorables aux Romains. Les mêmes motifs qui avaient porté les rois de Perse à favoriser d'abord, puis à persécuter les chrétiens, durent les engager à protéger les sectaires qui étaient poursuivis dans l'empire. Aussi les sectes Nestorienne et Jacobite se propagèrent avec tant de sécurité dans leurs états, qu'elles finirent par y gagner presque toute la population chrétienne. Il paraît qu'elles furent secondées dans leurs efforts par les monarques eux-mêmes qui, comme on le verra dans la suite, attachèrent toujours une grande importance à ce que leurs sujets chrétiens suivissent une autre doctrine, que celle qui était adoptée dans l'empire.]—S.-M.

[70] L'Adiabène, province de la Perse située sur les bords du Tigre, dans les environs de Ninive au midi de l'Arménie, était presque toute chrétienne, au

rapport de Sozomène, l. 2, c. 12: Κλίμα δὲ τοῦτο περσικὸν ὡς ἐπίπαν χριστανίζον.—S.-M.

XXIII. Préparatifs de guerre faits par les Perses.

Liban. Basilic. t. 2, p. 118, 119 et 120. ed. Morel.

L'ambassade envoyée à Constantin par Sapor avait pour but d'obtenir du fer, dont il avait besoin pour fabriquer des armes. Les Perses ne s'étaient tenus en paix depuis la victoire de Galérius, que pour se mieux disposer à la guerre. Ce fut pendant quarante ans leur unique occupation. Ils attribuaient les mauvais succès précédents au défaut de préparatifs. Ils amusaient les Romains par des ambassades et par des présents, tandis qu'ils formaient des archers et des frondeurs, qu'ils dressaient leurs chevaux, forgeaient des armes, amassaient des trésors, laissaient à leur jeunesse le temps de se multiplier, assemblaient grand nombre d'éléphants, exerçaient à la milice jusqu'aux enfants. La culture des terres fut pendant ce temps-là abandonnée aux femmes. La Perse était très-peuplée; mais elle n'avait point de fer. Ils en demandèrent aux Romains, sous prétexte de ne s'en servir que contre les Barbares leurs voisins. Constantin se doutait de leur dessein; mais pour ne pas donner à Sapor occasion de rupture, se fiant d'ailleurs en tout événement sur la supériorité de ses forces, il leur en accorda. Ils en firent des javelots, des haches, des piques, des épées, de grosses lances: ils couvrirent de fer leurs cavaliers et leurs chevaux; et ce métal dangereux, obtenu de Constantin, servit entre les mains des Perses à désoler la Mésopotamie et la Syrie, sous l'empire de ses successeurs[71].

[71] Libanius est le seul auteur qui ait donné de tels motifs à l'ambassade de Sapor. Il est facile de concevoir que le désir de procurer à ses états le libre commerce du fer, ait été pour quelque chose dans la démarche du roi de Perse; mais on distingue sans peine, dans ce récit, tout ce qui vient de l'imagination du rhéteur d'Antioche.—S.-M.

XXIV. Constantin écrit à saint Antoine.

Euseb. vit. Const. l. 4, c. 14.

[Prosp. chr.]

Till. art. 72.

Tous les honneurs que les nations étrangères s'empressaient de rendre à l'empereur, ne le flattèrent pas autant que les lettres qu'il reçut d'un solitaire, qui dans une caverne toute nue était plus indépendant et plus riche que les plus grands rois. Constantin qui sentait continuellement le besoin qu'il avait des secours du ciel, ne cessait, même au milieu de la paix, de demander aux évêques leurs prières et celles de leurs peuples. Il écrivit à S. Antoine caché aux extrémités de l'empire dans les déserts de la Thébaïde. Il voulut que ses enfants lui écrivissent aussi comme à leur père. Il le traitait avec le plus grand honneur, et lui offrait de fournir abondamment à tous ses besoins. Le saint, qui n'en connaissait aucun, n'était pas trop disposé à lui répondre. Enfin, à la prière de ses disciples, il écrivit à l'empereur et aux jeunes princes; mais loin de leur rien demander, il leur donna des avis plus précieux que tous les trésors. Ses lettres furent reçues avec joie. Il fit dans la suite plusieurs remontrances en faveur de saint Athanase. Il est fâcheux pour la gloire de Constantin, qu'une injuste prévention l'ait emporté dans son esprit sur le respect qu'il portait au saint solitaire.

XXV. Constant César.

Idat. chron.

Aur. Vict. de Cæs. p. 177.

L'empereur termina cette année, en donnant, le 25 décembre, le nom de César à Constant, le plus jeune de ses fils, qui était dans sa quatorzième année. On rapporte que la nuit suivante le ciel parut tout en feu. On devina après l'événement que ce phénomène avait été un présage des malheurs que causerait et qu'éprouverait le nouveau César.

XXVI. Consuls.

Idat. chron.

Zos. l. 2, c. 40.

Ducange, Byz. fam. p. 45.

Buch. Cycl. p. 239.

Grut. inscr. p. 100, n° 6. p. 353, n° 4. p. 463, n. 3 et 4.

Reines. inscr. p. 67.

L'année suivante 334 eut deux consuls distingués par leur naissance, par leur mérite et par les dignités dont ils avaient déja été honorés. Le premier était L. Ranius Acontius Optatus. Il avait été proconsul de la Narbonnaise, lieutenant de l'empereur dans l'Asturie et la Galice, et ensuite dans l'Asie, préteur, tribun du peuple, questeur de Sicile, sans compter d'autres magistratures, que plusieurs villes de l'Italie lui avaient conférées. Les habitants de Nole lui érigèrent une statue de bronze. Constantin le nomma patrice, et c'est le premier qu'on sache avoir porté ce titre avec Julius Constance frère de l'empereur. Quelques auteurs disent qu'après la mort de Bassianus il épousa Anastasia; ce qui n'est pas aisé à croire, parce qu'il était païen: ceux de Nole lui donnèrent l'intendance de leurs sacrifices.

L'autre consul fut Anicius Paulinus appelé *Junior*, pour le distinguer de son oncle paternel, qui avait été consul en 325. Il fut préfet de Rome dans l'année même de son consulat, et il posséda cette charge pendant toute l'année suivante. Il avait déja été proconsul de l'Asie et de l'Hellespont; et dans l'inscription d'une statue qui lui fut élevée à Rome à la requête du peuple, avec l'agrément du sénat, de l'empereur et des Césars, on loue sa noblesse, son éloquence, sa justice, et son attention sévère à la conservation de la discipline. Il fit cette année la dédicace d'une statue que le sénat et le peuple de Rome érigèrent à Constantin.

XXVII. Les Sarmates chassés par leurs esclaves.

Jornand. de reb. Get. c. 22.

Euseb. vit. Const. l. 4, c. 6.

Anony. Vales.

Hieron. Chron.

[Idat. chron.]

Les Goths subjugués deux ans auparavant n'étaient plus en état de combattre les Romains. Encore plus incapables de rester en paix, ils se vengèrent de leur défaite sur les Sarmates qui la leur avaient attirée. Ils avaient à leur tête Gébéric, prince guerrier, arrière-petit-fils de ce Cniva qui commandait les Goths dans la bataille où l'empereur Décius perdit la vie. Les Sarmates avaient pour roi Wisimar[72], de la race des Asdingues, la plus noble et la plus belliqueuse de leur nation. Les Goths vinrent les attaquer sur les bords du fleuve Marisch [*Marisia*][73] et les succès furent balancés pendant assez long-temps. Enfin Wisimar ayant été tué dans une bataille avec la plus grande partie de ses soldats, la victoire demeura à Gébéric. Les vaincus réduits à un trop petit nombre, pour résister à de si puissants ennemis, prirent le parti de donner des armes aux Limigantes; c'est ainsi qu'ils appelaient leurs esclaves; les maîtres se nommaient Arcaragantes. Ces nouveaux soldats vainquirent les Goths; mais ils n'eurent pas plutôt senti leur force, qu'ils la tournèrent contre leurs maîtres et les chassèrent du pays. Les Sarmates, au nombre de plus de trois cent mille de tout âge et de tout sexe, passèrent le Danube et vinrent se jeter entre les bras de Constantin, qui s'avança jusqu'en Mésie pour les recevoir. Il incorpora dans ses troupes ceux qui étaient propres à la guerre; mélange mal entendu, qui contribua à corrompre la discipline des légions et à les abâtardir. Il donna aux autres des terres en Thrace, dans la petite Scythie, en Macédoine, en Pannonie, même en Italie; et ces Barbares eurent à se féliciter d'un malheur, qui les avait fait passer d'un état libre, mais turbulent et périlleux, à un doux assujettissement où ils trouvaient le repos et la sûreté[74]. Un autre corps de Sarmates se retira chez les Victohales, qui sont peut-être les mêmes que les Quades Ultramontains, dans la partie occidentale de la haute Hongrie. Ceux-ci furent vingt-quatre ans après rétablis dans leur pays par les Romains qui en chassèrent les Limigantes.

[72] C'est des Vandales que Wisimar était roi, selon Jornandès, qui est à proprement parler le seul qui nous ait conservé le souvenir de cette guerre. Il se fonde sur le témoignage de Dexippe, auteur du troisième siècle, qui avait écrit une Histoire des Goths dont il ne nous reste plus rien. Il ajoute qu'en moins d'un an, les Vandales étaient venus des bords de l'Océan, s'établir sur les frontières de l'empire, malgré le grand éloignement; *qui ab Oceano ad nostrum limitem vix in anni spatio pervenisse testatur præ nimiâ terrarum immensitate.*

C'est sans doute des bords de la Baltique que les Vandales vinrent à cette époque.—S.-M.

[73] Selon Jornandès, les Vandales occupaient alors le pays possédé de son temps par les Gépides, et arrosé par les fleuves *Marisia*, *Miliare*, *Gilfil* et *Grissia* plus fort que les trois autres. Ils avaient à l'orient les Goths, à l'occident les Marcomans, au nord les Hermundures et au sud le Danube. Ils occupaient donc le Bannat de Temeswar et une partie de la Hongrie.—S.-M.

[74] Jornandès ne parle que des Vandales seuls. Réduits à un petit nombre, ils quittèrent le pays qu'ils occupaient et obtinrent de Constantin de nouvelles habitations dans la Pannonie. C'est de ces Vandales que descendaient ceux qui, à l'instigation de Stilichon, se répandirent plus tard sur la Gaule et sur d'autres parties de l'empire.—S.-M.

AN 335.

XXVIII. Consuls.

Idat. chron.

Ducange, Byz. fam. p. 49.

Themist. or. 4. p. 58 et 59.

Grut. inscr. p. 387, n° 3.

Buch. cycl. p. 239.

Till. sur Julien. not. 1.

Constantin avait déja donné le consulat à Delmatius, l'aîné de ses frères. Le second nommé Julius Constance fut consul en 335 avec [C. Ceionius] Rufius Albinus. Il avait épousé en premières noces Galla sœur de Rufinus et de Céréalis consuls en 347 et 358. Il en avait eu Gallus qui naquit en Toscane l'an 325 ou 326, un autre fils que l'histoire ne nomme pas, et qui fut tué après la mort de Constantin, et une fille qui fut mariée à Constance, et dont on ignore aussi le nom. Sa seconde femme fut Basilina, fille de Julien, consul en 322, et sœur d'un autre Julien qui fut comte d'Orient. Elle mourut jeune et laissa un fils nommé Julien comme son aïeul maternel; c'est le fameux Julien surnommé l'Apostat, qui naquit vers la fin de l'an 331 à Constantinople, où son père et sa mère avaient été mariés. Rufius Albinus collégue de Julius Constance est, à ce qu'on croit, le fils de Rufius Volusianus, consul pour la seconde fois en 314. Une inscription le nomme philosophe. Il fut préfet de Rome l'année suivante.

XXIX. Tricennales de Constantin.

Idat. chron.

Chron. Alex. vel Pasch. p. 286.

Euseb. orat. in tricen.

Vales. notæ ib. c. 11.

Euseb. vit. Const. l. 4, c. 48.

L'empereur resta pendant toute celle-ci à Constantinople, si on en excepte un voyage qu'il fit dans la haute Mésie, peu de jours après avoir célébré par des jeux le commencement de la trentième année de son empire, dans laquelle il entrait le 25 juillet. Une circonstance augmenta la joie et l'éclat de cette fête qu'on appelait les tricennales; c'est qu'aucun empereur depuis Auguste n'avait régné si long-temps. Nous avons un éloge de Constantin prononcé à l'occasion de cette solennité par Eusèbe de Césarée, dans le palais en présence de l'empereur: c'est plutôt un livre qu'un discours. Pour l'honneur de Constantin, un si long et si froid panégyrique aurait bien dû l'ennuyer: ce qui n'arriva pas, si l'on en croit Eusèbe qui se félicite du succès. On loue cependant Constantin d'avoir été en garde contre la flatterie; et l'histoire le compte entre le petit nombre de souverains qui n'en ont pas été dupes. Un jour un ecclésiastique s'étant oublié jusqu'à lui dire en face, qu'il était bienheureux; puisque après avoir mérité de régner sur les hommes en cette vie, il régnerait dans l'autre avec le fils de Dieu, il rebuta brusquement l'encens de ce prêtre: *Gardez-vous*, lui dit-il, *de me tenir jamais un pareil langage; je n'ai besoin que de vos prières; employez-les à demander pour moi la grace d'être un digne serviteur de Dieu en ce monde et dans l'autre.*

XXX. Delmatius César.

Idat. chron.

Zos. l. 2, c. 39 et 40.

Chron. Alex. vel Pasch. p. 286.

Eutr. l. 10.

Anony. Vales.

Aurel. Vict. de cæs. p. 177.

Philost. l. 3, c. 22 et 28.

Amm. l. 14, c. 1.

Ducange, Byz. fam. p. 49.

Auson. prof. 17.

[Aur. Vict. epit. p. 225.

Theoph. p. 23 et 24.

Cedren. t. 1, p. 296.]

Il paraît qu'entre ses frères, il chérissait principalement Delmatius. Julius Constance avait deux fils, dont l'aîné Gallus était déja âgé de dix ans. On ne voit pas que l'empereur ait honoré ce neveu d'aucune distinction. Mais il combla de faveurs les deux fils de Delmatius. L'aîné qui portait le même nom que son père était déja maître de la milice. Ce jeune prince montrait le plus beau naturel et ressemblait fort à l'empereur son oncle. Les gens de guerre dont il était aimé contribuèrent à son élévation. Il venait d'accroître leur estime par la promptitude avec laquelle il avait étouffé la révolte de Calocérus. C'était un des derniers officiers de la cour, maître des chameaux de l'empereur; mais assez extravagant pour former le projet de se rendre indépendant, et assez hardi pour le déclarer. Il se fit des partisans et se saisit de l'île de Cypre. Le jeune Delmatius y passa à la tête de quelques troupes, et n'eut besoin que de le joindre pour le défaire et l'emmener prisonnier à Tarse, où il le traita comme un esclave et un brigand; il le fit brûler vif. Constantin fut charmé d'un service qui justifiait la préférence qu'il donnait à ce neveu. Il l'égala à ses trois fils en le nommant César le 18 septembre. Le cadet de Delmatius, nommé Hanniballianus comme un de ses oncles, eut le titre de nobilissime avec celui de roi des rois et des nations Pontiques[75]. L'empereur donna en mariage à celui-ci Constantine sa fille aînée. Elle reçut de son père la qualité d'Auguste. Ces deux princes avaient été instruits à Narbonne par le rhéteur Exupérius, à qui ils procurèrent le gouvernement d'Espagne avec de grandes richesses, quoique, à en juger par l'éloge même qu'en fait Ausone, ce ne fût pas un homme d'un grand mérite.

[75] Hanniballianus est toujours désigné dans les auteurs par le titre de roi. Il existe encore des médailles frappées en son honneur, où le même titre se trouve FL. HANNIBALLIANO REGI. Voyez Eckbel, *Doct. num. vet.* t. VIII, p. 204. *Armeniam nationesque circumsocias habebat*, dit Aurélius Victor, p. 225. C'est de la petite Arménie que cet auteur entend parler. Quoiqu'il ne soit guère possible de révoquer en doute un fait garanti par des autorités aussi respectables, Gibbon (t. III, p. 439) le regarde comme inexplicable et difficile à croire. C'est étrangement abuser du droit de douter, que de refuser toute confiance à un fait assez peu important par lui-même, et attesté d'une manière formelle par des auteurs contemporains et des monuments publics.—S.-M.

XXXI. Partage des états de Constantin.

Euseb. orat. tric. c. 3. et vit.

Const. l. 4, c. 51.

Zos. l. 2, c. 39.

Aur. Vict. epit. p. 225.

Anony. Vales.

Chron. Alex. vel Paschal. p. 286.

Socr. l. 1, c. 39.

Theod. l. 1, c. 32.

Soz. l. 2, c. 34.

Jul. or. 1, p. 17 et 18, or. 2, p. 94, ed. Spanh.

Eutrop. l. 10.

Hier. chron.

Ces honneurs excitèrent la jalousie des fils de Constantin; elle s'accrut encore par de nouvelles faveurs, et produisit après sa mort les effets les plus funestes. Ce prince qui avait eu tant d'occasions d'éprouver combien la multitude des souverains était onéreuse à l'empire, ne put se résoudre à priver de la souveraineté aucun de ses fils. Il fit dès cette année leur partage. Il leur associa Delmatius et Hanniballianus, sans donner aucune part à ses frères, ni à ses autres neveux. Constantin, l'aîné de ses fils, eut ce qu'avait possédé Constance Chlore, c'est-à-dire, tout ce qui était vers l'Occident au-delà des Alpes, les Gaules, l'Espagne et la grande-Bretagne. Constance eut l'Asie, la Syrie, l'Égypte. L'Italie, l'Illyrie et l'Afrique furent données à Constant; la Thrace, la

Macédoine, l'Achaïe, à Delmatius. Le royaume d'Hanniballianus fut formé de la petite Arménie, des provinces de Pont et de Cappadoce: Césarée était la capitale de ses états. Entre les enfants de l'empereur, Constance était le plus chéri, à cause de sa soumission et de sa complaisance. Il avait eu pendant quelque temps le gouvernement des Gaules, peut-être lorsque Constantin son frère était employé contre les Goths. Il passa de là en Orient; et ce fut par prédilection que son père lui en laissa le commandement, comme de la plus belle portion de l'empire.

XXXII. Comète.

Theoph. p. 24.

Eutrop. l. 10.

Il parut cette année à Antioche depuis la troisième heure du jour jusqu'à la cinquième, du côté de l'orient, un astre qui semblait jeter une épaisse fumée. L'auteur qui rapporte ce fait, ne dit ni en quel jour, ni combien de jours se fit voir cet astre. C'est apparemment la comète à laquelle des historiens crédules font l'honneur d'avoir annoncé la mort de Constantin.

AN 336.

XXXIII. Consuls.

Idat. chron.

Ducange, Byz. Fam. p. 48.

Si la conjecture de quelques modernes est véritable, Népotianus qui fut consul avec Facundus en 336, avait pour mère Eutropia, sœur de Constantin, et pour père Népotianus, qui avait été consul sous Dioclétien en 301. L'empereur après avoir honoré du consulat deux de ses frères, aura voulu faire le même honneur au fils de sa sœur; et ce sera ce même Népotianus qui prit la pourpre quinze ans après, quand il eut appris la mort de Constant.

XXXIV. Mariage de Constance.

Euseb. vit. Const. l. 4, c. 49.

Jul. or. 7, p. 227, et orat. ad Ath. p. 272, ed. Spanh.

Till. art. 76.

Constantin fils aîné de l'empereur était marié depuis quelque temps. On ignore le nom de sa femme. Cette année Constance épousa sa cousine germaine, fille de Julius Constance et de Galla. Julien se récrie contre ces mariages, qu'il prétend criminels. Il en prend avantage pour satisfaire sa mauvaise humeur contre Constantin et ses enfants. Mais il n'y avait encore aucune loi qui défendit ces alliances entre cousins germains. L'empereur célébra les noces avec grand appareil: il voulut mener lui-même l'époux. Il sacrifia pourtant une partie de la joie et de l'agrément de la fête, au soin d'y maintenir une honnêteté sévère: le festin et les divertissements furent donnés dans deux salles séparées, l'une pour les hommes, l'autre pour les femmes. Il fit à cette occasion des graces et des largesses considérables aux villes et aux provinces.

XXXV. Ambassade des Indiens.

Eus. vit. Const. l. 2, c. 50.

Ce fut dans ce même temps qu'il reçut des Indiens orientaux une ambassade, qui ressemblait à un hommage que des vassaux rendent à leur souverain; comme si sa puissance se fût étendue aussi loin que son nom. Ces princes lui envoyaient des pierres précieuses, des animaux rares; ils lui faisaient dire par leurs ambassadeurs, qu'ils honoraient ses portraits, qu'ils lui érigeaient des statues, et qu'ils le reconnaissaient pour leur roi et leur empereur.

[Amm. l. 25, c. 4.

Cedrenus, t. I, p. 295.]

—[Cette ambassade doit être placée au nombre des causes, qui troublèrent la bonne harmonie, qui subsistait depuis long-temps entre la Perse et l'empire. Le philosophe Métrodore, dont on connaît déja[76] les voyages dans l'Éthiopie, qu'on appelait à cette époque l'Inde intérieure, en entreprit d'autres dans l'Inde ultérieure pour visiter les Brahmanes et observer leurs mœurs et leurs pratiques de frugalité et de vertu. Pendant son séjour dans l'Inde, Métrodore leur enseigna l'art de construire des moulins à eau et des bains; ils en furent si reconnaissants, qu'ils lui ouvrirent leurs sanctuaires et lui permirent de les visiter. Métrodore abusa de la confiance de ces philosophes, il enleva de leurs temples des perles et des pierres précieuses en quantité: il en reçut aussi beaucoup du roi des Indes, qui désirait qu'elles fussent offertes de sa part à Constantin. Lorsque Métrodore revint à Constantinople, il présenta ces objets précieux à l'empereur, qui en fut enchanté; mais ce fut en son propre nom, cachant qu'elles venaient du prince indien. Il ne borna pas là ses impostures, il ajouta qu'il aurait apporté une plus grande quantité de ces pierres, si elles ne lui avaient pas été ravies par les Perses, lorsqu'il traversait leur pays pour rentrer dans l'empire. Constantin fut transporté de colère par ce mensonge, et aussitôt il écrivit au roi de Perse, se plaignant amèrement de l'enlèvement des objets précieux, dont il demandait la restitution. Cette lettre qui dut surprendre Sapor, resta sans réponse; et bientôt, comme on le verra sous l'année suivante, la guerre éclata entre les deux états.[77]]—S.-M.

[76] Voyez ci-devant, livre IV, § 65.

[77] J'ignore pourquoi Lebeau, et avant lui Crévier, n'ont fait aucune mention de cette circonstance intéressante; auraient-ils eu des doutes sur la véracité de Cédrénus, historien assez moderne il est vrai, mais qui n'a pu certainement inventer un pareil fait et dont l'exactitude est d'ailleurs, en ce point, attestée par le témoignage d'Ammien Marcellin. Ce dernier auteur en parlant de la guerre entreprise par Julien contre les Perses, fait mention des mensonges de Métrodore et de leurs conséquences; il est vrai qu'il semble placer la guerre dont il s'agit, sous le règne de Constance, mais je ne crois pas qu'une mention faite en passant, et où il peut y avoir une légère faute de copiste, doive l'emporter sur le récit détaillé de Cédrénus. Quoiqu'il en soit, voici ce que dit Ammien Marcellin. *Sed Constantium ardores Parthicos succendisse, cum Metrodo rimendaciis avidiùs acquiescit.* C'en est assez pour assurer le certitude du fait en lui-même.—S.-M.

XXXVI. Rappel d'Arius.

[Rufin, l. 10, c. 11.]

Socr. l. 1, c. 14 et 25.

Theod. l. 1, c. 20.

Soz. l. 2, c. 16 et 27.

Philost. l. 2, c. 7.

Vit. Athan. apud Phot. cod. 257.

Baronius, ann. 327.

Fuhrm. de bapt. Const. part. 1, p. 54.

Tandis que la joie de ces fêtes se répandait dans tout l'empire, le bannissement d'Athanase tenait l'église dans les larmes, et la mort terrible d'Arius en faisait verser à ses sectateurs. Nous avons laissé cet hérésiarque en exil aussi bien qu'Eusèbe de Nicomédie et leurs adhérents déclarés. Il faut reprendre le fil de leurs intrigues, et montrer par quels artifices ils vinrent à bout de surprendre l'empereur, jusqu'à l'armer contre ceux-mêmes qu'il avait toujours respectés comme les défenseurs de la foi orthodoxe. Constantia veuve de Licinius et sœur de l'empereur, avait auprès d'elle un prêtre, arien déguisé, qui ayant commencé par faire sa cour aux eunuques, s'était ensuite par leur moyen rendu maître de l'esprit de la princesse. Ce n'était pas un de ces directeurs vains et impérieux, dont la tyrannie les expose à de fâcheux retours. Celui-ci doux, flatteur, rampant, plus jaloux du solide que de l'éclat, gouverna d'abord Constantia, et ensuite l'empereur même, avec si peu de bruit, que l'histoire ignore son nom, et ne le fait connaître que par ses œuvres. Quelques modernes, sans beaucoup de fondement, le confondent avec Acacius, surnommé *le borgne*, qui fut évêque de Césarée après Eusèbe. Dans les funestes tragédies qui suivirent, ce fut cet inconnu, qui toujours caché derrière la scène, donnait par des ressorts imperceptibles le mouvement à toute la cour. Il ne lui fut pas difficile de persuader à la princesse, qu'Arius était l'innocente victime de l'envie. Constantia tomba malade; et son frère, attendri par son état, plus encore par ses malheurs dont il était lui-même la cause, lui rendait des visites assidues. Comme elle était sur le point de mourir: «Prince, lui dit-elle, en lui montrant ce prêtre, je vous recommande ce saint personnage; je me suis bien trouvée de ses sages conseils; donnez-lui votre confiance: c'est la dernière grace que je puis obtenir de vous, et c'est pour votre salut que je la demande. Je meurs, et toutes les affaires de ce monde vont me devenir étrangères; mais je crains pour vous la colère de Dieu: on vous séduit; n'êtes-vous pas coupable de vous prêter à la séduction et de tenir en exil des hommes justes et vertueux?» Ces paroles pénétrèrent le cœur de Constantin affaibli par la douleur: l'imposteur s'y établit aussitôt et s'y maintint jusqu'au dernier soupir du prince. Le premier effet de cette confiance fut le rappel d'Arius. L'empereur se laissa insinuer que sa doctrine était celle du concile même; qu'on ne le traitait en criminel que parce qu'on ne voulait pas l'entendre; que si on lui permettait de se présenter au prince, il le satisferait pleinement par sa soumission aux décrets de Nicée. *Qu'il vienne donc*, dit l'empereur, *et s'il fait ce que vous promettez, je le renverrai avec honneur à Alexandrie.* On mande aussitôt Arius; mais ce rusé politique, guidé sans doute par son protecteur secret, affecta de douter de la réalité des ordres du prince, et resta dans son exil. Constantin, ardent dans ses désirs, lui écrit lui-même avec bonté, lui fait des reproches de son peu d'empressement, lui ordonne de se servir des voitures publiques, et lui promet l'accueil le plus favorable. C'était à ce degré de chaleur qu'Arius voulait amener le prince: il part sur-le-champ, se présente à l'empereur, et lui en impose par une profession de foi équivoque.

XXXVII. Retour d'Eusèbe et de Théognis.

Le retour d'Arius entraînait celui de ses partisans: aussi Eusèbe et Théognis ne s'oublièrent pas; mais pour varier la scène, ils prirent un autre tour. Ils s'adressèrent aux principaux évêques catholiques. Ils s'excusaient de n'avoir pas souscrit à l'anathème, sur la connaissance particulière qu'ils avaient de la pureté des sentiments d'Arius; ils protestaient de la parfaite conformité de leur doctrine avec la décision de Nicée: *Ce n'est pas*, disaient-ils, *que nous supportions notre exil avec impatience; ce n'est que le soupçon d'hérésie qui nous afflige; c'est l'honneur de l'épiscopat qui nous fait élever la voix; et puisqu'on a rappelé celui qu'on regarde comme l'auteur de la discorde, puisqu'on a bien voulu entendre ses défenses, jugez s'il serait raisonnable que par notre silence nous parussions nous reconnaître coupables.* Ils priaient les évêques de les recommander à l'empereur, et de lui présenter leur requête. La circonstance était favorable, et la demande paraissait juste. Ils revinrent la troisième année de leur exil, et rentrèrent triomphants en possession de leurs églises, d'où ils chassèrent les deux évêques qu'on leur avait substitués. Eusèbe fut plus adroit dans la suite à masquer son hérésie: toujours acharné sur les catholiques, il sut couvrir la persécution sous des prétextes spécieux, et ne se déclara ouvertement Arien qu'après la mort de Constantin. Bientôt, pour le malheur de l'église, il regagna les bonnes graces du prince; et l'on ne peut s'empêcher d'être surpris que les couleurs affreuses, sous lesquelles l'empereur avait dépeint ce prélat trois ans auparavant dans sa lettre aux habitants de Nicomédie, se fussent si tôt effacées de son esprit. La lettre prouve que les impressions étaient bien vives dans Constantin; et le prompt retour de sa faveur, qu'elles n'étaient pas bien profondes. Eusèbe s'était emparé du cœur de Constance, le fils bien-aimé de l'empereur; il n'en fallait pas davantage pour disposer de toute la cour. Le reste de l'histoire de Constantin n'est qu'un tissu de fourberies de la part des Ariens, de faiblesses et d'illusions de la part du prince. Arius, malgré son habileté à se déguiser, ne trouva pas la même facilité dans Athanase. En vain s'efforça-t-il de rentrer dans la communion de son évêque; celui-ci refusa constamment de le recevoir, quelque instance que lui en fit Eusèbe, qui lui écrivit même à ce sujet les lettres les plus menaçantes.

XXXVIII. Déposition d'Eustathius.

Socr. l. 1, c. 23 et 24.

Theod. l. 1, c. 21.

Soz. l. 2, c. 18 et 19.

Philost. l. 2, c. 7.

Pour intimider Athanase, et le priver en même temps du plus ferme appui qu'il eût dans l'église, Eusèbe fit tomber les premiers éclats de l'orage sur Eustathius, évêque d'Antioche. Il s'était élevé une dispute fort vive entre cet illustre prélat et Eusèbe de Césarée. Eustathius accusait Eusèbe d'altérer la foi de Nicée; Eusèbe de son côté attribuait à Eustathius l'erreur de Sabellius. Eusèbe de Nicomédie voulut terminer cette querelle à l'avantage de son ami, par un coup de foudre. Il dressa son plan, et pour en cacher l'exécution à l'empereur, il feignit d'avoir un grand désir d'aller en dévotion à Jérusalem, et d'y visiter l'église célèbre que le prince y faisait bâtir. Il sort de Constantinople en grand appareil, accompagné de Théognis, son confident inséparable. L'empereur leur fournissait les voitures publiques, et tout ce qui pouvait honorer leur voyage. Les deux prélats passent par Antioche; Eustathius les reçoit avec une cordialité vraiment fraternelle: de leur côté, ils n'épargnent pas les démonstrations de la plus sincère amitié. Arrivés à Jérusalem, ils s'ouvrent de leur dessein à Eusèbe de Césarée et à plusieurs autres évêques ariens, et forment leur complot. Tous ces prélats les accompagnent comme par honneur dans leur retour à Antioche. Dès qu'ils sont dans la ville, ils s'assemblent avec Eustathius et quelques évêques catholiques qui n'étaient pas dans le secret, et donnent à leur assemblée le nom de concile. A peine avait-on pris séance, qu'ils font entrer une courtisane, qui, portant un enfant à la mamelle, s'écrie qu'Eustathius est le père de cet enfant. Le saint prélat, rassuré par sa conscience et par sa fermeté naturelle, ordonne à cette femme de produire des témoins; elle répond avec impudence, qu'on n'en appela jamais pour commettre un pareil crime. Les Ariens lui défèrent le serment; elle jure à haute voix qu'elle a eu cet enfant d'Eustathius: et sur-le-champ ces juges équitables, sans autre information ni autre preuve, prononcent la sentence de déposition contre Eustathius[78]. Les évêques catholiques étonnés d'une procédure aussi irrégulière réclament en vain contre ce jugement: Eusèbe et Théognis volent à Constantinople pour prévenir l'empereur, et laissent leurs complices assemblés à Antioche.

[78] Cet évêque fut déposé en l'an 331.—S.-M.

XXXIX. Troubles d'Antioche.

Euseb. vit. Const. l. 3, c. 59.

Socr. l. 1, c. 24.

Theod. l. 1, c. 21, 22.

Soz. l. 2, c. 19.

Philost. l. 2, c. 7.

God. dissert. in Philost. l. 2, c. 7.

Herm. vie de S. Athan. l. 3, c. 8, éclairciss.

Till. Arian. art. 14. et suiv.

Athan. ad monach. t. 1, p. 346 et 347.

Une imposture si grossière, et la déposition du saint prélat soulevèrent tous ceux qui n'étaient pas vendus à la faction arienne. Le conseil de la ville, les habitants, les soldats de la garnison se divisent en deux partis; ce n'est plus que confusion, injures, menaces. On était prêt à s'égorger, et Antioche allait nager dans le sang, quand une lettre de l'empereur et l'arrivée du comte Stratégius, qui se joignit à Acacius, comte d'Orient, apaisèrent les esprits. Constantin manda Eustathius. Les ennemis du prélat ne comptaient pas qu'une accusation si mal appuyée fût écoutée de l'empereur; ils changèrent de batterie, et accusèrent Eustathius d'avoir autrefois outragé l'impératrice Hélène: c'était toucher le prince par l'endroit le plus sensible; d'ailleurs Constantin rendait l'évêque responsable de la sédition. Eustathius, avant que de quitter son peuple, l'exhorta à demeurer ferme dans la foi de la consubstantialité: on reconnut dans la suite combien ses dernières paroles avaient eu de force. Il ne lui était pas difficile de se justifier devant l'empereur; mais ce prince aveuglé par la calomnie le relégua en Thrace, où il mourut[79]. Cette malheureuse prostituée qui avait servi d'organe à des prélats plus méchants qu'elle, se voyant peu de temps après à l'article de la mort, déclara, en présence d'un grand nombre d'ecclésiastiques, l'innocence d'Eustathius et la fourberie d'Eusèbe: elle prétendait pourtant être moins coupable, parce qu'en effet elle avait eu cet enfant d'un artisan, nommé Eustathius; et c'était sans doute cette criminelle équivoque, qui jointe à l'argent d'Eusèbe, avait facilité la séduction. Asclépas de Gaza, attaché au saint évêque et à la foi catholique, fut en même temps chassé de son église. D'un autre côté Basilina, seconde femme de Julius Constance, fit exiler Eutropius, évêque d'Andrinople, censeur intrépide de la doctrine et de la conduite d'Eusèbe, qui était parent de cette princesse.

[79] Voyez la note ajoutée au § 65 du livre IV.—S.-M.

XL. Eusèbe de Césarée refuse l'épiscopat d'Antioche.

Euseb. vit. Const. l. 3, c. 60 et seq.

Socr. l. 1, c. 24.

Theod. l. 1, c. 22.

Soz. l. 2, c. 19.

Paulin de Tyr et Eulalius ayant successivement rempli la place d'Eustathius, et étant morts en moins d'un an, il s'éleva de nouvelles contestations. Le parti arien, à la tête duquel étaient la plupart des évêques du prétendu concile, demandait Eusèbe de Césarée. Les catholiques s'opposaient à son élection. Les premiers en écrivirent à l'empereur, et en même temps Eusèbe, soit pour se faire presser, soit qu'il pressentît que cette nouvelle division déplairait à Constantin, lui manda qu'il s'en tenait à la rigueur des canons, et qu'il le priait de permettre qu'il restât attaché à sa première épouse. Ce refus d'Eusèbe fut accepté plus aisément peut-être qu'il ne l'aurait désiré. Le prince écrivit aux évêques et aux habitants d'Antioche pour les détourner de choisir Eusèbe: il leur proposa lui-même deux ecclésiastiques très-dignes, disait-il, de l'épiscopat, sans cependant exclure tout autre qu'on voudrait élire; et ce qui fait voir que Constantin était alors entièrement obsédé par les Ariens, c'est que ces deux prêtres, Euphronius de Césarée en Cappadoce et George d'Aréthuse, étaient deux Ariens décidés. Le premier fut élu; et l'empereur dédommagea la vanité de l'évêque de Césarée, par les louanges qu'il lui prodigua, sur le généreux sacrifice qu'il avait fait à la discipline ecclésiastique. Celui-ci n'a pas manqué de rapporter en entier dans la vie de Constantin les lettres de l'empereur qui contiennent son éloge, et, de toute l'histoire de la déposition d'Eustathius, c'est presque la seule partie qu'il ait jugé à propos de conserver. Le siége d'Antioche étant occupé par les Ariens jusqu'en 361, les catholiques abandonnèrent les églises, et tinrent à part leurs assemblées: on les nomma Eustathiens.

XLI. Athanase refuse de recevoir Arius.

Socr. l. 1, c. 27.

Soz. l. 2, c. 21.

Eusèbe de Nicomédie, jugeant d'Athanase par lui-même, se flattait que ces marques effrayantes de son crédit et de sa puissance feraient enfin trembler l'évêque d'Alexandrie. Il le presse encore de recevoir Arius, et le trouve encore inflexible. Maître de la main comme de l'esprit de l'empereur, il l'engage à écrire plusieurs lettres à Athanase. Il en prévoyait le succès. Sur le refus du saint évêque, il prend occasion d'aigrir le prince: secondé par Jean Arcaph, chef des Mélétiens, et par une foule d'évêques et d'ecclésiastiques, qui cachant leur concert n'étaient que les échos d'Eusèbe, il dépeint Athanase comme un séditieux, un perturbateur de l'église, un tyran qui, à la tête d'une faction de prélats dévoués à ses caprices, régnait à Alexandrie et se faisait obéir le fer et le feu à la main. L'accusé se justifiait en rejetant toutes les injustices et les violences sur ses adversaires; et ses preuves étaient si bien appuyées, que l'empereur ne savait à quoi s'en tenir. Enfin Constantin lassé de ces incertitudes, mande pour dernière décision à Athanase, qu'il veut terminer toutes ces querelles; que l'unique moyen est de ne fermer à personne l'entrée de l'église; qu'aussitôt qu'Athanase connaîtra sa volonté par cette lettre, il se garde bien de rebuter aucun de ceux qui se présenteront; que s'il contrevient à ses ordres, il sera chassé de son siége. L'évêque, peu effrayé de la menace d'une déposition injuste, représente avec une fermeté respectueuse, quelle plaie ferait à l'église une aveugle indulgence pour des gens anathématisés par un concile œcuménique, dont ils éludent encore les décrets. L'empereur parut se rendre à la force de ses raisons.

XLII. Calomnies contre Athanase.

Athan. Apol. contr. Arian. t. 1, p. 130-138 et 177-180

Socr. l. 1, c. 27.

Theod. l. 1, c. 26 et 27.

Soz. l. 2, c. 22.

Philost. l. 2, c. 11.

L'équité du prince aigrissait le dépit d'Eusèbe. Il connaissait enfin Athanase; n'espérant plus le vaincre, il résolut de le perdre. Les chefs du parti Arien, concertés avec les Mélétiens qu'ils avaient gagnés par argent, font d'abord courir le bruit que son ordination est nulle, ayant été faite par fraude et par violence. Comme la fable imaginée sur ce point était démentie par l'évidence, et qu'il s'agissait de frapper l'esprit du prince, ils crurent ensuite plus à propos de lui supposer des crimes d'état. Ils l'accusèrent d'avoir, de sa pleine autorité, imposé un tribut aux Égyptiens, et d'exiger des tuniques de lin pour l'église d'Alexandrie. Les prêtres Apis et Macarius, qui se trouvaient alors à Nicomédie, ne furent pas embarrassés à justifier leur évêque: ils montrèrent à l'empereur que c'était une contribution libre, autorisée par l'usage pour le service de l'église. Les accusateurs, sans se rebuter, chargèrent le saint évêque de deux forfaits énormes. Le premier était un crime de lèse-majesté: il avait, disaient-ils, fomenté la révolte de Philuménus en lui fournissant de grandes sommes d'argent: ce rebelle, inconnu d'ailleurs, est peut-être le même que Calocérus[80]. L'autre crime attaquait Dieu même: voici le fait dont ils abusaient. Dans une contrée de l'Égypte, nommée Maréotique, voisine d'Alexandrie, était un certain Ischyras autrefois ordonné prêtre par Colluthus. Au concile d'Alexandrie tenu en présence d'Osius, les ordinations de cet hérésiarque avaient été déclarées nulles. Mais malgré la décision du concile, à laquelle Colluthus lui-même s'était soumis, Ischyras s'obstinait à exercer les fonctions sacerdotales. Athanase, faisant la visite de la Maréotique, lui envoya Macarius un de ses prêtres pour le sommer de venir comparaître devant l'évêque. Il était au lit malade; on se contenta de lui signifier l'interdiction, et l'affaire n'eut pas alors d'autre suite. Mais dans le temps qu'Eusèbe mendiait de toute part des accusations contre Athanase, Ischyras vint lui offrir ses services; ils furent acceptés; on lui promit un évêché: il déposa que Macarius par ordre de l'évêque s'était jeté sur lui, tandis qu'il célébrait les saints mystères; qu'il avait renversé l'autel et la table sacrée, brisé le calice, brûlé les livres saints. Sur des crimes si graves, Athanase fut mandé à la cour. L'empereur l'écouta, reconnut son innocence, le renvoya à Alexandrie, écrivit aux Alexandrins que les calomniateurs de leur évêque avaient été confondus, et que cet homme de Dieu (c'est le terme dont il se servit) avait reçu à sa cour le traitement le plus honorable. Ischyras méprisé de l'empereur et d'Eusèbe qu'il avait servi sans succès, vint se jeter aux pieds de son évêque, lui demandant pardon avec larmes. Il déclara en présence de plusieurs témoins par un acte signé de sa main, que son accusation était fausse, et qu'il y avait été forcé par trois évêques Mélétiens qu'il nomma. Athanase lui pardonna; mais sans l'admettre à la communion de l'église, qu'il n'eût accompli la pénitence prescrite par les canons.

[80] Cette conjecture est de Tillemont, t. IV, p. 262, éd. de 1723.—S.-M.

XLIII. Accusation au sujet d'Arsénius.

Socr. l. 1, c. 27.

Theod. l. 1, c. 30.

Soz. l. 2, c. 23.

Ath. Apol. contr. Arian. t. I, p. 146, 160 et 181-186.

Herm. vie de S. Athan. l. 3, c. 14, éclaircis.

Les adversaires tant de fois confondus ne perdirent pas courage, persuadés que dans la multitude des coups il n'en faut qu'un pour faire une blessure mortelle. Arsénius évêque d'Hypsélé en Thébaïde était dans le parti de Mélétius. Il disparut tout à coup, et les Mélétiens montrant de ville en ville la main droite d'un homme, publièrent que c'était celle d'Arsénius qu'Athanase avait fait massacrer; qu'il lui avait coupé la main droite pour s'en servir à des opérations magiques: ils se plaignaient avec larmes qu'il eût caché le reste de son corps; ils ressemblaient à ces anciens fanatiques de l'Égypte qui cherchaient les membres épars d'Osiris. Jean Arcaph jouait dans cette pièce le principal rôle. La chose fit grand bruit à la cour. Le prince commit pour en informer le censeur Delmatius[81], qui se trouvait alors à Antioche; il envoya Eusèbe et Théognis pour assister au jugement. Athanase mandé par Delmatius, sentit bien que le défaut de preuve de la part de ses adversaires, ne suffirait pas pour le justifier, et qu'il fallait les confondre en leur prouvant qu'Arsénius était vivant. Il le fait chercher par toute l'Égypte. On découvre sa retraite; c'était un monastère près d'Antéopolis en Thébaïde: mais quand on y arriva, il en était déja sorti pour se sauver ailleurs. On se saisit du supérieur du monastère et d'un moine qui avait procuré l'évasion; on les amène à Alexandrie devant le commandant des troupes d'Égypte: ils avouent qu'Arsénius est vivant, et qu'il a été retiré chez eux. Le supérieur avertit aussitôt Jean Arcaph que l'intrigue est découverte, et que toute l'Égypte sait qu'Arsénius est en vie. La lettre tombe entre les mains d'Athanase. On trouve le fugitif caché à Tyr: il nie d'abord qu'il soit Arsénius; mais il est convaincu par Paul évêque de la ville, dont il était parfaitement connu. Athanase envoie à Constantin par le diacre Macarius toutes les preuves de l'imposture. L'empereur révoque aussitôt la commission donnée à Delmatius: il rassure l'évêque d'Alexandrie, et l'exhorte à n'avoir plus désormais d'autre soin que les fonctions du saint ministère, et à ne plus craindre les manœuvres des Mélétiens: il ordonne que cette lettre soit lue dans l'assemblée du peuple, afin que personne n'ignore ses sentiments et sa volonté. Les menaces du prince firent taire quelque temps la calomnie, et le calme semblait rétabli. Arsénius lui-même écrivit de concert avec son clergé une lettre à son métropolitain, pour lui demander d'être admis à sa communion. Jean suivit cet exemple, et s'en fit honneur auprès de l'empereur. Le prince était ravi de joie dans l'espérance que les Mélétiens allaient à la suite de leur chef se réunir au corps de l'église.

[81] C'est le frère de Constantin.—S.-M.

XLIV. Eusèbe s'empare de l'esprit de l'empereur.

Athan. Apol. contr. Arian. t. 1, p. 130, 131, 132, 186 et 187.

Socr. l. 1, c. 28.

Theod. l. 1, c. 28.

Soz. l. 2, c. 25.

Pagi. ad Baron. an. 332.

[Rufin. l. 10, c. 12.]

Mais cette paix ne fut pas de longue durée. L'opiniâtreté des Ariens l'emporta enfin sur les bonnes intentions de l'empereur. C'étaient des évêques, dont l'extérieur n'avait rien que de respectable, qui criaient sans cesse et qui faisaient répéter à toute la cour, *qu'Athanase était coupable des crimes les plus énormes; qu'il s'en procurait l'impunité à force d'argent; que c'était ainsi qu'il avait fait changer de langage à Jean le Mélétien: que le nouvel Arsénius était un personnage de théâtre; qu'il était étrange que sous un prince vertueux l'iniquité restât assise sur un des plus grands siéges du monde.* Jean regagné par les Ariens consentait lui-même à se déshonorer; il avouait à l'empereur qu'il s'était laissé corrompre. Constantin, d'un caractère franc et généreux, était fort éloigné de soupçonner une si noire perfidie. Tant de secousses lui firent enfin lâcher prise; il abandonna Athanase à ses ennemis; c'était l'abandonner que de le laisser à la discrétion d'un concile, dont Eusèbe devait être le maître. Le choix de la ville de Césarée en Palestine, dont l'autre Eusèbe était évêque, annonçait déja le succès. Aussi le saint prélat refusa-t-il de s'y rendre. Les Ariens en prirent avantage; et pendant deux ans et demi que dura le refus d'Athanase, c'était, à les entendre, un coupable qui fuyait son jugement. Enfin l'empereur, comme pour condescendre aux répugnances et aux craintes de l'accusé, change le lieu de l'assemblée, et l'indique à Tyr. Il voulait qu'après avoir pacifié dans cette ville toutes les querelles, les Pères du concile, réunis dans le même esprit, se transportassent à Jérusalem pour y faire ensemble la dédicace de l'église du Saint-Sépulcre. Il manda aux évêques, dont plusieurs étaient depuis long-temps à Césarée, de se rendre à Tyr afin de remédier en diligence aux maux de l'église. Sa lettre, sans nommer Athanase marque assez qu'il était étrangement prévenu contre ce saint personnage, et entièrement livré à ses ennemis. Il assure ceux-ci qu'il a exécuté tout ce qu'ils lui ont demandé; qu'il a convoqué les évêques qu'ils désirent d'avoir pour coopérateurs; qu'il a envoyé le comte Denys afin de maintenir le bon ordre dans le concile: il proteste que si quelqu'un de ceux qu'il a mandés se dispense d'obéir sous quelque prétexte que ce soit, il le fera sur-le-champ chasser de son église. Cette lettre qui convoquait le concile, en détruisait en même temps l'autorité; elle suffit seule pour en prouver l'irrégularité: le choix des évêques dévoués aux Ariens, la présence du comte Denys environné d'appariteurs et de soldats, étaient autant d'abus, que sut bien relever dans la suite le concile d'Alexandrie. Il s'y trouva pourtant un petit nombre d'évêques catholiques, entre autres Maxime de Jérusalem qui avait succédé à Macarius Marcel d'Ancyre, et Alexandre de Thessalonique. L'assemblée était déja composée de soixante prélats, avant l'arrivée des quarante-neuf évêques d'Égypte qu'Athanase y amena. Il n'y vint qu'à regret, sur les ordres réitérés de l'empereur, pour éviter le scandale que causerait dans l'église l'injuste colère du prince, qui le menaçait de l'y faire conduire par force. Le prêtre Macarius y fut amené chargé de chaînes. Archelaüs comte d'Orient et gouverneur de Palestine se joignit au comte Denys.

XLV. Concile de Tyr.

Ath. Apol. contr. Arian. p. 134. t. I, et 187-192.

Epiph. hær. 68, § 7. t. I, p. 723.

Socr. l. 1, c. 28.

Theod. l. 1, c. 30.

Soz. l. 2, c. 25.

[Rufin. l. 10. c. 16.]

On ne donna point de siége à Athanase: il fut obligé de se tenir debout en qualité d'accusé. D'abord, de concert avec les évêques d'Égypte, il récusa les juges comme ses ennemis. On n'eut aucun égard à sa récusation: comptant sur son innocence, il se détermina à répondre. Il lui fallut combattre les mêmes monstres qu'il avait déja tant de fois terrassés. On fit revivre toutes les vieilles calomnies, dont l'empereur avait reconnu la fausseté. Plusieurs évêques d'Égypte vendus aux Mélétiens se plaignirent d'avoir été outragés et maltraités par ses ordres. Ischyras, malgré le désaveu signé de sa main, reparut entre les accusateurs; et ce misérable fut encore une fois confondu par Athanase et par Macarius. Il n'y eut que les partisans d'Eusèbe qui trouvèrent plausibles les mensonges qu'ils avaient dictés; ils proposèrent au comte Denys d'envoyer dans la Maréotique pour informer sur les lieux. La réclamation d'Athanase et de tous les orthodoxes ne put empêcher, qu'on ne nommât pour commissaires six de ses plus mortels ennemis, qui partirent avec une escorte de soldats.

XLVI. Accusateurs confondus.

Ath. Apol. cont. Arian. t. I, p. 131.

Theod. l. 1, c. 30.

Socr. l. 2, c. 25.

Vita Athan. apud Phot. cod. 257.

Philost. l. 2, c. 11.

[Rufin, l. 10, c. 16 et 17.]

Deux accusations occupèrent ensuite le concile. On fit entrer une courtisane effrontée[B], qui se mit à crier qu'elle avait fait vœu de virginité; mais qu'ayant eu le malheur de recevoir chez elle Athanase, il lui avait ravi l'honneur. Les juges ayant sommé Athanase de répondre, il se tint en silence; et l'un de ses prêtres, nommé Timothée, debout à côté de lui, se tournant vers cette femme: *Est-ce moi*, lui dit-il, *que vous accusez de vous avoir déshonorée? C'est vous-même*, s'écria-t-elle, en lui portant le poing au visage, et lui présentant un anneau qu'elle prétendait avoir reçu de lui: elle demandait justice en montrant du doigt Timothée qu'elle appelait Athanase, l'insultant, le tirant à elle avec un torrent de paroles familières à ces femmes sans pudeur. Une scène si indécente couvrait les accusateurs de confusion, faisait rougir les juges, et rire les comtes et les soldats. On fit retirer la courtisane malgré Athanase, qui demandait qu'elle fût interrogée, pour découvrir les auteurs de cette horrible calomnie. On lui répondit qu'on avait contre lui bien d'autres chefs plus graves, dont il ne se tirerait pas par des subtilités, et dont les yeux mêmes allaient juger. En même temps on tire d'une boîte une main desséchée: à cette vue tous se récrièrent, les uns d'horreur, croyant voir la main d'Arsénius, les autres par déguisement pour appuyer le mensonge, et les catholiques par indignation, persuadés de l'imposture. Athanase après un moment de silence demanda aux juges si quelqu'un d'eux connaissait Arsénius; plusieurs ayant répondu qu'ils le connaissaient parfaitement, il envoya chercher un homme qui attendait à la porte de la salle, et qui entra enveloppé d'un manteau. Alors Athanase lui faisant lever la tête: *Est-ce là*, dit-il, *cet Arsénius que j'ai tué, qu'on a cherché si long-temps, et à qui après sa mort j'ai coupé la main droite?* C'était en effet Arsénius lui-même. Les amis d'Athanase l'ayant amené à Tyr, l'avaient engagé à s'y tenir caché jusqu'à ce moment; et après s'être prêté injustement aux calomniateurs, il se prêtait avec justice à confondre la calomnie. Ceux qui avaient dit qu'ils le connaissaient, n'osèrent le méconnaître: après leur aveu, Athanase retirant le manteau d'un côté, fit apercevoir une de ses mains; ceux que les Ariens avaient abusés, ne s'attendaient pas à voir l'autre, quand Athanase la leur découvrant: *Voilà*, dit-il, *Arsénius avec ses deux mains; le Créateur ne nous en a pas donné davantage; c'est à nos adversaires à nous montrer ou l'on a pris la troisième*. Les accusateurs devenus furieux à force de confusion, et comme enivrés de leur propre honte, remplissent toute l'assemblée de tumulte: ils crient qu'Athanase est un magicien, un enchanteur qui charme les yeux; ils veulent le mettre en pièces. Jean Arcaph profitant du désordre se dérobe et s'enfuit. Le comte Archélaüs arrache Athanase des mains de ces frénétiques, et le fait embarquer secrètement la nuit suivante. Le saint évêque se sauva à Constantinople, et éprouva tout le reste de sa vie que les méchants ne pardonnent jamais le mal qu'ils ont voulu faire, et qu'à leurs yeux c'est un crime irrémissible pour l'innocence de n'avoir pas succombé. Ceux-ci se consolèrent de leur défaite en feignant de triompher; et suivant l'ancienne maxime des calomniateurs, ils ne se lassèrent pas de renouveler des accusations mille fois convaincues de fausseté. Leurs historiens même se sont efforcés de donner le change à la postérité; mais ils ne peuvent persuader que des esprits complices de leur haine contre l'église catholique.

[B] Je ne dois pas dissimuler que l'histoire de cette courtisane n'est pas à beaucoup près aussi authentique que celle d'Arsénius. Rufin la raconte, mais Rufin est rempli de fables. Sozomène, Théodoret, et l'auteur de la vie de saint Athanase dans Photius, l'ont adoptée, et c'est ce qui m'a engagé à en faire usage. Mais il faut avouer que ni saint Athanase, qui en plusieurs endroits de ses ouvrages développe les iniquités du concile de Tyr, ni les épîtres synodales du concile d'Alexandrie, et de celui de Sardique où les mensonges des Ariens sont détaillés, ni la lettre du pape Jules, ni l'historien Socrate n'en font aucune mention.

XLVII. Conclusion du concile de Tyr.

Athan. Apol. contr. Arian. t. I, p. 135-140.

Socr. l. 1, c. 31, 32.

Theod. l. 1, c. 30.

Soz. l. 2, c. 25.

Les commissaires envoyés dans la Maréotique y firent l'information au gré de la calomnie. Toutes les règles furent violées, et la cabale, soutenue par le préfet Philagrius, apostat et très-corrompu dans ses mœurs, y étouffa la vérité. Les catholiques protestèrent contre cette procédure monstrueuse. Alexandrie fut le théâtre de l'insolence d'une soldatesque effrénée, qui donnait main-forte aux prélats, et qui les divertissait par les insultes qu'elle faisait aux fidèles attachés à leur pasteur. Ces commissaires, à leur retour, ne trouvèrent plus à Tyr Athanase: il fut condamné sur leur information et sur tous les crimes dont il s'était justifié. La sentence de déposition fut prononcée; on lui défendit de rentrer dans Alexandrie. Jean le Mélétien et tous ceux de sa faction furent admis à la communion et rétablis dans leur dignité. Pour tenir parole à Ischyras, on le fit évêque d'un village où il fallut lui bâtir une église; et afin que tout fût étrange dans l'histoire de ce concile, on ne tarda pas à regagner Arsénius; il signa la condamnation de celui dont il prouvait lui-même l'innocence. Les actes du concile furent envoyés à l'empereur. On avertit les évêques par une lettre synodale, de ne plus communiquer avec Athanase convaincu de tant de forfaits; et qui après une orgueilleuse résistance ne s'était trouvé au concile que pour le troubler, pour y insulter les prélats, pour récuser d'abord, et fuir ensuite le jugement. Les évêques catholiques refusèrent de souscrire, et se retirèrent avant la conclusion de l'assemblée.

XLVIII. Dédicace de l'église du S. Sépulcre.

Euseb. vit. Const. l. 4, c. 43 et seq.

Socr. l. 1, c. 33 et 36.

Theod. l. 1, c. 31.

Soz. l. 2, c. 14, 26 et 27.

Ce mystère d'iniquité était à peine consommé, que les évêques reçurent ordre de se transporter à Jérusalem, pour y faire la cérémonie de la dédicace. Les lettres furent apportées par Marianus, secrétaire de l'empereur, illustre par ses emplois, par sa vertu, et par la fermeté avec laquelle il avait confessé la foi sous les tyrans. Il était chargé de faire les honneurs de la fête, de traiter les évêques avec magnificence, et de distribuer aux pauvres de l'argent, des vivres et des habits. L'empereur envoyait de riches présents pour l'ornement de la basilique. Outre les évêques assemblés à Tyr, il en vint un grand nombre de toutes les parties de l'Orient. Il s'y trouva même un évêque de Perse, qu'on croit être saint Milles; qui, après avoir beaucoup souffert dans la persécution de Sapor, quitta sa ville épiscopale, où il ne trouvait que des cœurs endurcis et rebelles au joug de la foi, et vint à Jérusalem sans autres richesses qu'une besace où était le livre des évangiles[82]. Un nombre infini de fidèles accourut de toutes parts: tous furent défrayés pendant leur séjour aux dépens de l'empereur. La ville retentissait de prières, d'instructions chrétiennes, d'éloges et du prince et de la basilique. On rendit cette fête annuelle: elle durait pendant huit jours, et c'était alors un prodigieux concours de pèlerins des pays les plus éloignés. Après la dédicace, les autres évêques se retirèrent; il ne resta que les prélats du concile de Tyr.

[82] S. Milles était évêque de Suse. Les actes de son martyre, écrits en syriaque et publiés avec une version latine par Assémani font mention de son voyage à Jérusalem, t. I, p. 71.—S.-M.

XLIX. Concile de Jérusalem.

Cette solennité brillante fut suivie d'un événement fâcheux pour l'église. Arius et Euzoïus avaient surpris des lettres de Constantin. Ce prince, trompé par une profession de foi qui lui paraissait conforme à celle de Nicée, reconnut pourtant qu'il n'appartenait qu'à l'église de prononcer en cette matière. Il renvoya Arius aux évêques assemblés à Jérusalem, et leur écrivit d'examiner avec attention la formule qu'il présentait, et de le traiter favorablement s'il se trouvait qu'il eût été injustement condamné, ou qu'ayant mérité l'anathème il fût revenu à résipiscence. Constantin ne s'apercevait pas que mettre en doute la justice de la condamnation d'Arius, c'était porter atteinte au concile de Nicée, qu'il respectait lui-même. Il n'en fallait pas tant pour engager des Ariens cachés à rétablir leur docteur et leur maître. Les prélats réunis de nouveau à Jérusalem en forme de concile, reçoivent à bras ouverts Arius et Euzoïus; ils adressent une lettre synodale à tous les évêques du monde; ils y font valoir l'approbation de l'empereur, et reconnaissent pour très-orthodoxe la profession de foi d'Arius. Ils invitent toutes les églises à l'admettre à la communion, lui et tous ceux qui en avaient été séparés avec lui. Ils écrivent en particulier à l'église d'Alexandrie, qu'il est temps de faire taire l'envie, et de rétablir la paix; que l'innocence d'Arius est reconnue; que l'église lui ouvre son sein, et qu'elle rejette Athanase. Marcel d'Ancyre ne voulut prendre aucune part à la réception d'Arius.

L. Athanase s'adresse à l'empereur.

Ath. Apol. contr. Arian. t. I, p. 131, 132 et 201-202.

Epiph. hær. 68. § 8, t. I, p. 724 et 725.

Socr. l. 1, c. 34.

Soz. l. 2, c. 28.

Les évêques venaient d'envoyer les lettres par lesquelles ils communiquaient avec complaisance leur décision à Constantin, lorsqu'ils en reçurent de sa part qui n'étaient pas aussi flatteuses. Athanase, s'étant échappé de Tyr, était venu à Constantinople; et comme l'empereur traversait la ville à cheval, le prélat accompagné de quelques amis, se présenta sur son passage d'une manière si subite et si imprévue, qu'il étonna Constantin. Le prince ne l'aurait pas reconnu sans quelques-uns de ses courtisans qui lui dirent qui il était, et l'injuste traitement qu'il venait d'essuyer. Constantin passait outre sans lui parler; et quoique Athanase demandât d'être entendu, l'empereur était prêt à le faire retirer par force. Alors l'évêque élevant la voix: *Prince*, lui dit-il, *le Seigneur jugera entre vous et moi, puisque vous vous déclarez pour ceux qui me calomnient; je ne vous demande que de faire venir mes juges, afin que je puisse vous faire ma plainte en leur présence*. L'empereur, frappé d'une requête si juste et si conforme à ses maximes, manda sur-le-champ aux évêques de venir lui rendre compte de leur conduite; il ne leur dissimula pas qu'on les accusait d'avoir procédé avec beaucoup d'emportement et de passion.

LI. Exil d'Athanase.

Athan. Apol. contr. Arian. t. I, p. 132 et 203.

Socr. l. 1, c. 35.

Theod. l. 1, c. 31.

Soz. l. 2, c. 28.

Cette lettre consterna la cabale. Les évêques mandés à la cour se dispersèrent aussitôt et s'en retournèrent dans leurs diocèses: il n'en resta que six des plus hardis, à la tête desquels étaient les deux Eusèbes. Ils se rendirent devant l'empereur, et se gardèrent bien d'entrer en dispute avec Athanase. Selon leur méthode ordinaire, au lieu de prouver les accusations dont il s'agissait, ils en formèrent une nouvelle. Bien instruits de la prédilection de Constantin pour sa nouvelle ville, ils chargèrent le saint évêque d'avoir menacé d'affamer Constantinople, en arrêtant le blé d'Alexandrie. Athanase eut beau représenter qu'un pareil attentat ne pouvait tomber dans l'esprit d'un particulier sans pouvoir et sans force; Eusèbe prétendit qu'Athanase était riche, et chef d'une faction puissante. La seule imputation irrita tellement l'empereur, qu'incapable de rien écouter, il exila l'accusé à Trèves, se flattant d'ailleurs que l'éloignement de ce prélat inflexible rendrait la paix à l'église. Le saint fut reçu avec honneur par l'évêque Maximin, zélé pour la vérité; et le jeune Constantin, qui faisait sa résidence en cette ville, prit soin d'adoucir son exil par les traitements les plus généreux.

LII. Concile de Constantinople.

Athan. Apol. contr. Arian. t. I, p. 150 et 151.

Socr. l. 1, c. 36.

Soz. l. 2, c. 33.

Les Ariens, maîtres du champ de bataille, formèrent à Constantinople une nouvelle assemblée: on y fit venir de bien loin les évêques du parti. Ils se réunirent en grand nombre. Il fut proposé en premier lieu de donner un successeur à Athanase. L'empereur n'y voulut point consentir. On déposa Marcel d'Ancyre, et Basile fut nommé en sa place. Marcel n'avait jamais usé de ménagement à l'égard des Ariens: il s'était signalé contre eux au concile de Nicée; il avait refusé de communiquer avec eux au concile de Jérusalem; il n'avait pas même voulu prendre part à la cérémonie de la dédicace: ce qu'on sut bien envenimer auprès de l'empereur, qui en fut fort irrité. Mais son plus grand crime était la guerre qu'il avait déclarée à un sophiste de Cappadoce nommé Astérius. Celui-ci était l'émissaire des Ariens, et courait de ville en ville prêchant leur doctrine. Marcel le confondit, et ce succès mit le comble à la haine que lui portaient déja les hérétiques: ils l'accusèrent de sabellianisme. Il fut justifié au concile de Sardique. Mais ses écrits donnèrent dans la suite occasion de soupçonner sa foi; et plusieurs saints docteurs l'ont condamné comme ayant favorisé les erreurs de Photin. Quelques autres évêques furent encore déposés contre toute justice dans le concile de Constantinople.

LIII. Efforts d'Eusèbe pour faire recevoir Arius par Alexandre.

Socr. l. 1, c. 37.

Theod. l. 1, c. 14.

Soz. l. 2, c. 29.

Vit. Athan. apud. Phot. cod. 257.

Mais le grand ouvrage d'Eusèbe, ce qu'il avait le plus à cœur, c'était de forcer les catholiques à recevoir Arius. Après le concile de Jérusalem, cet hérésiarque était retourné à Alexandrie. Il se flattait que l'exil d'Athanase ferait tomber devant lui toutes les barrières: il trouva les esprits plus aigris que jamais. On le rebuta avec horreur. Déja les troubles se rallumaient, quand l'empereur le rappela à Constantinople. Sa présence augmenta l'insolence de ses partisans, et la fermeté des catholiques. Eusèbe pressait l'évêque Alexandre de l'admettre à sa communion, et sur son refus il le menaçait de déposition. L'évêque, mille fois plus attaché à la pureté de la foi qu'à sa dignité, n'était point ébranlé de ces menaces. L'empereur fatigué d'une contestation si opiniâtre, voulut la terminer: il fait venir devant lui Arius, et lui demande s'il adhère aux décrets de Nicée. Arius répond sans balancer qu'il y souscrit de cœur et d'esprit, et présente une profession de foi où l'erreur était adroitement couverte sous des termes de l'Écriture. L'empereur, pour plus grande assurance, l'oblige de jurer que ce sont là sans détour ses véritables sentiments. Il n'en fait aucune difficulté. Quelques auteurs prétendent que, tenant le symbole de Nicée entre ses mains, et la formule de sa croyance hérétique cachée sous son bras, il rapportait à celle-ci le serment qu'il paraissait prononcer sur l'autre. Mais Arius était apparemment trop habile pour user en pure perte d'une pareille ruse, et trop éclairé pour ignorer qu'une restriction mentale ne rabat rien d'un parjure. Constantin satisfait de sa soumission: *Allez*, lui dit-il, *si votre foi s'accorde avec votre serment, vous êtes irrépréhensible: si elle n'y est pas conforme, que Dieu soit votre juge.* En même temps il mande à Alexandre de ne pas différer d'admettre Arius à la communion. Eusèbe, porteur de cet ordre, conduit Arius devant Alexandre, et signifie à l'évêque la volonté du prince. L'évêque persiste dans son refus. Alors Eusèbe haussant la voix: *Nous avons malgré vous*, lui dit-il, *fait rappeler Arius; nous saurons bien aussi malgré vous le faire entrer demain dans votre église.* Ceci se passait le samedi; et le lendemain tous les fidèles étant réunis pour la célébration des saints mystères, le scandale en devait être plus horrible. Alexandre voyant les puissances de la terre déclarées contre lui, a recours au ciel: il y avait sept jours que, par le conseil de Jacques de Nisibe qui était alors à Constantinople, tous les catholiques étaient dans le jeûne et dans les prières; et Alexandre avait passé plusieurs jours et plusieurs nuits enfermé seul dans l'église de la

Paix, prosterné et priant sans cesse. Frappé de ces dernières paroles d'Eusèbe, le saint vieillard accompagné de deux prêtres, dont l'un était Macarius d'Alexandrie, va se jeter au pied de l'autel; là, courbé vers la terre qu'il baignait de ses larmes, «Seigneur, dit-il d'une voix entrecoupée de sanglots, s'il faut qu'Arius soit demain reçu dans notre sainte assemblée, retirez du monde votre serviteur; ne perdez pas avec l'impie celui qui vous est fidèle. Mais si vous avez encore pitié de votre église, et je sais que vous en avez pitié, écoutez les paroles d'Eusèbe, et n'abandonnez pas votre héritage à la ruine et à l'opprobre. Faites disparaître Arius, de peur que s'il entre dans votre église, il ne semble que l'hérésie y soit entrée avec lui, et que le mensonge ne s'asseye dans la chaire de vérité».

LIV. Mort d'Arius.

Socr. l. 1, c. 38.

Theod. l. 1, c. 14.

Soz. l. 2, c. 29.

Tandis que cette prière d'Alexandre s'élevait au ciel avec ses soupirs, les partisans d'Arius promenaient celui-ci comme en triomphe dans la ville, pour le montrer au peuple. Lorsqu'il passait avec un nombreux cortége par la grande place auprès de la colonne de porphyre, il se sentit pressé d'un besoin naturel qui l'obligea de gagner un lieu public, tel qu'il y en avait alors dans toutes les grandes villes. Le domestique qu'il avait laissé au-dehors, voyant qu'il tardait beaucoup, craignit quelque accident; il entra et le trouva mort, renversé par terre, nageant dans son sang, et ses entrailles hors de son corps. L'horreur d'un tel spectacle fit d'abord trembler ses sectateurs; mais toujours endurcis, ils attribuèrent aux sortiléges d'Alexandre un châtiment si bien caractérisé par toutes les circonstances. Ce lieu cessa d'être fréquenté; on n'osait en approcher dans la suite, et on le montrait au doigt comme un monument de la vengeance divine. Long-temps après, un Arien riche et puissant acheta ce terrain, et y fit bâtir une maison afin d'effacer la mémoire de la mort funeste d'Arius.

LV. Constantin refuse de rappeler Athanase.

Ath. ad Monach. hist. Arian. t. I, p. 345 et 346.

Le bruit s'en répandit bientôt dans tout l'empire. Les Ariens en rougissaient de honte. Le lendemain, jour de dimanche, Alexandre à la tête de son peuple rendit à Dieu des actions de graces solennelles, non pas de ce qu'il avait fait périr Arius, dont il plaignait le malheureux sort, mais de ce qu'il avait daigné étendre son bras et repousser l'hérésie, qui marchait avec audace pour forcer l'entrée du sanctuaire. Constantin fut convaincu du parjure d'Arius; et cet événement le confirma dans son aversion pour l'arianisme, et dans son respect pour le concile de Nicée. Mais les Ariens, après la mort de leur chef, trouvant dans Eusèbe de Nicomédie autant de malice et encore plus de crédit, continuèrent de tendre des piéges à la bonne foi de l'empereur; et il ne cessa pas d'être la dupe de leur déguisement. Les habitants d'Alexandrie sollicitaient vivement le retour de leur évêque: on faisait dans la ville des prières publiques, pour obtenir de Dieu cette faveur; saint Antoine écrivit plusieurs fois à Constantin, pour lui ouvrir les yeux sur l'innocence d'Athanase et sur la fourberie des Mélétiens et des Ariens. Le prince fut inexorable. Il répondit aux Alexandrins par des reproches de leur opiniâtreté et de leur humeur turbulente; il imposa silence au clergé et aux vierges sacrées, et protesta qu'il ne rappellerait jamais Athanase; que c'était un séditieux, condamné par un jugement ecclésiastique. Il manda à saint Antoine qu'il ne pouvait se résoudre à mépriser le jugement d'un concile; qu'à la vérité la passion emportait quelquefois un petit nombre de juges, mais qu'on ne lui persuaderait pas qu'elle eût entraîné le suffrage d'un si grand nombre de prélats illustres et vertueux; qu'Athanase était un homme emporté, superbe, querelleur, intraitable: c'était en effet l'idée que les ennemis d'Athanase donnaient de lui à l'empereur, parce qu'ils connaissaient l'aversion de ce prince pour les hommes de ce caractère. Il ne pardonna pas même cet esprit de cabale à Jean le Mélétien, qui venait d'être si bien traité par le concile de Tyr. Ayant appris qu'il était le chef du parti opposé à Athanase, il l'arracha, pour ainsi dire, d'entre les bras des Mélétiens et des Ariens, et l'envoya en exil, sans vouloir écouter aucune sollicitation en sa faveur; toutefois, dans les derniers moments de sa vie, il revint de son injuste préjugé. Mais avant que de raconter la mort de ce prince, il est à propos de donner une idée des lois qu'il avait faites depuis le concile de Nicée.

LVI. Lois contre les hérétiques.

Cod. Th. lib. 16, t. 5.

Eus. vit. Const. l. 3, c. 63 et seq.

Soz. l. 2, c. 31 et 32.

Amm. l. 15, c. 13, et ibi Vales.

Dès le commencement du schisme des Donatistes, Constantin les avait exclus des graces qu'il répandait sur l'église d'Afrique. Il tint la même conduite à l'égard de tous ceux que le schisme ou l'hérésie séparait de la communion catholique: il déclara par une loi, que non-seulement ils n'auraient aucune part aux priviléges accordés à l'église, mais que leurs clercs seraient assujettis à toutes les charges municipales. Cependant il montra dans le même temps quelques égards pour les Novatiens. Comme on les inquiétait sur la propriété de leurs temples et de leurs cimetières, il ordonna qu'on leur laissât la libre possession de ces lieux, supposé qu'ils eussent été légitimement acquis, et non pas usurpés sur les catholiques. Vers la fin de sa vie il devint plus sévère: il publia contre les hérétiques un édit, dans lequel, à la suite d'une véhémente invective, il leur déclare, qu'après les avoir tolérés, comme il voit que sa patience ne sert qu'à donner à la contagion la liberté de s'étendre, il est résolu de couper le mal dans sa racine; en conséquence, il leur défend de s'assembler, soit dans les lieux publics, soit dans les maisons des particuliers; il leur ôte leurs temples et leurs oratoires, et les donne à l'église catholique. On fit la recherche de leurs livres; et comme on en trouva plusieurs qui traitaient de magie et de maléfices, on en arrêta les possesseurs, pour les punir selon les ordonnances. Cet édit fit revenir un grand nombre d'hérétiques: les uns de bonne foi, les autres par hypocrisie. Ceux qui demeurèrent obstinés, étant privés de la liberté de s'assembler, et de séduire par leurs instructions, laissèrent peu de successeurs; et ces plantes malheureuses se séchèrent insensiblement, et se perdirent enfin tout-à-fait, faute de culture et de semence. Les Novatiens, quoiqu'ils fussent nommés dans l'édit, furent encore traités avec indulgence: ils étaient moins éloignés que les autres des sentiments catholiques, et l'empereur aimait Acésius leur évêque. On laissa aussi subsister tranquillement ceux des Cataphrygiens, qui se renfermaient dans la Phrygie et dans les contrées voisines: c'était une espèce de Montanistes. L'édit ne parle point des Ariens: ils ne formaient pas encore de secte séparée; et, depuis leur rétractation simulée, l'empereur, loin de les regarder comme exclus de l'église, s'efforçait de les faire rentrer dans son sein. Il s'était fait instruire de la doctrine et des pratiques des diverses sectes par Stratégius, dont il changea le nom en celui de Musonianus. C'était un homme né à Antioche, qui fit fortune auprès de Constantin par son savoir et par son éloquence dans les deux langues. Il était attaché à l'arianisme, et parvint sous Constance à des honneurs qui mirent dans un grand jour ses bonnes et ses mauvaises qualités.

LVII. Loi sur la juridiction épiscopale.

Eus. vit. Const. l. 4, c. 27.

Soz. l. 1, c. 9.

Cod. Th. extra. leg. 1, et ibi God.

Till. not. 71, sur Constantin.

Eusèbe dit que Constantin se fit un devoir de confirmer par son autorité les sentences prononcées dans les conciles, et qu'il les faisait exécuter par les gouverneurs des provinces. Sozomène ajoute que, par un effet de son respect pour la religion, il permit à ceux qui avaient des procès de récuser les juges civils, et de porter leurs causes au jugement des évêques; qu'il voulut que les sentences des évêques fussent sans appel comme celles de l'empereur, et que les magistrats leur prêtassent le secours du bras séculier. Nous avons à la suite du Code Théodosien un titre sur la juridiction épiscopale, dont la première loi, attribuée à Constantin et adressée à Ablabius, préfet du prétoire, donne aux évêques une puissance suprême dans les jugements: elle ordonne que tout ce qui aura été décidé en quelque matière que ce soit par le jugement des évêques, soit regardé comme sacré, et sortisse irrévocablement son effet, même par rapport aux mineurs; que les préfets du prétoire et les autres magistrats tiennent la main à l'exécution; que si le demandeur ou le défendeur, soit au commencement de la procédure, soit après les délais expirés, soit à la dernière audience, soit même quand le juge a commencé à prononcer, en appelle à l'évêque, la cause y soit aussitôt portée, malgré l'opposition de la partie adverse; qu'on ne puisse appeler d'un jugement épiscopal; que le témoignage d'un seul évêque soit reçu sans difficulté dans tous les tribunaux, et qu'il fasse taire toute contradiction. L'authenticité de cette loi fait une grande question entre les critiques. Il ne m'appartient pas d'entrer dans cette contestation. Le lecteur jugera peut-être que ceux qui soutiennent la vérité de la loi font plus d'honneur aux évêques, et que ceux qui l'attaquent comme fausse et supposée en font plus à Constantin. Cujas justifie ici la sagesse de ce principe par le mérite éminent des évêques de ce temps-là, et par leur zèle pour la justice. Constantin vit à la vérité dans l'église ce qu'on y a vu dans tous les siècles, d'éclatantes lumières et de sublimes vertus: mais je doute que saint Eustathius, saint Athanase et Marcel d'Ancyre eussent été de l'avis de Cujas; du moins auraient-ils excepté des conciliabules fort nombreux.

LVIII. Lois sur les mariages.

Cod. Th. lib. 9, t. 7.

Lib. 3, t. 16.

Cod. Just. lib. 5, t. 27.

Lib. 4, t. 39.

La religion et les mœurs se soutiennent mutuellement; aussi Constantin fut-il attentif à conserver la pureté des mœurs, surtout par rapport aux mariages. Dans ses ordonnances, il met toujours les adultères à côté des homicides et des empoisonneurs. Selon la jurisprudence romaine, qui avait suivi en ce point celle des Athéniens, les femmes qui tenaient cabaret, étaient mises au rang des femmes publiques; elles n'étaient point sujettes aux peines de l'adultère. Constantin leur ôta cette impunité infamante; mais par un reste d'abus, il laissa ce honteux privilége à leurs servantes; et il en apporte une raison qui n'est guère conforme à l'esprit du christianisme: *C'est*, dit-il, *que la sévérité des jugements n'est pas faite pour des personnes que leur bassesse rend indignes de l'attention des lois*. L'adultère était un crime public, c'est-à-dire, que toute personne était reçue à en intenter accusation: pour empêcher que la paix des mariages ne fût mal à propos troublée, Constantin ôta l'action d'adultère aux étrangers; il la réserva aux maris, aux frères, aux cousins-germains; et pour leur sauver le risque que couraient les accusateurs, il leur permit de se désister de l'accusation intentée, sans encourir la peine des calomniateurs. Il laissa aux maris la liberté que ses prédécesseurs leur avait accordée, d'accuser leurs femmes sur un simple soupçon, sans s'exposer à la peine de la calomnie, pourvu que ce fût dans le terme de soixante jours depuis le crime commis ou soupçonné. Les divorces étaient fréquents dans l'ancienne république; Auguste en avait diminué la licence; mais la discipline s'était bientôt relâchée sur ce point, et les causes les plus légères suffisaient pour rompre le lien conjugal. Constantin le resserra: il retrancha aux femmes la faculté de faire divorce, à moins qu'elles ne pussent convaincre leurs maris d'homicide, d'empoisonnement, ou d'avoir détruit des sépultures, espèce de sacrilége qui se mettait depuis quelque temps à la mode. Dans ces cas, la femme pouvait reprendre sa dot; mais si elle se séparait pour toute autre cause, elle était obligée de laisser à son mari *jusqu'à une aiguille*, dit la loi, et condamnée à un bannissement perpétuel. Le mari, de son côté, ne pouvait répudier sa femme et se remarier à une autre qu'en cas d'adultère, de poison, ou d'infâme commerce; autrement, il était forcé de lui rendre sa dot entière, sans pouvoir contracter un autre mariage: s'il se remariait, la première femme était en droit de s'emparer et de tous les biens du mari, et de la dot même de la seconde épouse. On voit que cette loi, toute rigoureuse qu'elle dût sembler alors, n'était pourtant pas encore conforme à celle de l'Évangile sur l'indissolubilité du mariage. Par une autre loi, Constantin voulut arrêter les mariages contraires à la bienséance publique. Il déclara que les pères, revêtus de quelque dignité ou de quelque charge honorable, ne pourraient légitimer les enfants venus d'un mariage contracté avec une femme abjecte et indigne de leur alliance: il met en ce rang les servantes, les affranchies, les comédiennes, les cabaretières, les revendeuses, et les filles de ces sortes de femmes, aussi-bien que les filles de ceux qui faisaient trafic de débauche ou qui combattaient dans l'amphithéâtre. Il ordonna que tous les dons, tous les achats faits en faveur de ces enfants, soit au nom du père, soit sous des noms empruntés, leur seraient retirés, pour être rendus aux héritiers légitimes; qu'il en serait de même des donations et des achats en faveur de ces épouses; qu'en cas qu'on pût soupçonner quelque distraction d'effets ou quelque fidéicommis, on mettrait à la question ces malheureuses enchanteresses; qu'au défaut des parents, s'ils étaient deux mois sans se présenter, le fisc s'emparerait des biens; et qu'après une recherche sévère, ceux qui seraient convaincus d'avoir détourné quelque partie de l'héritage, seraient condamnés à restituer le quadruple. En un mot, il prit toutes les précautions que la prudence lui suggéra pour arrêter le cours de ces libéralités, que la loi appelle des *largesses impudiques*. Il défendit sous peine de la vie de faire des eunuques dans toute l'étendue de l'empire; et ordonna que l'esclave qui aurait éprouvé cette violence serait adjugé au fisc, aussi-bien que la maison où elle aurait été commise, supposé que le maître de cette maison en eût été instruit.

LIX. Autres lois sur l'administration civile.

Cod. Th. lib. 2, t. 16.Lib. 14, tit. 4, 24. Lib. 8, t. 9. Lib. 1, t. 7. ib. 6, t. 37. Lib. 2, t. 25. Lib. 4, t. 4. Lib. 22, t. 6. Lib. 15, t. 2. Lib. 13, t. 4.

Cod. Just. lib. 11, t. 61. Lib. 2, t. 20. Lib. 1, t. 31. Lib. 3, tit. 27. Lib. 11, t. 62. Lib. 1, tit. 40. Lib. 11, t. 65. Lib. 3, tit. 19. Lib. 3, tit. 13. Lib. 7, tit. 16.

Attentif à toutes les parties de l'administration civile, il ne perdit jamais de vue les intérêts des mineurs, exposés aux fraudes d'un tuteur infidèle, ou d'une mère capable de les sacrifier à une nouvelle passion. Il voulut que la négligence des tuteurs à payer les droits du fisc, ne fût préjudiciable qu'à eux-mêmes. En quittant Rome, il prit soin de veiller aux approvisionnements de cette grande ville; il ne diminua rien des distributions qu'y avaient établies ses prédécesseurs. Les concussions palliées sous le prétexte d'achat de la part des officiers des provinces furent punies par la perte et de la chose achetée, et de l'argent donné pour cet achat. Il réprima l'avidité de certains officiers qui entreprenaient sur les fonctions des autres: il régla l'ordre de leur promotion, et voulut connaître, par lui-même, ceux dont la capacité et la probité méritaient les premières places. Il arrêta les concussions des receveurs du fisc, et les usurpations des fermiers du domaine. Mais une preuve, plus forte que tous les témoignages des historiens, et de la corruption des officiers de ce prince, et de l'horreur qu'il avait de leurs rapines, c'est l'édit qu'il adressa de Constantinople à toutes les provinces de l'empire: il mérite d'être rapporté en entier; l'indignation dont il porte le caractère, fait honneur à ce bon prince; mais ce ton de colère est peut-être en même temps une marque de la violence qu'il se faisait pour menacer, et de la répugnance qu'il sentait à exécuter ses menaces. *Que nos officiers*, dit-il, *cessent donc enfin, qu'ils cessent d'épuiser nos sujets; si cet avis ne suffit pas, le glaive fera le reste. Qu'on ne profane plus par un infâme commerce le sanctuaire de la justice; qu'on ne fasse plus acheter les audiences, les approches, la vue même du président. Que les oreilles du juge soient également ouvertes pour les plus pauvres et pour les riches. Que l'audiencier ne fasse plus un trafic de ses fonctions, et que ses subalternes cessent de mettre à contribution les plaideurs. Qu'on réprime l'audace des ministres inférieurs, qui tirent indifféremment des grands et des petits; et qu'on arrête l'avidité insatiable des commis qui délivrent les sentences: c'est le devoir du supérieur de veiller à empêcher tous ces officiers de rien exiger des plaideurs. S'ils persistent à se créer eux-mêmes des droits imaginaires, je leur ferai trancher la tête: nous permettons à tous ceux qui auront éprouvé ces vexations d'en instruire le magistrat; s'il tarde d'y mettre ordre, nous vous invitons à porter vos plaintes aux comtes des provinces, ou au préfet du prétoire, s'il est plus proche; afin que sur le rapport qu'ils nous feront de ces brigandages, nous imposions aux coupables la punition qu'ils méritent.* Par un autre édit, ou peut-être par une autre partie du même édit, ce prince, sans doute pour intimider les juges corrompus et s'épargner la peine de les punir, permet aux habitants des provinces d'honorer par leurs acclamations les magistrats intègres et vigilants, quand ils paraissent en public, et de se plaindre à haute voix de ceux qui sont malfaisants et injustes: il promet de se faire rendre compte de ces divers suffrages publics par les gouverneurs et les préfets du prétoire, et d'en examiner les motifs. Les priviléges attachés aux titres honorables furent supprimés à l'égard de ceux qui avaient acquis ces titres par intrigue ou par argent, sans avoir les qualités requises. Il assura aux particuliers la possession des biens qu'ils achetaient du fisc, et déclara qu'ils en jouiraient paisiblement, eux et leur postérité, sans crainte qu'on les retirât jamais de leurs mains. Un trait qui prouve que les plus petits objets n'échappaient pas à Constantin quand l'humanité y était intéressée, c'est qu'il ordonna par une loi, que dans les différentes répartitions qui se faisaient des terres du prince lors des nouvelles adjudications, on eût soin de mettre ensemble sous un même fermier les esclaves du domaine qui composaient une même famille: *C'est*, dit-il, *une cruauté de séparer les enfants de leurs pères, les frères de leurs sœurs, et les maris de leurs femmes*. Il fit aussi plusieurs réglements sur les testaments; sur l'état des enfants quand la liberté de leur mère était contestée; sur l'ordre judiciaire, pour empêcher les injustices et les chicanes, pour éclaircir et abréger les procédures. Les propriétaires des fonds par lesquels passaient les aquéducs, furent chargés de les nettoyer; ils étaient en récompense exempts des taxes extraordinaires; mais la terre devait être confisquée, si l'aquéduc périssait par leur négligence. La quantité d'édifices que Constantin élevait à Constantinople, et d'églises qu'on bâtissait par son ordre dans toutes les provinces, demandait un grand nombre d'architectes: il se plaint de n'en pas trouver assez, et ordonne à Félix, préfet du prétoire d'Italie, d'encourager l'étude de cet art, en y engageant le plus qu'il sera possible de jeunes Africains de dix-huit ans, qui aient quelque teinture des belles-lettres. Afin de les y attirer plus aisément, il leur donne exemption de charges personnelles pour eux, pour leurs pères et pour leurs mères; et il veut qu'on assure aux professeurs un honoraire convenable. Il est remarquable qu'il choisit par préférence des Africains, comme les jugeant plus propres à réussir dans les arts. Par une autre loi adressée au préfet du prétoire des Gaules, il accorde la même exemption aux ouvriers de toute espèce, qui sont employés à la construction ou à la décoration des édifices; afin qu'ils puissent sans distraction se perfectionner dans leurs arts et y instruire leurs enfants.

AN 337.

LX. Les Perses rompent la paix.

Eus. vit. Const. l. 4, c. 53, 56, 57.

Eutrop. l. 10.

Aurel. Vict. de Cæs. p. 177.

Chron. Alex, vel Paschal. p. 286.

L'empereur commençait la soixante et quatrième année de sa vie, et malgré ses travaux continuels, malgré les chagrins mortels qu'il avait essuyés, et la délicatesse de son tempérament, il devait à sa frugalité et à l'éloignement de toute espèce de débauche, une santé qui ne s'était jamais démentie. Il avait conservé toutes les graces de son extérieur; et les approches de la vieillesse ne lui avaient rien dérobé de ses forces. Il montrait encore la même vigueur, et dans tous les exercices militaires, on le voyait avec la même facilité monter à cheval, marcher à pied, lancer le javelot. Il crut avoir besoin d'en faire une nouvelle épreuve contre les Perses. Sapor, âgé de vingt-sept ans, étincelant de courage et de jeunesse, pensa qu'il était temps de mettre en œuvre les grands préparatifs que la Perse faisait depuis quarante ans. Il envoya redemander à Constantin les cinq provinces[83] que Narsès, vaincu, avait été contraint d'abandonner aux Romains à l'occident du Tigre[84]. L'empereur lui fit dire qu'il allait en personne lui porter sa réponse; en même temps il se prépara à marcher, disant hautement qu'il ne manquait à sa gloire que de triompher des Perses. Il fit donc assembler ses troupes, et il prit des mesures pour ne pas interrompre ses pratiques de religion, au milieu du tumulte de la guerre. Les évêques qui se trouvaient à sa cour, s'offrirent tous avec zèle à l'accompagner, et à combattre pour lui par leurs prières. Il accepta ce secours, sur lequel il comptait plus encore que sur ses armes, et les instruisit de la route qu'il devait suivre. Il fit préparer un oratoire magnifique, où il devait avec les évêques présenter ses vœux à l'arbitre des victoires; et se mettant à la tête de son armée, il arriva à Nicomédie. Sapor avait déja passé le Tigre et ravageait la Mésopotamie, lorsque, ayant appris la marche de Constantin, soit qu'il fût étonné de sa promptitude, soit qu'il voulût l'amuser par un traité, il lui envoya des ambassadeurs pour demander la paix avec une soumission apparente. Il est incertain si elle fut accordée; mais les Perses se retirèrent des terres de l'empire, pour n'y rentrer que l'année suivante sous le règne de Constance[85].

[83] Ces cinq provinces sont nommées dans les extraits des ambassades du patrice Pierre (p. 30), l'Intélène, la Sophène, l'Arzacène, la Corduène et la Zabdicène. C'étaient cinq petits cantons, situés sur les bords du Tigre au nord de Ninive, dans les environs d'Amid, entre l'Arménie et l'Osrhoëne. On varie un peu sur leurs noms, qui ne nous ont pas été transmis avec toute l'exactitude désirable par le patrice Pierre. Je crois qu'au lieu de l'*Intélène*, il faut lire l'*Ingélème*, nom d'une petite province d'Arménie, vers les sources du Tigre, mentionnée dans saint Épiphane (*heres.* 60) et dans les auteurs

arméniens et syriens. Pour le nom inconnu de l'*Arzacène*, je n'hésite pas à le remplacer par celui de l'*Arzanène*, province bien connue, dont il sera souvent question dans la suite. Ammien (l. 25, c. 7) remplace la *Sophène* et l'*Intélène*, par la *Moxoène* et la *Réhimène*. Il ne paraît pas malgré cette cession que ces provinces aient fait partie intégrante de l'empire romain; des garnisons romaines y remplacèrent des troupes persanes, mais la souveraineté y appartenait à de petits princes feudataires de l'Arménie. Il sera question, sous le règne de Julien, d'un prince de la Corduène, allié ou dépendant de l'empire et qui portait le nom romain de *Jovianus*.—S.-M.

[84] Lebeau se conforme ici à l'opinion de Tillemont, qui n'a fait lui-même que reproduire celle de Henri de Valois. Ces savants pensaient que le nom de *Transtigritains*, donné aux peuples orientaux qui devinrent, sous le règne de Dioclétien, dépendants de l'empire romain, indiquait leur position par rapport à la Perse et non pour les Romains. C'est une erreur. Elle a été produite par le peu de connaissance, qu'on avait de leur temps, de la disposition géographique des pays dont il s'agit. Il est certain, au contraire, que toutes ces régions étaient situées à l'orient du Tigre, par conséquent au-delà de ce fleuve par rapport aux Romains.—S.-M.

[85] Je ferai connaître dans le § 14 du livre VI, les véritables motifs qui avaient décidé Constantin à porter ses armes dans l'Orient, contre les Perses, et qui obligèrent son successeur à leur faire la guerre.—S.-M.

LXI. Maladie de Constantin.

Eus. vit. Const. l. 4, c. 22, 55 et seq.

Socr. l. 1, c. 39.

Theod. l. 1, c. 32.

Soz. l. 2, c. 34.

Vales. not. ad Eus. vit. l. 4, c. 61.

Concil. Neocæs. Can. 12.

La fête de Pâques qui tombait cette année au 3 avril, trouva Constantin à Nicomédie. Il passa la nuit de la fête en prières au milieu des fidèles. Il avait toujours honoré ces saints jours par un culte très-solennel; c'était sa coutume de faire allumer la nuit de Pâques, dans la ville où il se trouvait, des flambeaux de cire et des lampes, ce qui rendait cette nuit aussi brillante que le plus beau jour; et dès le matin il faisait distribuer en son nom des aumônes abondantes dans tout l'empire. Peu de jours avant sa maladie, il prononça dans son palais un long discours sur l'immortalité de l'ame, et sur l'état des bons et des méchants dans l'autre vie. Après l'avoir prononcé, il arrêta un de ses courtisans qu'il soupçonnait d'incrédulité, et lui demanda son avis sur ce qu'il venait d'entendre. Il est presque inutile d'ajouter, ce que Constantin aurait bien dû prévoir, que celui-ci, quoi qu'il en pensât, n'épargna pas les éloges. L'église des Apôtres qu'il destinait à sa sépulture, venait d'être achevée à Constantinople; il donna ordre d'en faire la dédicace, sans attendre son retour, comme s'il eût prévu sa mort prochaine. En effet, peu après la fête de Pâques il sentit d'abord quelque légère indisposition; ensuite étant tombé sérieusement malade, il se fit transporter à des sources d'eaux chaudes près d'Hélénopolis. Il n'y trouva aucun soulagement. Etant entré dans cette ville, que la mémoire de sa mère lui faisait aimer, il resta long-temps en prières dans l'église de Saint-Lucien; et sentant que sa fin approchait, il crut qu'il était temps d'avoir recours à un bain plus salutaire, et de laver dans le baptême toutes les taches de sa vie passée. C'était un usage trop commun de différer le baptême jusqu'aux approches de la mort. Les conciles et les saints Pères se sont souvent élevés contre cet abus dangereux. L'empereur qui s'était exposé au risque de mourir sans la grace du baptême, alors rempli de sentiments de pénitence, prosterné en terre demanda pardon à Dieu, confessa ses fautes et reçut l'imposition des mains.

LXII. Son baptême.

Eus. vit. Const. l. 4, c. 61 et seq.

Socr. l. 1, c. 39.

Theod. l. 1, c. 32.

Soz. l. 2, c. 34.

Hier. Chron.

Chron. Alex. vel Paschal. p. 286.

S'étant fait reporter au voisinage de Nicomédie dans le château d'Achyron qui appartenait aux empereurs, il fit assembler les évêques et leur tint ce discours: «Le voici enfin ce jour heureux, auquel j'aspirais avec ardeur. Je vais recevoir le sceau de l'immortalité. J'avais dessein de laver mes péchés dans les eaux du Jourdain, que notre Sauveur a rendues si salutaires en daignant s'y baigner lui-même. Dieu qui sait mieux que nous ce qui nous est avantageux, me retient ici; il veut me faire ici cette faveur. Ne tardons plus. Si le souverain arbitre de la vie et de la mort juge à propos de me laisser vivre, s'il me permet encore de me joindre aux fidèles pour participer à leurs prières dans leurs saintes assemblées, je suis résolu de me prescrire des règles de vie, qui soient dignes d'un enfant de Dieu.» Quand il eut achevé ces paroles, les évêques lui conférèrent le baptême selon les cérémonies de l'église, et le rendirent participant des saints mystères. Le prince reçut ce sacrement avec joie et reconnaissance; il se sentit comme renouvelé et éclairé d'une lumière divine. On le revêtit d'habits blancs; son lit fut couvert d'étoffes de même couleur, et dès ce moment il ne voulut plus toucher à la pourpre. Il remercia Dieu à haute voix de la grace qu'il venait de recevoir, et ajouta: *C'est maintenant que je suis vraiment heureux, vraiment digne d'une vie immortelle. Quel éclat de lumière luit à mes yeux! Que je plains ceux qui sont privés de ces biens!* Comme les principaux officiers de ses troupes venaient fondants en larmes lui témoigner leur douleur de ce qu'il les laissait orphelins, et qu'ils priaient le ciel de lui prolonger la vie: *Mes amis*, leur dit-il, *la vie où je vais entrer est la véritable vie: je connais les biens que je viens d'acquérir, et ceux qui m'attendent encore. Je me hâte d'aller à Dieu.*

LXIII. Vérité de cette histoire.

Athan. de Synod. t. 1, p. 723.

Ambros. orat. in fun. Theod. § 40, t. 2, p. 1209.

Hier. Chron.

Socr. l. 1, c. 39.

Theod. l. 1, c. 32.

Soz. l. 2, c. 34.

Till. not. 65, sur Constantin.

Cyrill. Alex. l. 7, contra Julian. p. 245-247, ed. Spanh.

C'est ainsi qu'Eusèbe qui écrivait sous les yeux mêmes des fils de Constantin et de tout l'empire, deux ou trois ans après cet événement, raconte le baptême de ce prince, et ce témoignage est au-dessus de toute exception. Il est confirmé par ceux de saint Ambroise, de saint Prosper, de Socrate, de Théodoret, de Sozomène, d'Évagrius, de Gelasius de Cyzique, de saint Isidore et de la Chronique d'Alexandrie. Tant d'autorités ne sont contredites que par les faux actes de saint Silvestre, et par quelques autres pièces de même valeur. Aussi la lèpre de Constantin et les fables qu'elle amène, le baptême donné dans Rome à ce prince avant le concile de Nicée par le pape Silvestre, sa guérison miraculeuse, ne trouvent plus de croyance que dans l'esprit de ceux qui s'obstinent à défendre la donation de Constantin, pour le soutien de laquelle ce roman a été inventé. Il ne l'était pas encore, lorsque peu d'années après la mort de ce prince, Julien d'un côté insultait les chrétiens en leur disant que leur baptême ne guérissait pas de la lèpre, et que de l'autre, saint Cyrille occupé à le confondre, ne disait pas en si belle occasion un seul mot ni de la lèpre ni de la guérison de Constantin.

LXIV. Mort de Constantin.

Liban. Basil, t. 2, p. 113, ed. Morel.

Ath. apol. contr. Arian. t. 1, p. 203, et ad monach. hist. Arian. t. I, p. 349.

Theod. l. 1, c. 32-34 et l. 2, c. 2.

Soz. l. 3, c. 2.

Acta. Mart. p. 667.

Philost. l. 2, c. 16 et 17.

Cedren. t. I, p. 296 et 297.

Zonar. l. 13, t. 2, p. 10.

Till. art. 78.

Rufin. l. 10, c. 11.

Ce grand prince, régénéré pour le ciel, ne songea plus aux choses de la terre, qu'autant qu'il fallait pour laisser ses enfants et ses sujets heureux. Il légua à Rome et à Constantinople des sommes considérables pour faire en son nom des largesses annuelles. Il fit un testament par lequel il confirma le partage qu'il avait fait entre ses enfants et ses neveux, et le mit entre les mains de ce prêtre hypocrite, qui avait procuré le rappel d'Arius; il lui fit promettre avec serment qu'il ne le remettrait qu'à son fils Constance. Il voulut que ses soldats jurassent qu'ils n'entreprendraient rien contre ses enfants ni contre l'église. Malgré Eusèbe de Nicomédie, qui toujours déguisé ne l'abandonnait pas sans doute dans ces derniers moments, il se délivra du scrupule que lui causait l'exil d'Athanase, et ordonna qu'il fût renvoyé à Alexandrie. Ce saint prélat incapable de ressentiment, et plein de respect pour la mémoire de ce prince, quelque sujet qu'il eût de s'en plaindre, voulut bien l'excuser dans la suite, et se persuada que Constantin ne l'avait pas proprement exilé; mais que pour le sauver des mains de ses ennemis, il l'avait mis comme en dépôt en celles de son fils aîné qui le chérissait. Quelques auteurs ont prétendu que Constantin avait été empoisonné par ses frères, et qu'en étant instruit il avait recommandé à ses enfants de venger sa mort. C'est un mensonge inventé par les Ariens, pour justifier, aux dépens de ce prince, leur protecteur Constance qui fit périr ses oncles. Constantin mourut le 22 mai, jour de la Pentecôte, à midi, sous le consulat de Félicianus et de Titianus; ayant régné trente ans, neuf mois, vingt-sept jours, et vécu soixante-trois ans, deux mois et vingt-cinq jours.

LXV. Deuil à sa mort.

Euseb. vit. Const. l. 4, c. 65.

Dès qu'il eut rendu le dernier soupir, ses gardes donnèrent des marques de la plus vive douleur: ils déchiraient leurs habits, se jetaient à terre et se frappaient la tête. Au milieu de leurs sanglots et de leurs cris lamentables, ils l'appelaient leur maître, leur empereur, leur père. Les tribuns, les centurions, les soldats si souvent témoins de sa valeur dans les batailles, semblaient vouloir encore le suivre au tombeau. Cette perte leur était plus sensible que la plus sanglante défaite. Les habitants de Nicomédie couraient tous confusément par les rues, mêlant leurs gémissements et leurs larmes. C'était un deuil particulier pour chaque famille; et chacun, pleurant son prince, pleurait son propre malheur.

LXVI. Ses funérailles.

Euseb. vit.

Const. l. 4, c. 66-67.

Son corps fut porté à Constantinople dans un cercueil d'or couvert de pourpre. Les soldats dans un morne silence précédaient le corps et marchaient à la suite. On le déposa orné de la pourpre et du diadème dans le principal appartement du palais, sur une estrade élevée, au milieu d'un grand nombre de flambeaux portés par des chandeliers d'or. Ses gardes l'environnaient jour et nuit. Les généraux, les comtes et les grands officiers venaient chaque jour, comme s'il eût été encore vivant, lui rendre leurs devoirs aux heures marquées, et le saluaient en fléchissant le genou. Les sénateurs et les magistrats entraient ensuite à leur tour; et après eux une foule de peuple de tout âge et de tout sexe. Les officiers de sa maison se rendaient auprès de lui comme pour leur service ordinaire. Ces lugubres cérémonies durèrent jusqu'à l'arrivée de Constance.

LXVII. Fidélité des légions.

Euseb. vit. Const. l. 4, c. 68.

Les tribuns ayant choisi entre les soldats ceux qui avaient été les plus chéris de l'empereur, les dépêchèrent aux trois Césars, pour leur porter cette triste nouvelle. Les légions répandues dans les diverses parties de l'empire, n'eurent pas plutôt appris la mort de leur prince, qu'animées encore de son esprit, elles résolurent, comme de concert, de ne reconnaître pour maîtres que ses enfants. Peu de temps après elles les proclamèrent Augustes, et se communiquèrent mutuellement par des courriers cet accord unanime.

LXVIII. Inhumation de Constantin.

Euseb. vit. Const. l. 4, c. 70, 71.

Soz. l. 2, c. 34.

Joan. Chrysost. in 2 ad Corinth. hom. 26, t. X, p. 625.

Cedren. t. I, p. 296.

Hist. misc. l. 11. apud Muratori, t. I, p. 74.

Gyll. Topog. Constantinop. l. 4, c. 2.

Cependant Constance, moins éloigné que les deux autres Césars, arriva à Constantinople. Il fit transporter le corps de son père à l'église des Apôtres. Il conduisait lui-même le convoi: à sa suite marchait l'armée en bon ordre; les gardes entouraient le cercueil, suivi d'un peuple innombrable. Quand on fut arrivé à l'église, Constance qui n'était encore que catéchumène, se retira avec les soldats, et on célébra les saints mystères. Le corps fut déposé dans un tombeau de porphyre qui n'était pas dans l'église même, mais dans le vestibule. Saint Jean Chrysostôme dit que Constance crut faire un honneur distingué à son père en le plaçant à l'entrée du palais des Apôtres. Vingt ans après, comme on fut obligé de rétablir cet édifice qui tombait déja en ruine, on fit transférer le corps dans l'église de Saint-Acacius; mais on le rapporta ensuite dans celle des Apôtres. Gilles, savant voyageur du seizième siècle, dit qu'on lui montra à Constantinople, près du lieu où avait été cette église, un tombeau de porphyre, vide et découvert, long de dix pieds et haut de cinq et demi, que les Turcs disaient être celui de Constantin.

LXIX. Deuil à Rome.

Euseb. vit. Const. l. 4, c. 69 et 73.

Aurel. Vict. de Cæs. p. 178.

Jul. or. 1, p. 16. ed. Spanh.

Eunap. in Proœr. p. 91. ed. Boiss.

Grut. p. 178, nº 1.

[Eckhel. Doct. num. vet. t. VIII, p. 92 et 93.]

Tout l'empire pleura ce grand prince. Ses conquêtes, ses lois, les superbes édifices dont il avait décoré toutes les provinces, Constantinople elle-même qui toute entière était un magnifique monument érigé à sa gloire, lui avaient attiré l'admiration: ses libéralités et son amour pour ses peuples lui avaient acquis leur tendresse. Il aimait la ville de Rheims; et c'est à lui sans doute plutôt qu'à son fils, qu'on doit attribuer d'y avoir fait construire des thermes à ses dépens: l'éloge pompeux que porte l'inscription de ces thermes ne peut convenir qu'au père[86]. Il avait déchargé Tripoli en Afrique et Nicée en Bithynie de certaines contributions onéreuses, auxquelles les empereurs précédents avaient assujetti ces villes depuis plus d'un siècle. Il avait accepté le titre de stratège ou de préteur d'Athènes, dignité devenue, depuis Gallien, supérieure à celle d'archonte; il y faisait distribuer tous les ans une grande quantité de blé; et cette largesse était établie à perpétuité. Rome se signala entre les autres villes par l'excès de sa douleur. Elle se reprochait d'avoir causé à ce bon prince des déplaisirs amers, et de l'avoir forcé à préférer Byzance: pénétrée de regret elle se faisait à elle-même un crime de l'élévation de sa nouvelle rivale. On ferma les bains et les marchés; on défendit les spectacles et tous les divertissements publics. On ne s'entretenait que de la perte qu'on avait faite. Le peuple déclarait hautement qu'il ne voulait avoir pour empereurs que les enfants de Constantin. Il demandait à grands cris qu'on lui envoyât le corps de son empereur; et la douleur augmenta quand on sut qu'il restait à Constantinople. On rendait honneur à ses images, dans lesquelles on le représentait assis dans le ciel. L'idolâtrie toujours bizarre le plaça au nombre de ces mêmes dieux qu'il avait abattus; et par un mélange ridicule, plusieurs de ses médailles portent le titre de Dieu avec le monogramme du Christ. Les cabinets des antiquaires en conservent d'autres telles que les décrit Eusèbe: on y voit Constantin assis dans un char attelé de quatre chevaux; il paraît être attiré au ciel par une main qui sort des nues.

[86] Lebeau se trompe à ce que je crois. L'inscription dont il parle ne peut laisser de doute sur le fondateur de ce monument. On va en juger:

IMP. CAES. FL. CONSTANTINVS. MAX. AVG. SEMPI
TERNVS. DIVI. CONSTANTINI. AVG. F. TOTO
ORBE. VICTORIIS. SVIS. SEMPER. AC. FELICITER
CELEBRANDVS. THERMAS. FISCI. SVI. SVMPTV
A. FVNDAMENTIS. CEPTAS. AC. PERACTAS
CIVITATI. SVAE. REMORVM. PRO. SOLITA
LIBERALITATE. LARGITVS. EST.

Les éloges qu'on a donnés dans cette inscription au jeune Constantin, sont un peu exagérés, il est vrai; mais n'en est-il pas toujours ainsi des dédicaces faites du vivant des fondateurs? Ceux-ci sont cependant justifiés par les victoires que ce prince avait remportées sur les Goths et les Sarmates. Les expressions *toto orbe, victoriis suis, semper ac feliciter celebrandus*, lui conviennent tout aussi bien qu'à son père. Il n'est guère probable d'ailleurs que Constantin, qui fit si peu de séjour dans les Gaules et qui était tout occupé de sa nouvelle capitale, ait songé à faire élever des thermes à Reims, tandis que rien n'était plus naturel pour son fils, qui résida presque toujours dans les Gaules, qui lui avaient été destinées par son père dès son enfance.—S.-M.

LXX. Honneurs rendus à sa mémoire par l'église.

Bolland. 21 maii.

Till. art. 78.

Theod. l. 1, c. 34.

Baron. ann. 324.

Pachym. in Mich. Palœol. l. 9, c. 1.

L'église lui a rendu des honneurs plus solides. Tandis que les païens en faisaient un dieu, les chrétiens en ont fait un saint. On célébrait sa fête en Orient avec celle d'Hélène, et son office, qui est fort ancien chez les Grecs, lui attribue des miracles et des guérisons. On bâtit à Constantinople un monastère sous le nom de Saint-Constantin. On rendait des honneurs extraordinaires à son tombeau et à sa statue placée sur la colonne de porphyre. Les Pères du concile de Chalcédoine crurent honorer Marcien, le plus religieux des princes, en le saluant du nom de nouveau Constantin. Au neuvième siècle on récitait encore à Rome son nom à la messe, avec celui de Théodose Ier et des autres princes les plus respectés. Il y avait sous son nom en Angleterre plusieurs églises et plusieurs autels. En Calabre est le bourg de Saint-Constantin, à quatre milles du mont Saint-Léon. A Prague, en Bohême, on a long-temps honoré sa mémoire, et l'on y conservait de ses reliques. Son culte et celui d'Hélène ont passé jusqu'en Moscovie; et les nouveaux Grecs lui donnent ordinairement le titre d'*égal aux Apôtres*.

LXXI. Caractère de Constantin.

Aurel. Vict. de Cæs. p. 178.

Eutrop. l. 10.

Les défauts de Constantin nous empêchent de souscrire à un éloge aussi hyperbolique. Les spectacles affreux de tant de captifs dévorés par les bêtes; la mort de son fils innocent, celle de sa femme, dont la punition trop précipitée prit la couleur de l'injustice, montrent que le sang des Barbares coulait encore dans ses veines; et que s'il était bon et clément par caractère, il devenait dur et impitoyable par emportement. Peut-être eut-il de justes raisons d'ôter la vie aux deux Licinius; mais la postérité a droit de condamner les princes, qui ne se sont pas mis en peine de se justifier à son tribunal. Il aima l'Église; elle lui doit sa liberté et sa splendeur; mais, facile à séduire, il l'affligea lorsqu'il croyait la servir; se fiant trop à ses propres lumières, et se reposant avec trop de crédulité sur la bonne foi des méchants qui l'environnaient, il livra à la persécution des prélats qui méritaient à plus juste titre d'être comparés aux Apôtres. L'exil et la déposition des défenseurs de la foi de Nicée, balancent au moins la gloire d'avoir convoqué ce fameux concile. Incapable lui-même de dissimulation, il fut trop aisément la dupe des hérétiques et des courtisans. Imitateur de Titus, d'Antonin et de Marc-Aurèle, il aimait ses peuples et voulait en être aimé; mais ce fonds même de bonté, qui les lui faisait chérir, les rendit malheureux; il ménagea jusqu'à ceux qui les pillaient: prompt et ardent à défendre les abus, lent et froid à les punir; avide de gloire, et peut-être un peu trop dans les petites choses. On lui reproche d'avoir été plus porté à la raillerie qu'il ne convient à un grand prince. Au reste il fut chaste, pieux, laborieux et infatigable, grand capitaine, heureux dans la guerre, et méritant ses succès par une valeur brillante et par les lumières de son génie; protégeant les arts et les encourageant par ses bienfaits. Si on le compare avec Auguste, on trouvera qu'il ruina l'idolâtrie avec les mêmes précautions et la même adresse que l'autre employa à détruire la liberté. Il fonda comme Auguste un nouvel empire; mais moins habile et moins politique, il ne sut pas lui donner la même solidité: il affaiblit le corps de l'état en y ajoutant, en quelque façon, une seconde tête par la fondation de Constantinople; et transportant le centre du mouvement et des forces trop près de l'extrémité orientale, il laissa sans chaleur et presque sans vie les parties de l'Occident, qui devinrent bientôt la proie des Barbares.

LXXII. Reproches mal fondés de la part des païens.

Eutr. l. 10.

Aur. Vict. epit. p. 224.

Les païens lui ont voulu trop de mal pour lui rendre justice. Eutrope dit que, dans la première partie de son règne, il fut comparable aux princes les plus accomplis, et dans la dernière aux plus médiocres. Le jeune Victor, qui lui donne plus de trente et un an de règne, prétend que dans les dix premières années ce fut un héros, dans les douze suivantes un ravisseur, et un dissipateur dans les dix dernières. Il est aisé de sentir que de ces deux reproches de Victor, l'un porte sur les richesses que Constantin enleva à l'idolâtrie, et l'autre sur celles dont il combla l'église.

LXXIII. Ses filles.

Ducange, Fam. Byz. p. 47.

Till. note 18, sur Constantin.

Outre ses trois fils il laissa deux filles: Constantine, mariée d'abord à Hanniballianus roi de Pont, ensuite à Gallus; et Hélène qui fut femme de Julien. Quelques auteurs en ajoutent une troisième qu'ils nomment Constantia: ils disent qu'ayant fait bâtir à Rome l'église et le monastère de Sainte-Agnès, elle s'y renferma après avoir fait vœu de virginité. Cette opinion ne porte sur aucun fondement solide.

FIN DU LIVRE CINQUIÈME.

LIVRE VI.

CONSTANTIN II, CONSTANCE, CONSTANT.

AN 337.

I. Caractère des fils de Constantin.

Liban. Basil. t. I, p. 103. ed. Morel.

Them. or. 1. p. 4.

La mort de Constantin donnait lieu à de grandes inquiétudes. Plus il s'était acquis de gloire, plus on craignait que ses fils ne fussent pas en état de la soutenir. Les politiques observaient que, de tous les successeurs d'Auguste, Commode avait été le seul qui fût né d'un père déja empereur: et cet exemple, unique jusqu'aux enfants de Constantin, était pour ceux-ci de mauvais augure. Ils remarquaient encore, que la nature avait pour l'ordinaire fort mal servi l'empire: plusieurs de ceux que l'adoption avait placés sur le trône, s'en étaient montrés dignes; mais à l'exception de Titus et de Constantin lui-même, les Césars qui avaient succédé à leurs pères en avaient toujours dégénéré. A ces réflexions générales se joignaient celles que faisait naître le caractère particulier des nouveaux empereurs: ils n'avaient pas pleinement répondu à l'excellente éducation qu'ils avaient reçue. Constantin, l'aîné des trois, était celui qui ressemblait le plus à son père; il avait de la bonté et de la valeur; mais il était ambitieux, fougueux, imprudent. Constant le plus jeune laissait déja apercevoir un penchant pour les plaisirs, qui ne pouvait devenir que plus dangereux dans la puissance souveraine; et Constance était tout ensemble faible et présomptueux; fait pour être l'esclave de ses flatteurs, pourvu qu'ils voulussent bien lui laisser croire qu'il était le maître; se croyant grand capitaine, parce qu'il était adroit à tirer de l'arc, à monter à cheval, et qu'il réussissait dans tous les exercices militaires. La jeunesse de ces princes, dont l'aîné n'avait que vingt ans, et les contestations qui pouvaient naître du partage de l'empire, augmentaient encore les alarmes.

II. Massacre des frères et des neveux de Constantin.

Eus. vit. Const. l. 4, c. 68 et 69.

Ath. ad monach. t. I, p. 340.

Jul. or. 1, p. 17. et ad Ath. p. 272, ed. Spanh.

Greg. Naz. or. 3, adv. Jul. t. I, p. 58.

Act. Basil. apud Bolland. 21. Martii.

Aurel. Vict. de Cæs. p. 179.

Vict. epit. p. 225.

Eutr. l. 10.

Zos. l. 2, c. 40.

Hier. Chron.

Socr. l. 1, c. 40; l. 2, c. 2, et l. 3, c. 1.

Theod. l. 2, c. 3.

Soz. l. 2, c. 34.

Idat. Chron. Pagi, in Bar.

[Theophan. p. 28 et 29.

Cedr. t. 1, p. 297.]

Le testament de Constantin fut remis, suivant ses ordres, entre les mains de Constance. Il appelait à la succession avec ses trois fils, ses deux neveux, Delmatius et Hanniballianus. Mais les armées, les peuples et le sénat de Rome ne voulaient reconnaître pour maîtres que ses enfants: ils les proclamèrent seuls Augustes. C'était donner l'exclusion à ses neveux. Ce zèle bizarre, qui prétendait honorer la mémoire de Constantin, en s'opposant à ses dernières volontés, se porta jusqu'à la fureur. Les soldats prirent les armes, et commencèrent les massacres par celui du jeune Delmatius, le plus aimable de tous les princes de cette famille; son frère le suivit de près. Delmatius leur père, surnommé le Censeur, était déja mort. Les meurtriers n'épargnèrent pas les deux autres frères de Constantin, Julius Constance et Hanniballianus. On égorgea encore cinq neveux du défunt empereur, dont on ignore les noms: l'un était le fils aîné de Julius Constance. Ses deux autres fils, Gallus âgé de onze à douze ans, et Julien âgé de six, allaient périr dans le sang de leur père et de leur frère; mais on ne crut pas qu'il fût besoin d'ôter la vie à Gallus, qui, étant malade, semblait près de mourir: Julien fut sauvé par Marc, évêque d'Aréthuse, qui le cacha dans le sanctuaire, sous l'autel même. On ne sait par quel moyen échappa Népotianus, fils d'Eutropia, sœur de Constantin. On n'a jamais reproché ces meurtres à Constant ni à Constantin le jeune. Plusieurs historiens les attribuent à Constance: d'autres l'accusent seulement de ne s'y être pas opposé. Saint Grégoire de Nazianze paraît en rejeter toute l'horreur sur les soldats. Constance lui-même s'en est reconnu coupable, s'il en faut croire Julien, qui rapporte sur le témoignage des courtisans de ce prince, qu'il s'en repentit, et qu'il pensait que la stérilité de ses femmes et les pertes qu'il essuya dans la guerre contre les Perses, en étaient la punition. Les trois princes délivrés de tous ceux dont ils pouvaient craindre la concurrence, prirent le titre d'Augustes le 3 septembre[87].

[87] Environ quatre mois après la mort de Constantin.—S.-M.

III. Autres massacres.

Euseb. vit. Const. l. 4, c. 68.

Jul. or. 1. p. 17, ed. Spanh.

Greg. Naz. or. 3. adv. Jul. l. 1, p. 58.

Zos. l. 2, c. 40.

Silves. Epist. 6.

Eunap. in Ædes. p. 22-26, ed. Boiss.

Amm. l. 20, c. 22.

Les soldats se firent payer de ces forfaits par la liberté d'en commettre de nouveaux: ils se crurent en droit de donner la loi à leurs maîtres, et de réformer leur conseil. Ils massacrèrent les principaux courtisans de Constantin, dont quelques-uns avaient abusé de sa faveur, et les laissèrent sans sépulture. On distingue entre les autres le patrice Optatus, ce personnage célèbre, dont j'ai parlé sur l'année 334 où il fut consul, et Ablabius, préfet du prétoire: celui-ci s'était élevé de la plus basse naissance. On croit qu'il était chrétien, et les auteurs païens confirment cette opinion par leur acharnement à le décrier: ils lui imputent la mort de Sopater, que nous avons racontée. Il avait à Constantinople une maison qui égalait en magnificence celle de l'empereur, et qui fut dans la suite le palais de Placidie, fille du grand Théodose. Son caractère aigrissait encore l'envie: il était fier de son mérite et de ses services. Après avoir franchi l'espace immense qui se trouvait entre sa naissance et le rang qu'il occupait, il ne croyait rien au-dessus de lui, pas même la couronne impériale. Constantin, qui ne voyait que ses bonnes qualités, lui avait recommandé son fils Constance. Ablabius se regardait comme le tuteur du jeune prince, et presque comme son collègue; on s'étonnait même qu'il voulût bien se contenter du second rang. La jalousie du souverain, et la haine des soldats qui demandèrent son éloignement, renversèrent en un moment cet édifice de grandeur. Dépouillé de sa dignité il se retira en Bithynie, où il espérait se reposer sur les trésors qu'il avait accumulés. Mais peu de jours après, arrivèrent de Constantinople des officiers de l'armée, qui, selon les ordres de Constance, lui présentèrent à genoux des lettres, par lesquelles on lui donnait le titre d'Auguste. Cet homme vain, déja rempli de toute la fierté d'un empereur, demanda avec hauteur où était la pourpre. Ils répondirent que ceux qui étaient chargés de la lui présenter, attendaient ses ordres. Dès qu'il eut fait signe qu'on les fît entrer, les soldats qui étaient restés à la porte se jetèrent sur lui, et le mirent en pièces. Il laissait une fille en bas âge, nommée Olympias, déja fiancée à Constant. Ce prince ne l'abandonna pas après la mort de son père: il l'éleva pour en faire son épouse; et comme il mourut avant que d'avoir exécuté ce dessein, Constance la donna en mariage à Arsace, roi d'Arménie[88].

[88] Voyez ci-après, l. XI, § 23.

IV. Crédit de l'eunuque Eusèbe.

Greg. Naz. or. 21, t. I, p. 386.

Till. Arian. art. 26.

Amm. l. 18, c. 4.

On aurait peut-être pardonné à Constance la mort d'Ablabius, s'il l'eût remplacé par le choix d'un bon ministre; mais celui qui succéda à la faveur de cet ambitieux, était un homme dont l'ambition fut le moindre vice. L'eunuque Eusèbe, grand-chambellan du prince, et peut-être l'auteur secret de tous ces massacres, s'éleva sur tant de ruines: il devint l'arbitre de la cour. On disait par raillerie, que Constance avait beaucoup de crédit auprès de son chambellan[89]: celui-ci était vain, fourbe, avare, injuste, cruel, et Arien passionné. Il remplit tout le palais d'Ariens et d'eunuques: et c'est du règne de Constance qu'on peut dater le commencement de l'énorme puissance de ces ministres de volupté, qui, destinés par la jalousie des Orientaux à garder les femmes, et formés aux plus basses intrigues, s'emparèrent de l'esprit des empereurs, et parvinrent à gouverner l'empire.

[89] *Apud quem (si verè dici debeat) multa Constantius potuit*, dit Ammien Marcellin.—S.-M.

AN 338.

V. Suites de la mort de Delmatius et d'Hanniballianus.

Till. art. 2, et note 2, 3.

Codin. orig. C. P. p. 24.

Imp. Orient. Band. t. I, part. 3, p. 18 et 103.

Chron. Alex. vel Paschal. p. 287.

Jul. or. 1, p. 18 et 19. ed. Spanh.

Cod. Th. lib. 11, tit. 1, leg. 4.

La mort du jeune Delmatius et de son frère Hanniballianus troublait l'ordre établi par Constantin dans sa succession. La Thrace, la Macédoine, l'Achaïe, c'est-à-dire, la Grèce, qu'il avait données à Delmatius; la petite Arménie, le Pont et la Cappadoce, qui composaient le royaume d'Hanniballianus, restaient à distribuer entre les trois empereurs. L'année suivante, sous le consulat d'Ursus et de Polémius, ils se rendirent en Pannonie pour convenir d'un nouveau partage. M. de Tillemont suppose qu'il y eut deux entrevues entre ces princes: l'une à Constantinople, où la Thrace fut donnée à Constantin, qui selon la chronique d'Alexandrie, régna un an à Constantinople; l'autre en Pannonie, où ce partage fut changé. L'entrevue de Constantinople, fort embarrassante pour l'histoire, n'est fondée que sur le témoignage des nouveaux Grecs. Il me paraît plus convenable de rejeter ce témoignage, dont M. de Tillemont lui-même ne fait pas pour l'ordinaire plus de cas qu'il ne mérite, aussi-bien que celui de la chronique d'Alexandrie, qui n'est pas à beaucoup près exempte d'erreurs, et de s'en tenir au récit de Julien. Il doit avoir été le mieux instruit des événements de ces temps-là; et il ne dit pas un mot ni de la convention faite à Constantinople, ni de l'autorité du jeune Constantin dans cette ville[90]. Si l'on veut s'arrêter aux titres et aux dates des lois, qui ne sont pas non plus les monuments les plus certains de l'histoire, il faudra dire que Constantin le jeune avait fait un voyage à Thessalonique, dès la fin de l'année précédente, apparemment pour y conférer d'avance avec son frère Constant. Il devait, en effet, être le plus empressé à solliciter un nouvel arrangement, parce que les états devenus vacants par la mort de Delmatius et d'Hanniballianus confinaient avec ceux de ses frères et n'étaient nullement à sa bienséance.

[90] Des autorités négatives ne sont pas, en général, d'une grande importance. Rien, en effet, ne s'oppose à ce que le fils aîné de Constantin ait obtenu la possession de la capitale de l'empire et qu'il y ait renoncé un an après, à cause de l'éloignement où elle se trouvait du reste de ses états. Gibbon (t. III, p. 460) admet ainsi que moi, le règne de Constantin II à Constantinople; autrement il est difficile de rendre raison de la loi, rejetée trop légèrement par Lebeau, et qui fait voir que ce prince était à Thessalonique vers la fin de l'an 337. Il est impossible de trouver dans la suite de son règne aucune circonstance qui ait pu le ramener dans cette ville.—S.-M.

VI. Nouveau partage.

Zon. l. 13, t. 2, p. 11.

Till. art. 2. et note 2, 3.

Cod. Th. lib. 11, t. I, leg. 4.

Lib. 12, t. I, leg. 27, 29.

Lib. 15, t. I, leg. 5.

Les trois princes s'étant donc assemblés vers le mois de juillet en Pannonie, partagèrent ainsi la nouvelle succession: Constance eut pour sa part tout ce qui avait été donné à Hanniballianus, en sorte qu'il posséda sans exception l'Asie entière et l'Égypte. Des états de Delmatius, il eut la Thrace et Constantinople, supposé que cette ville n'eût pas été dès auparavant détachée de la Thrace et donnée à Constance par Constantin même, comme il y a lieu de croire. Constant qui possédait déja l'Italie, l'Illyrie et l'Afrique, y joignit la Macédoine et la Grèce. Il paraît que Constantin fut celui qui gagna le moins dans ce partage. Il avait déja les Gaules, la Grande-Bretagne et l'Espagne, dont la Mauritanie Tingitane était alors considérée comme une dépendance: il ne remporta que des prétentions sur l'Italie, et des droits contestés sur l'Afrique, dont Constant lui cédait une partie et lui disputait l'autre. Ces différends entre les deux frères éclatèrent bientôt par une rupture funeste à l'un des deux.

VII. Rétablissement de S. Athanase.

Athan. ad monach. t. I, p. 349, et apol. contr. Arian. t. I, p. 203.

Socr. l. 2, c. 2 et 3.

Theod. l. 2, c. 1 et 2.

Soz. l. 3, c. 1, 2.

Cedr. t. 1, p. 297.

Pagi, ad Bar.

On convint dans cette conférence du rappel des évêques catholiques, que Constantin abusé par les hérétiques avait exilés à la fin de sa vie. Constance était depuis long-temps livré aux Ariens: après la mort de son père, il s'était ouvertement déclaré en leur faveur. Ce prêtre suborneur, dont j'ai parlé, déja maître absolu de l'esprit de l'impératrice, s'était insinué bien avant dans la confiance du nouvel empereur: il n'avait pas manqué de lui faire valoir sa fidélité à lui remettre le testament de Constantin, dont le prince avait lieu d'être content. Les deux Eusèbes, l'évêque de Nicomédie, et l'eunuque, secondaient cet imposteur; et la cour, toujours esclave des favoris, n'osait penser autrement. Cependant le jeune Constantin vint à bout de rendre aux églises les évêques que la calomnie en avait chassés. Dès avant son départ de Trèves, il avait adressé au peuple catholique d'Alexandrie une lettre datée du 17 de juin, dans laquelle il supposait que son père n'avait relégué Athanase en Gaule, que pour le soustraire à la fureur de ses ennemis; il déclarait qu'il s'était efforcé d'adoucir l'exil de cet homme apostolique, en lui rendant les mêmes honneurs que le prélat aurait pu recevoir à Alexandrie; il admirait sa vertu, soutenue de la grace divine, et supérieure à toutes les adversités: *Puisque mon père*, ajoutait-il, *avait formé le pieux dessein de vous rendre votre évêque, et qu'il ne lui a manqué que le temps de l'exécuter, j'ai cru qu'il était du devoir de son successeur de remplir ses intentions*. Comme Alexandrie était dans le partage de Constance, le jeune Constantin, pour ne pas donner d'ombrage à son frère, ne prenait dans cette lettre que le titre de César. Il mena avec lui Athanase en Pannonie. Constant animé du même zèle le seconda par ses instances. Ils parlèrent avec fermeté, et forcèrent leur frère à consentir, malgré les favoris, au retour des exilés. Athanase se présenta à Constance dans la ville de Viminacum: il continua son voyage par Constantinople, où il s'arrêta quelques jours. En passant par la Cappadoce, il vit encore à Césarée Constance qui revenait de Pannonie en Syrie. Ce prince lui fit un accueil favorable; et le saint prélat, après deux ans et demi d'absence, fut reçu dans Alexandrie avec des acclamations de joie. Les autres évêques d'Égypte, que l'exil d'Athanase avait alarmés et dispersés, se rallièrent comme sous l'étendart de leur chef. Ce ne fut pas sans peine qu'Asclépas de Gaza et Marcel d'Ancyre se remirent en possession de leurs siéges, dont les Ariens s'étaient emparés.

VIII. Rappel de S. Paul de C. P.

Socr. l. 2, c. 6.

Soz. l. 3, c. 3 et 4.

Vita Pauli, apud Phot. cod. 257.

Hermant. vie d'Ath. l. 4, c. 21, éclairciss.

Till. vie de S. Alex. et de S. Paul de C. P.

Vita Ath. in edit. benedict. t. I, p. 29.

Alexandre, évêque de Constantinople, était mort peu de temps avant Constantin, après avoir vécu quatre-vingt-dix-huit ans, et gouverné vingt-trois ans son église. Dans les derniers moments de sa vie, consulté par son clergé sur le choix de son successeur: *S'il vous faut*, dit-il, *un prélat capable de vous édifier par son exemple, et de vous instruire par sa doctrine, choisissez Paul: mais si vous cherchez un homme habile dans la conduite des affaires, et propre à réussir dans le commerce des grands, ces talents sont ceux de Macédonius.* Ces dernières paroles du saint évêque partagèrent les esprits. Ceux qui favorisaient l'arianisme nommèrent Macédonius: c'était un diacre déja avancé en âge, qui entretenait avec les Ariens une secrète intelligence. Il avait été brodeur dans sa jeunesse. Les autres en plus grand nombre élurent Paul: ils l'emportèrent, et Paul fut ordonné dans l'église de la Paix. Mais la division s'alluma dans la ville. Eusèbe de Nicomédie, qui regardait ce siége d'un œil d'envie, et qui désirait ardemment d'être l'évêque de la cour, profita de la discorde. Il réussit à noircir Paul dans l'esprit de l'empereur, comme il avait noirci Athanase: il le fit accuser par Macédonius. Celui-ci attaqua ses mœurs, quoiqu'elles fussent irréprochables; il représenta son élection comme une cabale, sous prétexte qu'il avait été installé sans la participation des évêques de Nicomédie et d'Héraclée, à qui il appartenait d'ordonner l'évêque de Constantinople: mais Eusèbe et Théodore d'Héraclée, livrés à l'arianisme, avaient refusé leur ministère. Constantin toujours trompé dans les derniers temps de sa vie, exila dans le Pont le nouveau prélat, sans consentir cependant à sa déposition. Athanase en passant par Constantinople fut témoin de son retour; il le fortifia de ses conseils contre la persécution qui ne tarda guère à se rallumer.

IX. Constance retourne en Orient.

Jul. or. 1, p. 18 et 20. ed. Spanh.

Pagi, ad Bar.

Constance, que la mort de son père avait rappelé de l'Orient, y retournait en diligence. Les Perses avaient passé le Tigre. Avant la mort de Constantin, Sapor était entré dans la Mésopotamie; mais sur la nouvelle de la marche de l'empereur, il s'était retiré dans ses états: il y demeura tranquille le reste de l'année. Dans l'été suivant, il se remit en campagne, pour profiter de l'éloignement de Constance, ou pour faire l'essai de la capacité du nouvel empereur. Il était secondé d'un puissant parti dans l'Arménie. Les Arméniens alors divisés, sans doute par les intrigues de Sapor, s'étaient révoltés contre leur roi[91], et l'avaient forcé à se sauver sur les terres de l'empire avec ceux qui lui étaient restés fidèles. Les rebelles, maîtres du pays, s'étaient déclarés pour les Perses, et faisaient des courses sur la frontière[92]. Sapor, de son côté, ravageait la Mésopotamie, et vint mettre le siége devant Nisibe.

[91] Τῆς χώρας ἐκείνης ἄρχοντι. Jul. or. 1, p. 20. Tillemont, t. IV, p. 319, et Lebeau, après lui, ont cru voir dans ces mots la mention d'un roi d'Arménie. Ce pays n'avait pas alors de souverain, son prince légitime était captif chez les Perses, comme on le verra ci-après § 14. Il est probable que par ces paroles un peu ambiguës, Julien n'a entendu désigner qu'un seigneur arménien, qui, en l'absence du roi, cherchait à défendre sa patrie contre les Perses.—S.-M.

[92] Les événements arrivés à cette époque en Arménie, ne nous sont connus que par quelques phrases assez obscures, du premier discours de Julien adressé à Constance. Tout ce qu'on y voit, c'est que ce royaume fut le sujet principal de la guerre que Constance fit aux Perses, dans le commencement de son règne, et que c'était sans doute le même motif qui avait déja fait prendre les armes à Constantin. Ce n'est pas assez, pour donner une idée suffisante des révolutions arrivées en Arménie et de la part que les Romains y prirent. Je placerai après le § XIII, un précis de tous ces événements, tiré des historiens arméniens.—S.-M.

X. Antiquités de Nisibe.

Strab. l. 16, p. 747.

Plin. l. 6, c. 16, et l. 4, c. 17.

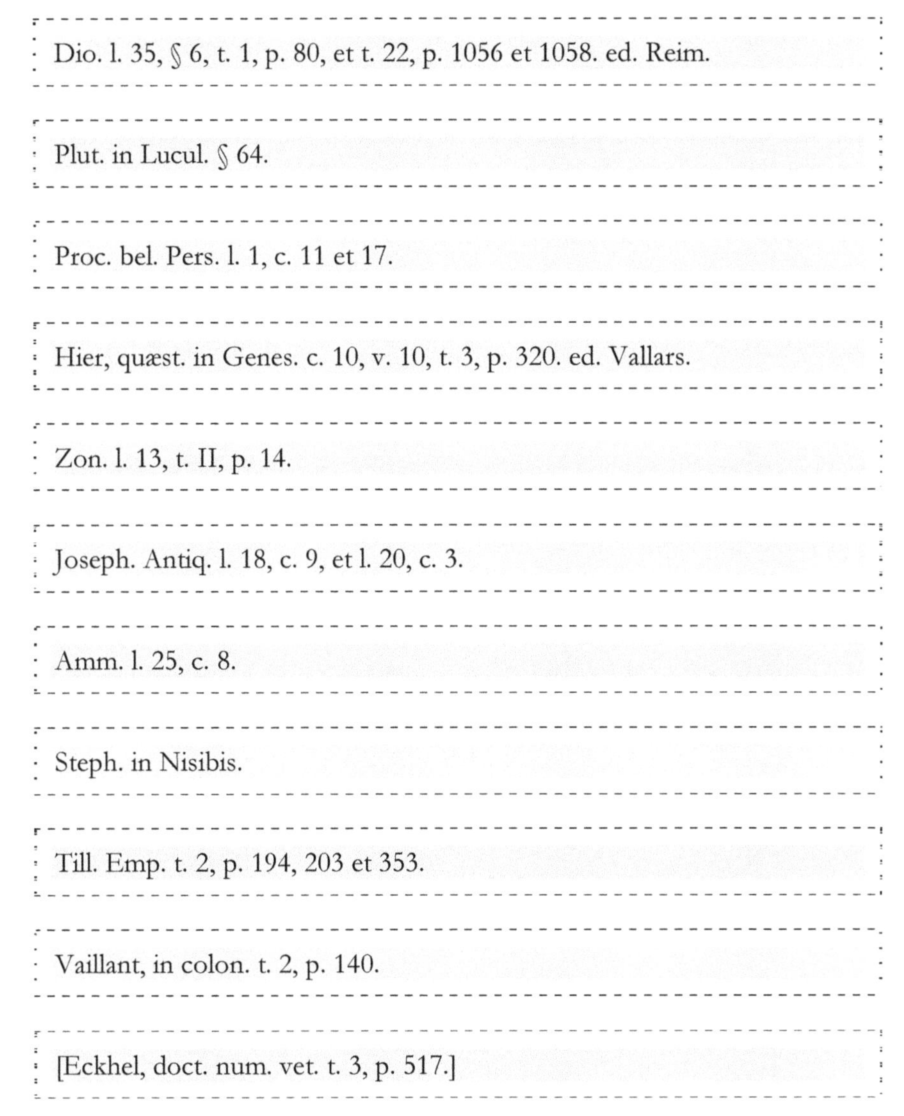
Dio. l. 35, § 6, t. 1, p. 80, et t. 22, p. 1056 et 1058. ed. Reim.

Plut. in Lucul. § 64.

Proc. bel. Pers. l. 1, c. 11 et 17.

Hier, quæst. in Genes. c. 10, v. 10, t. 3, p. 320. ed. Vallars.

Zon. l. 13, t. II, p. 14.

Joseph. Antiq. l. 18, c. 9, et l. 20, c. 3.

Amm. l. 25, c. 8.

Steph. in Nisibis.

Till. Emp. t. 2, p. 194, 203 et 353.

Vaillant, in colon. t. 2, p. 140.

[Eckhel, doct. num. vet. t. 3, p. 517.]

Cette ville était située dans la partie septentrionale et la plus fertile de la Mésopotamie, à deux journées du Tigre, sur le fleuve Mygdonius, au pied du mont Masius. C'était, selon saint Jérôme, celle qui est nommée *Achad* dans la Genèse, une des plus anciennes villes du monde, bâtie par Nimrod en même-temps que Babylone et Edesse. Nisibe, en langage phénicien, signifiait *colonnes* ou *monceau de pierres*[93]. Les Macédoniens, qui transportaient aux pays conquis les noms de leur propre pays, donnèrent à cette contrée le nom de *Mygdonie*, et à Nisibe celui d'*Antioche*[94]. Elle s'appelle encore aujourd'hui *Nesibin*, dans le Diarbekr[95]. Elle était très-forte, environnée d'un double mur de briques très-épais, et d'un double fossé large et profond. Lucullus en fit le siége et s'en rendit maître par surprise. Elle fut rendue aux rois d'Arménie. Artaban[96], roi des Parthes, s'en étant emparé, en fit présent à Izatès roi de l'Adiabène[97], par qui il avait été rétabli dans son royaume. Elle fut reprise par Trajan, abandonnée par Hadrien, rendue aux Romains sous Marc Aurèle. Septime Sévère l'honora du titre de colonie[98]. C'était une digue, qui couvrait à la vérité la partie orientale de l'empire contre les invasions des Perses, mais qui coûtait aux Romains beaucoup de sang et de dépenses.

[93] Le premier de ces sens est donné par Philon écrivain cité dans Étienne de Byzance, et le second par Uranius, dans le même auteur. Ces deux interprétations différentes, sont confirmées également par les langues hébraïque et syriaque et par tous les autres idiomes de même origine.—S.-M.

[94] *Totam eam* (Adiabene) *Macedones Mygdoniam cognominaverunt, a similitudine. Oppida; Alexandria, item Antiochia, quam Nisibin vocant.* Plin. l. 6, c. 16.—S.-M.

[95] Voyez ce que j'ai dit sur cette ville, dans mes *Mémoires historiques et géographiques sur l'Arménie*, t. I, p. 161.—S.-M.

[96] Ce prince, contemporain de Caligula et de Claude, fut le troisième roi des Parthes du nom d'Artaban.—S.-M.

[97] C'est peut-être pour cette raison que Pline, l. 6, c. 16, au lieu de placer cette ville dans la Mésopotamie, où elle se trouve effectivement, la met dans l'Adiabène, province située à l'orient du Tigre.—S.-M.

[98] On voit par les médailles qu'elle prit alors le nom de *Septimia*.—S.-M.

XI. Sapor lève le siége de Nisibe.

Chron. Alex. vel Pasch. p. 387.

Hier. Chron.

Theoph. p. 28.

Défendue par ses remparts, par une forte garnison, et par des habitants aguerris, elle résista aux attaques de Sapor. Mais dans les trois siéges qu'elle soutint contre ce prince, elle attribua surtout sa délivrance aux prières de Jacques son évêque, prélat fameux par sa sainteté et par ses miracles, et qui avait soutenu à Nicée et à Constantinople la foi attaquée par les Ariens. Sapor se retira après un siége de soixante et trois jours, et ramena en Perse son armée honteuse et fatiguée, que la famine et la peste achevèrent de détruire.

XII. Préparatifs de guerre contre les Perses.

Jul. or. 1. p. 18. ed. Spanh.

Liban. Basilic. t. 2, p. 126. et or. 10, p. 309.

Zon. l. 13, t. 2, p. 13.

Cod. Th. lib. 11, tit. 1, leg. 5, et ibi God.

Cependant l'empereur arrivé à Antioche se disposait à marcher contre les Perses. Les circonstances ne lui promettaient pas de grands avantages. Il n'avait que le tiers des forces de son père; ses frères ne lui prêtaient aucun secours: les vieilles troupes regrettaient Constantin; elles méprisaient son fils: leur courage contre l'ennemi s'était tourné en mutinerie contre leur chef; elles prétendaient lui commander, parce qu'il ne savait pas s'en faire obéir. Ce fut un des plus grands défauts de Constance; et la principale source des mauvais succès qui ont déshonoré son règne et affaibli l'empire. En vain, pour gagner le cœur et la confiance des soldats, le prince faisait avec eux les exercices militaires, dans lesquels il excellait. La discipline semblait avoir été ensevelie avec Constantin, et Constance ne fut vaincu par les ennemis, qu'après s'être laissé vaincre par ses propres légions. Cette première campagne lui fut pourtant assez heureuse. Les Goths alliés l'aidèrent d'un renfort considérable, et continuèrent de lui rendre de bons services dans toute la suite de cette guerre. Il forma un corps de cavalerie semblable à celle des Perses, et dont les hommes et les chevaux étaient couverts de fer[99]; il mit à la tête le brave Hormisdas, qui en combattant pour les Romains, cherchait à venger sa propre querelle. Comme les fonds nécessaires manquaient pour la guerre, il augmenta les impositions, mais de peu, et pour peu de temps; et afin de rendre cette surcharge moins onéreuse en général, il ne voulut pas que ceux qui par leurs priviléges étaient exempts des impositions extraordinaires, fussent dispensés de celle-ci.

[99] Ce corps, dont les soldats se nommaient *Cataphractaires* (en grec κατάφρακτος, armé de pied en cap), était composé d'Arméniens, de Mèdes, d'Arabes et d'autres Orientaux, au service des Romains.—S.-M.

XIII. Première expédition de Constance.

Jul. or. 1, p. 18-21. ed. Spanh. Liban. Basilic. t. 2, p. 123 et 124. ed. Mor.

God. ad. Cod. Th. lib. 12, tit. 1, leg. 25.

Idat. chron.

Étant parti d'Antioche au mois d'octobre[100], il arriva le 28 à Emèse, passa par Laodicée et par Heliopolis. En approchant de l'Euphrate, il engagea au service des Romains quelques tribus des Sarrazins. Les Perses s'étaient déja retirés. Constance avança sans coup férir jusque sur leurs frontières. La seule crainte de ses armes pacifia l'Arménie. Les rebelles rentrèrent dans le devoir, renoncèrent à l'alliance des Perses, et reçurent leur roi qu'ils avaient chassé[101]. On ne sait si ce n'est pas à cette première expédition, qu'il faut rapporter ce que Libanius raconte d'une ville de Perse. Elle fut prise d'emblée: Constance fit grace aux habitants; mais il les obligea de quitter le pays, et les envoya en Thrace dans un lieu sauvage et inhabité, où ils s'établirent. L'auteur ne marque le nom ni de la ville prise, ni de celle qui fut fondée en Thrace. L'empereur ramena son armée à Antioche vers la fin de décembre[102], et prit le consulat pour la seconde fois avec son frère Constant.

[100] Il était dans cette ville le 11 de ce mois.—S.-M.

[101] Voyez la note ajoutée ci-devant § IX, p. 402, et ci-après § XIV.—S.-M.

[102] On connaît une loi de Constance, datée de cette ville, le 27 décembre 338. Il était à Laodicée le 1er février 339; à Héliopolis le 12 mars; à Antioche le 31, et à Constantinople le 13 août.—S.-M.

XIV. [Révolutions arrivées en Arménie.]

Faustus de Byzance, hist. d'Arménie, en Arm. l. 3, c. 3-11.

Moses Choren. hist. Arm. en Armen. l. 2, c. 89, et l. 3, c. 2-10.

—[Pour mieux faire connaître toute l'importance et les véritables motifs de la guerre que Constance eut à soutenir contre le roi de Perse, il est nécessaire d'exposer l'état intérieur de l'Arménie, qui en fut, à ce qu'il paraît, la principale cause. Tiridate, le premier roi chrétien de ce pays, avait cessé de vivre en l'an 314, après un règne de cinquante-six ans[103]. A l'imitation de ses prédécesseurs, il fut l'allié des Romains, en ménageant cependant les rois de Perse, qui l'entraînèrent plusieurs fois dans des alliances passagères[104]. Son fils, Chosroès II, fut placé sur le trône par les Romains[105], qui lui fournirent une armée commandée par un certain Antiochus[106]. Il suivit une politique à peu près semblable: tranquille du côté de l'empire, pour l'être également du côté de l'orient, il se soumit à payer un tribut à la Perse. Cette soumission honteuse ne lui procura cependant pas le repos qu'il cherchait; il fut constamment harcelé par les Alains, les Massagètes et les autres Barbares du Nord, excités sous main par les Perses, et qui franchirent plusieurs fois le mont Caucase, pour faire des irruptions dans l'Arménie. Chosroès prit enfin le parti de rompre avec de perfides alliés, et d'implorer contre eux le secours des Romains. Il mourut alors, après un règne de neuf ans, et il laissa la couronne à son fils Diran, qui monta sur le trône en la dix-septième année de Constantin, en l'an 322. Arschavir, de la race de Camsar[107], le plus illustre des princes arméniens, le premier en dignité après le roi, saisit les rènes du gouvernement et conserva la couronne à Diran, qui, soutenu par les Romains, battit les Perses et les chassa de l'Arménie. Ce nouveau roi imita la conduite de son prédécesseur; en payant également tribut aux Romains et aux Perses, il chercha à garder la neutralité entre les deux empires. Il fut la victime de cette politique insensée.

[103] On voit que Gibbon (t. 2, p. 161 et 349-356, et 368; t. 3, p. 463) a cherché à faire usage dans son histoire, des renseignements fournis par Moïse de Khoren, le seul des historiens arméniens qui ait été traduit en latin (Lond. 1736, 1 vol. in-4o). Gibbon ne s'est pas aperçu de toutes les difficultés chronologiques que présentent les récits de cet écrivain. Il n'a pas songé à toutes les discussions critiques, que son texte devait subir, avant que de le combiner avec les récits des auteurs occidentaux. Faute d'une telle attention, Gibbon a rendu les renseignements qu'il y a puisés, plus fautifs qu'ils ne le sont dans l'original. Ce jugement s'applique même à tout ce que l'historien anglais a tiré de l'auteur arménien. L'histoire de Moïse de Khoren a été pour moi l'objet d'un travail particulier, dans lequel j'ai discuté son texte de tout point; et c'est avec confiance que je présente les résultats que je place ici, et ceux qui entreront dans la suite de mon travail supplémentaire. Pour faire juger de la différence, qui existe sur ce point, entre moi et Gibbon, je me contenterai de remarquer, qu'il a commis presque partout un anachronisme d'une trentaine d'années, d'où il s'ensuit qu'il rapporte au règne de Constance beaucoup d'événements, arrivés du temps de Constantin. Il n'a donc pu reconnaître la liaison véritable qui existe entre l'histoire romaine et celle d'Arménie, ni se faire une juste idée des raisons qui portèrent Constantin, vers la fin de sa vie, à faire la guerre aux Perses, non plus que des motifs qui retinrent si long-temps Constance dans l'Orient. Il n'en a même fait aucune mention.—S.-M.

[104] On sait que Tiridate fut obligé, vers la fin de son règne, de soutenir une guerre contre Maximin, à cause de son attachement pour le christianisme. Voyez ci-devant, l. 1, p. 76 et 77. Il paraît que, antérieurement, il avait, comme allié des Perses, soutenu plusieurs guerres contre les Romains; nous en avons pour preuve le surnom d'*Armeniacus Maximus*, que Galérius prenait pour la sixième fois, eu l'an 311, comme on le voit par l'édit qu'il publia au sujet des chrétiens. Voyez Euseb. *Hist. eccl.*, l. 8, c. 17.—S.-M.

[105] Selon l'historien Moïse de Khoren (l. 2, c. 76), Tiridate, son père, aurait eu, avant son avénement, des relations intimes avec Licinius; on pourrait croire alors que ce fut cet empereur, qui rendit à Chosroès la couronne de ses aïeux. Licinius, depuis la mort de Maximin, arrivée au mois d'août de l'an 313, était le maître de tout l'Orient, et par conséquent en mesure de secourir les Arméniens.—S.-M.

[106] Il est question dans le Code Théodosien (l. 3, *de inf. his quæ sub tyr.*), d'un Antiochus qui vivait à la même époque, et qui était, en 326, préfet des veilles à Rome, *præfectus vigilum*. On voit dans un fragment du même ouvrage récemment découvert par M. Amédée Peyron, et inséré dans le t. 28 des Mémoires de l'académie de Turin, que cet Antiochus occupait déja les mêmes fonctions en l'an 319. Il se pourrait qu'il eût été antérieurement envoyé en Arménie.—S.-M.

[107] Les princes de la famille Camsaracane descendaient de la branche des Arsacides, qui régnait dans la Bactriane. Ils se réfugièrent en Arménie, sous le règne de Tiridate pour fuir les persécutions des Perses; ils y reçurent de ce prince les provinces d'Arscharouni et de Schirag, dans l'Arménie centrale, sur les bords de l'Araxes. Ils en conservèrent la possession jusqu'au huitième siècle. Voyez ce que j'ai dit à ce sujet, dans mes *Mémoires historiques et géographiques sur l'Arménie*, t. 1, p. 109, 111 et 112 et *passim*. Voyez aussi un article que j'ai inséré dans la *Biographie universelle*, t. 33, p. 324.—S.-M.

[Faust. Byz Hist. d'Ar. l. 3, c. 12-20.

Moses Choren. Hist. Arm. l. 3, c. 11-18.]

—Diran était dépourvu des qualités nécessaires à un roi, et l'Arménie ne fut sous son gouvernement qu'un théâtre de troubles. Plusieurs familles puissantes persécutées par lui embrassèrent secrètement le parti du roi de Perse, et favorisèrent les projets qu'il avait contre l'Arménie. Un traître nommé Phisak, chambellan du prince arménien, s'entendit avec Varaz-schahpour, gouverneur[108] de l'Atropatène[109], pour livrer son maître au roi de Perse. Excité par leurs sourdes manœuvres, celui-ci ne tarda pas à montrer des intentions hostiles, prétendant que Diran avait manifesté le désir de chasser de la Perse la race de Sasan, pour y replacer sa famille qui y avait régné autrefois. Le gouverneur de l'Atropatène, qui était d'accord avec le traître Phisak, sollicita une entrevue avec le roi d'Arménie, sous le prétexte de lui demander une explication: elle lui fut accordée. Varaz-schahpour entra alors en Arménie suivi de trois mille Perses, et il parvint dans le canton d'Abahouni[110], non loin des sources du Tigre et de l'Euphrate; là, au milieu d'une partie de chasse, secondé par ses infâmes auxiliaires, il surprend le roi sans défense, et il l'emmène prisonnier avec sa femme et le prince Arsace son fils. Diran fut à peine en la puissance de son ravisseur, que ce barbare le priva de la vue en lui faisant passer un charbon ardent sur les yeux; il le conduisit ensuite dans l'Assyrie où se trouvait Sapor. Les Arméniens, avertis trop tard du malheur de leur souverain, se mirent à la poursuite du général persan; mais ils ne purent l'atteindre, et quelques ravages commis sur le territoire ennemi furent la seule satisfaction qu'ils obtinrent. Tous les princes et les grands de l'Arménie, fidèles à la cause de leur patrie, s'assemblèrent pour aviser aux moyens de sauver l'état des malheurs qui le menaçaient. Ils résolurent d'un commun accord d'implorer l'assistance des Romains; Arschavir prince de Schirag, et Antiochus prince de Siounie[111], furent envoyés à Constantinople, pour y demander du secours. C'est en l'an 337 que cette révolution arriva. Il est facile de voir qu'elle fut la principale cause de la déclaration de guerre que Constantin fit aux Perses, et de l'expédition qu'il entreprit contre eux cette même année. Elle fut interrompue par sa mort, qui arriva dans ces circonstances; mais elle fut continuée par Constance, qui était à Antioche quand son père cessa de vivre. Il y avait seize ans que Diran régnait, quand il fut aveuglé par le perfide Varaz-schahpour.

[108] Les auteurs arméniens lui donnent le titre de *Marzban*, c'est-à-dire, *commandant de frontière*. C'était une des plus grandes dignités de la Perse. Voyez mes *Mémoires historiques et géographiques sur l'Arménie*, t. 1, p. 320.—S.-M.

[109] Ce pays nommé *Aderbadagan* par les Arméniens et par les anciens Perses, répond à l'*Aderbaïdjan* des modernes, il comprenait toute la partie montagneuse de la Médie, limitrophe de l'Arménie. Voyez *Mémoires histor. et géogr. sur l'Arménie*, t. I, p. 128 et 129.—S.-M.

[110] Voyez *Mémoires sur l'Arménie*, t. I, p. 100.—S.-M.

[111] La Siounie était une des provinces de l'Arménie orientale; elle formait une principauté particulière, qui se conserva dans la même famille, jusqu'à la fin du douzième siècle. Voyez *Mémoires sur l'Arménie*, t. I, p. 142 et 143.—S.-M.

Faust. Byz. Hist. d'Arm. l. 3, c. 20 et 21. Mos. Choren. Hist. Arm. l. 3, c. 18.

—Cependant le roi de Perse n'avait pas perdu de temps pour entrer dans l'Arménie, secondé par les traîtres qui l'avaient appelé; il n'eut pas de peine à envahir tout le pays, et les princes fidèles n'eurent pas d'autre ressource que de se sauver sur le territoire romain, où ils trouvèrent un asile. Sapor prit des ôtages pour s'assurer de la soumission des princes, qui n'avaient pas quitté leur pays; puis il en confia le gouvernement à sa créature Vaghinag, parent du prince de Siounie, à qui il confia aussi le commandement de l'armée, chargée de défendre la frontière orientale de l'Arménie, et il en dépouilla le prince Amadounien[112] Vahan. Il porta ensuite ses armes sur les terres de l'empire[113]. Les Arméniens qui s'y étaient réfugiés rallièrent toutes leurs forces, et secondés par des troupes romaines, ils furent bientôt en mesure de reprendre l'offensive. L'empereur et les fugitifs arméniens vinrent camper à Satala[114], dans la partie septentrionale de la petite Arménie sur les bords de l'Euphrate, d'où ils se mirent en marche pour pénétrer dans la grande Arménie; arrivés dans la province de Pasen[115], au nord de l'Araxes, ils y rencontrèrent les Perses, qui furent complètement défaits auprès d'un bourg nommé Oskha. L'avantage fut si décisif, que les ennemis furent obligés d'abandonner toute l'Arménie. L'empereur en confia l'administration à Arschavir et à Antiochus[116]. Tous les princes qui s'étaient bien conduits furent comblés de présents, et magnifiquement récompensés par Constance.

[112] C'est le nom d'une famille de dynastes ou princes arméniens, qui passaient pour descendre d'une race juive venue de la Médie vers le premier siècle de notre ère. Voy. Moïse de Khoren, l. 2, c. 54.—S.-M.

[113] C'est à cette époque que les Arméniens, alliés de Sapor, firent sur le territoire romain les incursions dont parle Julien (orat. 1, p. 18 et 19, *ed. Spanh.*). Si l'on s'en rapportait au témoignage sans doute bien exagéré de l'historien arménien Moïse de Khoren (l. 3, c. 18), Sapor aurait à cette époque pénétré jusque dans la Bithynie.—S.-M.

[114] Cette ville se nomme en arménien *Sadagh*.—S.-M.

[115] Province de l'Arménie centrale, qui fut appelée Phasiane par les Grecs du moyen âge, et sur laquelle on peut voir les *Mémoires historiques et géographiques sur l'Arménie*, t. 1, p. 107.—S.-M.

[116] Voyez ci-devant p. 402 la note ajoutée au § IX.—S.-M.

—Ces revers, et sans doute le peu de succès qu'il obtenait du côté de la Mésopotamie et devant Nisibe, portèrent le roi de Perse à demander la paix, et à ajourner pour le moment ses desseins sur l'Arménie. L'empereur exigea avant tout la liberté de Diran et de ceux qui avaient été emmenés captifs avec lui. Sapor, pour montrer la sincérité de ses intentions, fit écorcher vif Varaz-schahpour, qui avait été la cause de la guerre, et Diran fut renvoyé avec honneur dans son royaume; mais ce prince, désormais incapable de régner par lui-même, refusa de reprendre la couronne. Son fils Arsace fut alors placé sur le trône par le roi de Perse[117]; pour Diran, il se retira dans une habitation qu'il avait choisie au pied du mont Arakadz[118], où il vécut encore longtemps. Quant à son fils, il suivit la politique versatile de ses prédécesseurs; son élévation, dont il était en partie redevable au roi de Perse, qui lui avait permis de rentrer en Arménie, le mit dans la dépendance de ce prince: il fut donc son tributaire. Par cette conduite il s'éloigna des Romains, dont la puissante assistance lui avait conservé la couronne. Il ne rompit cependant jamais entièrement avec eux. Toujours balotté entre les deux empires, toute la durée de son règne fut une longue série d'agitations et de troubles fomentés par Sapor, qui ne cessa de harceler l'Arménie qu'il convoitait. Après la victoire de Constance et la délivrance de ce royaume, par les troupes romaines, s'il consentit à laisser remonter Arsace sur le trône de ses aïeux, c'est qu'il sentit que, avec les pertes qu'il avait éprouvées, il fallait attendre une occasion plus favorable pour l'accomplissement de ses projets.]—S.-M.

[117] On pourrait même croire, d'après ce que dit Moïse de Khoren (l. 3, c. 18), qu'aussitôt après la prise et la mutilation de Diran, Sapor avait fait proclamer roi le fils de cet infortuné monarque; il serait possible qu'en effet Sapor en eût agi ainsi, pour faciliter ses succès, pendant qu'il retenait Arsace, dans ses états.—S.-M.

[118] Chaîne de montagnes dans la province d'Ararad au nord de l'Araxes. Voyez *Mém. sur l'Arménie*, t. I, p. 47.—S.-M.

AN 339.

XV. Troubles de l'arianisme.

Ath. ad monach. t. I, p. 349. et apol. contr. Arian. t. I, p. 140-144.

Socr. l. 2, c. 7.

Theod. l. 2, c. 3.

Soz. l. 3, c. 3 et 4.

Theoph. p. 28.

Vita Pauli, apud Phot. cod. 257.

Vita Ath. in edit. Benedict. p. 31 et 32.

Till. Arian. art. 27 et 28.

Sapor renfermé dans ses états s'occupa pendant les deux années suivantes à réparer ses pertes. C'était un temps précieux, dont Constance aurait pu profiter pour prendre ses avantages. Il pouvait se mettre en état d'entamer la Perse à son tour, ou du moins, par des mesures bien prises, obliger Sapor à se tenir sur la défensive. Mais ce prince imprudent ne portait pas ses vues dans l'avenir: au lieu de pourvoir à la sûreté de ses états, il passa ces deux années à brouiller les affaires de l'église, et à jeter les semences des troubles dont tout le reste de son règne fut agité. Il se transporte à Constantinople, et y fait tenir un concile où Paul est déposé. L'ambition d'Eusèbe fut enfin couronnée: il se vit installé sur le siége de la nouvelle capitale. Paul se réfugia à Trèves dans la cour de Constantin, qui servait d'asile aux prélats catholiques. Athanase n'était pas en repos à Alexandrie. Les Ariens y avaient donné un évêque à leur faction: c'était Pistus, autrefois chassé par Alexandre, et frappé d'anathème dans le concile de Nicée. Il fut ordonné évêque d'Alexandrie par Sécundus de Ptolémaïs; mais il n'en fit jamais les fonctions. Les ennemis d'Athanase mettaient tout en œuvre pour séduire le pontife romain, et les trois empereurs; mais leurs calomnies ne trouvaient de croyance, que dans l'esprit de Constance déja préoccupé. Il écrivit au saint prélat des lettres pleines de reproches, et n'eut aucun égard à ses réponses.

XVI. Mort d'Eusèbe de Césarée.

[Socr. l. 2, c. 4.]

Soz. l. 3, c. 2.

Vales. de vit. et script. Euseb.

Tandis que la faction arienne dressait toutes ses batteries pour perdre Athanase, il fut délivré d'un de ses plus dangereux ennemis, parce que c'était peut-être le moins déclaré et le plus habile. Eusèbe de Césarée mourut. Il eut pour successeur son disciple Acacius, surnommé le *Borgne*; celui-ci ne fut guère moins savant, ni moins éloquent que son maître: mais il était plus entreprenant. Fier arien sous Constance, humble catholique sous Jovien, sa religion se plia toujours à ses intérêts.

AN 340.

XVII. Consulat d'Acyndinus et de Proculus.

Idat. chron.

S. Aug. de Sermone Dei in monte l. 1, c. 16, t. 3, part. 2, p. 186.

Symm. l. 1, epist. 1. et app. p. 299.

God. ad Cod. Th. lib. 8, tit. 5, leg. 4.

Grut. Thes. Inscript. p. 360, nº 4, p. 361 nº 1, 2 et 3, et p. 362 et 363.

Reines. Inscript. Cl. 6, nº 122.

Les consuls de l'année 340 méritent d'être connus: c'étaient Acyndinus et Proculus. Le premier, déja préfet d'Orient depuis deux ans, était un homme dur, mais assez équitable pour reconnaître ses fautes, et pour les réparer à ses propres dépens. Pendant qu'il était à Antioche, il condamna à la prison un habitant qui devait au fisc une livre d'or, et jura que s'il ne payait dans un certain terme, il le ferait mourir. Le terme approchait, et le débiteur était insolvable. Sa femme avait de la beauté. Un riche citoyen lui proposa d'acquitter sa dette, à condition qu'elle se prêterait à sa passion. Mais elle aimait son mari; elle ne voulut disposer du prix de sa délivrance qu'avec sa permission: le misérable y consentit. Ce honteux trafic eut la fin qu'il méritait. Le riche libertin ayant donné à cette infortunée un sac plein d'or, eut l'adresse de le reprendre et d'y substituer un sac rempli de terre. Retournée chez elle, dès quelle s'aperçut de la fraude, désespérée d'avoir commis un crime inutile, et résolue d'achever de perdre son honneur plutôt que son mari, à qui elle l'avait déja sacrifié, elle va porter sa plainte au préfet. Acyndinus jugea qu'il y avait quatre coupables; deux n'étaient que trop punis par leur honte et par leur malheur: il se chargea de punir les deux autres; c'étaient le riche perfide, et lui-même, dont les menaces cruelles avaient fait naître cette intrigue criminelle. Il prononça que la dette serait acquittée aux dépens d'Acyndinus, et que la femme serait mise en possession de la terre où le fourbe avait pris de quoi la tromper. Cet Acyndinus passa honorablement sa vieillesse à Baules en Campanie, où il avait une belle maison de campagne. L'autre consul Proculus était célèbre par sa naissance, par ses magistratures et par son mérite personnel. Il était fils de Q. Aradius [Rufinus] Valérius Proculus, qui avait été gouverneur de la Byzacène. Il fut élevé aux plus grands emplois[119]. Les inscriptions qui font mention de lui, disent qu'il était né pour tous les honneurs. Symmaque le fait descendre des anciens Valérius Publicola, et lui donne la gloire de soutenir cette illustre origine, par la dignité de ses mœurs, par sa franchise, sa constance, sa douceur sans faiblesse, et par sa piété envers les dieux: car il était païen, et revêtu des sacerdoces les plus distingués.

[119] Outre le gouvernement de la Byzacène, il avait été propréteur de Numidie, gouverneur de l'Europe, division de la Thrace, de la Sicile, et proconsul d'Afrique.—S.-M.

XVIII. Mort du jeune Constantin.

[Eutrop. l. 10. Zos. l. 2, c. 41.]

Jul. or. 2, p. 94. ed. Sp.

Amm. l. 21, c. 6 et 10.

Zon. l. 13, t. 2, p. 11.

Aur. Vict. epit. p. 225.

Socr. l. 2, c. 5 et 21.

Soz. l. 3, c. 2.

Philost. l. 3, c. 1.

God. Chron.

Ducange, C. P. l. 4, c. 5 et fam.

Byz. p. 47.

Cod. Th. l. 11, tit. 12, leg. 1.

[Monod. vel Or. in Const. Jun. mort. p. 10, 11 et 12.]

Ce fut sous ce consulat que le jeune Constantin se perdit par son imprudence. La querelle qui s'était élevée entre ce prince et Constant son frère, au sujet du nouveau partage, s'aigrissait de jour en jour. Un tribun, nommé Amphilochius, de Paphlagonie, ne cessait d'animer Constant, et le détournait de tout accommodement. Enfin, Constantin prit le parti de se faire justice par les armes, et passa les Alpes. Constant était en Dacie: il envoie ses généraux à la tête d'une armée, et se dispose à les suivre avec de plus grandes forces. Ses capitaines arrivés à la vue de l'ennemi près d'Aquilée, à la fin de mars ou au commencement d'avril[120], dressent une embuscade, et ayant engagé le combat feignent de prendre la fuite. Les soldats de Constantin s'abandonnent à la poursuite; et bientôt enfermés entre les troupes qui sortent de l'embuscade et les fuyards qui tournent visage, ils sont taillés en pièces. Constantin lui-même, renversé de son cheval, meurt percé de coups. On lui coupe la tête; on jette son corps dans le fleuve d'Alsa, qui passe près d'Aquilée. Il en fut apparemment retiré, puisqu'on montrait long-temps après son tombeau de porphyre à Constantinople, dans l'église des Saints-Apôtres. Il avait vécu près de vingt-cinq ans, et régné un peu plus de deux ans et demi depuis la mort de son père. Ayant perdu sa femme, il venait de contracter par députés un second mariage avec une Espagnole de noble origine, dont on ne dit ni le nom ni la famille. Constant profita seul de la dépouille de son frère: il devint maître de tout l'Occident. Constance moins ambitieux ou plus timide, se contenta de ce qu'il avait possédé jusqu'alors. Son empire se terminait au pas de Sucques: c'était un passage étroit entre le mont Hæmus et le mont Rhodope, qui séparait la Thrace de l'Illyrie. Le vainqueur déclara nulles les exemptions dont Constantin avait gratifié plusieurs personnes. La loi qu'il fit à ce sujet porte le caractère d'une haine dénaturée qui survivait à son frère: il le qualifie son ennemi et celui de l'état.

[120] On voit par une loi du code Théodosien que Constant était à Aquilée, le 9 avril, après la mort de Constantin.—S.-M.

XIX. Lois des trois princes.

Cod. Th. lib. 3, tit. 13. leg. 1, 2 et ibid. God. lib. 6. tit. 4, leg. 3, et seq. usque ad 17, et tit. 22, leg. 2; lib. 9, tit. 1. leg. 7, et tit. 34, leg. 5, 6; lib. 10, t. 10, leg. 4, 5, 6, 7 et 8. Lib. 11, tit. 36, leg. 4. Lib. 12, tit. 1. l. 23 et seq. usque ad 50. Lib. 15, t. 1, leg. 5. Lib. 16, tit. 8, leg. 6, 7.

Cod. Just. lib. 2, t. 58 leg. 1. Lib. 6, tit. 9, leg. 9, et tit. 23, leg. 15 et tit. 37, l. 21.

Tac. ann. l. 12, c. 7.

Suet. in Claud. c. 26.

Idem, in Domit. c. 22.

Dio. Cass. l. 68, § 2, t. I, p. 1119.

Soz. l. 1, c. 8.

Pendant le règne de Constantin, les trois princes avaient tantôt séparément, tantôt de concert établi plusieurs lois utiles. Nous allons en rapporter les principales, en y joignant celles qui ont été données sur les mêmes objets, jusqu'à la fin du règne de Constance. Constantin le Grand avait réprimé l'ambition de ceux qui se procuraient par argent ou par brigue des titres honorables. Cet abus subsistait, et ces titres avaient tellement multiplié les dispenses et les exemptions, que les fonctions municipales couraient risque d'être abandonnées. Les princes s'efforcèrent de remédier à ce désordre: ils réglèrent la forme et l'ordre de la nomination aux offices municipaux; ils n'en déclarèrent exempts que ceux qui ne possédaient pas vingt-cinq arpents de terre, ceux qui seraient entrés dans la cléricature avec le consentement de l'ordre municipal, et un petit nombre d'autres personnes distinguées par leurs emplois: ils enjoignirent aux décurions et aux magistrats, sous certaines peines, l'exactitude la plus scrupuleuse à s'acquitter de leurs obligations personnelles; ils prirent des mesures pour prévenir l'anéantissement du sénat des villes, et pour remplir les places vacantes; afin d'encourager ces utiles citoyens, ils renouvelèrent leurs priviléges. Les donations du prince prédécesseur, souvent attaquées sous un nouveau règne, furent confirmées, mais on soumit à l'examen les exemptions accordées par les gouverneurs. Le massacre de la famille impériale, et la confiscation des biens de ceux qu'on avait massacrés, faisaient naître mille accusations contre les personnes, mille chicanes sur les biens: les empereurs en arrêtèrent le cours par de sages lois; ce ne fut que dans les dix dernières années de la vie de Constance, que ce prince prêta l'oreille aux délateurs. Constantin avait proscrit les libelles anonymes; ses fils n'en témoignèrent pas moins d'horreur; ils défendirent aux juges d'y avoir égard: *On doit*, dit une loi de Constance, *regarder comme innocent celui qui, ayant des ennemis, n'a point d'accusateur.* Constance confirma les lois de son père contre l'adultère; il porta même encore plus loin la sévérité, en condamnant les coupables à être brûlés, ou cousus dans un sac et jetés dans la mer, comme les parricides; il ne leur laissa pas même la ressource de l'appel, quand ils étaient manifestement convaincus. Les formules de droit, dont l'exactitude syllabique rendait tous les actes épineux, furent abolies. Afin de ne pas laisser languir l'innocence dans les prisons, Constance ne donna aux juges que l'espace d'un mois pour instruire les procès des prisonniers, sous peine d'être eux-mêmes punis. On voit dans ce prince une grande attention à procurer au peuple de Constantinople les divertissements du théâtre et du cirque, et à en régler la dépense qui devait être faite par les préteurs. Julien lui reproche une haine déclarée contre les Juifs: en effet, il leur défendit sous peine de mort d'épouser des femmes chrétiennes; et il ordonna que les chrétiens qui se feraient Juifs, fussent punis par la confiscation de leurs biens. Mais une loi célèbre de Constance, datée de l'an 339, est celle par laquelle il défend, sous peine de mort, les mariages d'un oncle avec la fille du frère ou de la sœur, et tout commerce criminel entre ces mêmes personnes. Ces alliances étaient prohibées par les anciennes lois romaines. Mais lorsque l'empereur Claude voulut épouser Agrippine, fille de son frère Germanicus, le sénat, pour sauver l'infamie de l'inceste à ce prince stupide et voluptueux, avait déclaré par un arrêt qu'il serait permis d'épouser la fille d'un frère; et par une distinction bizarre, qui indiquait assez le motif du relâchement, on n'avait pas étendu cette permission à la fille de la sœur. Il ne tint qu'à Domitien de prendre pour femme la fille de Titus son frère; il aima mieux la laisser épouser à Sabinus, la corrompre ensuite, tuer son mari, vivre licentieusement avec elle, et lui procurer enfin la mort. Nerva rappela les anciennes lois; mais bientôt l'abus reprit le dessus, et se maintint jusqu'à l'établissement de la religion chrétienne. Sozomène dit en général, que Constantin défendit les unions contraires à l'honnêteté publique, qui étaient auparavant tolérées: mais nous n'avons de lui aucune loi précise contre les mariages des oncles et des nièces. Constance y attacha la peine de mort, qui fut modérée par l'empereur Arcadius. Ces alliances ont été depuis ce temps-là regardées comme incestueuses. Constance défendit aussi d'épouser la veuve d'un frère, ou la sœur d'une première femme, et déclara illégitimes les enfants sortis de ces mariages.

XX. Nouvelles calomnies contre saint Athanase.

Ath. apol. contr. Arian. t. I, p. 140-154, et ad monach. p. 350.

Bar. an 339.

Pagi, ad Baron.

Hermant, vie de S. Ath. l. 5, c. 5. vie de Jules, art. 2, 1.

La mort du jeune Constantin privait Athanase de son plus zélé protecteur. Les Ariens renouvelèrent leurs efforts pour enlever encore au saint évêque l'appui de Constant: ils ne réussirent ni auprès de lui ni auprès du pape, qu'ils tâchèrent aussi d'ébranler. Silvestre était mort le dernier jour de l'année 335. Marc lui avait succédé, et n'avait vécu que jusqu'au mois d'octobre suivant. Jules, élu le 6 février 337, était alors assis sur la chaire de saint Pierre. C'était un pontife qui savait allier la douceur d'un pasteur avec la fermeté d'un chef de l'église; digne successeur de tant de saints et de tant de martyrs. Les Ariens lui députèrent un prêtre et deux diacres: ils lui envoyèrent les actes du concile de Tyr, comme un monument de leur triomphe; ils ajoutaient de nouvelles calomnies. L'évêque d'Alexandrie, instruit de leurs démarches, rassembla pour sa défense toutes les forces que l'église avait dans l'Égypte, dans la Pentapole et dans la Libye. Près de cent évêques se rendirent à Alexandrie: tous, d'un accord unanime, souscrivirent une lettre adressée au pape et à tous les évêques catholiques du monde. Athanase y était pleinement justifié contre toutes les accusations anciennes et nouvelles. Celles-ci roulaient sur trois chefs: il avait, disaient ses ennemis, violé les canons de l'église en rentrant dans son siége; déposé par un concile, il fallait un concile pour le rétablir; de plus, le peuple d'Alexandrie ne l'avait reçu qu'à regret; il ne s'était remis en possession que par la force et par le carnage; enfin il détournait à son profit les sommes que Constantin avait consacrées à la subsistance des pauvres de l'Égypte et de l'Afrique: cette dernière accusation était appuyée d'une lettre de Constance. Tels étaient les nouveaux reproches des Ariens. Le concile d'Alexandrie détruisait le premier chef, en faisant voir que le prétendu concile de Tyr n'avait été qu'un conventicule d'hérétiques, présidé par un comte, inspiré par la cabale, guidé par la violence: il donnait le démenti aux accusateurs sur les deux autres articles; les témoins du rétablissement d'Athanase déposaient de l'empressement et de la joie qui avaient éclaté à son retour; et sa fidélité dans la distribution des aumônes était prouvée par l'attestation des évêques qu'il avait employés à ce pieux ministère. Les députés du concile chargés de cette lettre eurent, en présence du pape, avec les envoyés des Ariens une conférence, dont ils remportèrent tout l'avantage. Les uns et les autres offrirent de s'en remettre à la décision d'un nouveau concile qui serait tenu à Rome, et auquel le pape présiderait. Jules accepta la proposition; il indiqua le concile; mais il refusa de donner audience à Pistus, que la cabale avait nommé évêque d'Alexandrie. Les députés d'Eusèbe n'espérant rien d'une affaire traitée dans les règles, et confus du peu de succès de leurs intrigues, partirent précipitamment de Rome. Le pape envoya à Athanase une copie des actes de Tyr, afin qu'il se préparât à se justifier.

AN 341.

XXI. Concile d'Antioche.

Ath. apol. contr. Arian. t. I, p. 144 et 148, et de Synod. p. 735, 736 et 737.

Socr. l. 2, c. 8.

Soz. l. 3, c. 5.

Theoph. p. 30.

Pagi, ad Baron.

Schelstr. de sacro Antioch. concil. Vita Ath. in edit. Benedict. p. 33 et 34.

Till. Arian. art. 30, 31, et 32.

Chron. temp. Ath. ex Mamachio.

Il n'était pas question d'apologie. Constance voulait qu'Athanase fût coupable; il rougissait secrètement d'avoir été forcé par ses frères de lui rendre justice; il prétendait s'en venger sur Athanase même; et la mort du jeune Constantin lui en laissait plus de liberté. L'année suivante, sous le consulat de Marcellinus et de Probinus, il assembla dans la ville d'Antioche un grand nombre de prélats, pour y célébrer la dédicace de la grande église, appelée l'Église d'or. Ce superbe édifice, commencé par le grand Constantin, était enfin achevé. Constance assista à cette brillante cérémonie avec plus de quatre-vingt-dix évêques, tous de ses états. La dédicace fut suivie d'un concile, qui fait encore aujourd'hui un sujet de dispute. Les canons qu'il composa, ont été reçus de toute l'Église: les trois professions de foi qui y furent dressées ne renferment rien que d'orthodoxe, quoique la première contienne quelques propositions équivoques, et que le terme de *consubstantiel* n'y soit pas exprimé, non plus que dans les deux autres. D'habiles critiques distinguent deux parties dans ce concile: il fut d'abord composé de tous les évêques qui étaient venus à Antioche, et dont la plupart étaient catholiques: les professions de foi, les canons et la lettre synodique sont leur ouvrage. Mais après le concile quarante prélats ariens, dévoués aux volontés de l'empereur, restèrent assemblés: c'était là dans l'intention de Constance le vrai concile; la cérémonie et la convocation des autres prélats n'avaient servi que de prétexte. Ils voulurent signaler la dédicace de l'église d'Antioche par la condamnation de leur plus redoutable adversaire, comme ils avaient six ans auparavant signalé la dédicace de l'église de Jérusalem par la réception d'Arius leur maître. La sentence de déposition prononcée à Tyr fut renouvelée. On avait déja nommé Pistus pour remplir le siége d'Alexandrie; mais il fut oublié comme incapable de soutenir un rôle si important. On jeta les yeux sur Eusèbe d'Édesse, homme savant, instruit par Eusèbe de Césarée, et Arien décidé. Il était trop habile pour accepter une place où il ne pouvait se flatter de réussir. Dans un voyage qu'il avait fait à Alexandrie, il avait été témoin de l'amour du peuple pour Athanase. Il refusa. On le fit dans la suite évêque d'Émèse; il passa pour un saint parmi ceux de sa secte; Constance le menait avec lui dans ses expéditions, et se conduisait par ses avis dans les choses qui regardaient l'église.

XXII. Grégoire intrus sur le siége d'Alexandrie.

Ath. ad orth. t. I, p. 112 et apol. contr. Arian. p. 149, ad monach. p. 350-352.

Greg. Naz. or. 21, t. I, p. 380.

Socr. l. 2, c. 8, 9, 10 et 11.

Theod. l. 2, c. 4.

Soz. l. 3, c. 5 et 6.

Chronolog. temp. Ath. ex Mamachio.

Au refus d'Eusèbe, on nomma Grégoire. Né en Cappadoce, il avait fait ses études à Alexandrie. La reconnaissance, s'il en eût été capable, l'aurait attaché à la personne d'Athanase, qui l'avait traité comme son fils. Mais ni les études d'Alexandrie, ni les bienfaits d'Athanase n'avaient adouci la rudesse de ses mœurs, et la grossièreté naturelle au pays de sa naissance. Personne n'était plus propre à seconder les desseins violents et sanguinaires de ceux qui l'avaient choisi. Il part, et Constance le fait accompagner de Philagrius qu'il nomme préfet d'Égypte une seconde fois, et de l'eunuque Arsace, avec une troupe de soldats. C'était ce même Philagrius, dont j'ai parlé au sujet des informations faites dans la Maréotique pendant le concile de Tyr: il était Cappadocien comme Grégoire; et sa cruauté armée des ordres du prince s'empressait d'éclater en faveur d'un compatriote[121]. Ils arrivèrent à la fin du carême de l'an 342. L'église d'Égypte était alors dans un calme profond, et les fidèles se préparaient à la fête de Pâques par les jeûnes et par les prières. Le préfet fait afficher un édit, qui déclare que Grégoire de Cappadoce est nommé successeur d'Athanase, et qui menace des plus rigoureux châtiments ceux qui oseront s'opposer à son installation. L'alarme se répand aussitôt: on s'étonne de l'irrégularité du procédé; on s'écrie que ni le peuple, ni le clergé, ni les évêques n'ont porté de plainte contre Athanase, que Grégoire n'amène avec lui que des Ariens, qu'il est arien lui-même et envoyé par l'arien Eusèbe. On s'adresse aux magistrats: toute la ville retentit de murmures, de protestations, de cris d'indignation.

[121] Saint Grégoire de Nazianze parle cependant (orat. 21, t. I, p. 390 et 391) en termes honorables de ce préfet.—S.-M.

XXIII. Violences à l'arrivée de Grégoire.

Pendant ce tumulte, Grégoire entre comme dans une ville prise d'assaut. Les païens, les Juifs, les gens sans religion et sans honneur, attirés par Philagrius, se joignent aux soldats. Cette troupe insolente, armée d'épées et de massues, force l'église de Cyrinus, où les fidèles s'étaient réfugiés comme dans un asyle: on met le feu au baptistère; on le souille par les plus horribles abominations. On dépouille les vierges, on leur fait mille outrages; quelques-uns les traînent par les cheveux, et les forcent de renoncer à Jésus-Christ, ou les mettent en pièces. Les moines sont foulés aux pieds, meurtris de coups, massacrés, assommés. Grégoire pour récompenser le zèle des Juifs et des païens, leur abandonnait le pillage des églises; et ces impies non contents d'en enlever les vases et les meubles, profanaient la table sacrée par des oblations sacriléges. Ce n'était que blasphèmes, que feux allumés pour brûler les livres saints, qu'images affreuses de la mort. Les Ariens, au lieu d'arrêter ces excès, traînaient eux-mêmes les prêtres, les vierges, les laïcs devant les tribunaux qu'ils avaient établis pour servir leur fureur; on condamnait les uns à la prison, les autres à l'esclavage; d'autres étaient frappés de verges; on retranchait aux ministres de l'église le pain des distributions, et on les laissait mourir de faim. Le vendredi saint, Grégoire, accompagné d'un duc païen nommé Balacius, entre dans une église; irrité de voir que les fidèles ne le regardaient qu'avec horreur, il anime contre eux l'humeur barbare de ce duc, qui fait saisir et fouetter publiquement trente-quatre personnes, tant vierges que femmes mariées et hommes libres. Philagrius avait ordre de Constance de faire trancher la tête à Athanase; les Ariens se flattaient de le surprendre dans un lieu de retraite, où il avait coutume de passer une partie de ce saint temps: mais il s'était retiré ailleurs. La sainteté du jour de Pâques ne fut pas respectée; et tandis que le reste de l'église célébrait avec joie la rédemption du genre humain, celle d'Alexandrie éprouvait toutes les rigueurs de la plus dure captivité. Philagrius ayant pillé les églises, les livrait à Grégoire qui en prenait possession; et les fidèles étaient réduits à la nécessité de s'en interdire l'entrée, ou de communiquer avec les Ariens. On ne baptisait plus les catholiques; leurs malades expiraient sans consolation spirituelle: la privation des sacrements de l'église était pour eux plus affligeante que la mort même; mais ils aimaient mieux mourir sans ces secours salutaires, que de sentir sur leurs têtes les mains sacriléges et meurtrières des Ariens. Grégoire, altéré du sang d'Athanase, se vengea de sa fuite sur la tante de ce saint prélat, qu'il accabla de mauvais traitements. Elle ne put y survivre; il défendit qu'on l'enterrât; et elle serait restée sans sépulture, si des personnes animées d'un esprit de charité n'eussent dérobé son corps à ce persécuteur opiniâtre.

XXIV. Précautions pour cacher ces excès à l'empereur.

Il est vrai que Constance n'avait pas ordonné ces cruautés; mais il ne devait pas ignorer que les souverains sont heureux quand le bien qu'ils commandent est à demi exécuté, et que le mal qu'ils permettent est toujours porté fort au-delà de ce qu'ils ont permis. Grégoire et Philagrius en vinrent eux-mêmes à craindre que l'empereur ne condamnât de si étranges excès. Pour lui en ôter la connaissance, Grégoire d'un côté attribuait à Athanase tous les maux dont il était l'auteur; c'était sur ce ton qu'il écrivait à Constance; et le prince abusé par sa propre prévention ajoutait foi à ces mensonges. D'un autre côté, le préfet défendit sous les plus terribles menaces aux navigateurs qui partaient d'Alexandrie, de rien dire de ce qu'ils avaient vu; il les contraignit même de se charger de lettres, où la vérité était entièrement défigurée; et ceux qui refusèrent de se prêter à l'imposture, furent tourmentés et retenus dans les fers. Il supposa un décret du peuple d'Alexandrie conçu dans les termes les plus odieux, et adressé à l'empereur, par lequel il paraissait qu'Athanase avait mérité non pas l'exil, mais mille morts. Ce décret fut signé par des païens, par des Juifs, et par les Ariens qui les mettaient en œuvre.

XXV. Les catholiques maltraités par toute l'Égypte

Ath. ad monach. t. I, p. 350; et vit. Anton. p. 859 et 860.

Après s'être rendu maître de la capitale, le nouveau conquérant songea à réduire toute la province. Grégoire se mit en marche avec Philagrius et Balacius, pour faire la visite des églises d'Égypte. Environné d'un cortége brillant, il ne témoignait que du mépris aux ecclésiastiques; mais il prodiguait les égards aux officiers de l'empereur et aux magistrats. Assis sur un tribunal entre le duc et le préfet, il faisait traîner devant lui les évêques, les moines, les vierges; il les exhortait en deux mots, ou plutôt il leur ordonnait de communiquer avec lui. Sur leur refus, affectant la contenance d'un juge, cet hypocrite impitoyable les faisait, avec un sang-froid plus cruel que la colère, déchirer de verges et meurtrir de coups: les plus favorisés en étaient quittes pour la prison ou pour l'exil. L'évêque Potamon, célèbre confesseur, l'un des pères de Nicée, et qui avait perdu un œil dans la persécution de Maximin, fut frappé à coups de bâton sur le col jusqu'à être laissé pour mort; et il en mourut peu de jours après. Grégoire, ayant reçu une lettre de saint Antoine, qui le menaçait de la colère de Dieu, la donna avec mépris à Balacius; celui-ci la jeta par terre, cracha dessus, maltraita les envoyés du saint, et les chargea de dire à leur maître, qu'il allait incessamment lui rendre visite. Cinq jours après, Balacius, ayant été mordu par un de ses chevaux, mourut en trois jours. Cette persécution continua, mais avec moins de violence, pendant les cinq années que Grégoire occupa le siége d'Alexandrie.

XXVI. Violences exercées ailleurs.

Ath. apol. contr. Arian. t. I, p. 146.

Hermant, vie d'Ath. l. 5, c. 18.

L'Égypte n'était pas le seul théâtre de ces sanglantes tragédies. Marcel d'Ancyre, Asclepas de Gaza, Lucius d'Andrinople [*Hadrianopolis*] furent chassés de leurs siéges. Constance, à la requête d'Eusèbe, condamna à mort Théodule et Olympius, l'un évêque de Trajanopolis, l'autre d'Énos, villes de Thrace. Comme ils avaient pris la fuite, il ordonna qu'ils fussent exécutés partout où on les pourrait trouver; *et l'on vit*, dit un auteur judicieux, *par une procédure si contraire à la liberté de l'église et aux sentiments de l'humanité, que les hérétiques ne respiraient que la mort et le sang de leurs frères.* Ces deux évêques échappèrent à cette proscription cruelle.

XXVII. Athanase va à Rome.

Ath. ad orth. t. I, p. 110-118, et ad monach. p. 350 et 352.

Socr. l. 2, c. 11 et 15.

Theod. l. 2, c. 4.

Judic. c. 19, v. 29.

Athanase, du fond de sa retraite, portait aux Ariens des coups mortels. Il écrivit à tous les évêques orthodoxes une lettre circulaire, pleine d'éloquence et de dignité. Elle commence par un trait sublime, qui seul peut faire sentir la beauté et la vigueur du génie de ce grand personnage. Il se compare à ce lévite qui, voyant le corps de sa femme, victime des plus horribles outrages, le coupa en douze parts et les envoya aux tribus d'Israël. Sa lettre n'excita pas moins d'indignation contre ces nouveaux Benjaminites, qui avaient souillé par tant de forfaits l'église d'Alexandrie. Le pape Jules, résolu de tenir le concile, que les députés d'Eusèbe avaient eux-mêmes proposé, manda Athanase, qui se rendit aussitôt à Rome. Eutropia, sœur du grand Constantin, le reçut avec honneur; et pendant dix-huit mois qu'il attendit ses accusateurs, il répandit dans l'Occident les premières semences de la vie monastique, qui fleurissait déja dans les déserts d'Égypte et de Syrie. Jules ouvrit les bras aux évêques persécutés, mais il rejeta l'arien Carponas et les autres députés, que lui envoyait Grégoire pour lui demander sa communion. Ces funestes divisions semblaient sur le point d'être terminées par le jugement du synode, auquel les deux partis avaient offert de se soumettre. Il ne manquait plus que les évêques d'Orient qui devaient comparaître en qualité d'accusateurs. Le pape les envoya inviter par les prêtres Elpidius et Philoxène. Mais ces prélats, faisant réflexion que ce concile serait un jugement purement ecclésiastique; qu'on n'y verrait ni comte, ni gouverneur, ni soldats; et que les décisions n'y seraient pas dictées par l'ordre du prince, refusèrent de s'y rendre. Ils prirent pour prétexte de leur refus la crainte qu'ils avaient des Perses; et ces prélats, qui feignaient de n'oser aller à Rome au-delà de la mer, où les Perses n'étaient nullement à craindre, couraient comme des furieux tout l'Orient, et allaient jusque sur la frontière de Perse chercher leurs adversaires, et les chasser de leurs églises. Afin d'éluder le concile, ils retinrent à Antioche les députés du pape, jusqu'après le terme de la convocation.

XXVIII. Paul rétabli et chassé de nouveau.

Socr. l. 2, c. 12 et 13.

Soz. l. 3, c. 6.

Liban. Basil. t. 2, p. 127, ed. Morel.

Theoph. p. 35 et 36.

Phot. vita Pauli, cod. 257.

Cedren. t. I, p. 298 et 302.

Chron. temp. Ath. ex Mamachio.

Dans cet intervalle mourut Eusèbe. Il n'avait joui que trois ans de la qualité d'évêque de Constantinople, qu'il avait achetée par tant d'années de crimes. Le parti arien faisait une grande perte; mais il trouvait encore des ressources dans l'opiniâtreté inflexible de Théognis de Nicée, de Maris de Chalcédoine, et de Théodore d'Héraclée. C'étaient des vieillards consommés dans les intrigues de l'hérésie, auxquels s'étaient joints depuis peu deux jeunes prélats, ignorants, mais bouillants et téméraires, Ursacius, évêque de Singidunum dans la haute Mésie, et Valens, évêque de Mursa dans la basse Pannonie[122]. Après la mort d'Eusèbe, la discorde se ralluma entre les partisans de Paul et ceux de Macédonius. Les catholiques prétendaient rétablir Paul injustement dépossédé. Les Ariens, ayant à leur tête Théognis et Théodore, installèrent Macédonius: les esprits s'échauffèrent; on en vint aux armes, et plusieurs citoyens périrent de part et d'autre. Constance était à Antioche[123]. Averti de ce désordre, il ordonna à Hermogène, général de la cavalerie qu'il envoyait en Thrace, de passer à Constantinople, et de chasser Paul de la ville. Hermogène, à la tête de ses cavaliers, va arracher Paul de l'église où il s'était retiré; le peuple se soulève, attaque les soldats; le général se sauve dans une maison; on y met le feu; on égorge Hermogène; on traîne son corps par les pieds dans les rues de la ville, et on le jette à la mer. A cette nouvelle, Constance enflammé de colère monte à cheval; c'était la saison de l'hiver; il accourt en diligence à Constantinople, malgré les pluies et les neiges; il ne respire que punition et que vengeance. Mais à son arrivée, touché de voir le sénat et le peuple fondants en larmes et prosternés à ses pieds, il fit grace de la vie à tous, et se contenta, pour châtier la ville, de lui retrancher la moitié des quatre-vingt mille mesures de blé, qu'on distribuait tous les jours au peuple en conséquence de l'établissement de Constantin. Il chassa Paul, mais sans confirmer l'élection de Macédonius, dont il était mécontent, parce qu'il avait eu part à la première sédition, et parce qu'il s'était fait ordonner évêque sans avoir pris l'agrément de l'empereur. Il lui permit cependant de faire les fonctions épiscopales dans l'église où il avait été ordonné, et repartit ensuite pour Antioche.

[122] Socrate place au contraire cette ville dans la haute Pannonie, Οὐάλης Μουρσῶν τῆς ἄνω Παννονίας; il est d'accord en cela avec l'auteur de l'Itinéraire de Bordeaux à Jérusalem, qui vivait vers la même époque. La

Pannonie se divisait en deux provinces, distinguées en première et seconde; celle-ci, où se trouvaient les villes de Sirmium, de Cibalis et de Mursa, était ordinairement nommée Pannonie inférieure, mais quelques auteurs, comme on vient de le voir, l'appelaient supérieure, tandis qu'ils réservaient le nom d'inférieure à la première Pannonie. On peut consulter, à ce sujet, Henri de Valois, sur Ammien Marcellin, l. 16, cap. 10, et Wesseling, sur l'Itinéraire de Jérusalem (*apud Itineraria Romanorum vetera*, p. 561).—S.-M.

[123] Des lois de ce prince nous apprennent qu'il était à Antioche le 5 avril et le 11 mai 342.—S.-M.

XXIX. Athanase va trouver Constant.

Socr. l. 2, c. 17, 18 et 19.

Theod. l. 2, c. 4.

Soz. l. 3, c. 9.

Theoph. p. 36.

Phot. vita Pauli. Cod. 257.

Hermant, vie d'Ath. l. 5, c. 24.

Vit. Ath. in edit. Bened.

Chronol. temp. Ath. ex Mamachio.

Paul, exilé d'abord à Singara en Mésopotamie, eut la liberté de revenir à Thessalonique. Il alla bientôt chercher un asyle dans la cour de Constant. Les Ariens avaient inutilement tenté de gagner ce prince. Il chérissait Athanase, et respectait sa vertu héroïque et son grand savoir. Quoique peu réglé dans ses mœurs, il aimait la vérité; il la cherchait dans les livres saints, et il s'était adressé à l'évêque d'Alexandrie pour les avoir dans une forme commode, parce que les Égyptiens s'entendaient mieux que les autres à copier et à relier les livres. Athanase lui écrivit; il lui fit une peinture touchante de la guerre cruelle des Ariens contre l'Église; il lui rappela le grand concile de Nicée, et le zèle de son père qui avait formé cette sainte assemblée. Cette lettre fit verser des larmes au jeune prince, et ralluma dans son ame la même ardeur dont Constantin avait été embrasé pour la religion. Il écrivit à Constance; il l'exhortait à imiter la piété de leur père: *Conservons-la*, lui disait-il, *comme la plus précieuse portion de son héritage; c'est sur ce fondement solide qu'il a établi son empire; c'est par elle qu'il a terrassé les tyrans et dompté tant de nations barbares*. Il le priait de lui envoyer quelques évêques du parti d'Eusèbe, pour l'instruire des causes de la déposition de Paul et d'Athanase. Constance n'osa refuser à son frère ce qu'il demandait. Il fit partir, l'année suivante 343, Narcisse de Néronias[124], Maris de Chalcédoine, Théodore d'Héraclée et Marc d'Aréthuse. Pour se faire mieux écouter du jeune empereur, ils lui portèrent une nouvelle formule de foi, qui ne pouvait être suspecte que par le soin qu'ils avaient eu d'y éviter le mot consubstantiel. C'en fut assez à Constant pour la rejeter; éclairé par les conseils de Maximin, évêque de Trêves, il les renvoya avec mépris, et continua de protéger la foi et les évêques qui en étaient les défenseurs et les martyrs.

[124] Cette ville, qui était en Cilicie, se nommait aussi Irénopolis.—S.-M.

XXXI. Synode de Rome.

Ath. apol. contr. Arian. t. I, p. 154. ad monach. p. 351.

Socr. l. 2, c. 17 et 18.

Zos. l. 3, c. 7-10.

Pagi, ad Baron.

Hermant, vie d'Ath. l. 5, c. 19.

Vit. Ath. in edit. benedic. t. I, p. 39.

Chron. temp. Ath. ex Mamachio.

Les prélats ariens, après avoir long-temps retenu Elpidius et Philoxène, les renvoyèrent enfin chargés d'une lettre, qui ne s'accordait guère avec la première proposition qu'ils avaient faite de s'en rapporter au jugement d'un synode auquel le pape présiderait. Ils se plaignaient que Jules prétendît juger de nouveau un évêque condamné par le concile de Tyr: c'était, selon eux, un attentat contre l'Église entière, dont Jules s'érigeait en souverain; ils lui déclaraient qu'ils n'auraient point de communion avec lui, s'il n'adhérait à leurs décrets. Lorsque cette lettre fut rendue au pape, le synode de Rome, composé de cinquante évêques, était déja commencé. Jules avait inutilement attendu les évêques accusateurs. Enfin le terme étant depuis long-temps expiré, il avait fait l'ouverture du synode. Athanase y fut absous aussi-bien que Paul, Marcel, Asclépas et les autres prélats persécutés par la faction. Jules, après avoir encore pendant plusieurs jours tenu secrète la lettre des Orientaux, dans l'espérance de recevoir quelques députés de leur part, la communiqua enfin au concile. On le pria d'y répondre; et cette réponse pleine d'onction et de force, est un des plus beaux monuments de l'histoire de l'Église. Les reproches des Ariens y sont tournés contre eux-mêmes; tous leurs prétextes sont réfutés; il leur fait honte des violences exercées à Alexandrie et ailleurs; il réduit en poudre les accusations suscitées contre Athanase, Marcel et les autres orthodoxes; il y établit les règles solides des jugements ecclésiastiques. Le pape, en confondant les adversaires, les traite avec une charité digne du premier pasteur de l'Église. Il n'y avait point encore de rupture ouverte entre l'Orient et l'Occident; les partisans de l'arianisme dissimulaient et rejetaient encore de bouche la doctrine d'Arius: Jules ne croyait pas qu'il fût temps de les démasquer; il évitait de faire un schisme; il aimait mieux, s'il était possible, guérir la plaie de l'Église, que de la rendre incurable en la découvrant. La justification d'Athanase ne produisit aucun effet sur le cœur endurci de Constance. Le saint prélat resta en Occident jusqu'après le concile de Sardique. J'ai rapporté sans interruption toute la suite de cette affaire. Le concile de Rome ne se tint qu'en l'année 343, selon la nouvelle chronologie d'un habile critique d'Italie[125]. Je vais reprendre les autres événements de l'année 341.

[125] C'est du P. Mamachi que Lebeau veut parler.—S.-M.

XXXI. Amid fortifiée.

Amm. l. 18, c. 9.

Theoph. p. 29.

Pendant que Constance, renfermé à Antioche avec des évêques, employait toute sa puissance à faire triompher la cabale arienne, les Perses ravageaient la Mésopotamie. Ce fut pour couvrir ce pays qu'il ajouta de nouvelles fortifications à la ville d'Amid[126]. Ce n'était qu'une petite bourgade, lorsque Constance, encore César, l'environna de tours et de murailles, pour servir de place de sûreté aux habitants du voisinage[127]. Il avait dans le même temps bâti ou réparé Antoninopolis, environ à trente lieues d'Amid vers le midi. Cette année il établit dans Amid un arsenal pour les machines de guerre: il en fit une forteresse redoutable aux Perses, et voulut même qu'elle portât son nom. Mais l'ancien nom prévalut. Elle était située au pied du mont Taurus, entre le Tigre qui fait un coude en cet endroit, et le fleuve Nymphéus qui, coulant au nord de la ville, allait à peu de distance se jeter dans le Tigre[128]. Elle avait à l'occident la Gumathène, pays fertile et cultivé, où était un bourg nommé Abarné, fameux par des sources d'eaux chaudes et minérales. Dans le centre même d'Amid, au pied de la citadelle, sortait à gros bouillons une fontaine, dont les eaux étaient ordinairement bonnes à boire, mais devenaient quelquefois infectées par des vapeurs brûlantes. L'empereur commit à la garde de cette ville la cinquième légion appelée Parthique, avec un corps considérable d'habitants du pays. Elle devint dans la suite métropole de la Mésopotamie, proprement dite, comme Édesse l'était de l'autre partie nommée l'Osrhoène.

[126] Dans mes *Mémoires historiques et géographiques sur l'Arménie*, t. 1, p. 166-173, je crois avoir démontré que cette ville, nommée encore par les Arméniens *Dikranagerd*, c'est-à-dire, *la ville de Tigrane*, est la même que la célèbre Tigranocerte, dont la position nous était resté inconnue.—S.-M.

[127] Il paraîtrait, d'après ce que disent les auteurs arméniens, qui parlent des siéges opiniâtres soutenus par Tigranocerte ou Amid, que cette ville n'avait pas cessé de faire partie de l'Arménie. Il est au moins constant, par le témoignage de Procope (de Bell. Pers. l. 1, c. 17), qu'elle était dans la partie de la Mésopotamie qu'on appelait Arménie. Si cette ville ne faisait pas partie intégrante de l'empire, et si elle n'était qu'une place d'Arménie occupée par une garnison romaine, ce serait une nouvelle raison en faveur de l'opinion que j'ai émise dans la note ajoutée, l. v, § 60.—S.-M.

[128] *A latere quidem australi, geniculato Tigridis meatu subluitur propius emergentis; quà Euri opponitur flatibus Mesopotamiæ plana despectat. Unde Aquiloni obnoxia est, Nymphœo amni vicina, verticibus Taurinis umbratur, gentes Transtigritanas dirimentibus et Armeniam: spiranti Zephyro contraversus Gumathenam contingit, regionem uberem, cultu juxta fecundam.* Amm. Marc. l. 18, c. 9.—S.-M.

XXXII. Terribles tremblements de terre.

Socr. l. 2, c. 10.

Soz. l. 3, c. 6.

[Hier. chron.]

Idat. chron.

S. Ephrem. Orat. de Terræ motu. op. græc. t. 3, p. 48.

[Theoph. p. 30.]

On commença en ce temps-là à sentir en Orient des tremblements de terre, qui durèrent près de dix ans à plusieurs reprises. La terre trembla dans Antioche pendant une année entière: le péril fut grand surtout durant trois jours. Plusieurs autres villes furent ruinées. Saint Éphrem, diacre d'Édesse, qui parle des faits dont il a pu être témoin oculaire, dit que les montagnes d'Arménie, s'étant d'abord écartées l'une de l'autre, se heurtèrent ensuite avec un horrible fracas; qu'il en sortit des tourbillons de flamme et de fumée, et qu'après cette effrayante agitation elles se replacèrent sur leur base.

XXXIII. Courses des Francs.

Liban. Basil. t. 2, p. 137 et 138, ed. Morel.

Hier. chron.

Socr. l. 2, c. 10.

Soz. l. 3, c. 6.

L'Occident n'était guère plus tranquille. Les Francs s'étaient jetés dans la Gaule; et le nom seul de cette nation ne répandait pas moins d'alarmes, que les fléaux les plus terribles. Voici le portrait qu'en fait un orateur du temps, à l'occasion de l'incursion dont je parle: «Ils sont, dit-il, redoutables par leur nombre, mais plus encore par leur valeur: ils bravent la mer et ses orages avec autant d'intrépidité, qu'ils marchent sur la terre; les frimas du Nord leur sont plus agréables que l'air le mieux tempéré: la paix est pour eux une calamité, une maladie; leur bonheur, leur élément naturel, c'est la guerre: vainqueurs, ils ne cessent de poursuivre; vaincus, ils cessent bientôt de fuir, et reviennent à la charge: incommodes à leurs voisins, ils ne leur laissent pas le temps de quitter le casque; rester dans le repos, c'est pour eux la plus dure captivité.» Constant essaya ses forces contre cette nation guerrière; il leur livra plusieurs combats, dont les succès furent balancés[129].

[129] Deux lois données le même jour nous font voir que Constant était à *Lauriacum*, dans la Pannonie (actuellement Lorch dans la Basse-Autriche), le 25 juin 341.—S.-M.

XXXIV. Ils sont réprimés par Constant.

Liban. Basil. t. 2, p. 139 et 140, ed. Morel.

Hier. Chron.

Socr. l. 2, c. 13.

Idat. chron.

Il fut plus heureux l'année suivante, dans laquelle il fut consul pour la seconde fois, et Constance pour la troisième. Les Francs furent domptés, et obligés de repasser le Rhin, et de recevoir pour rois des princes attachés à l'empereur, qui surent, tant qu'il vécut, contenir ces esprits inquiets. Une expression d'Idatius donne cependant lieu de croire qu'on employa les négociations, ou même l'argent plutôt que la force; et un panégyriste flatteur, et par conséquent digne de foi dans ce qui lui échappe de peu favorable, convient que les Francs ne furent pas réduits par les armes.

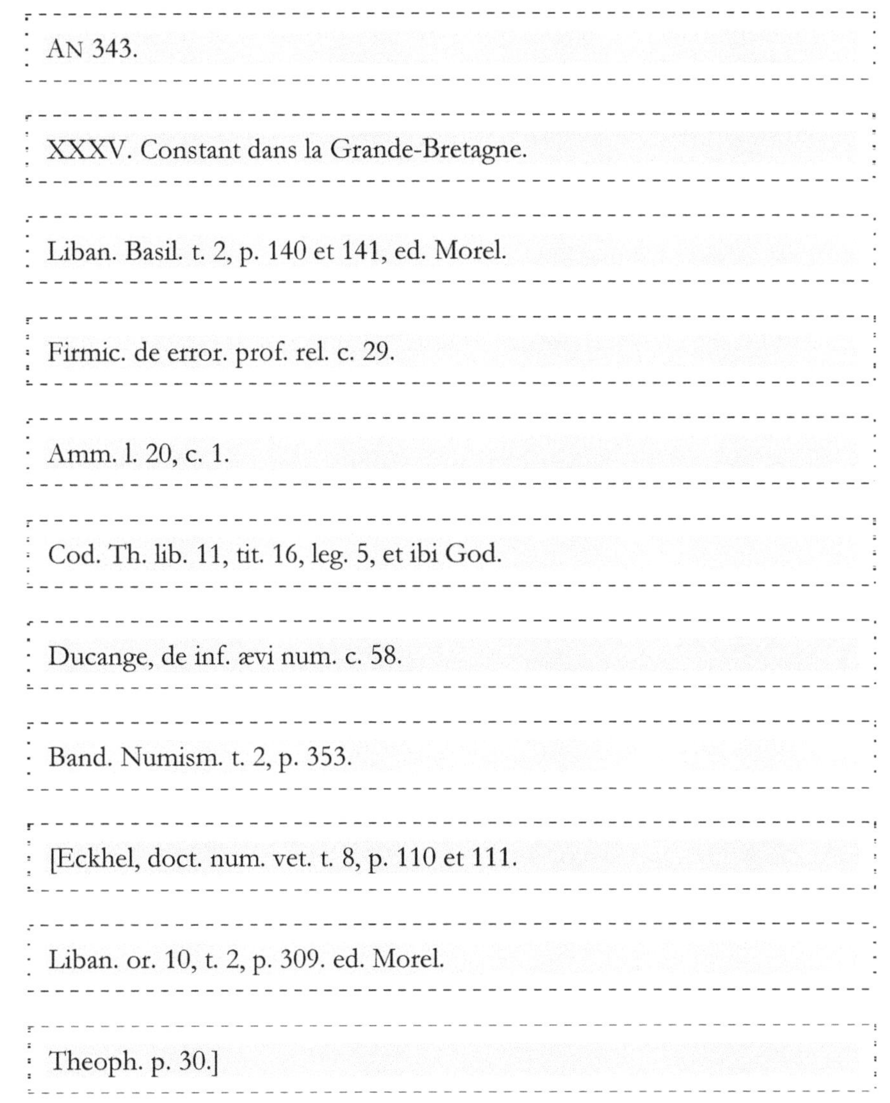

AN 343.

XXXV. Constant dans la Grande-Bretagne.

Liban. Basil. t. 2, p. 140 et 141, ed. Morel.

Firmic. de error. prof. rel. c. 29.

Amm. l. 20, c. 1.

Cod. Th. lib. 11, tit. 16, leg. 5, et ibi God.

Ducange, de inf. ævi num. c. 58.

Band. Numism. t. 2, p. 353.

[Eckhel, doct. num. vet. t. 8, p. 110 et 111.

Liban. or. 10, t. 2, p. 309. ed. Morel.

Theoph. p. 30.]

La paix rétablie dans la Gaule laissa à Constant la liberté de passer dans la Grande-Bretagne, sous le consulat de Placidus[130] et de Romulus. Les Calédoniens menaçaient la province. L'empereur n'annonça son dessein que par un impôt extraordinaire, qu'il leva en ce temps-là pour armer une flotte. Voulant surprendre les ennemis, qui se croyaient en sûreté, du moins pendant l'hiver[131], il s'embarqua à Boulogne [*Bononia*] à la fin de janvier[132], et prit les devants accompagné seulement de cent soldats. On ignore le détail de cette expédition[133]. Si l'on s'en rapporte aux éloges donnés à Constant sur ses médailles, il terrassa les Barbares[134]. Mais ces monuments sont sujets à donner de l'éclat aux moindres succès, et le métal même sait flatter. On ne peut non plus rien conclure, en faveur de Constance, de ce que dit une chronique, qu'il triompha des Perses cette année. Un orateur qui ne lui a pas épargné les éloges pendant sa vie, lui a reproché après sa mort d'avoir souvent triomphé sans avoir vu l'ennemi, et même après avoir été vaincu[135].

[130] M. Mæcius Memmius Furius Balburius Cæcilianus Placidus et son collègue Flavius Pisidius Romulus.

[131] *Hyeme, quod nec factum est aliquando, nec fiat, tumentes ac sævientes undas calcastis Oceani*, dit Julius Firmicus Maternus, c. 29.—S.-M.

[132] On voit par une loi que Constant était à Boulogne, le 25 janvier 343. Il existe des médailles de ce prince qui portent au revers la légende BONONIA. OCEANEN. Elles furent sans doute frappées pendant son séjour à Boulogne, à l'occasion de son passage en Angleterre.—S.-M.

[133] Elle fut courte à ce qu'il paraît, d'après une loi de Constant, datée de Trèves, le 30 juin 343, sans doute après son retour.—S.-M.

[134] Beaucoup de médailles de Constant, portent la légende TRIUMFATOR ou TRIVMPHATOR GENTIVM BARBARARVM, en mémoire sans doute des victoires qu'il avait emportées sur les Francs et les Calédoniens.—S.-M.

[135] Il est certain cependant que Constance passa la plus grande partie de cette année dans l'Orient, probablement à cause de la guerre qu'il y faisait aux Perses, soit en personne, soit par ses généraux. Il était à Antioche le 18 février, et à Hiérapolis le 27 juin et le 4 juillet.—S.-M.

AN 344.

XXXVI. Tremblements de terre.

Cod. Th. lib. 7, tit. 9, leg. 2, et ibi God.

Hier. chron.

[Greg. Nys. t. 3, p. 554.]

Theoph. p. 30, 31 et 32.

Cedr. t. 1, p. 298-299.

Baron, an. 343.

Till. art. 9.

Il paraît cependant que l'année suivante, Léontius et Sallustius étant consuls, Constance remporta quelque avantage sur les Perses. On parle d'un combat où ceux-ci firent une grande perte. Mais ce qui rend cette année plus mémorable, c'est le désastre de Néocésarée, ville située dans le Pont sur le fleuve Lycus, et célèbre depuis un siècle par les miracles de son évêque saint Grégoire, surnommé le Thaumaturge. Un tremblement de terre avait, un an auparavant, ruiné une grande partie de la ville de Salamine, dans l'île de Cypre. Ce fléau, qui se communiquait aux diverses contrées de l'Orient, éclata à Néocésarée. La terre s'ouvrit; toute la ville fut abîmée, à la réserve de l'église et de la maison épiscopale. Ce fut le privilége de cette église, où le Thaumaturge était enterré, de rester entière lorsque le reste de la ville tombait en ruines; et l'histoire en fait la remarque en plusieurs occasions. Il n'échappa qu'un petit nombre d'habitants, qui se trouvèrent alors dans l'église avec l'évêque Théodule. Pour achever l'histoire de ces terribles secousses si ordinaires en ce temps-là, l'année suivante 345, l'île de Rhodes fut presque entièrement bouleversée; en 346, Dyrrachium, aujourd'hui Durazzo, sur les côtes de l'Albanie, tomba toute entière. Rome fut ébranlée pendant trois jours et trois nuits, et douze villes de Campanie furent ruinées; enfin, l'an 349, Baryte, une des principales villes de la Phénicie, renommée par son école de jurisprudence, fut en grande partie détruite. Théophane rapporte que la plupart des païens se réfugièrent dans l'église, promettant d'embrasser la religion chrétienne: mais que le péril étant passé, ils se crurent quittes de leur promesse, en s'assemblant en un lieu qu'ils appelèrent Oratoire, où ils contrefaisaient les cérémonies du christianisme, sans renoncer à leurs anciennes superstitions.

XXXVII. Conversion des Homérites.

Strab. l. 16.

Plin. l. 6, c. 32.

Joseph. antiq. l. 1, c. 15.

Ptol. l. 6, c. 7.

Philost. l. 3, c. 4, 5, 6, et ibi God.

Vales. ad. Amm. l. 22, c. 7.

Le Quien, ro. Christ. t. 2, p. 662.

[Euseb. hist. eccl. l. 5, c. 10.]

Constance ne manquait pas de zèle pour répandre chez les nations étrangères les semences de la foi; mais elles étaient mêlées d'ivraie; on y portait en même temps l'arianisme. Les Homérites habitaient l'Arabie Heureuse, vers la jonction du golfe Arabique et de l'Océan, près du royaume de Saba[136]. Leur capitale se nommait Taphar[137]. Outre plusieurs autres villes, il y avait deux ports: l'un sur la côte qu'on appelait dès-lors la côte d'Aden[138], fréquenté par les négociants romains; l'autre plus à l'Orient, ouvert aux vaisseaux des Perses. Cette nation était très-nombreuse; elle prétendait descendre d'Abraham par un fils de Cétura[139]. L'Évangile y avait été porté d'abord, à ce qu'on croit, par l'apôtre saint Barthélemi, et dans le siècle suivant par Panténus, prêtre d'Alexandrie. Mais la foi s'y étant éteinte, on y adorait alors le soleil, la lune et les dieux du pays. Il y avait beaucoup de Juifs: tout le peuple était circoncis, comme les Éthiopiens et les Troglodytes au-delà du golfe[140]. Constance ménageait cette nation, à cause de la guerre des Perses[141]. Dans le dessein de la convertir au christianisme, il y envoya une ambassade, dont le chef fut un Indien célèbre nommé Théophile[142]. Il était né dans l'île de Diu, qu'on croit être celle qui porte encore le même nom vers l'embouchure de l'Indus[143]. Envoyé à Constantin en ôtage par ceux de son pays dès sa première jeunesse, il tomba entre les mains d'Eusèbe de Nicomédie, qui lui inspira les principes de l'arianisme avec ceux de la religion chrétienne, et lui conféra le diaconat. Afin de lui donner plus d'autorité dans sa mission, les Ariens le firent évêque. L'empereur le chargea de riches présents pour les princes du pays, et de grandes sommes d'argent, qu'il devait employer à bâtir des églises. Il le fit accompagner de deux cents chevaux de Cappadoce, qu'il envoyait au roi de la contrée. Les chevaux de ce pays étaient les plus estimés de l'empire: on les réservait pour le service de l'empereur. Théophile réussit malgré l'opposition des Juifs[144]. Le roi des Homérites reçut le baptême; il fit bâtir trois églises, non pas des deniers envoyés par l'empereur, mais à ses propres dépens: l'une à Taphar, les deux autres dans les deux villes de commerce. L'évêque, après avoir jeté dans cette contrée les fondements de la foi, fit un voyage dans sa patrie et parcourut une partie de l'Inde, réformant les abus qui s'étaient glissés parmi les chrétiens, mais y répandant le poison d'Arius. Revenu en Arabie, il passa de l'autre côté du golfe à Axoum, métropole de l'Éthiopie. La nouvelle doctrine ne trouva pas sans doute beaucoup de crédit chez un peuple gouverné par le pieux évêque Frumentius, établi dans ce pays sous le règne de Constantin.

[136] Les peuples nommés Homérites et Sabéens, par les anciens, habitaient toute la partie méridionale de l'Arabie, qui porte actuellement le nom d'Yemen. Les premiers, appelés par les Arabes *Himyar* et *Houmeïr*, descendaient selon eux d'un personnage appelé *Himyar*, fils de Saba, père de toutes les tribus répandues dans cette partie de l'Arabie. On voit dans les auteurs orientaux, dont le témoignage est confirmé par les Grecs, que les Homérites formaient la plus puissante de ces tribus, puisqu'ils donnèrent leur nom à tout le pays.—S.-M.

[137] Cette ville est encore une des principales de l'Yemen. Les Arabes la nomment *Dhafar*.—S.-M.

[138] C'est Philostorge qui parle de cette ville, il la nomme *Adane*.—S.-M.

[139] C'est ce que dit Philostorge (l. 3, c. 4). Pour les Arabes eux-mêmes, ils se regardaient comme les descendants de Saba, fils de Kahthan, le même que le Yectan de l'Écriture, fils de Sem.—S.-M.

[140] Tous les Éthiopiens sont encore circoncis, malgré le christianisme qu'ils professent.—S.-M.

[141] On verra que sa conduite fut imitée par ses successeurs.—S.-M.

[142] Philostorge rapporte que ce Théophile était Indien, et qu'il avait été envoyé comme ôtage à Constance par les Dives, peuple de l'Inde. Cependant saint Grégoire de Nysse (*Cont. Eunom.* l. 1, t. 2, p. 294) l'appelle Blemmyen, Βλεμμυς. Les Blemmyes était un peuple barbare au midi de l'Égypte. Le nom de Théophile ferait croire qu'il était Grec et qu'il descendait de quelques-uns des Grecs attirés dans l'Inde par le commerce, et qui s'y étaient établis.—S.-M.

[143] C'est là une conjecture de Henri Valois (*ad Amm.* l. 22, c. 7); elle n'a aucun fondement, et n'est pas, même dans son énoncé, exempte d'erreur. L'île de Diu, qui n'a jamais eu d'autre célébrité que celle que les Portugais lui ont donnée par le siége qu'ils y soutinrent contre les Musulmans, en l'an 1545,

est sur la côte du Guzarate fort loin des bouches de l'Indus. Philostorge est le premier qui ait parlé (l. 3, c. 4 et 15) des *Dibènes* τῶν Διβηνῶν habitants de l'île de *Díu* τὸν Διβοῦ νῆσον, et ce qu'il en dit ne suffit pas pour en indiquer la position. Le nom seul ferait voir qu'il s'agit d'une portion de l'Inde, car dans tous les idiomes de cette région, il existe un mot presque semblable de son, qui signifie *île*. Ammien Marcellin parle des mêmes peuples (l. 22, c. 7), en mentionnant les ambassades que reçut Constance. *Inde nationibus Indicis certatim cum donis optimates mittentibus.... ab usque Divis et Serendivis.* Comme le dernier nom ne peut s'appliquer qu'à l'île de Ceylan, qui, jusqu'à présent, a conservé chez les Arabes le nom de *Serandib*, on peut présumer avec assez de raison, que celui qui le précède, doit s'appliquer au groupe des îles Laquedives, situé en avant de Ceylan et du continent Indien, d'autant plus qu'en venant de l'Occident vers ces deux pays, il faut nécessairement reconnaître les îles dont je parle. Le nom rapporté par Philostorge et par Ammien Marcellin, est dérivé du Samskrit; et signifiant *les Iles*, il est tout-à-fait propre à les désigner.—S.-M.

[144] Les auteurs orientaux parlent souvent des Juifs établis à une époque très-ancienne dans l'Yemen et dans d'autres parties de l'Arabie. On voit par leurs récits que plusieurs des rois de l'Yemen, de la race d'Himyar, professèrent le judaïsme. Mais ils ne donnent pas assez de détails pour qu'on puisse déterminer d'une manière approximative la date de l'introduction de cette religion dans la partie méridionale de l'Arabie.—S.-M.

[l. 3, c. 6. Niceph. Call. l. 4, c. 32.]

Ptol. l. 6, c. 7.

Peripl. mar. Eryth. p. 17.

[Geograph. Nub. vers. lat. p. 23.]

[Topogr. Christ. l. 3, apud. Montfaucon. col. nova. patr. t. 2. p. 178]

[Le Quien, Or. Christ. t. 2, p. 1257.]

[Assem. Bibl. orient. t. 2, p. 456 et t. 3, p. 460.]

—[Au rapport de Philostorge, Théophile pénétra ensuite dans une île d'une assez grande étendue, située hors du golfe Arabique dans l'Océan indien. Nous la nommons Socotra; elle avait été appelée par les Grecs l'île de Dioscoride, en mémoire sans doute de quelqu'un de ces voyageurs envoyés autrefois dans ces parages par les rois Ptolémées, qui en avaient fait reconnaître les côtes pour y placer des colonies militaires et commerciales. Selon le même auteur, cette île était habitée par des Syriens, dont les ancêtres y étaient venus par les ordres d'Alexandre de Macédoine, et qui conservaient encore de son temps l'usage de la langue syrienne. Quoi qu'il en soit de cette histoire qui se retrouve dans les auteurs orientaux, quand les Portugais parurent au seizième siècle dans les mers de l'Inde, ils trouvèrent dans cette île des chrétiens qui, dans l'office divin, se servaient de la langue et de l'écriture syriennes. L'Arien Théophile fut aussi l'apôtre de cette région lointaine. Sa prédication n'y fut pas sans succès; le christianisme ne s'y éteignit pas après lui. Quand le moine Cosmas, surnommé *Indicopleustes*, visita cette île au milieu du sixième siècle, il y trouva des chrétiens en grand nombre. Ils parlaient grec[145]; et ils recevaient leur clergé de la Perse. Il en était encore de même plusieurs siècles après. On connaît les noms de divers évêques, envoyés à Socotra par les métropolites nestoriens de Perse. En l'an 1282, Cyriaque assista à l'ordination de Iaballaha III, patriarche des Syriens nestoriens. C'est peu après cette époque que le célèbre voyageur vénitien Marc Paul visita les chrétiens de cette île. Les Portugais les trouvèrent partagés entre les deux sectes des Nestoriens et des Jacobites. Il en est sans doute encore de même, si le christianisme y a résisté aux persécutions des Arabes musulmans qui dominent dans l'île. On voit par l'étendue et l'éloignement des pays qui furent visités par Théophile, que si ce propagateur de l'évangile ne fut pas recommandable par la pureté de sa doctrine, il le fut au moins par son zèle, et qu'il méritait sous certains rapports la considération dont il jouissait à la cour de Constance.]—S.-M.

[145] C'est ce qu'il dit deux fois, οἱ παροικοῦντες Ἑλληνιστὶ λαλοῦσι, et συνέτυχον δὲ ἀνδάσι τῶν ἐκεῖ Ἑλληνιστὶ λαλοῦσιν. Selon lui les habitants de cette île descendaient des colons envoyés par les rois Ptolémées; ce qui n'est pas dépourvu de vraisemblance. Πάροικοι τῶν Πτολεμαίων τῶν μετὰ Ἀλέξανδρον τὸν Μακεδόνα ὑπαρχόντων.—S.-M.

A son retour, ce zélé missionnaire de l'arianisme fut comblé d'honneurs par Constance; il porta toute sa vie le titre d'évêque, sans être attaché à aucun siége. Son parti l'admirait comme un conquérant évangéliste: on prétendait même qu'il faisait des miracles.

AN 345.

XXXVIII. Inquiétudes des Ariens.

Ath. de Synod. t. 2, p. 738.

Socr. l. 2, c. 19.

Soz. l. 3, c. 10.

Ces succès étrangers ne satisfaisaient pas l'ambition des Ariens: ils voulaient dominer dans l'empire. Ce n'était de leur part qu'agitations et inquiétudes. Toujours enveloppés de nuages, hérissés d'équivoques, ils changeaient perpétuellement de langage. Feignant d'appuyer d'une main la foi de l'église, en se déclarant contre Arius, ils travaillaient de l'autre à la détruire en rejetant la consubstantialité. Pour éclipser le concile de Nicée, ils assemblaient sans cesse des conciles; ils multipliaient les professions de foi pour étouffer la véritable. Ils en dressèrent encore une à Antioche, où ils tinrent un nouveau synode, sous le consulat d'Amantius et d'Albinus. Elle fut appelée la longue formule, parce quelle était beaucoup plus étendue que les autres, sans en être moins obscure ni moins ambiguë: elle était même contradictoire; la foi et l'hérésie, tout s'y trouvait, excepté le terme de *consubstantiel*. Plusieurs d'entre eux furent chargés de la porter aux évêques d'Occident, pour obtenir leur souscription.

XXXIX. Marche de Constance vers la Perse.

[Soz. l. 2, c. 9-14.]

Cod. Th. lib. 11, t. 7, leg. 5.

Aug. de Civ. l. 18, c. 52, t. 7, p. 535.

Baron. an. 344.

[Themist. or. 4, p. 58.

Chron. Alex. vel. Pasch. p. 289.

Ducange, Const. chr. p. 91 et 92.]

Constance n'assista pas à ce synode: il marchait alors vers la Perse, d'où l'on craignait sans cesse une irruption. La haine de Sapor contre les Romains croissait de plus en plus. Tant que la religion chrétienne avait été persécutée dans l'empire, la Perse avait ouvert les bras aux chrétiens qui venaient y chercher un asyle. Mais depuis la conversion de Constantin, Sapor les regardait comme autant d'espions et de traîtres: il les accusait de favoriser les Romains, avec lesquels ils s'accordaient dans le culte. Sous ce prétexte il les livrait aux plus affreux supplices. Les tables ecclésiastiques donnaient les noms de seize mille martyrs, tant hommes que femmes[146]. Le reste était innombrable. Ces cruels traitements contribuaient à fortifier les soupçons de Sapor: un grand nombre de fidèles se réfugiaient dans les villes romaines, et par une sorte de reflux la persécution les ramenait dans les mêmes contrées, d'où la persécution les avait chassés. Constance s'avança jusqu'à Nisibe[147], où se rendait sans doute une partie de ces pieux fugitifs. Mais on ne voit pas que les Perses aient cette année passé le Tigre, et l'empereur revint à Antioche sans avoir tiré l'épée. On avait commencé le 17 d'avril à construire à Constantinople des thermes magnifiques, qui portèrent le nom de Constance. Il y fit transporter d'Antioche les statues de Persée et d'Andromède.

[146] Voyez les additions au livre V, § 22.—S.-M.

[147] Il était dans cette ville le 12 mai 345.—S.-M.

AN 346.

XL. Port de Séleucie.

Jul. or. 1, p. 40 et 41. ed. Spanh.

Liban. or. 11. p. 386, t. 2, ed. Morel.

Hier. chron.

Theoph. p. 31.

Cedr. t. 1, p. 299.

Till. art. 10.

Un ouvrage bien plus important s'exécutait près d'Antioche. La côte voisine de cette ville était d'un accès difficile. Des roches cachées sous les eaux et d'autres qui bordaient le rivage en défendaient l'approche. Tout le commerce se faisait au port de Séleucie, situé à quarante stades de l'embouchure de l'Oronte. Constance fit ouvrir ce port, et lui donna une face toute nouvelle pour le rendre plus spacieux et plus commode. Cette entreprise coûta beaucoup de travail et de dépense. Il fallut couper une montagne et creuser un bassin dans le roc. Séleucie fut augmentée de nouveaux édifices, et Antioche ornée de portiques et de fontaines. En reconnaissance, cette dernière ville voulut prendre le nom de Constance; mais son ancien nom, célèbre depuis plusieurs siècles, ne céda pas à ce goût de flatterie, qui eut plus de succès à l'égard d'une ville moins illustre: c'était Antaradus, en Phénicie; Constance la fit rebâtir; elle porta dans la suite indifféremment son premier nom, et celui de son restaurateur.

XLI. Sédition à C. P.

Lib. vit. t. 2, p. 17 et 18, ed. Morel.

Hier. chron.

Cod. Th. lib. 11 tit. 16. leg. 6.

Theoph. p. 31.

Till. art. 10.

Les deux empereurs étaient consuls cette année, Constance pour la quatrième fois, et Constant pour la troisième. Il est remarquable qu'ils ne prirent point le consulat au commencement de l'année: l'histoire n'en donne point la raison. Le premier monument où ils soient nommés consuls, est une loi du 7 de mai. Constance était alors à Constantinople, et il paraît qu'il y séjourna le reste de cette année[148], et jusqu'au mois de mars de la suivante. Il s'y était apparemment rendu, afin d'arrêter les suites d'une sédition. Le peuple révolté, on ne sait à quelle occasion, avait blessé un magistrat considérable nommé Alexandre, qui fut obligé de se sauver à Héraclée. Les séditieux se saisirent de ceux qui leur étaient suspects; et se flattant d'être toujours les maîtres, ils les mirent en prison en attendant qu'on instruisît leur procès. Bientôt ils se calmèrent, peut-être avec aussi peu de raison qu'ils s'étaient soulevés. Le magistrat offensé rentra dans la ville, et se mit en devoir de punir les mutins. Mais il survint dès la nuit suivante un ordre de l'empereur, qui destituait Alexandre, et qui mettait en sa place Liménius, que Libanius dépeint comme un homme sans mérite, et d'une vanité ridicule. Cependant Sapor, rentré en Mésopotamie, assiégeait Nisibe pour la seconde fois. Toutes les forces de la Perse échouèrent encore devant cette ville; quoiqu'elle ne fût défendue que par sa garnison; et Sapor fut obligé d'en lever le siége au bout de soixante-dix-huit jours.

[148] Il existe des lois de Constance datées de cette ville des 26 mai et 23 août de la même année.—S.-M.

XLII. Concile de Milan.

Ath. Apol. ad Const. t. I, p. 297.

Socr. l. 1, c. 19 et 20.

Soz. l. 3, c. 11.

[Theoph. p. 34.]

Phot. vit. Ath. cod. 257.

Pagi, in Baron.

Dans le même temps que Constance était venu à Constantinople, Constant avait passé en Italie. Il était à Milan au mois de juin. Il y manda Athanase et plusieurs évêques d'Occident qui s'assemblèrent en synode. Les députés orientaux leur ayant présenté cette longue formule dont j'ai parlé, leur demandèrent d'y souscrire. Les évêques répondirent qu'ils s'en tenaient à la profession de Nicée, et qu'ils rejetaient toutes les autres, comme des productions d'une curiosité dangereuse: ils proposèrent à leur tour de condamner la doctrine d'Arius. Cette proposition irrita les députés; ils partirent brusquement; et les évêques prirent cette occasion pour conjurer l'empereur de renouveler ses instances auprès de son frère, et d'obtenir de lui qu'il voulût bien concourir à terminer par un concile œcuménique les contestations qui déchiraient le sein de l'église. Constant avait plusieurs fois écrit à son frère des lettres pressantes en faveur d'Athanase et des autres évêques bannis: mais Constance toujours obsédé par les Ariens était sourd à de si justes remontrances. Constant, à la sollicitation du synode, lui proposa un concile général, où se rassembleraient les prélats des deux partis. Constance y consentit. Les empereurs choisirent la ville de Sardique, comme la plus commode pour les évêques d'Orient et d'Occident, parce qu'elle était sur la frontière des deux empires. Constant ayant fait un voyage dans ses états d'Illyrie et de Macédoine, et s'étant avancé jusqu'à Thessalonique[149], retourna en Gaule et fit venir à Trèves Athanase, qui partit peu après avec le célèbre Osius, pour se rendre à Sardique.

[149] Constant était à Césène le 23 mai, à Milan le 21 juin, et à Thessalonique le 6 décembre.—S.-M.

XLIII. Concile de Sardique.

Ath. Apol. contr. Arian. t. I, p. 154 et 155; et epist. ad monach. p. 352 et ad Antioch. p. 770-777.

Conc. t. 3, p. 623-712.

Socr. l. 2, p. 20 et 22.

Theod. l. 2, c. 7 et 8.

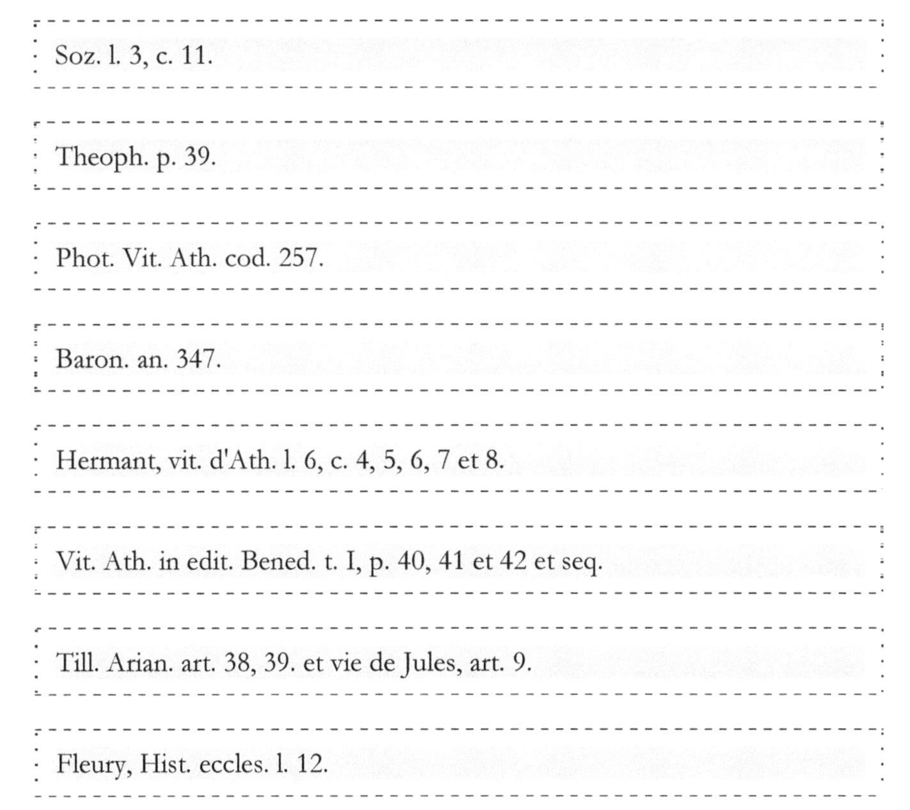

Soz. l. 3, c. 11.

Theoph. p. 39.

Phot. Vit. Ath. cod. 257.

Baron. an. 347.

Hermant, vit. d'Ath. l. 6, c. 4, 5, 6, 7 et 8.

Vit. Ath. in edit. Bened. t. I, p. 40, 41 et 42 et seq.

Till. Arian. art. 38, 39. et vie de Jules, art. 9.

Fleury, Hist. eccles. l. 12.

Le concile s'assembla au commencement de l'année suivante, sous le consulat de Rufin et d'Eusèbe. Jamais depuis le concile de Nicée l'église n'avait vu un si grand nombre de prélats réunis. Cent évêques d'Occident et soixante-treize d'Orient[150], allaient combattre comme en bataille rangée, les uns pour la foi de Nicée, les autres pour la doctrine d'Arius, dont la plupart cependant n'osaient se déclarer les partisans. Ce fut en cette rencontre qu'on vit naître entre l'église d'Orient et celle d'Occident ces premières étincelles de division qui ayant paru s'éteindre ensuite, mais n'étant qu'assoupies, ont sous d'autres prétextes éclaté plusieurs siècles après par un embrasement funeste, dont les suites durent encore de nos jours. Entre les occidentaux on compte cinq transfuges qui se joignirent aux Ariens: les deux plus renommés sont Ursacius de Singidunum, et Valens de Mursa. Deux prélats se détachèrent aussi du parti des orientaux, et vinrent instruire leurs adversaires des complots tramés contre eux. Il y en avait d'autres encore qui étaient orthodoxes dans le cœur; mais la crainte de Constance et la violence de leurs collègues les tenaient comme enchaînés. Le pape Jules, qui avait été invité, s'excusa sur les maux que son absence pourrait causer à son troupeau; il envoya deux légats prêtres et un diacre. Plusieurs prélats qui s'étaient vingt-deux ans auparavant signalés à Nicée, donnaient à cette illustre assemblée un nouvel éclat, et y apportaient le même courage. Osius âgé de plus de quatre-vingt-dix ans était le plus célèbre; il fut l'oracle de ce concile: c'était lui qui proposait et qui demandait les avis; et son nom se lit en tête de toutes les signatures. Outre Athanase, Marcel et Asclépas, on y vit paraître Lucius d'Andrinople, présentant au concile les fers dont il avait été chargé par les Ariens; et plusieurs autres évêques décharnés par la faim, et meurtris de coups, portaient les marques d'une persécution barbare. Du côté des Ariens c'étaient les plus hardis qui venaient avec confiance s'offrir au choc; et pour assurer leur victoire, ils s'étaient fait accompagner du comte Musonianus et du chambellan Hésychius. Théognis était mort depuis peu; mais fidèle à son parti et livré au mensonge jusqu'au dernier soupir, il avait en mourant supposé des lettres dans la vue d'irriter l'empereur contre Athanase. Valens était encore tout échauffé d'une sédition qu'il venait d'exciter à Aquilée, dont il avait voulu usurper le siége, et il avait vu fouler aux pieds un évêque nommé Viator, qui en était mort trois jours après. Théodore d'Héraclée, Étienne nouvel évêque d'Antioche, Ursacius de Singidunum ne montraient pas moins d'ardeur. Cependant se sentant encore trop faibles contre la vérité et la justice, ils convinrent ensemble de ne pas entrer au concile, si les choses ne paraissaient pas disposées à leur avantage.

[150] Il y a quelque dissentiment entre les auteurs, sur le nombre des évêques qui assistèrent à ce concile.—S.-M.

XLIV. Les Ariens se séparent.

En effet, lorsqu'à leur arrivée, ils virent qu'on allait procéder régulièrement, que les officiers militaires ne seraient pas admis à l'assemblée, qu'Athanase et les autres bannis y seraient reçus, qu'on était disposé à écouter leurs défenses, et qu'ils allaient eux-mêmes être convaincus de tant d'horribles violences, ils s'enfermèrent dans le palais; et ayant tenu conseil entre eux, ils prirent le parti de se retirer: ils envoyèrent signifier au concile leur refus d'y assister, sous pretexte que, les accusés étant déja frappés d'anathème, on ne pouvait sans crime communiquer avec eux. Ils s'autorisaient encore d'une prétendue lettre de l'empereur, qui les rappelait, disaient-ils, pour célébrer une victoire qu'il venait de remporter sur les Perses[151]. Des raisons si frivoles n'excitèrent que l'indignation. Osius employa tous ses efforts pour vaincre ces esprits opiniâtres; il s'avança, de l'aveu du concile, jusqu'à leur proposer de comparaître devant lui seul: que s'ils réussissaient à convaincre Athanase, celui-ci serait déposé; si au contraire ils étaient confondus et qu'ils persistassent cependant à le rejeter, il renoncerait à l'évêché d'Alexandrie et se retirerait en Espagne avec Osius. Athanase acceptait ces conditions quelque injustes qu'elles fussent; mais les Ariens refusaient tout. Enfin s'embarrassant peu d'être condamnés par le concile, parce qu'ils étaient bien assurés que l'empereur ne permettrait pas l'exécution de la sentence, ils se retirèrent sur les confins de la Thrace, à Philippopolis, ville qui appartenait à Constance, et qui n'était séparée du territoire de Sardique, que par le pas de Sucques.

[151] Constance à cette époque était effectivement en Orient, sans doute à cause de la guerre qu'il soutenait contre les Perses. Parti d'Ancyre en Galatie, où il se trouvait le 8 mars 347, il était à Hiérapolis le 11 mai suivant; il ne quitta point l'Orient jusqu'en l'an 348.—S.-M.

XLV. Jugement du concile.

Le concile, ayant perdu toute espérance de les ramener, forma sa décision. Il ne dressa point de nouvelle profession de foi, déclarant qu'il s'en tenait à celle de Nicée. On remit à l'examen le jugement de Jules en faveur d'Athanase. On fit la révision de toutes les pièces du procès à charge et à décharge: on entendit les accusés. La sentence de Jules fut confirmée: Athanase et les autres furent de nouveau absous: on ordonna qu'ils rentreraient en possession de leurs siéges; on cassa les ordinations de Grégoire; et loin de le reconnaître pour évêque, on déclara qu'il ne méritait même pas le nom de chrétien. On prononça la déposition des principaux chefs de la faction arienne. Le concile écrivit quatre lettres synodales: l'une aux empereurs pour les prier de rétablir dans leur premier état les catholiques persécutés, et de réprimer les attentats des magistrats séculiers; il demandait que la foi fût libre, et qu'on n'employât plus les chaînes, les bourreaux, et les tortures pour gêner les consciences. Une autre lettre était adressée à tous les évêques; on les informait de ce qui s'était passé à Sardique, et on les priait d'y souscrire: la lettre écrite à Jules contenait en peu de mots le même récit, et reconnaissait le pape pour chef de l'église. Enfin dans celle qu'on écrivit à l'église d'Alexandrie, on faisait part aux fidèles de la pleine justification d'Athanase; on les exhortait à demeurer constamment attachés à sa communion, et on leur prouvait la nullité de l'ordination de Grégoire. On fit plusieurs canons de discipline, dont quelques-uns sont des titres respectables de la primauté du saint-siége. Ce concile était général dans sa convocation: mais la séparation des orientaux lui ôte la qualité de concile œcuménique.

XLVI. Faux concile de Sardique.

Les évêques retirés à Philippopolis donnèrent à leur assemblée le nom de concile de Sardique, pour en imposer par cette supercherie. L'église d'Afrique n'était pas encore détrompée du temps de saint Augustin, qui, ne connaissant pas le vrai concile de Sardique, ne regardait l'assemblée qui portait le nom de cette ville que comme un conciliabule d'Ariens. Ils dressèrent une profession de foi, captieuse selon leur coutume. Ils envoyèrent leur lettre synodale aux évêques de leur parti. Tous ceux qui avaient été absous par les occidentaux, y sont condamnés; toutes les anciennes calomnies contre Athanase y sont renouvelées; ils excommunient Osius, les principaux évêques catholiques et même le pape Jules. Cette lettre fut aussi adressée aux Donatistes d'Afrique; mais ceux-ci n'adhérèrent point aux erreurs des Ariens, et restèrent attachés à la foi de la consubstantialité. Le concile de Sardique sépara pour quelque-temps l'Orient de l'Occident. Le pas de Sucques fut la borne des deux communions, comme celle des deux empires. Il restait cependant en Orient des orthodoxes; mais ceux-ci, quoique fermes dans la foi de Nicée, évitaient les disputes et communiquaient même avec les Ariens, qui se divisèrent bientôt en plusieurs branches. Les uns prétendaient que le fils de Dieu était d'une substance absolument différente de celle de son père; c'étaient les purs Ariens; on les appela Anoméens; les autres reconnaissaient que le fils était en tout semblable au père, mais ils ne voulaient point qu'on parlât de substance; d'autres admettaient dans le fils une substance semblable, mais non pas la même; ils ne rejetaient que la consubstantialité; ils sont nommés Semi-Ariens; le plus grand nombre voltigeaient sans cesse d'un parti à l'autre, et réglaient leur profession de foi sur les circonstances.

XLVII. Concile de Milan.

C'était la coutume de notifier dans des synodes particuliers les décrets des conciles généraux. L'équivoque du prétendu concile de Sardique rendait dans l'occasion présente cet usage plus indispensable. Constant résidait alors à Milan. Il s'y assembla un concile nombreux, composé des évêques d'Illyrie et d'Italie. Le pape Jules y envoya des légats. On y accepta les décrets du vrai concile de Sardique. Ursacius et Valens retournés à leurs églises, se voyant environnés de prélats orthodoxes, et craignant les suites de l'anathème, dont un prince catholique ne les sauverait pas, vinrent se présenter aux évêques; et plus attachés à leur dignité qu'à leur sentiment, ils abjurèrent l'arianisme par un acte signé de leur main. On leur pardonna, et on les admit à la communion. Deux évêques furent envoyés à Constance pour demander l'exécution du jugement rendu à Sardique, et le rétablissement des prélats bannis. Constant les fit accompagner d'un officier de ses armées, nommé Salianus, recommandable par sa piété et par son amour pour la justice. Il le chargea d'une lettre par laquelle il faisait les mêmes demandes; il menaçait son frère d'employer, s'il en était besoin, la force des armes, pour soutenir une cause si juste.

XLVIII. Députés envoyés à Constance.

Cod. Th. lib. 11, tit. 30, leg. 8.

Themist. or. 2, p. 1.

Idat. chron.

Till. art. 11.

AN 348.

Constance était à Antioche. Il avait quitté Constantinople dès les premiers mois de cette année. En passant par Ancyre[152] il y entendit son panégyrique prononcé par le fameux sophiste Thémistius, qui, après avoir selon l'usage protesté de la vérité de ses éloges, débita beaucoup de mensonges à la louange de l'empereur. Les députés du concile de Sardique s'étaient rendus à Antioche avant Pâques; et ceux du concile de Milan dûrent y arriver avec Salianus au commencement de l'année suivante. Quelques auteurs prétendent que Salia alors consul avec Philippe, est le même que ce Salianus[153]. Mais la dignité consulaire ne paraît guère s'accorder avec cette députation. Philippe, l'autre consul, était d'une famille très-obscure. Un génie souple et intrigant l'avait élevé jusqu'à la charge de préfet d'Orient, qu'il posséda pendant plusieurs années. Il était vendu aux Ariens, et nous le verrons bientôt signaler son zèle en leur faveur par des crimes dont il fut mal récompensé. Constance, naturellement timide, ne reçut pas sans inquiétude les lettres menaçantes de son frère. Mais les Perses lui donnaient alors de plus vives alarmes.

[152] Constance était dans cette ville le 8 mars 347.—S.-M.

[153] Cette opinion est celle de Henri Valois dans une note sur Théodoret, l. 2, c. 8.—S.-M.

XLIX. Guerre de Perse.

Liban. Basil, t. 2, p. 123 et 128-133.

Amm. l. 18, c. 9.

Après le siége de Nisibe, ils étaient convenus d'une trève avec les Romains. Cependant Sapor, dont l'humeur guerrière n'était gênée par aucun scrupule, employait ce temps à faire de nouveaux efforts. Il enrôle tout ce qu'il a de sujets propres à porter les armes; les plus jeunes, pour peu qu'ils paraissent vigoureux, n'en sont pas dispensés. Les villes restent presque désertes. Il n'épargne pas même les femmes, qu'il oblige de suivre l'armée, et de porter le bagage. Il épuise de soldats les nations voisines, qu'il engage par prières, par argent, par force. Tout l'Orient s'ébranle et marche vers le Tigre. Constance de son côté rassemble les forces romaines, se met à leur tête et s'avance pour arrêter ce torrent. Il campe à six lieues[154] du fleuve, et porte des corps de troupes jusque sur les rives. Bientôt la poussière qui s'élève au-delà annonce l'approche des Perses; on entend le bruit des armes et le hennissement des chevaux. Constance, averti par ses coureurs, va lui-même reconnaître l'ennemi; il ordonne aux postes avancés de se replier, et de laisser le passage libre: *N'empêchez pas même les Perses*, leur dit-il, *de prendre un terrain avantageux et de s'y retrancher: tout ce que je souhaite, c'est de les attirer au combat; et tout ce que je crains, c'est qu'ils ne prennent la fuite avant que d'en venir aux mains.* Les Perses profitent de cette confiance; ils jettent trois ponts; ils mettent plusieurs jours et plusieurs nuits à passer le fleuve sans aucune inquiétude; et se retranchent près de Singara[155]. Dans cette ville se trouvait alors un officier de la garde nommé Elien; il n'avait avec lui qu'une troupe de nouvelles milices. Mais il sut leur inspirer tant de courage, qu'étant sortis pendant la nuit ils osèrent sous sa conduite pénétrer jusque dans le camp des Perses; ils les surprirent endormis sous leurs tentes, en égorgèrent un grand nombre, et se retirèrent sans perte avant que d'être reconnus. Cette action rendit ces soldats célèbres; on en composa deux cohortes sous les noms de *Superventores* et de *Præventores*, qui rappelaient leur hardiesse. Elien fut honoré du titre de comte.

[154] A 150 stades selon Libanius, or. 3, t. 2, p. 131. ed. Morel.—S.-M.

[155] Ville au milieu de la Mésopotamie sur les bords du *Chaboras*, actuellement le *Khabour*. On la nomme à présent *Sindjar*.—S.-M.

L. Bataille de Singara.

Liban. Basil. t. 2, p. 130-134.

Jul. or. 1, p. 23 et 24. ed. Spanch.

Eutr. l. 10.

Rufus.

Hier. Chron.

Amm. l. 25, c. 9.

Oros. l. 7, c. 29.

[Socr. l. 2, c. 25.]

Les deux armées se rangèrent en bataille: celle des Perses paraissait innombrable. Elle était composée de soldats de toute espèce; archers à pied et à cheval, frondeurs, fantassins et cavaliers armés de toutes pièces. Les rives, la plaine, la pente des montagnes n'offraient aux yeux qu'une forêt de lances et de javelots. Les gens de trait couvraient les coteaux et bordaient le retranchement: au-devant était rangée la cavalerie; l'infanterie formait l'avant-garde; elle se mit en marche et fit halte hors de la portée du trait; les deux armées restèrent long-temps en présence. On était déja à l'heure de midi, dans les plus grandes chaleurs du mois d'août; et les Romains, sous les armes dès le point du jour, n'étaient pas accoutumés comme les Perses au soleil brûlant de ces climats. Enfin Sapor, s'étant fait élever sur un bouclier pour considérer l'armée ennemie, fut frappé du bel ordre de leur bataille; elle lui parut invincible. C'était un reste de cette ancienne tactique, qui jointe à la sévérité de la discipline avait rendu les Romains maîtres du monde. Sapor savait assez la guerre pour admirer leur ordonnance; mais non pas pour la rompre de vive force, ni pour la rendre inutile par la disposition de ses troupes. Soit crainte, soit stratagème, il fait sonner la retraite, et fuyant lui-même à toute bride avec un gros de cavalerie, il repasse le Tigre et laisse la conduite de l'armée à son fils Narsès, et au plus habile de ses généraux. Les Perses prennent la fuite vers leur camp, pour attirer l'ennemi à la portée des traits prêts à partir de dessus la muraille et les coteaux. Les Romains, au désespoir de les voir échapper, demandent à grands cris le signal du combat. En vain Constance veut les arrêter; ils n'estimaient ni sa capacité ni sa valeur; et malgré ses ordres, ils courent de toutes leurs forces, et arrivent au camp sur le soir, lorsque les Perses y rentraient en désordre. Constance voyant les siens fatigués d'une course de quatre lieues, épuisés par la chaleur et par la soif, fait de nouveaux efforts pour les retenir. La nuit approchait; les archers sur les éminences d'alentour, les cavaliers au pied de la muraille faisaient bonne contenance. Rien n'arrête la fougue du soldat romain; il fond sur cette cavalerie, renverse hommes et chevaux, les assomme à coups de masses d'armes. En un moment le fossé est comblé, les palissades sont arrachées. Ils s'attachent ensuite à la muraille; elle s'écroule jusqu'aux fondements. Les uns pillent les tentes et massacrent tous ceux qui ne peuvent fuir; Narsès est fait prisonnier: les autres courent vers les hauteurs; mais à découvert de toutes parts, ils sont accablés d'une grêle de traits; l'obscurité fait égarer leurs coups; leurs épées déja rompues dans les corps des ennemis refusent de les servir: après avoir perdu leurs meilleurs soldats ils se rejettent dans le camp; là se croyant victorieux, ils allument des feux; et accablés de fatigue, brûlants de soif, ils cherchent de l'eau et ne songent qu'à se désaltérer. Les vaincus, profitant du désordre et favorisés des ténèbres de la nuit, fondent sur eux; ils les percent de traits à la lueur de leurs feux, et les chassent de leur camp. Dans cette affreuse confusion, quelques soldats furieux se jettent sur Narsès; il est fouetté, percé d'aiguillons, et coupé en pièces. Constance, fuyant avec quelques cavaliers, arriva à une méchante bourgade nommée Hibite ou Thébite, à six lieues de Nisibe, où mourant de faim il fut trop heureux de se rassasier d'un morceau de pain qu'il reçut d'une pauvre femme. Le lendemain les Perses, ne sentant que leur perte, repassent le fleuve et rompent les ponts. Sapor, saisi de douleur et de rage, quitta les bords du Tigre, s'arrachant les cheveux, se frappant la tête et pleurant amèrement son fils. Dans l'excès de son désespoir, il fit trancher la tête à plusieurs seigneurs qui lui avaient conseillé la guerre. Telle fut la bataille de Singara, où les rives du Tigre furent tour à tour abreuvées du sang des Perses et des Romains, et où la mauvaise discipline fit perdre aux vainqueurs tout l'avantage que leur avait procuré une bravoure téméraire.

LI. Nouveaux troubles des Donatistes apaisés en Afrique.

Optat. l. 3. de schis. Donat. c. 3-9.

[Athan. apol. ad Const. t. I, p. 297.]

Baronius.

Till. Hist. des Donat. art. 46 et suiv.

En Occident, les Francs étaient tranquilles; et Constant profitait du calme de ses états, pour travailler à rendre la paix à l'église. Étant allé de Milan[156] à Aquilée, il y manda Athanase, et l'engagea ensuite à passer à Trèves. Gratus évêque de Carthage, en allant au concile de Sardique, avait représenté à l'empereur les violences que les Circoncellions ne cessaient de commettre en Afrique. Le prince y envoya deux personnages considérables, nommés Paul et Macarius. Ils étaient chargés de distribuer des aumônes, et de donner leurs soins à ramener les esprits. Donat, faux évêque de Carthage, les rebuta avec insolence, et défendit à ceux de sa communion de recevoir leurs aumônes. Un autre Donat, évêque de Bagaï en Numidie, assembla les Circoncellions; les envoyés de l'empereur, pour se mettre à couvert de leurs insultes, furent obligés de se faire escorter par des soldats que leur donna le comte Silvestre. Quelques-uns de ces soldats ayant été maltraités, leurs camarades malgré les commandants en tirèrent vengeance: ils tuèrent plusieurs Donatistes, entre autres Donat de Bagaï. On employa contre ces sectaires des rigueurs qui furent blâmées des évêques catholiques. Cette conduite trop dure de Paul et de Macarius donna occasion à la secte de les rendre odieux comme persécuteurs, et d'honorer comme martyrs ceux qui perdirent la vie. Mais les commissaires n'excédèrent pas les bornes d'une sévérité légitime en chassant de Carthage le faux évêque Donat, et en traitant de même plusieurs autres évêques obstinés. Une grande partie du peuple rentra dans la communion catholique. Gratus cimenta cette heureuse union par un concile tenu à Carthage; et la tranquillité rétablie dans l'église d'Afrique subsista jusqu'à la mort de Constance.

[156] Il était en cette ville le 17 juin 348.—S.-M.

LII. Violences des Ariens.

Ath. ad monach. t. I, p. 354.

Il était temps que les menaces de Constant arrêtassent en Orient la persécution qui avait redoublé de violence après le concile de Sardique. Les Ariens de Philippopolis, irrités contre les habitants d'Andrinople qui rejetaient leur communion, s'en étaient plaints à Constance; et par les ordres de ce prince le comte Philagrius avait fait trancher la tête à dix laïcs des plus considérables de la ville. L'évêque Lucius fut de nouveau chargé de chaînes, et envoyé en exil, où il mourut. Des diacres, des prêtres, des évêques avaient été les uns proscrits, les autres relégués dans les montagnes de l'Arménie, ou dans les déserts de la Libye. On gardait les portes des villes, pour en interdire l'entrée aux prélats rétablis par le vrai concile. On envoya de la part de l'empereur aux magistrats d'Alexandrie un ordre de faire mourir Athanase, s'il osait se présenter pour rentrer en possession de son siége. On redoublait les fouets, les chaînes, les tortures. Les catholiques fuyaient au désert; quelques-uns feignaient d'apostasier. Ce fut au milieu de ce désordre, que les lettres de Constant vinrent suspendre les coups que son frère portait à l'église.

LIII. Lettre de Constance à S. Athanase.

Socr. l. 2, c. 23.

Soz. l. 3, c. 20.

Philost. l. 3, c. 12.

Constance ne se rendit pas d'abord. Son incertitude lui attira une seconde lettre plus forte que la précédente. Il connaissait le caractère vif et bouillant de son frère; il ne doutait pas que ces menaces réitérées ne fussent bientôt suivies de l'exécution. Dans cet embarras, il assemble plusieurs évêques du parti, et leur demande conseil. Ils sont d'avis de céder, plutôt que de courir les risques d'une guerre civile. L'empereur feint de s'adoucir. Il permet à Paul de retourner à Constantinople. Il invite par lettre Athanase à le venir trouver, lui promettant non-seulement une sûreté entière et le rétablissement dans son église, mais encore les effets les plus réels de sa bienveillance. Il lui témoigne beaucoup de compassion sur ses malheurs, et lui fait des reproches de ce qu'il n'a pas préféré de recourir à lui pour obtenir justice. Cette feinte douceur n'était capable que d'inspirer de nouveaux soupçons. Aussi Athanase ne se pressa pas d'y répondre. Dans ces circonstances on découvrit un horrible complot qui déshonora les Ariens, et qui fit pour quelques moments ouvrir les yeux à leur aveugle protecteur.

LIV. Insigne fourberie d'Étienne, évêque d'Antioche.

Ath. ad monach. t. I, p. 355 et 356.

Theod. l. 2, c. 9-10.

Les deux évêques envoyés avec Salianus à Constance, étaient Vincent de Capoue et Euphratas de Cologne. Étienne évêque d'Antioche résolut de leur ôter tout crédit auprès de l'empereur, et de les perdre d'honneur à la face de toute la terre. Dans ce dessein il trama l'intrigue la plus noire et la plus honteuse. Il avait à ses ordres un jeune homme de la ville, dont il se servait pour maltraiter les catholiques. C'était un scélérat sans pitié et sans pudeur. On lui avait donné le surnom d'Onagre, mot qui signifie âne sauvage, à cause de sa pétulante férocité. L'évêque lui fait part de son dessein, et n'a pas besoin de l'exciter à le remplir. Onagre va trouver une femme publique; il lui dit qu'il est arrivé deux étrangers qui veulent passer la nuit avec elle. Il convient avec quinze brigands semblables à lui, qu'ils se placeront en embuscade autour de la maison où logeaient les deux évêques. La nuit suivante Onagre conduit la courtisane: un domestique qu'il avait corrompu par argent, tenait la porte ouverte. Cette femme se glisse dans la chambre d'Euphratas: c'était un vieillard vénérable; il s'éveille au bruit; et ayant demandé qui c'était, comme il entend la voix d'une femme, il ne doute pas que ce ne soit une illusion du diable, et se recommande à J.-C. Aussitôt Onagre entre avec des flambeaux à la tête de sa troupe. La courtisane, frappée de la vue d'un homme si respectable, et qu'elle reconnaît pour un évêque, s'écrie qu'elle est trompée: on veut lui imposer silence; elle crie plus fort: tous les valets accourent; Vincent qui couchait dans une chambre voisine vient au secours de son collègue: on ferme les portes; on arrête sept de ces misérables: Onagre s'échappe avec les autres. Dès le point du jour les évêques instruisent Salianus de cet attentat; ils vont ensemble au palais; les prélats requièrent un jugement ecclésiastique: Salianus soutient qu'un fait de cette nature est du ressort des tribunaux séculiers; il demande une information juridique: il offre les domestiques des deux évêques pour être appliqués à la question; et comme tout le soupçon tombait sur Étienne dont Onagre était le ministre ordinaire, il exige qu'Étienne représente aussi les siens. Celui-ci le refuse, sous prétexte que ses domestiques étant clercs ne peuvent être mis à la question. L'empereur est d'avis que l'information se fasse dans l'intérieur du palais. On interroge d'abord la courtisane, qui déclare la vérité: on s'adresse ensuite au plus jeune de ceux qui avaient été arrêtés, il découvre tout le complot: Onagre est amené, et proteste qu'il n'a rien fait que par les ordres d'Étienne: cet indigne prélat est aussitôt déposé par les évêques qui se trouvent à Antioche.

LV. Constance invite de nouveau Athanase.

[Athan. apol. cont. Arian. t. I, p. 170.]

Socr. l. 2, c. 23.

Theod. l. 2, c. 10, 11.

Soz. l. 3, c. 19.

L'empereur, irrité d'une si affreuse imposture, rappelle d'exil les prêtres et les diacres d'Alexandrie; il défend d'inquiéter ni les clercs ni les laïcs attachés à l'évêque Athanase. La guerre des Perses qui commença alors à l'occuper tout entier, ne lui fit pas perdre de vue le retour du prélat. Dans sa marche même, étant à Edesse, il lui écrivit une seconde lettre[157], dont il chargea un prêtre d'Alexandrie: c'était apparemment un des exilés qui revenait d'Arménie, et qui s'était présenté à l'empereur. Constance pressait de nouveau le saint évêque; il lui permettait de prendre des voitures publiques pour se faire conduire à la cour. Mais il était de retour à Antioche avant qu'Athanase se fût déterminé à le venir trouver.

[157] Selon Socrate (l. 2, c. 23), Athanase était alors à Aquilée.—S.-M.

AN 349.

LVI. Athanase à Antioche.

Idat. Chron.

Ath. ad. monach. t. I, p. 356 et 357. et apol. contr. Arian. t. I, p. 171-174.

Socr. l. 2, c. 23.

Theod. l. 2, c. 12.

Soz. l. 3, c. 20 et 21.

Phot. vit. Ath. cod. 257.

Grégoire était mort à Alexandrie, et l'empereur n'avait pas permis aux Ariens de lui nommer un successeur. Enfin l'année suivante, sous le consulat de Liménius et de Catulinus, Athanase, pressé par une troisième lettre de Constance, et par celles de plusieurs comtes, dont la bonne foi lui était moins suspecte, se rend à tant de sollicitations. Il va d'abord à Rome trouver le pape Jules qui, transporté d'une sainte joie, écrit à l'église d'Alexandrie pour la féliciter du retour de son évêque. De là il prend la route d'Antioche, où l'empereur affecta de réparer ses injustices passées par l'accueil le plus honorable. La seule grace qui lui fut refusée, ce fut celle de confondre en face ses calomniateurs qui étaient à la cour. Mais le prince lui promit avec serment de ne les plus écouter en son absence. Constance écrit aux Alexandrins, pour les exhorter à la concorde; il leur recommande l'obéissance à leur évêque; il ordonne aux magistrats de punir les réfractaires; il déclare que l'union avec Athanase sera à ses yeux le caractère du bon parti; il enjoint, par un ordre exprès, aux commandants de la ville et de la province, d'annuler et d'effacer des registres publics tous les actes et toutes les procédures faites contre l'évêque et contre ceux de sa communion, et de rétablir le clergé d'Athanase dans tous ses priviléges. On ne peut concevoir comment Constance a pu sans rougir donner à la doctrine et aux mœurs du saint prélat les éloges dont ces lettres sont remplies. Il entrait dans cette conduite plus de crainte de Constant, que de sincérité et de véritable repentir. Aussi voit-on ici ce prince se démentir lui-même. Il était alors, autant que jamais, le jouet des Ariens, qui l'avaient tant de fois trompé. Ce fut à leurs instances qu'ayant un jour fait appeler Athanase: *Vous voyez*, lui dit-il, *tout ce que je fais pour vous; faites à votre tour quelque chose pour moi; je l'attends de votre reconnaissance: de toutes les églises d'Alexandrie, je vous en demande une pour ceux qui ne sont pas de votre communion. Prince*, lui répond Athanase sans se déconcerter, *vous avez le pouvoir d'exécuter ce que vous désirez; mais accordez-moi aussi une grace. Je vous l'accorde*, lui dit aussitôt Constance. *Il y a ici à Antioche*, répliqua Athanase, *beaucoup d'habitants séparés de la communion de l'évêque; il est de votre justice que tout soit égal: donnez-leur une église, comme vous en demandez une pour ceux d'Alexandrie.* Depuis la déposition d'Étienne, l'église d'Antioche était gouvernée par Léonce, qui n'était pas moins livré à l'arianisme; et les catholiques, appelés Eustathiens, étaient en grand nombre. Constance, frappé de la présence d'esprit d'Athanase, ne put lui répondre sans avoir consulté ses oracles ordinaires. Ceux-ci jugèrent que par cette concession mutuelle leur parti perdrait beaucoup plus à Antioche, qu'il ne gagnerait à Alexandrie, tant que leur doctrine y trouverait un si puissant adversaire; et l'empereur se désista de sa demande.

LVII. Retour d'Athanase à Alexandrie.

Ath. apol. contr. Arian. t. I, p. 175-177. ad monach. p. 357-359.

Socr. l. 2, c. 24.

Soz. l. 3, c. 20 et seq.

Phot. vit. Ath. cod. 257.

Pagi, ad Baron.

Dans le voyage d'Antioche à Alexandrie, Athanase fut partout reçu avec honneur. Les évêques, excepté quelques Ariens, s'empressaient à lui témoigner leur respect. La plupart même de ceux qui l'avaient auparavant condamné ou abandonné, revenaient à sa communion. Les prélats de Palestine s'assemblèrent à Jérusalem; ils écrivirent une lettre aux églises d'Égypte, de Libye, d'Alexandrie, pour les assurer qu'ils partageaient leur joie. A son arrivée ce fut une fête par toute l'Égypte, mais une fête vraiment chrétienne. C'était par l'imitation d'Athanase qu'on solennisait son retour. On versait des aumônes abondantes dans le sein des pauvres; les ennemis se réconciliaient; chaque maison semblait une église; Alexandrie tout entière était devenue un temple consacré aux actions de graces, et à la pratique des vertus. Tous les évêques catholiques envoyaient à Athanase et recevaient de lui des lettres de paix. Ursacius et Valens eux-mêmes lui écrivirent d'Aquilée, et lui demandèrent sa communion. Ils venaient de confirmer à Rome, en présence de Jules et de plusieurs évêques, par une nouvelle protestation signée de leur main, l'anathème qu'ils avaient prononcé à Milan contre la doctrine d'Arius; ils avaient de plus, par ce même acte, déclaré fausses et calomnieuses toutes les accusations formées contre Athanase: c'était confesser leur propre crime. L'Église respirait après un orage de plus de sept années. Les évêques exilés étaient rétablis; les Ariens quittaient en tumulte les siéges usurpés; Macédonius, obligé de céder à Paul, ne conserva dans Constantinople qu'une seule église. Cette paix qui était l'ouvrage de Constant, fut bientôt troublée. Elle ne survécut pas à ce prince, dont la mort fut l'effet d'une révolution soudaine, et la cause des plus violentes agitations.

FIN DU LIVRE SIXIÈME ET DU TOME PREMIER.

Milton Keynes UK
Ingram Content Group UK Ltd.
UKHW011136220424
441551UK00006B/605